80 81126
D0269260

CPC UCW
LLYFRGELL
LIBRARY
ABERYSTWYTH

Theodor Storm - Erich Schmidt

Briefwechsel

Kritische Ausgabe

Zweiter Band: 1880—1888

In Verbindung mit der Theodor-Storm-Gesellschaft herausgegeben von

Karl Ernst Laage

ERICH SCHMIDT VERLAG

CIP-Kurztitelaufnahme der Deutschen Bibliothek

Storm, Theodor
[Sammlung]
Briefwechsel : krit. Ausg. / Theodor Storm ; Erich Schmidt. In Verbindung mit d. Theodor-Storm-Ges. hrsg. von Karl Ernst Laage. — Berlin : E. Schmidt.

NE: Schmidt, Erich :

Bd. 2. 1880 — 1888. — 1. Aufl. — 1976.
ISBN 3-503-01211-7

Die Drucklegung wurde durch einen Zuschuß des Kreises Husum (jetzt: Nordfriesland) ermöglicht.

ISBN 3 503 01211 7

Druck: Vereinigte Druckereien Chmielorz & A. W. Hayn's Erben, 1 Berlin 44
Printed in Germany

Gestaltung von Schutzumschlag, Bucheinband und Titelseite durch Willem Hölter

Inhaltsverzeichnis

Bildnachweis

Für die Druckgenehmigung zur Wiedergabe des Fotos von Erich Schmidt und der Seite aus dem Brief Schmidts an Storm danken wir dem Deutschen Literaturarchiv/Schiller-Nationalmuseum in Marbach, für die Genehmigung zur Wiedergabe der Seite aus dem Brief Storms an Schmidt der Schleswig-Holsteinischen Landesbibliothek in Kiel, für die Genehmigung zur Wiedergabe des Storm-Fotos der Theodor-Storm-Gesellschaft in Husum.

Einführung

Der vorliegende zweite und letzte Band dieser Edition enthält die Briefe, die Theodor Storm und Erich Schmidt seit Storms Übersiedlung nach Hademarschen und Schmidts Berufung an die Universität Wien (1880) bis zu Storms Tode (1888) miteinander gewechselt haben. Was die Editionsprinzipien und die Gestaltung des Anmerkungsteils angeht, so gilt das, was in der Einleitung zum I. Band gesagt worden ist.[1] Auch über den Inhalt und die Bedeutung des Briefwechsels ist dort schon gesprochen worden. Trotzdem erscheint es notwendig, auf einige Besonderheiten des II. Bandes hinzuweisen.

Die acht Jahre — von 1880 bis 1888 —, die der vorliegende Band umfaßt, sind im Leben Th. Storms und E. Schmidts wichtige und inhaltsreiche Zeitabschnitte gewesen.

Storms Erwartung, „daß der Poet [in Hademarschen] noch eine neue Periode erlebt"[2], erfüllte sich: er schuf in dieser seiner letzten Lebensepoche 11 Novellen, darunter so bedeutende wie „Der Herr Etatsrat", „Hans und Heinz Kirch", „Zur Chronik von Grieshuus", „Ein Doppelgänger" und „Der Schimmelreiter". Über die Entstehungsgeschichte und Problematik dieser und anderer Novellen erhält der Leser durch die Briefe wichtige Aufschlüsse; auch Textvarianten werden mitgeteilt.

Außerordentlich interessant sind Storms novellentheoretische Äußerungen und das „Vorwort", das er ursprünglich dem 11. und 12. Band seiner Sämtlichen Schriften voranstellen wollte. Sie verdeutlichen Storms Auffassung vom Wesen und von der Form der Novelle. Hier wird die Forschung, unterstützt durch einen ausführlichen Kommentar, neue Materialien für die Geschichte der deutschen Novelle im 19. Jahrhundert finden. Auch die rätselhafte, bisher unbekannte „Zeitungsnotiz", die Storm zu seinem „Vorwort" angeregt hat, konnte abgedruckt werden.

Ein einzigartiges Dokument, das die Werke und das Selbstverständnis des Dichters aus einer neuen Perspektive beleuchtet, sind die kritischen Anmerkungen, die Storm beim Lesen von E. Schmidts Storm-Essay niedergeschrieben und seinem Brief vom September 1881 beigelegt hat (Nr. 80). Besonders aufschluß-

---

[1] Zur Textherstellung vgl. auch den vorliegenden Band Seite 256.

[2] Storm in einem Brief vom 23. 10. 78 an seinen Sohn Karl (bei Gertrud Storm, S. 168).

reich ist dabei Storms Erwiderung auf E. Schmidts Behauptung „Storm will rühren, nicht erschüttern".

Ebenso zahlreich sind Storms Aussagen über seine eigene und über fremde Lyrik. Aufmerksamkeit verdient vor allem die Diskussion über Geibel; sie verdeutlicht Storms Selbsteinschätzung als „letzten Lyriker".

Trotzdem wird durch die Stormbriefe dieser Jahre auch etwas anderes deutlich: die Hoffnung auf eine „Verjüngung des Lebens" (am 13. Sept. 1878 an E. Schmidt) erfüllte sich nur wenige Jahre. Schon 1884 klagt Storm über „große Müdigkeit" (28. 1.), und seit Anfang 1885 vergiftet dauernder Magendruck — Vorbote der tödlichen Krankheit (Magenkrebs) — das Leben des alternden Dichters. „Ich winde mich arbeitend durch den Vormittag", berichtet er E. Schmidt am 11. 7. 1885. Mit Bewunderung und Erschütterung erlebt der Leser, wie die Novellen der letzten Jahre, insbesondere „Der Schimmelreiter", im ständigen Kampf mit den immer mehr zunehmenden Schmerzen dem Tod abgerungen werden.

Im Gegensatz dazu führen die Jahre 1880 bis 1888 Erich Schmidt auf den Höhepunkt seines Lebens. Mit der Berufung als Ordinarius an die Universität Wien und mit der berühmten Antrittsvorlesung am 30. Oktober 1880[3] begann der junge Professor (damals 27 Jahre alt) eine Laufbahn, die ihn bald in die ersten Reihen der Germanisten führte. Im Herbst 1885 wurde er von der Großherzogin Sophie zum Leiter des Goethe-Archivs in Weimar bestellt, und schon Ostern 1887 folgte er seinem plötzlich verstorbenen Lehrer Wilhelm Scherer auf den Lehrstuhl der Germanistik an der Universität Berlin. Mit unermüdlichem Fleiß[4] wurden in diesen Jahren neben unzähligen Rezensionen, kleineren und größeren Aufsätzen (darunter dem Storm-Essay) zwei Bände der Lessing-Monographie (1884 und 1886), der erste Band der „Charakteristiken" (1886), der — von E. Schmidt neu entdeckte — „Urfaust" (1887) und die Edition des „Faust" in der Weimarer Ausgabe (1887/88: Bd. 14 und 15, 1 und 2) veröffentlicht.

---

[3] Abgedruckt unter dem Titel „Wege und Ziele der deutschen Literaturgeschichte. Eine Antrittsvorlesung", in: Charakteristiken I, S. 480—498.

[4] Erich Schmidt hat insgesamt 400 Rezensionen und 1200 Seiten lit. hist. Darstellungen geschrieben sowie 40 lit. hist. Einzel- und Gesamtausgaben betreut (nach F. Homeyer. Ein großer Germanist — Erinnerungen an Erich Schmidt, in: Aus dem Antiquariat 4/1974, S. 121. Beilage zum Börsenblatt des Deutschen Buchhandels, Nr. 34 vom 30. 4. 74). Vgl. die Bibliographie der Schriften von E. Schmidt, die W. Gläser, H. Torneck und U. Pretzel zusammengestellt und dem Briefwechsel W. Scherer — E. Schmidt beigegeben haben (hrsg. von Richter/Lämmert, Berlin: E. Schmidt Verlag 1963, S. 325—362).

Auch das persönliche Leben ist von Glück und Erfolg begleitet. Im Herbst 1880 heiratete E. Schmidt Wally (Valborg) Strecker, und 1884 wurde ein erster Sohn geboren. Bekanntschaften und Freundschaften mit zahllosen hervorragenden Persönlichkeiten, mit Schauspielern, Kritikern und Dichtern, wurden geschlossen. Kurz: es bestätigt sich der Vers, mit dem Storm seinem Freund einen Novellenband widmete: „Du gehst im Sonnen-, ich im Abendlicht" (Anm. 126, 3).

In dem vorliegenden Band werden insgesamt 86 Briefe, Brieffragmente und Postkarten ediert, die in der Mehrzahl bisher unveröffentlicht geblieben sind. Kleinere Abschnitte daraus allerdings waren der Forschung schon durch Pitrou, Köster und Böhme bekannt geworden.[5] Einige Briefe hat auch Goldammer in seiner Briefauswahl abgedruckt.[6] Leider sind 30 Briefe und 10 Briefkarten, die E. Schmidt Storm in den Jahren 1880 bis 1888 geschrieben hat, verlorengegangen. Die Preußische Staatsbibliothek (Berlin) hatte diese Briefe und Karten 1935 von dem Antiquariat H. Meyer und Ernst erworben und dann gegen Ende des letzten Weltkrieges nach Schlesien in die Benediktiner-Abtei Grüssau ausgelagert. Wie sich aus Anfragen bei der Staatsbibliothek in Berlin und bei den Universitätsbibliotheken in Warschau und Breslau (VR Polen) ergab, müssen diese Briefe und Karten als endgültig verloren angesehen werden. Um die Korrespondenz besser verständlich und lesbar zu machen, sind deshalb in den Text der vorliegenden Edition einige Abschnitte aus den verlorengegangenen Briefen, die Storm in anderen Briefen zitiert, aufgenommen worden. Kürzere Zitate und Angaben, die auf den Inhalt der verlorenen Briefe und Postkarten hinweisen, finden sich in den Anmerkungen.

Die Texte der Edition gehen auf die Originalhandschriften zurück, die im Deutschen Literaturarchiv/Schiller-Nationalmuseum in Marbach, in der Schleswig-Holsteinischen Landesbibliothek in Kiel und im Archiv des Westermann-Verlags in Braunschweig aufbewahrt werden. Von diesen und anderen Bibliotheken, aber auch aus Privatbesitz, wurden darüber hinaus für den Kommentar viele — z. T. meist unbekannte — Dokumente und Handschriften zur Verfügung gestellt.

So gilt der Dank des Herausgebers beim Abschluß des II. Bandes den Bibliotheken, die die Originale der Handschriften für diese Edition bereitgestellt und die Erlaubnis zur Veröffentlichung gegeben haben: dem Deutschen Literaturarchiv / Schiller-Nationalmuseum (Marbach), der Schleswig-Holsteinischen Lan-

---

[5] Vgl. die Einführung zum I. Band dieser Ausgabe, S. 11.

[6] Theodor Storm, Briefe, 2 Bde., hrsg. von P. Goldammer, Berlin/Weimar: Aufbau-Verlag 1972 (es handelt sich um die Briefe Nr. 62, 66, 85, 97, 114, 115, 121 [ohne Beilage], 125, 130, 131, 137 unserer Ausgabe).

desbibliothek (Kiel), dem Archiv des Westermann-Verlages (Braunschweig), der Bayerischen Staatsbibliothek (München) und dem Archiv der Theodor-Storm-Gesellschaft (Husum).

Ein Wort des Dankes schuldet der Herausgeber auch den Nachkommen Th. Storms und E. Schmidts, die schwierige Fragen beantwortet und unbekannte Dokumente aus Privatbesitz zur Verfügung gestellt haben, insbesondere Frau Elisabeth Spethmann (Husum), einer Enkelin des Dichters, Frau Paula Storm (Gelsenkirchen), Frau Valborg Boyd, Enkelin E. Schmidts und Erbin der Storm-Briefe (Athens, USA), Frau Ursula Richter (Bonn), Herrn Prof. Dr. Günther Goldschmidt (Rom), einem Sohn von Margarethe Schmidt (vgl. Anm. 142, 32).

Für wertvolle Hinweise und hilfreichen Rat ist Frau Dipl.-Bibliothekarin Frieda Wetzenstein (Kiel), Herrn Prof. Dr. U. Pretzel (Hamburg), Herrn Prof. Dr. E. Burck (Kiel), Herrn Günther Mecklenburg (Inhaber der Autographenhandlung Stargardt in Marburg) und Herrn Bibl.-Amtsrat Werner Kayser (Hamburg) herzlich zu danken.

Ein besonderer Dank aber gilt denen, die die organisatorischen und finanziellen Voraussetzungen für diese Edition geschaffen haben: der Theodor-Storm-Gesellschaft und dem Kreis Husum (heute Kreis Nordfriesland). Eine unentbehrliche Hilfe bei den Korrekturen sind mir meine Frau und Herr Trömel (Husum) gewesen.

Husum,
August 1975

Karl Ernst Laage

61. Storm an Schmidt

Hademarschen bei Hanerau[1] 16 Juni 1880.

Ja, lieber Freund, mir ist, als wäre mir hier die Zeit noch knapper, als in Husum; nun athme ich einen Augenblick auf. Vorgestern setzte ich das „Finis" unter „die Söhne des Senators" und sandte sie an die Rundschau, wo sie im Oktoberheft erscheinen werden.[2] Correctur werde ich schon bald erhalten und Ihnen die Bogen senden, damit Sie in Ihrem Ferienwinkel doch wieder etwas vorzulesen haben, was auch den Ihrigen, zumal der Ihrigen mich wieder ins Gedächtniß ruft. Gestern 2 U. kam mein lieber Freund der Regierungsrath Petersen aus Schleswig (er ist auch mit Heyse u. Keller persönlich befreundet)[3] und Wilhelm Jensen[4], der seine Heimath besucht, und blieben bis 2 U. heute. Und jetzt grüße ich Sie, lieber Freund Erich, recht herzlich, danke für die kleine liebe Sendung[5], unter deren Blättern mir die vermöglichen Leute bei dem geschlachteten Ochsen ganz besonders gefallen, und wünsche allen Segen auf Ihren muthigen Heirathsentschluß herab.[6] — Und wovon wollt Ihr jungen Vögel leben? Das erführe ich denn auch gelegentlich gern, oder ist es, nämlich die Heirath, ein Wagniß unter den *bisherigen* Verhältnissen? Da Sie wissen, wie warmen Antheil ich an Ihrem und Ihrer Wally Leben nehme, so weihen Sie mich wohl etwas in diese Hausgeheimnisse ein.

Mir geht es hier vortrefflich. Von unserer geräumigen Interims-Etage aus (3 Wohn- u. 3 Schlafzimmer)[7] kann ich den Bau meines Hauses mit Behagen betreiben. Das Schieferdach wird eben geschlossen. Das im großen Garten stehende Haus enthält unten 3 mit Flügelthüren verbundene hohe lichte Zimmer von 18 u. 16, 21 u. 21, u. 21 u. 15 Hamburger Fuß[8]; von letzterem tritt man durch eine Glasthür auf eine 9 Fuß breite Terrasse u. hat dann dicht daran die geschlossene ebenso breite u. 17 Fuß lange Veranda, schon unten von diesem Zimmer aus mit der Schau auf Wald und Wiesen und ins weite Land hinaus. So ungefähr: [vgl. Storms hs. Skizze auf der nächsten Seite].
Ueber der (21/15 Fuß) Eßstube, Mauer auf Mauer, ist *mein* Zimmer mit gleichfalls 2 Fenstern nach Osten u. einem einflügligen nach Norden, nach beiden Seiten weite herzerquickliche Aussicht, sei es vom Sopha oder vom Arbeitstische aus; außerdem oben 3 große Schlafstuben 1 kleinere u. Mädchenkammer. Das ganze Grundstück mißt 180 Fuß Breite, 280 Fuß Tiefe. Ich beschreibe Ihnen, liebster Freund, diese durchaus menschenwürdige Wohnung (die Zimmer sind

unten 12, oben 11 F⟨u⟩ß hoch) so genau, damit Sie den Muth fassen, mit der jungen Frau einmal bei uns einzukehren (3 Eisenbahnstunden von Hamburg, täglich 3 Züge, Bahnhof 5 Minuten vom Hause). Nächsten Frühjahr wird eingezogen; der Gemüsegarten trägt schon dieß Jahr in solcher Fülle, daß wir es, wenn nicht 1/2 Hundert Conserven voll gemacht werden, wohl kaum bezwingen können.

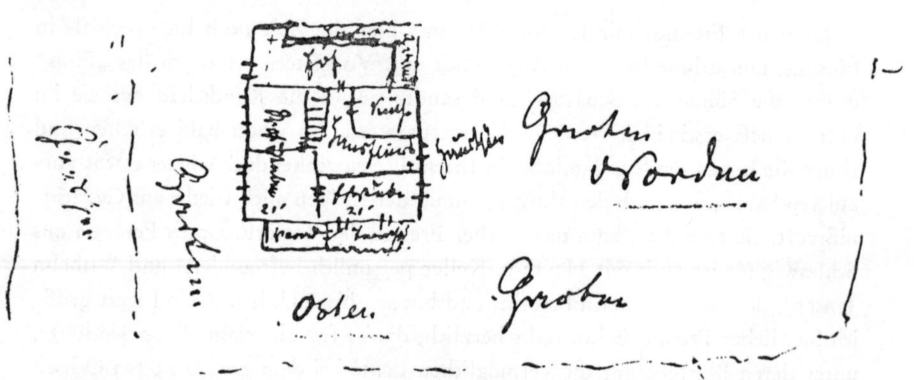

Eine rechte Freude habe ich denn auch schon hier gehabt. Mein Ernst[9] bestand in Berlin am 26 Mai sein Assessor-Examen u. erhielt sofort commissarische Anstellung in Tondern (im Schleswigschen) als Hülfsrichter mit 180 M. monatlich. Ich habe Ursache anzunehmen, dß er sich den Leuten in Berlin in seinem Können und seinem Charakter nach als einen Ueberdurchschnitts-Menschen legitimirt hat. Daß er, der mit großer Liebe an mir u. uns allen hängt, eine durch u. durch vornehme Natur, daß er in der Welt ist, macht mich das kommende böse Alter um Vieles ruhiger erwarten. Schade, daß Sie sich damals verfehlten, als er seines Bruders wegen in Würzburg war.[10] Er sagt mir, daß man bei Wussow's Ihnen ein sehr freundliches Angedenken bewahrt. Zum Herbst wollen meine Frau und ich auf einige Wochen dahin[11], voraussichtlich im Septbr.; vielleicht kommen Sie auf der Hochzeitsreise dann dahin?

Eine Angst, und zwar durch H⟨an⟩s, habe ich auch schon durchgemacht[12]; er hatte plötzlich seine schöne Schiffsarztstelle auf dem „Santos“ gekündigt, um sich in Altona (ohne daß er dazu, wie er es bequem hätte können, Geld zurückgelegt hatte) zu etabliren. Glücklicher Weise lief die Gesellschaft ihm nach, u. er fährt jetzt als Arzt auf einem andren Schiffe derselben. Zur Ruhe wird er wohl niemals kommen, als zu der letzten. Das ist der unter dünner Decke schlummernde auch bis zur letzten mit mir gehende Schmerz meines Lebens. Es ist so Vieles in ihm, was ihm selbst u. den Seinigen Glück und Freude bereiten könnte; er thut mir so unsagbar leid.

Freitag 18 Juni 80

Es ist Sommer, voller Sommer. Gestern in der einsamen Mittagsstunde ging ich nach meinem Grundstück, und konnte mich nicht enthalten in meinem Bau umherzuklettern; auf langer Leiter nach oben, wo nur noch die etwas dünnen Verschalungsbretter lose zwischen den Balken liegen, und wo die Luft frei durch Fensterhöhlen oder scheibenlose Fenster zieht. Ich blieb lange in meiner Zukunftsstube und webte mir Zukunftsträume[a]), indem ich in das sonnige weithin unter mir ausgebreitete Land hinausschaute. Wie köstlich ist es zu leben, bloß zu leben! Wie schmerzlich, daß die Kräfte rückwärts gehen und ans baldige Ende mahnen! Einmal dachte ich, wenn nun die Bretter brächen oder die Sicherheit deiner Hände oder Augen einen verhängnißvollen Augenblick versagten, und man fände den Bauherrn unten liegen als einen stillen Mann. Ich ging recht behutsam nur von einem festen Balken zu dem andern; und draußen flimmerte die Welt im mittagstillen Sonnenschein. Sehen Sie, lieber Freund, so schön erscheint noch heute im 63sten Jahre, trotz alle dem, mir Welt u. Leben! Welche Aussicht für Sie u. Wally!

Meine Frau — sie nennen uns hier das jugendliche Paar, das seine Flitterwochen genießt — liest das vorstehende, u. als sie die letzten Worte liest, ruft sie: „Beneidenswerth, o ja, beneidenswerth!"

Vorgestern hatte ich Brief[13] vom guten Meister Gottfried aus Zürich, worin er mir erzählt, dß sein neuer Novellenkyklus zum Herbst in die Rundschau kommt.

„Mein Schicksalsbuch", schreibt er von seinem „Grünen", ⟨„⟩rückt endlich doch seinem Abschluß entgegen; der 4 Bd ist im Druck, mit den Correcturen freilich noch der definitive Schluß in meiner Hand. Nachdem der abnorme Winter vorbei und kein Grund mehr da war, nicht an dem Zeug zu arbeiten, befiel mich erst wieder eine krankhafte Widerwilligkeit und Scheu, in dem übel angelegten Wesen fortzufahren. Die Arbeit war nicht sowohl schwer, als trübselig, mit offenen Augen in dem Unbedacht und der nicht zu verbessernden Unform eines längst entschwundenen Lebensalters herumbasteln zu müssen. Der bloße Gebrauch von Blaustift u. Scheere wäre das Einfachste u. Glücklichste; allein es wird nichts Fragmentarisches mehr gelitten" etc.

Ich copire Ihnen das, da ich weiß, daß es Sie interessiren wird. Im Uebrigen schreibt er, dß er sich an Gesundheit nichts abgehen lasse.

Anbei auch ein Katalog-Ausschnitt für Sie[14]; in demselben Katalog steht meine Hinkel, G⟨ockel⟩ (und) Gackeleia Ausgabe zu 36 M[15]; ich habe daraus eine Rari-

---

a) Hs: *Zukunftsträumen*

tät „Musäus' moralische Kinderklapper“[16] mit kleinen netten Kupfern erwischt, übrigens nur eine Schnurralie.

Eben erhalte ich einen Brief von Petersen, daß Jensen sich auf dem Rückwege die ganze Zeit vor Behagen über den Besuch bei uns geschüttelt habe.[17] So nett ist es bei uns! Erich u. Wally müssen auch einmal kommen; dann schütteln wir uns vor Behagen und Freude an jungem Liebesleben.

Ihr

Th Storm

[Auf der Rückseite des Briefes nachgetragen:]
Bitte, die Adresse Ihrer Schwiegermutter!

61 a. Beilage zum Brief vom 16. 6. 1880 (Nr. 61)
(Katalogausschnitt für Schmidt)

VII. Deutsche Literatur von 1750 bis zur Gegenwart.
[handschriftlicher Zusatz von Storm]: Antiq. Katalog N. 70 v. K. Th. Völckers, Frankfurt a/M

1863 (Wagner, Heinr. Leop.) Die Reue nach der That, e. Schauspiel. Frankf., Eichenbergische Erben, 1775. Pp. M. Titelvignette. Selten. 15.—

1864 Wagner, H. L., Tagebuch eines Weltmanns. Uebers. v. H. L. Wagner. Frankfurt a.M. bey den Eichenbergischen Erben 1775. M. Titelkpfr. — Des Herrn Grafen Maximilian Joseph v. Lamberg Tagebuch . . . zweites Stück. Uebers. v. H. L. Wagner. Frankf. a. M. 1775. Pp. Selten, von Goedeke nicht erwähnt.
Einige Bl. braunfleckig. 30.—

1865 — Blumenlese, poetische, auf d. Jahr 1777, herausg. v. H. Wagner. Frankf., Joh. Bayrhoffer. Pp. Nicht ganz rein, Höchst selten. 20.—

1866 — Schmidt, Erich, Heinrich Leopold Wagner, Goethe's Jugendgenosse. Jena 1875. br. 1,20

62. Storm an Schmidt

Hademarschen, 26 Juni 80.

Lieber Freund Erich, welch' eine Ueberraschung, da eben die neue „Rundschau“ in's Haus schneit. „Th. St. von E. Schmdt.“[1] Ich habe mir statt Mittagsschlafs einen heißen Kopf dabei herangelesen, und am Ende sind mir die Thränen aus den Augen gestürzt über so viel Herzlichkeit und liebevolles Verständniß.

Ich danke Ihnen recht, recht sehr für diese Arbeit, die Sie[a)] grade publiciren, wo der letzte Act meines bescheidenen Lebens eben begonnen hat. Oder — „danken" ist nicht das richtige Wort dafür; ich — nun Sie verstehen mich ja wohl; Sie haben mir damit eine rechte Freude gemacht. Zum ersten Male ist in Ihrer Arbeit auch der Mannigfaltigkeit meiner Töne Gerechtigkeit widerfahren. Sie schreiben: Th.St. *will* rühren, nicht erschüttern.[2] Ja, lieber Freund, Sie hätten vielleicht richtiger geschrieben *„kann* nicht erschüttern"; denn der Zug meiner Empfindung ging allerdings mitunter dahin; so in „Aquis subm⟨ersus⟩", in „Carsten Curator", so in gewisser Weise in „Waldwinkel" und „Eekenhof". Ich habe in diesen Sachen nicht rühren wollen; ich hatte dazu z.B. bei den ersteren 3 Sachen ein zu herbes Gefühl des unerbittlichen Menschengeschickes in mir. Selbst bei dem „stillen Musikanten" nicht weniger; sein Leben ward mit ihm geboren, und ich dachte eigentlich, dß der Schluß mehr „packen" als rühren sollte. Doch das nebenher. Jedenfalls ist mein künstlerisches Bekenntniß, daß eine aufs Tragische gestellte Novelle, wenn sie ist, wie sie sein soll, so gut wie die Tragödie erschüttern und nicht rühren soll.[3] Allerdings, die Resignation geht mehr aufs Rühren, und freilich fällt dieser ein großer — der größte Theil meiner Sachen anheim.

Und nun — haben Sie nicht einen Abdruck mit möglichstem Rand für mich; ich möchte Ihnen dann kleine Irrthümer berichtigen u. allerlei an die Seite schreiben.[4]

Mit meiner Tochter und meinem winzigen Enkel in Heiligenhafen geht es vortrefflich; meine Frau kommt schon um 8 Tage wieder heim.[5]

Gruß an alle Ihre Lieben!

Ihr

alter Th Storm.

Die „Söhne des Senators" folgen nächstens.[6] Sehr gefreut hat mich die gerechte Verurtheilung der „Wald u. Wasserfreude"; es ist ein ganz zwiespältiges Product.[7] Wie Heyse indessen sagt: Transeat cum ceteris[8]!

63. Schmidt an Storm

Straßburg i.E. 26 VI 80

Verehrtester Freund

Der Ueberfall, von dem der beiliegende Aufsatz[1] zeugt, ganz insgeheim verübt, wird Sie überraschen, aber hoffentlich nicht ärgern. Ich habe die Blätter im Januar

---

a) Hs: *sie*

geschrieben, mit ewigen Unterbrechungen in einer Zeit der Collegienhetze. Bei größerer Muße und Concentration wäre es besser, einheitlicher geworden, doch mußte ich mein Versprechen gegenüber der Redaction erfüllen.[2] Nehmen Sie es als ein ehrliches Glaubensbekenntnis. Ich habe mich bemüht aus Ihrem Sinn heraus zu reproducieren und mir manche Worte angeeignet, die Ihnen[a)] gehören.[3]

Sie sollen im August eine lange Epistel kriegen, jetzt gehts beim besten Willen nicht, so sehr ihr lieber schöner herrlicher Brief — er kam so hübsch am Vorabend meines Geburtstages an — mich zu rascher Herzensergießung drängt. Sie zu besuchen im neuen Hause, dessen Wachsen mir der Bauherr so einladend schildert, ist wahrlich ein lockender Gedanke und wer weiß, nachdem ich Sie in Ihrer Novellenstätte der Rundschau so meuchlings angefallen, ob ich Ihnen nicht nächstes Jahr einmal leibhaft ins Haus falle.

Also wir heiraten im September. Ich hab von der noblen Regierung 500 Thaler Zulage bekommen.

Können Sie mir wol auf 1 Postkarte G Kellers Adresse mittheilen? Vielleicht bekomme ich ein Autograph von ihm, wenn ich ihm den Aufsatz schicke.[4] Zwar — sehr wahrscheinlich bekomme ich keines, aber ich lasse es darauf ankommen.

Für jetzt nur diesen flüchtigen Gruß! An Sie alle.

In steter Treue

Ihr Erich Schmidt

[P.S.:]

Frau Prof. Lina Strecker Würzburg Ludwigstr. 12.

64. Storm an Schmidt (Postkarte)[1]

Hadem⟨arschen⟩ 28/6 Abends

Dank für Ihren Brief[2], lieber Freund. Sie wissen nun ja schon, wie Ihre feine und liebenswürdige Arbeit von mir empfangen ist. Uebrigens habe ich einen Abdruck bis jetzt nicht erhalten, sondern sie in meiner Rundschau gelesen. Zu Ihrem Geburtstag meinen nachträglichen herzlichen Glückwunsch; Sie konnten ihn ja dießmal in der köstlichsten Zuversicht begehen.[3] Für die materielle Aufklärung meinen Dank! „Aus den Wolken muß es fallen" etc.[4] oder ist es dieß Mal mit Stricken herabgezogen? Schreiben Sie mir, wenn Sie erst Ruhe haben, nicht früher. Dann aber! — An Meister Gottfried schreiben Sie einfach „Dr. Gottfried

a) Hs: *ihnen*

Keller in Zürich". Er schrieb mir, dß neulich Dr. Tönnies bei ihm gewesen.[5] — Sonnabend erwarte ich meine Frau zurück; es geht meiner Tochter und dem winzigen nepos möglichst gut.[6]

Ihr

Th St.

Eben kommt der Abdruck.[7]

Ich komme eben von meinem Hause; meine Gäste werden gut Quartier haben. Also!

65. Schmidt an Storm

Kappelrodeck bei Achern,
Baden, 23 VIII 80

Verehrtester Freund

In der Ferienmuße habe ich Ihnen zu schreiben versprochen und nun stecke ich in Unruhe und Unordnung schlimmer denn je, befinde mich aber dabei äußerst wol und steure freudig der neuen Lebensepoche zu. Bald liegen wir vor Anker. Hoffentlich sind Sie in Ihrem Poetenwinkel kein eifriger Zeitungsleser geworden, denn ich möchte Ihnen selbst und zuerst mittheilen, daß ich vor drei Wochen eine Berufung, oder wie die schwatzhaften Tagesblätter sagen „einen ehrenvollen Ruf" an die Wiener Universität erhalten habe. So gerade zur rechten guten Stunde, so daß ich dem unbekannten Ding, das uns leitet von Herzen danke. Sie wissen von mancher Jeremiade her, wie ich mich aus dem anregungslosen Straßburg fortgesehnt habe. Nun soll mir und endlich nicht mir allein bei den wollebigen, frischsinnlichen, kunstfreundlichen Phäaken an der Donau ein neues Dasein anheben und an der großen, freilich von mancherlei bedenklichen Elementen bevölkerten Universität eine neue ausgebreitete Wirksamkeit. Ich war neulich einige Tage in Wien um persönlich alles glatt abzumachen. Der Minister, ein steirischer Krautjunker, erwies sich als ein Pecus[1], undenkbar für solche Stellung in Deutschland, aber Bonhomme und von bequemen Formen. Ich muß nur ein Jahr noch Extraordinarius bleiben, bekomme 2700 fl. Gehalt und 400 jährliche Renumeration als Leiter eines neu zu gründenden Seminars, werde Mitglied der Prüfungscommission, habe über 1000 fl.Collegiengeld zu erwarten, so daß ich 800 fl Miete für eine wunderhübsche Wohnung — in keiner Mietcaserne — nicht zu scheuen brauche und getrost ein „Heim" gründen kann. Das soll auch sehr bald geschehen. Ja, am 6 September, in weniger denn 14 Tagen ist Hochzeit und der 4½ jährige Brautstand hat ein Ende. Eigentlich wollte ich mir die Ceremonie der kirchlichen Trauung ersparen, weil ich zu hoch von dem Brauch denke um ihn ohne gläubige innere Betheiligung mitzumachen, aber alle Welt bedrängte die Frauen zu Würzburg mit einem Zetergeschrei, so daß ich nicht durch eine Ausnahmestellung den Schein des Trotzes oder freisinniger Prahlerei auf mich laden möchte. Wir werden nun in derselben Stube getraut, in welcher Sie einst hausten.[2] Ich werde nie vergessen, wie Sie[a)] einmal Claudiussche Lieder vorlasen und Ihr Hans seiner Bewunderung so derb Luft schaffte: „Vater, wer das nicht schön findet, das muß ein Vieh sein."

Noch habe ich Ihnen nicht für „Die Söhne des Senators"[3] gedankt! Wie ist da wieder ein oft behandelter Gegenstand ganz apart und zugleich ohne jede Effect- und Originalitätshascherei behandelt. Im ersten Augenblick schien mir der Streit zu sehr vom Zaun gebrochen, aber ich leistete gleich Widerruf: so ists im Leben und Sie haben ja alles durch die Charakteristik Friedrichs sorglich motiviert. Famos sein Unbehagen im Gespräch mit dem Hausdrachen, die Scene im Comptoir, Friedrichs einsames Emporstarren zu den festlich erleuchteten Räumen, die Krone die letzte ganz reizende Gartenscene „Komm röwer".

Wol möglich übrigens, daß ich einmal zu Ihnen röwerkomme, um Haus und Garten zu mustern und Sie im lieben Kreise wiederzusehen. Ich würde mich dann auch vor Behagen schütteln wie Freund Jensen.[4] Man hat mich zu einem Vortrag in Hamburg eingeladen (300 m⟨ark⟩ und freie Reise), für den November. Da gehts nicht, doch habe ich mich für den nächsten März zur Verfügung gestellt. Dann schützt Sie nichts vor einem Ueberfall.

Keller schrieb mir ein paar schöne Worte. Er wünscht Ihnen, daß Sie noch lang „am Gastmahl des Lebens sitzen".[5] Würden wir nur nicht immer weiter von einander gerückt! Sehr zustimmend hat sich Heyse über meinen Aufsatz geäußert[6] — ich weiß wol, daß die beiden und gewiß viele andre mit dem Auge der Liebe zum Helden lasen und darüber vergaßen die Blätter unter die scharfe Lupe zu legen. Wiener Freunde haben mir im Gespräch von neuem bestätigt, wie lieb Sie den Österreichern sind. Darin sind denn Nord und Süd nicht zu trennen.

Das wäre der letzte Junggesellenbrief an Sie!

Mit herzlichen Grüßen an Sie und die Ihrigen

treulichst Erich Schmidt

[Nachschrift:]

bleibe bis 2. Sept. hier

— 6 „ Würzburg, Ludwigstr. 12

---

a) Hs: *sie*

11. Sept — 30.	Graz Steiermark Universitätsbuchhandlung Leuschner u. Lubensky
1. Okt. ff.	Wien III Hauptstr. 88.

66. Storm an Schmidt

Hademarschen 4 Septbr 80.

Da sitze ich vor Ihrem Jubelbrief, lieber Freund Erich; „Hochzeit wird gehalten!" Und wieder fällt mir das Bild ein, das ich einst bei dem alten Schleswiger Buchhändler im Husumer Michaelismarkt sah, wo er in der Quarta der alten Gelehrtenschule seine Bücher und Bilder auszulegen und an der Wand herumzuhängen pflegte. Theodor Mommsen, der mich besuchte, war mit mir dort.[1] Das Bild, das ich später vergebens zu erjagen suchte, habe ich schon anderswo beschrieben.[2] In einer weiten unbegrenzten Gegend stand auf seinen Stab gelehnt ein junger Hirte, wie wir uns die Menschen nach den ersten Tagen der Weltschöpfung zu denken gewohnt sind; zu seinen Füßen saß, die Hände um die Knie gelegt, ein schönes junges Weib; ihre großen Augen blickten in seliger Gelassenheit in die morgenhelle Einsamkeit hinaus. Die Gegend war einfach, aber die Kräuter blühten, man fühlte es, kein Lüftchen regte sich, ein erster junger Frühlingsmorgen lag über den stillen Fluren; kein Lebendiges außer den beiden jugendlichen Menschen; der junge Hirte sah auf sie hinab —

Darunter stand: „Seuls sur la terre".
Ich denk' an Euch, da ich des Bilds gedenke,
Im Weltenall nur sie und er —
Was braucht's des Glückes und der Wünsche mehr!

Mommsen sagte damals: „Das ist auch ein Leben; aber es gehört viel Energie dazu." Sie gehört zu jeder guten Ehe; aber ich getraue, daß Sie auch nach der Richtung Ihr glücklich Theil empfangen haben. Zunächst steht Ihnen und Ihrer jungen Genossin das selige: „Seuls sur la terre" bevor, das freilich, wie alles Schöne, sehr bald zu einer Erinnerung verblüht; aber wenn eine solide Ehe darauf folgt, so ist noch Glückes genug. Und so geht denn miteinander zu Freud und Leid, und nehmt den Händedruck des alten theilnehmenden Freundes mit auf Euren Weg! Und wenn wir beiderseits leben, dann hoffe ich im März auf den Besuch des jungen Ehepaares. —

In p⟨un⟩cto der kirchlichen Trauung gebe ich den zeterschreienden Würzburger Frauen recht; wenn auch vielleicht nicht in deren Sinne. Es ging mir bei meiner ersten Trauung ähnlich wie Ihnen[4], so daß man, obgleich derzeit noch keine Civiltrauung existirte, doch allerlei dahineinschlagende Noth mit mir hatte. Aber alles Vergängliche ist nur ein Gleichniß[5], und, wir würden bald aller, doch so nothwendigen, Formen entbehren, wenn das Verlangen durchstehen sollte, dß sie sich genau mit jedem subjectiven Inhalt decken. Und diese alte Form ist im Bewußtsein des Volkes noch nicht beseitigt.

Mich anlangend — freilich gehöre *ich* eigentlich nicht in den heutigen Brief, so ist mir mitunter, als werde der Wunsch des guten Meister Gottfrieds nicht ⟨in⟩ Erfüllung gehen[6]; und dann betrachte ich die Steinmasse meines Neubaues mit etwas trüben Augen; aber mir ⟨ist⟩, als fühlte ich meine Kräfte deutlicher als sonst sinken; ich erfinde sogar „Seelen zu Novellen", schöne Conflicte, aber es sind nur Gedanken, die Anschauungen, welche die Fabel bilden sollen⟨,⟩ kommen nicht; und das ist sehr bedenklich, wenn sich die Ordnung der Dinge so verkehrt. Freilich drückt mich zur Zeit allerlei Schweres: H⟨an⟩s![7] — ich schweige davon; außerdem eine, freilich ungefährliche, Operation, der meine Frau entgegengeht etc. etc.

Lieber Freund, verzeihen Sie diese letzte Klage, sie gehört nicht in Ihren Freudentag, wenn nicht vielleicht der Schatten das Licht noch höher strahlen läßt. Aber wenn auch bei mir Niedergang, bei Ihnen Aufgang, so ist das ja eben das Tröstliche bei der Sache.

Ernst[8] war einige Ferienwochen hier; er wirkt als Hülfsrichter in Tondern; auch mit den andern Kindern ist es gut.

Und nun küssen Sie Ihre Wally; und seid so glücklich, als es Menschen möglich ist!

Ihr alter

Th Storm.

Meine Frau grüßt Sie u. Wally auf das Herzlichste.

67. Schmidt an Storm

Wien III Hauptstraße 88
2. Nov. 1880

Verehrtester Freund

„Allerseelen!" Aber ich bin in keines der vielen Theater gepilgert, wo heute Raupachs alter Müller und sein Kind[1] wieder einmal die üblichen Weinerfolge erntet; ich denke auch im jungen Glück lieber an die guten treuen Seelen, die man sich so gern zugethan und verbunden weiß.

Hochzeitsreise, erste Flitterwochen, holdes Nichtsthun, da wir in Feiertagskleidern durch den Spätsommerglanz der steirischen Landschaft strichen, das ist nun vorbei, vorbei auch die Packerei und Plackerei auf den Zollämtern, das Räumen und Pochen — wir sind wirklich daheim, in den behaglichsten Räumen, in schönster Ordnung, umgeben von vielen Liebeszeichen, unter denen wir nur noch das verheißene Stormbild vermissen. Halten Sie ja Wort! Es ist ihm schon ein Ehrenplatz zugedacht. Könnten wir Sie doch einmal hier bei uns haben! Was wollen wir denn mit 6 Zimmern machen, wenn nicht öfters liebe Gäste einkehren. Bertha[2] war schon da.

Am häuslichen Herd sitzt es sich gar warm; ich freue mich innig ihn nach langem Warten gefunden zu haben. Wir leben recht sparsam und sind immer zufrieden „allein in der Welt" oder auch umrauscht von großstädtischer Bewegung. Es ist schön hier. Für den Sommer haben wir den Prater ganz nahe. Wir haben alles gut getroffen. Factotum Resi, ein Kind Mährens, versalzt keine Suppe, der k. k. privileg⟨ierte⟩ Seifenfabrikant „Herr *von* Fischer", unser Hausgebieter, übertrifft an heiterer Liebenswürdigkeit den berühmtesten seiner Collegen, Johann den munteren.[3]

Allein die Theater müßten Sie einmal hierher locken. Soll Ihnen urwüchsige Wiener Komik das Zwerchfell erschüttern, so führen wir Sie ins Carltheater, soll der Hauch echtester Schauspielkunst Sie streifen, so wandern wir durch eine schmale Pforte und winklige enge Gänge in die Burg. Und wenn Sie von der Partie sind, gehen wir nicht, um bewundernd zu schwitzen, in den 4. Stock. Wir haben schon Großartiges gesehen: Hamlet; Götz (ein Georg zum Küssen und Adelheid-Wolter[4] macht auch in der Sterbescene das Blut gerinnen), Wintermärchen. Diese Künstler tragen verfehlte Stücke auf starken Schultern neuschöpferisch ans krönende Ziel; das merkte ich bei Grillparzers sogenanntem Lustspiel Weh dem der lügt.[5] Wenn ich nur öfter hinein könnte, um zu genießen und zu lernen, denn mir sind ganz neue Lichter aufgegangen. Der beste Franz Moor, den ich mir denken kann, Lewinsky[6], spielt in meinem Colleg den aufmerksamen Zuhörer. Überhaupt kann ich mit meinem Erfolg sehr zufrieden sein und erfreue mich bei dem tumultuarischen Völkchen der Wiener Studenten schon einer gewissen Popularität, wofür über 150 Zuhörer zeugen. Die alte Universität ist ein solch dunstiges dusteres Jesuitenbauwerk, daß ich von 12—1 bei Gaslicht lesen muß. Dagegen wird die neue prachtvoll und bietet schon jetzt mit dem neuen Burgtheater, den Museen, dem goth⟨ischen⟩ Rathhaus einen herrlichen Anblick. Ich mag gar nicht mehr an Straßburgs Wüstenei denken, nur meine Eltern, meine Studenten, meine paar Freunde sind unvergessen.

Für deutsche Litteratur ist hier viel zu thun. Meine erste Prüfungscampagne vorige Woche hat grausige Resultate geliefert und ich werde eine Reihe Curiosa zum übelriechenden Strauß binden, um selbigen dem Ministerio unter die Nase zu halten. So ein Student weiß Ihnen kein Werk Herders oder Wielands zu nennen, bezeichnet die Braut v. Mess⟨ina⟩ als Schillers Erstlingswerk, antwortet auf die Frage nach Goethes Romanen Des Meisters Wahlverwandtschaften, läßt den Nathan im 5füß⟨igen⟩ Dithyrambus abgefaßt sein. Andererseits wimmelt es von faden Schöngeistern, die so ein bischen herumnaschen. Heute war gar der Dichter von Weilen[7] bei mir. Von ihm und dem sel⟨igen⟩ Mosenthal[8] pflegt mein witziger Kneipgenosse, der Feuilletonist Spitzer[9] zu sagen: die Dichter der inneren Stadt, die in den weitesten Kreisen — zu Mittagessen eingeladen werden. Für Sie brauche ich bei den Gebildeten keine Propaganda zu machen, denn man liest Sie, kennt Sie, liebt Sie. In mehr als einem Hause sah ich schon Ihre Werke.

Kennen Sie Heinrich Leutholds Gedichte?![10] Da ist Ausbeute für das „Hausbuch". Trotzig, düster, sinnlich, vieles — sei es in antiker oder moderner Form — von entzückendem Wollaut.

Sonst habe ich gar nichts Neues gelesen oder auch nur gesehen. Nehmen Sie mit diesen ersten Wiener Schmieralien fürlieb. Wir erwarten einen alten Grazer Klippschulgenossen zu Gast. Ich schreibe Ihnen später gesammelter.

Viele Grüße von Haus zu Haus! Wie gern schreibe ich so.

In Treue

Ihr Erich Schmidt.

68. Storm an Schmidt

Husum (in Gedanken hingeschrieben, ich mag's nicht ausstreichen)

Hademarschen, Novbr 1880.

Meine lieben jungen Freunde, zunächst auf Ihre freundschaftliche Nachfrage, daß ich nach Möglichkeit streben werde, mein altes Conterfey baldmöglich an das ihm bestimmte Plätzchen zu bringen. Hier ist es natürlich nicht zu beschaffen; hoffentlich gelingt es mir nächstens in Heide, sonst aber spätesten⟨s⟩ in Husum, das meine Frau und ich Anfang Januar (im eigentlichen Sinne) *heim*suchen werden. —

Daß Sie sogar auf Ihrer Hochzeitsreise meines Geburtstags gedachten, das, lieber Freund Erich, habe ich tief in mein altes narbiges Herz geschrieben.[1] Und ich danke überdieß für die vortrefflichen Stiche meines lieben Meisters Daniel.[2] Das Glück und die wohlbegründete Zufriedenheit, die Ihr letztes Schreiben athmet, vergoldete mir wirklich den ganzen Tag, an dem ich es empfing. Ja, wenn Wien für uns hier nicht so sehr aus der Welt wäre, wie gern käme ich einmal, und — wenn's mir noch ein paar Jahre gut geht, wer weiß! Vorläufig erwarten wir Sie hier bei Gelegenheit der Hamburger Vorlesung; schreiben Sie mir doch noch einmal in Ihrem nächsten Briefe, daß das ganz gewiß ist. Ich wiederhole, es ist nur 3 Eisenbahnstunden von H⟨a⟩mb⟨ur⟩g zu uns. — Was mir eine g*anz* besondre Freude gemacht hat, das ist der Erfolg Ihrer Vorlesungen, und nett, daß auch der Mime zu Ihren[a)] Füßen sitzt. Ist Ihre Wally nicht ganz stolz auf ihren jungen Mann?

In p⟨un⟩cto Leuthold bin ich nicht ganz Ihrer Meinung. Sehen Sie sich die Sachen doch noch einmal an! Ja, wo er einem vorgefundenen Inhalt seine Form leiht, wie z. B. bei dem Chor des Sophokles![3] Er deutet es an zwei verschiedenen Stellen selbst an, was ihm fehlt; einmal das „Tirili", der Naturlaut der eigentlichen Lyrik[4]; und für diesen Mangel bietet mir das, was er in seinem „vornehmen Mantel" birgt, doch keinen rechten Ersatz; es ist zu subjectiv, wie bei Platen[5], zu sehr mit dem schließlich doch unzulänglichen Ich beschäftigt; es leuchtet nirgends eine volle Herzenswärme, wie bei Hölderlin[6], der — wenn es denn einmal der „vornehme Mantel" sein soll — mein Mann ist u. bleibt. Doch citiren Sie mir immerhin, was Ihnen außer dem Sophokles-Chor imponirt hat; Sie wissen, ich nehme guten Rath an.

Vor 8 Tagen hab ich denn auch wieder ein wenig zu pinseln begonnen, d. h. zu einem vor ein paar Jahren hingeschriebenen Anfang: „Also Sie haben die Bestie noch in Person gekannt" haben sich unvermuthet die Scenen eingefunden, und das wunderliche skizzenhafte Ding möchte wohl zu Weihnachten aufs Papier kommen.[7] Ich dachte schon, ich hätte diese Fähigkeit ganz eingebüßt: solch Haus bauen und kleine Landschaftsgärtnerei treiben, wobei es fortwährend, u. in nicht recht übersehbarer Weise auf den sehr übersehbaren Geldbeutel losgeht, keltert den Menschen schließlich aus. Auch meine Brieffeder erlahmte. — Meine siebzehnjährige Ebbe[8] spielt eben in der zweiten Stube von mir Chopin.

„Wär' ich hier nur nicht gegangen im Mai —
Leben und Liebe, wie flog es vorbei!"[9]

Sie, lieber Freund, sitzen mitten drin; wenn Sie solche Verse geschrieben hätten, Sie würden Ihnen auch beim Chopin nicht einfallen. Mir greift er immer ins Herz.

---

a) Hs: *ihnen*

Für heute nicht mehr; wir sollen zu Abend essen, und meine liebe Nichte „Lute Hademarschen" (zum Unterschied von meiner „Lute Husum")[10] ist mit ihrer Weihnachtsarbeit auch da. Also — auf morgen!

— Nicht „morgen" geschah es; es sind vielmehr schon mehrere Tage seitdem, und heute ist der 23ste Novbr.

Also ich wollte noch Einiges beifügen:

Zunächst, daß mein Hülfsrichter in Tondern, Ernst Storm, der dort, wie ich glaube auf dem Amtsgericht einen ziemlichen Augiasstall auszufegen hat, aber auch der Mann dazu ist, mir vor 8 Tagen schreibt: „Lieber Vater, ich habe mich mit einem ganz armen 17 jährigen blonden Mädchen verlobt", und an seine nächstjüngste Schwester, Gertrud: „Schließ sie in Dein Herz; sie ist gut, wahrhaftig und klug." So machen's meine Kinder alle, immer nur mit Herz und Phantasie gefreit, niemals mit dem Kopf, auch nicht das lumpigste Rittergut baumelt daran. Sie ist die Tochter des Musiklehrers am Tondernschen Seminar und heißt Marie Krause.[11] Vor der älteren schönen 19 jährigen Schwester war er scherzweise gewarnt; da nimmt er sich nun die weniger hübsche jüngere. Weihnacht haben wir das Gesindel denn in Person. Uebrigens ist es sehr nett, so eine erste kleine Schwiegertochter; sie schreibt auch einen allerliebsten Brief, und der von Ernst schloß neulich „Nun geh ich zu meiner kleinen demüthigen Braut!"

Zu diesem Sonnenschein — denn das ist es mir, trotz der bescheidenen äußeren Verhältnisse — gesellt sich auch noch ein Sonnenschimmer von Hans. Er war diesen Sommer außer Condition[12], hatte auf dem einen Schiff die Arztstelle selbgekündigt, das, worauf er dann fuhr, gebrauchte keinen Arzt mehr. Er hatte sich mir entfremdet, und, da er bei Zeiten nicht gespart, so gerieth er in Hamb⟨ur⟩g in einen ziemlichen Nothstand; da rief ich ihn nach Haus, und er lebte 3 Wochen mal wieder in der Familie. Das brüderliche Haus that das Seinige dazu, ihn recht wieder warm zu machen. Er wurde sichtbar von der bittern Sehnsucht ergriffen, auch noch einmal einem guten Familienleben u. den Seinen wieder anzugehören. Mittlerweile (8 Tage war ich zu dem Ende auch in Hamb⟨ur⟩g), hatten wir es fertig gebracht, ihm eine Arztstelle auf den Schiffen des Rotterdamer Lloyd zu verschaffen.[13] Und jetzt macht er (er ist v. König v. Holland förmlich bestallt) seine erste Reise nach Batavia, erhält außer freier Station u. 30 fl (a 1 M 70 ₰) für Getränk monatlich 150 fl u. für übergeführte Truppen, dieß Mal 50 Mann, 3 fl. p. Kopf; er kann also in ein paar Jahren genügend erwerben, um eine neue Festlandstellung sich zu gründen. Meine Auslagen zu seiner neuen Ausrüstung, so weit ich sie ihm nicht schenkte, schickte er mir von dem empfangenen Vorschuß sofort von Rotterdam zurück und sendet interessante Reiseberichte, zuletzt von Suez, sorgfältig angebend, wie wir unsre Briefe dirigiren sollen. In seinem ersten Brief schrieb er[14]: „Lene (seine Cousine hier) meinte, ich sollte wieder einmal ein Gedicht machen. Heute Nacht that ich es; hier ist es; vielleicht findet es Beifall:

Tropisch Regen niedertroff,
Tropfbarer Verjüngungsstoff;
Tropisch tropft der Regen nieder
Und verjüngt die Erde wieder.
Also zeitigt mein Gemüthe
Vollen Lebens kräft'ge Blüthe,
Wenn die Hoffnung warm tropft nieder
Und verjüngt das Herz mir wieder. —"

Das sind nicht nur sehr eigenthümliche und schöne Verse; das ist auch eine warme „Herzensoffenbarung".

Dennoch — ich bin kein Hans Hoffegut. Mitte Februar langt das Schiff, das 2 Oktb. abgegangen (v. Batavia) wieder in Rotterdam an. Hoffentlich kommt er dann eine Zeitlang nach Haus und bringt silberne Bausteine für seine Zukunft mit.

Wie gesagt, ich hoffe nicht zu sehr, so schön es wäre, wenn er, der im Grunde zum Familienmenschen geschaffen ist, uns wiedergewonnen würde. Jedenfalls — die Jagd des Lebens steht doch einmal still.[15]

Meine Correspondenz mit der Holländ. Gesandtschaft in Berlin brachte mir später noch einen liebenswürdigen Brief des Gesandten Rochussen ein: „Wenn seine Vermuthung richtig sei, daß der etc identisch sei mit dem ber⟨ühmten⟩ deutsch⟨en⟩ Dichter Th. St., dem er so manche angenehme u. anregende Stunde verdanke, so schätze er sich glücklich in der Lage gewesen zu sein, demselben diesen, leider, nur so geringfügigen Dienst zu erweisen."

So etwas freut einen doch; ebenso, daß ich an meinem Geburtstage von ganz Unbekannten, vom südlichen Ende Deutschlands aus Steyermark und aus einem Esthländischen Pfarrhause die liebenswürdigsten Glückwünsche bekam. Am Ende meines Lebens sehe ich denn doch, dß ich mich zwar langsam, aber allmählich denn doch wirklich in das Herz unseres Volkes hineingeschrieben habe.

Aber — jetzt nicht mehr! Doch, noch ein curiosum! Vor ein paar Tagen (ebenso aus der Schweiz) erhalte ich aus Paris einen mich betreffenden Artikel eines biographischen Lexicons zur Revision; darin waren die „Zerstreuten Kapitel" mit „Le capital dissipé" übersetzt.[16]

So — „nun sing nicht weiter Sängersmann"! Herzliche, ganz außerordentlich herzliche Grüße an Frau Wally! O wie gern wär' ich einmal bei Ihnen, grade bei Ihnen; da wär' auch mein Herz zu Hause! Vorläufig — zu Weihnachten müssen Sie mir das schenken d. h. schreiben — kommen Sie nach Neujahr hieher! Später mit Ihrer Wally einmal auf einer Ferien-Nordlandsfahrt, und machen dabei gründlich Halt bei

Ihrem alten Freunde

Th Storm

Noch Eins! Meine Lucie hat in Oeynhausen (sie war wegen Gesichtsschmerzen da) einen längeren Artikel in den Grenzboten über mich gelesen.[17] Kennen Sie ihn? Von wem ist er? In welchem Heft? In den Sommermonaten ist es gewesen.

69. Storm an Schmidt (Postkarte)[1]

Hademarschen, 18. Dezbr. [1880][2]

Vorläufig, lieber Freund nur die Nachricht, dß ich mich dieser Tage in Heide (Dithmarschens Hauptstadt) in verschiedenen Aufnahmen photographiren ließ. Ich erwarte täglich Probe-Abdrucke, u. hoffe mich spätstens zwischen Weihnacht u. Neujahr in effigie[3] bei Ihnen einzustellen. Ich habe zugleich, um die brieflichen Nach- u. Anfragen um mein Bild abzustellen dem Mann erlaubt, mich in den Handel zu bringen. Wissen Sie etwa in Wien eine Buchhandl⟨un⟩g, mit der er sich dort in V⟨er⟩bindung setzen könnte? — Zunächst folgen anbei für Frau Wally „Die Söhne".[4] Einen Brief erhalten Sie wohl erst nach Weihnachten, da es in der großen Familie im Fest viel Trubel giebt; Ernst kommt ja dann auch mit seiner 17 jährigen Braut, von der wir viel Freundliches auch von Andern hörten. — Ich habe mir, trotzdem ich selbst, besonders als Lyriker, recht schlecht darin behandelt werde, das unvergleichliche literärgeschichtliche Bilderbuch „Königs sogen⟨annte⟩ Literaturgeschichte"[5], unvergleichlich besonders in der neuesten Aufl., ⟨angeschafft⟩. Was man sonst von dem Mann sagen mag; die Zusammenstell⟨un⟩g der Illustrationen ist höchst schätzenswerth u. doch sein Einfall u. sein Werk. — Also zunächst Ihnen u. Frau Wally frohe Feiertage, von uns Allen! Und — nach Neujahr sehen wir Sie[a)] hier, das ist mein Neujahrswunsch.

Ihr

Th St.

[a)] Hs: *sie*

70. Schmidt an Storm

29 XII 80
Wien III Hauptstr. 88.
[Vermerk in Storms Handschrift:] beantw. 3/1. 81.

Verehrter Freund

Dies Mal hinke ich mit meinen paar Chodowieckis, die ich Ihnen wie einen fälligen Tribut alljährlich darbringe[1], beträchtlich nach, aber „im Getrieb der Großstadt entschwindet die Einzelbestimmung" wie mir Auerbach[2] einmal in Berlin so Auerbachisch schrieb. Frau Wally hat sich über die Söhne des Senators[3] ungemein gefreut und das schmucke Büchlein mit Stolz auf unseren kleinen Weihnachtstisch gelegt. Viele Gaben paradirten da nicht, aber doch war bei uns jungen Eheleuten das rechte echte Weihnachtsglück eingekehrt. Wie schön muß es bei Ihnen gewesen sein, als der Sohn seine Braut mitbrachte. Ich erinnere mich da an ein hübsches Weihnachtsabenteuer, das sich in Graz abspielte. Ein weitläufiger Bekannter von mir liebte ein reizendes Mädchen, das auf der Bühne die Naiven agirte und wirklich ein reines anmuthiges Kind war. Aber seine Leute, reich und angesehen, wollten von dem Theaterprinzeßchen gar nichts wissen. So schlich denn der gute Junge recht gedrückt herum und sah der gnadenbringenden Weihnacht unmuthig entgegen, denn das liebste Geschenk war ihm versagt. Als das bekannte lockende Klingling ertönte, schritt er verdrossen hinein zur Bescherung — das sitzt seine Holde wie eine kleine Fee angethan verschämt unter dem Christbaum und rasch zog er, so von den Eltern aufs schönste überrascht, die Braut an sein Herz. Ist das nicht ein ganz hübsches Motiv für eine Weihnachtsnovelle?

Nach Hademarschen in die casa santa Storm komme ich so bald nicht, denn die dummen Hamburger konnten mich nur im November brauchen, wo ich den neuen Posten nicht verlassen durfte. Bis in den März ließ sich der Vortrag leider nicht verschieben. So hoffe ich nun auf den nächsten Winter.[4]

Wir haben geräuschvolle Wochen hinter uns, waren viel ausgebeten sowol in angeregte Cirkel als zu großen Abfütterungen, dem Tod geselligen Vergnügens. Eine oder die andre interessante Figur taucht immer auf, sei es auch nur damit man sich über sie ärgre. So brachte mich neulich die geschwollene Großthuerei des mystischen Philosophiepoeten Siegfried Lipiner[5] gewaltig in Harnisch und ich sagte ihm ins Gesicht, mir sei bei seinem ungegohrenen Renatus so schwindlig geworden, dß ich es beim 1. Gesang habe bewenden lassen. Alfred Meißner[6] habe ich auch wieder getroffen u. mich an seinem Haß gegen Goethe ergötzt. Ein kleiner Geist, der nur noch Futter für die Leihbibliotheken schneidet.

Vorige Woche habe ich mich über Ebers' Kaiser hergemacht mit entsetzlicher Langerweile und dann eine bitterböse Recension geschrieben[7], die ich Ihnen nächstens zusenden werde. Armes Publikum, das dieser poetischen Impotenz hofirt. Aber die Bücher gehn ab wie frische Semmeln; auch will der Mann nur sein glattes Weihn⟨achts⟩geschäft machen. Da ist Freytag, obwol ich das Mühsame im jüngsten Band der Ahnen[8] nicht verkenne, doch ein andrer Kerl! Der Ebers ist neben der Gartenlaube doch einer der gemeinschädlichsten Geschmacksverderber. Sie leiden auch darunter und Heyse und Keller. Den Schlußband des Grünen[9] habe ich mir nun auch zu Gemüthe geführt und ich bin entzückt von der neuen Episode von der auf Arbeit u. Liebe schwörenden Hulda; aber abgesehen von einigen allzu gedehnten Kapiteln will mir der ganze geänderte Abschluß nicht in den Sinn. Heinrich Lee ist doch aufs Verkommen und Untergehen angelegt.

Nächste Woche gibt man hier in einem Vorstadttheater 10 alte Nestroysche Possen[10] die Reihe durch und ich will mir die Wolthat eines unbändigen gesunden Lachens nicht entgehen lassen. In Lumpacivagabundus hab ich mich neulich so geschüttelt, daß Wally mich ernstlich zur Ruhe verwies. Mit dieser harmlosen altwienerischen Lustigkeit kann die gepfefferte Berliner Posse nicht entfernt concurrieren. Ein anderer Genuß war die Aufführung der Em⟨ilia⟩ Galotti im Burgtheater. Nur einen guten Prinzen werde ich wol nie sehen. Aber Lewinsky als Marinelli, alle Achtung. Er hat einen überraschenden Schluß ganz gegen die Seydelmann-Davisonsche Tradition.[11] Kein Zusammenbrechen, keine Zerknirschung — sondern er geht in den Hintergrund, dreht sich vor der Thür noch einmal rasch um, wirft einen hämischen Blick auf den vorn perorirenden fürstlichen Schwächling, ein Lächeln, ein Achselzucken, ab. Lewinsky ist ein Meister der Rede und der perfectus orator zugleich nach Ciceros Recept vir bonus et honestus[12]; ich verehre ihn sehr. Wie las er kürzlich Baumbachs Frau Holde[13], daß mir die empfindlichen Schwächen dieses der schlotterichten Scheffel-Wolffschen[14] Art zugehörigen Gedichts erst am nächsten Tag aufgingen. Er würde auch Ihre Novellen vorzüglich vortragen; gedämpfte Herzenstöne gelingen ihm wundervoll. Gar nichts Theatralisches, gar kein falsches Pathos. Auch die Wolter[15] sollten Sie einmal sehen, die größte lebende Schauspielerin, nachlässig oft in der Rede, dämonisch im Leidenschaftlichen. Der Wolterschrei ist hier sprichwörtlich. Wenn sie als Orsina im rothen Sammetkleid auf die Bühne rauscht, fühlt man wie sie die Scene, den Act in Besitz nimmt.

Nun: ein gutes neues Jahr Ihnen und den Ihrigen, den Weltfahrer Hans nicht zu vergessen. Seine Verse waren tief und tröstlich. Wally ist durch einen kleinen Katarrh ins Bett gebannt; darum dankt u. grüßt ⟨sie⟩ Sie nur durch mich.

In alter Treue Ihr

Erich Schmidt.

71. Storm an Schmidt

Hademarschen, 1 Januar 1881.

Meine lieben jungen Freunde!

Da komme ich denn endlich in effigie[1]; ähnlich ist's; nur ist mein Auge wohl kräftiger als auf dem Bilde; ich hätte mich nicht nach einem Festabend abschildern lassen sollen; nach ein paar Jahren wirds aber ganz richtig sein. Gönnen Sie mir, oder diesem Schatten denn ein Plätzchen in Ihrem jungen Eheparadies und gedenken Sie dabei freundlich des alten Originals, auch wenn selbiges Ihnen keine Grüße mehr hinüberschicken kann. Für den Chodowiecki-Tribut[2] meinen besten Dank! Der gute Alte, er ist doch rührend, wenn er mit Shakespeare in Compagnie geht; wie wunderbar ist dieß: „Schlafen, vielleicht auch träumen!" oder: „Wie steht es um Euch, Mutter!" Man freut sich aber doch, daß der alte Meister Daniel auch einmal Gelegenheit bekam, mit dem alten Asmus Arm in Arm zu gehen. Da hat er doch mit sein Bestes geleistet.

Ihr Brief mit dem Bericht über soviel geistige Anregungen hat mir wirklich noch mehr den Wunsch geschärft, Ihre Gaststube einmal zu benutzen; aber — von Hademarschen nach Wien! Umgekehrt ist es lange nicht so weit, zumal wenn Hamburg mit einem Vortrag auf dem Wege liegt. Könnten Sie es nicht einrichten, daß Sie einen solchen wenigstens zum Herbst sich sicherten, wo es hier noch, wenn auch nicht mehr grün, doch noch herbstlich bunt in Wald u. Gärten ist? Kommen aber müssen Sie jedenfalls!

Unser Weihnachten war denn nicht, wie der Ihre, stilles, sondern sehr lautes Glück; hier, Ernsts Braut miteingerechnet, 5 Töchter u. 2 Söhne (Ernst u. Karl), im brüderlichen Hause, 2 Töchter und 5 Söhne[3], und das zwischen beiden Häusern (unser ist ja jetzt nur eine Etage) hin und wiederwogend! In der That, zu viel des Glücks. Frau Mörike, der ich mitunter schreibe (Frau Do meint, wenn ich nicht mehr wäre, würde wohl keiner gegen sie so freundlich sein; „ja Erich Schmidt vielleicht!" setzte sie dann hinzu; Sie werden hier im Hause nemlich ganz unrespectirlich immer beim Vornamen genannt) also Frau Mörike meinte[4], sie müsse mich beneiden, da sie außer ihrer Tochter Fanny, die ihr nun auch bald vom Bräutigam entführt werde, gar keine Verwandte habe. Aber ich habe diesen Weihnachten eigentlich auch keine gehabt, weil ich zu viele hatte. Mit uns beiden Elternpaaren waren die 2 Familien Storm hier grade 9 Paare; der Vorschlag eines Spazierganges durchs Dorf:

kam leider nicht zur Ausführung; jetzt sind die Auswärtigen bereits wieder fort u. ich sehe ihnen mit Schwindel u. Kopfweh nach. Morgen — es ist inzwischen 3 Jan. geworden — fahren wir nach Husum, wo wir 8 Tage bei unsern Freunden Graf Reventlows[5] (im Sommer quartiren wir beim Bruder Doctor, wo jetzt unsre Elsabe in Empfang genommen wird[6]) bleiben, und von dort vielleicht noch einen Streifzug nach Tondern zu den Eltern der neuen Schwiegertochter.[7] Wie ich's gut machen soll, weiß ich's noch nicht; in Husum wird all die Liebe u. Zorn über unsere Flucht von dort am Ende wenig von uns übrig lassen. Auch hier soll heut noch ein großes Souper zu unsern Ehren durchgelebt werden. —

Von der neuen Aufl. des „Gr⟨ünen⟩ Heinrich", die Keller mir geschickt[8] habe ich nur noch Bd 3 von S. 120 bis Ende gelesen, was durch die recht resolute Kürzung u. die nähere Schilderung des Abschieds sehr gewonnen hat. Ich nahm es mit der Stimmung in die Hand, in ruhiger Betrachtung Menschen u. Zustände wie der Autor sie vorführt, an mir vorübergehen zu lassen, und habe wahrhaften Genuß davon gehabt. Der recht verständige Beurtheiler in der „Rundschau" hat recht[9], es ist ein Buch für reifere Menschen — seltsam und doch von einem 25 jährigen geschrieben. Ueber das Ganze kann ich mir natürlich noch kein Urtheil bilden. Da aber Keller selbst der „Heinrich" ist, so dürfte auch im Roman der tragische Ausgang nicht durchaus nothwendig sein. Jedenfalls ist der Schluß der alten Ausgabe eigentlich nur ein gewaltsames Abbrechen, wie durch äußere Umstände herbeigeführt, etwa als habe der Verleger nun keine Druckbogen mehr haben wollen. Diese Bemerkung gilt natürlich nur dem letzten Schluß. Auf Ihre Ebers-Kritik bin ich begierig[10]; natürlich leiden wir Andern durch solch Modewaare; mein „Aquis Sub⟨mersus⟩" z. B. steckt noch immer in der ersten Ausgabe (2000 Expl.). Zu solcher Modewaare gehören aber auch die Sachen von Jul. Wolff. Ich habe versucht seinen „wilden Jäger" vorzulesen[11]; hab's aber nicht ganz zu Ende bringen können. Diese Mißhandlung des innersten

Kerns der alten Sage mit Hülfe der verbrauchtesten Romanmotive, diese tertianermäßige Composition des Ganzen, dieß lyrische Theewasser, dieß Handwerksmäßige Hineinstopfen von zusammengelesenem culturgeschichtlichen Krimskrams, ohne daß es dem[a] Poesie Ganzen auch nur in einigem Verhältniß dient, nein — ich passe. Von Scheffel's „Trompeter" kenne ich nur einen Gesang, der ähnlich war; aber jedenfalls wird darin auch Besseres sein; denn ihn mit Wolff zusammenstellen, das darf man doch nicht. *Lyrisch* ist Letzterer ein absolutes nichts, u. Scheffel doch ein recht bemerkenswerthes etwas. „Schon färbt der Rain sich bunter", „den Finken des Waldes die Nachtigall ruft," das sind Lyrica der allerersten Sorte, und seine Frau Aventiure überhaupt ein durch u. durch tüchtiges Buch.[12] Auch in „Gaudeamus" u. im lyr. Theil des „Trompeters" den ich ganz kenne, steckt viel Gutes, Bleibendes.[13]

Bemerken will ich noch, daß eine unserer besten Weihnachtsfreuden ein herzlicher u. sehr interessanter Brief (36 Seiten) des Weltfahrers Hans aus Batavia war, der am 22 Dezbr. bei uns eintraf. Am 25st Decbr sollte von dort abgefahren werden, u. so hoffen wir ihn — er freut sich dieß Mal auf sein Elternhaus — zu Ende Februar wieder hier zu haben, wo offene Arme ihn empfangen sollen. Wenn mir dieß Jahr den Sohn ganz wiederbrächte! Aber ich bin kein gedankenloser Hoffegut.

Und nun noch einmal herzliche Grüße von mir und Frau Do und den Kindern, die immer an Ihren[b] Briefen u. so auch an Ihnen Theil nehmen.

Liebe Frau Wally, Ihnen noch einen besondern Gruß von

Ihrem alten

Th Storm.

72. Schmidt an Storm

Wien Landstraße, Hauptstr. 88

15 III 81.

Verehrtester Freund

Bevor die Ferien mich dem hiesigen Getümmel entführen und aus der Ostmark in die Westmark verschlagen, muß ich Ihnen noch einen guten Gruß in

---

a) Hs: *der*

b) Hs: *ihren*

den Norden senden. Ich habe in diesen Tagen mit Rodenberg[1], der hier einen beifällig aufgenommenen aber von sehr wenigen Edlen besuchten Vortrag über Belgien zum Besten des academischen Lesevereins hielt, und seinem liebenswürdigen Begleiter Paetel[2] viel von Ihnen gesprochen. Gestern beim studentischen Rodenbergbankett schickte ich mich schon an einen Toast auf die Rundschau auszubringen, wobei ich wol an Ihnen nicht vorbeigelaufen wäre, als einer der unbesonnenen Heißsporne durch eine Verherrlichung der 48er Märzkämpfer den Commissär zum Schließen des Festes veranlaßte; ohne polizeiliche Assistenz wird nämlich in Wien nicht gekneipt.

Ich bin seit bald 14 Tagen Strohwittwer. Wally war von einem leidigen Unfall her, dessen Folgen nun beseitigt sind, nervös angegriffen, ans Zimmer gefesselt und etwas vereinsamt, so daß ich sie lieber schon früher als beabsichtigt nach Würzburg habe reisen lassen, von wo ich sie nach meiner Vortragstournée am Rhein Anfang April abholen werde. Nun ich sie wieder ganz wol und heiter weiß, genieße ich manche gesellige Freude dieser gastlichen Stadt. Kein Tag, an dem nicht etwas besonderes los wäre. „Werd nur nicht eingebildet" sagt meine Frau immer, wenn sie sieht, wie man den Neuling verwöhnt. Und es ist gut ein so geliebtes Weib an der Seite zu haben, denn zwar nicht der geschwinde Verschleiß oberflächlicher Complimente, aber die Leichtlebigkeit, das rasche Vertrautwerden mit geistreichen Frauen und anmuthigen Mädchen, das im Ganzen sehr harmlose Sybaritenthum der Donaustadt hat leicht etwas Gefährliches. Ich merke nur, daß ich etwas weniger arbeite, aber es ist hübsch nach dem Leben in kleinen Nestern einmal in die große Welt zu gehen, in der ich mich sehr behaglich fühle.

Ich habe große Vortheile auch für mein Fach hier. Von der Hofbibliothek und ihren ergötzlichen handschriftlichen Hanswurstiaden will ich nicht reden, aber von den Schauspielern, die mir die classischen Stücke vorspielen und mich im Gespräch über vieles aufs feinste belehren. An Lewinsky[3] würden Sie Ihre Freude haben; ein Prachtmensch. Am Sonntag hat mir sein Franz Moor fast ein Fieber über den Hals gejagt, kurz vorher gab er den Carlos im Clavigo mit einer Wärme, welche die Rolle fordert, um in ihrer ganzen Großartigkeit vor uns aufzugehen. Vorzüglich war auch die Aufführung der Hebbelschen Nibelungen. Nicht minder aber hat mich in der Leopoldstadt die wieder aufgewärmte vernichtende Parodie Nestroys Judith u. Holofernes ergötzt[4]: wenn der Krafthanswurst H⟨olofernes⟩ sagt: i möcht mich amal mit mir selbst zusammenhetzen um zu sehn wer der Stärkere ist: i oder i? oder nachdem er einige Kämmerer niedergeschlagen: Schaffts die Leichen hinaus, i kann die Schlamperei nit leiden;

oder wenn der blinde Taubstumme das Hebbelsche Steinigt ihn, steinigt ihn! auf seinen Schneider anwendet, dem er das letzte Gewand noch schuldig ist. Von Hebbel[5] höre ich oft erzählen, von seiner erstaunlichen Productivität im Gespräch, seiner Sinnlichkeit, seinem wahnschaffenden Hochmuth. Nur gegen Schauspieler sei er rührend bescheiden u. dankbar gewesen. Habe ich Ihnen schon die allerliebste Grillparzeranekdote geschrieben? G⟨rillparzer⟩[6] wird in eine Gesellschaft geladen mit dem Bemerken, auch der geistvolle Hebbel werde kommen; da lehnt der alte Herr ab: da komm i scho gar nit. I bin nit geistvoll. Schaun's, der Hebbel fragt mich dann: was is Gott? Er weiß es, — ich weiß es nit⟨"⟩. Ferner theilte mir gestern der große Dramatiker Weilen[7] folgendes für G⟨rillparzer⟩s altösterreich⟨ischen⟩ Preußenhaß sehr bezeichnende Epigramm mit: Wilhelmshöhe 1870. Der eine ist dem andern Ein würdiger Genoss: Der Dieb, er sperrt den Räuber In ein gestohlnes Schloss. Mit dem alten u. neuerdings recht labeten Bauernfeld[8] hab ich einmal diniert. Bei Tisch schimpfte der ewige Raisonneur nur über einige Gerichte u. schwieg im übrigen, aber im Rauchzimmer thaute er auf und erzählte mir viel von Altwien, von seiner Jugendreise nach Weimar, von seiner Bühnenbearbeitung der Lenzschen Soldaten, die freilich Anfang der 60er bös durchgefallen ist. Nun ist der arme 80jähr. Mann am Erblinden; seine Klagen haben mich zu Thränen gerührt. Dagegen hält der Bulldog Heinr. Laube[9] sich auffallend stramm. Ich war neulich 1 St⟨unde⟩ bei ihm mit anderen. Er spricht barsch u. schneidig und wird nur vom Theaterteufel geritten, der niemand mehr losläßt. Auch Dichterinnen laufen mir manche über den Weg, so die blaustrümpfige, aber gescheite Betty Paoli.[10] Nichts oder blutwenig von den Leuten zu kennen ist mir manchmal recht fatal.

Was sagen Sie denn zu G. Kellers Sinngedicht[11]? Ich bin entzückt, will aber, da mich 2 Gesellschaften rufen, nur ein paar Bedenken äußern. Stimmt die feinste Kenntnis der weiblichen Natur, wie der Held sie als Erzähler bewährt, zu dem Helden der Einleitung, der dem reizenden Experiment nachgeht wie ein Eichendorffscher Vagant? Die gewesene Magd läßt sich entblößt malen? Warum des Bruders Besuch verschweigen, da der Mann die Familienverhältnisse kennt etc? Die arme Baronin stellt man sich mindestens mittelalterlich vor. Sie soll auf der Treppe mit dem Messer nach den Passanten stechen? Das Winzerfest u. Vorführen der Teufel ist virtuos — aber ich finde es roh, daß ein Mann die Brüder u. den einstigen Gatten seiner Frau so vor ihren Augen prostituirt. In diesem letzten Punkt mindestens bin ich Ihrer Zustimmung sicher. Ich verreise vom 19 III bis 9. April, erhalte aber jeden hierhergerichteten Brief nachgeschickt. Doch habe ich kein Recht Sie zu drängen, sondern nur den innigen Wunsch recht bald Gutes von Ihnen u. den Ihrigen, auch dem Seefahrer[12], u. von Bräutigam u. Braut[13] zu hören; nicht zu vergessen, was Sie etwa auf der Kunkel[14] haben.

Mit herzlichen Grüßen

Ihr treuer Erich S.

73. Storm an Schmidt (Postkarte)[1]

Hademarschen, 6/4 81.

Beifolgend, liebster Freund, zunächst die Correcturbogen vom „Etatsrath".[2] Wenn die Familie, wie Sie sagen meine Domaine ist, so finden Sie darin „die Fam⟨ilie⟩ in der Zerstörung".[3] — Bei Keller's Sinngedicht[4] ist mir der Eingang, wie beim „Lear" etwas künstlich, was mit dem Einritt in den Irrgarten im Wesentlichen aufhört. Das Ganze gefällt mir sehr; es ist reich u. schmackhaft. Die qu. Roheit mit den herabgekommenen Brüdern ist eine von Keller's Unglaublichkeiten; aber dieser Adler soll ihm — wenigstens von mir — nicht geschenkt sein. Auch das entblößte Gebahren der früheren Magd, das Messerstechen der Baronin, besonders das Verschweigen von des Bruders Besuch hat mich beim Lesen ganz wie Sie berührt. Ebenso hat mich die sich auf einmal entwickelnde Weiber-Virtuosität beim Lesen mehrmals nachsinnen lassen, wie das denn sei. Trotz alle dem; es ist eine herzerfreuliche Leistung; wir stimmen dieß Mal also bis auf den Punkt. Etwas toll ist wieder im neuen Heft[5] die Spukerei der Hildegunde.

Hoffentlich trifft diese Sendung Sie noch in Straßburg; *aber bitte schreiben Sie mir Straße u. Hausnummer Ihrer Schwiegermutter*[6], und grüßen Sie sie und Frau Wally u. Frl. Bertha herzlich. In spätestens 8 Tagen schreibe ich nach Wien.

Ihr

Th Storm.

74. Storm an Schmidt

Hadem⟨arschen⟩ 17/4 81.

Also, liebster Freund, meinen „Etatsrath" werden Sie nebst P⟨ost⟩Karte in Würzb⟨ur⟩g erhalten haben[1]; daß er Ihnen besondres Vergnügen bereitet, will ich nicht erwarten; aber er mußte gleichwohl geschrieben werden; sitze ich — hoffentlich um etwa 14 Tage — erst in meinem lachenden eignen Heim[2], frei von all dem mühseligen Krimskrams, den die letzte Fertigstellung u. Vorbereitung zum Umzug mit sich bringt, so werden wir suchen uns wieder einmal in eine Region reinerer Schönheit zu erheben.

Ihr letzter Brief, der wieder den Reichthum des dortigen Lebens vor mir ausbreitet, regte mir wieder etwas das Herz auf, als sei's doch schade, das bischen Leben so einsam zu versitzen. Freilich jetzt im Frühling — u. einsam? Ein lieber Besuch wird bis zum Herbst den andern ablösen; mein lieber Dr. Tönnies (hier „Ferdinand" genannt) — Sie kennen ihn ja[3] — war der erste Frühlingsvogel, der bei uns einkehrte, freilich noch nicht im eignen Hause. Wann kommen Erich u. Wally? Ich darf nicht zu alt darüber werden. — Sie sagen, es sei gut in Wien, ein geliebtes Weib zur Seite zu haben; aber gegen jenes, wie sie sagen, „harmlose Sybarithenthum" hilft an der Grenze, wo seine Harmlosigkeit unmerklich sich verwandelt, auch das nicht; denn die Sinne sind untreu von Natur; da hilft nur, was man etwa an Willenskraft im Blute von seinen Altvordern mitbekommen hat. Und ich glaube, Sie können in der Beziehung zufrieden sein. In unserer Familie steht es, leider, in dem Punkt anders. Der „Seefahrer" ist nach seiner ersten Reise (12 Febr.) seiner Stellung entlassen[4], angeblich weil ein Holländer an seine Stelle solle; jetzt ist er als einziger Arzt für 6 Amtsbezirke mit einem Fixum v. 1089 M. zu Frammersbach in Unterfranken, hat also wieder einmal den Vogel in der Hand; ich fürchte nur er läßt ihn bald entschlüpfen.

Ihre Hebbel-Grillp⟨arzer⟩ Anekdote ist unübertrefflich, die hätte in Kuh's — der Arme, wie lange sieht er nun schon die schöne Welt nicht mehr — Biographie hineinmüssen.[5] Daß „der Bulldogg"[6] sich frisch erhält, beweist seine recht lesbare u. zur Sache geschriebene Novelle im „Westermann". — Unser alter Meister Gottfried hat in einem heut an mich gelangten Briefe ein deutliches Vorgefühl der Schelte, die er von mir bekommen soll. „Sie werden" schreibt er[7], „ohne Zweifel Einiges darunter („Sinngedicht") wiederum als nach Lalenburg heimatgenössig erkennen; allein ich kann mir nicht helfen, diese Dinge sind es grade, die mich Narren erheitern und erleichtern und ich muß noch einmal auf einen technischen Ausdruck zu ihrer Bezeichnung sinnen." — Wissen Sie, mir ist es dabei auf's Herz gefallen: ich habe bei dem Ende des *neuen* „grünen Heinrich" das Buch recht nachdenklich weggelegt und mir ist dabei recht wehe gewesen; es kam mir gleich, daß Landolph u. Figura Leu ebenso ihre Arme gegen einander sinken lassen, wie Heinrich u. Julie.[8] Der Dichter hat nicht den Muth, seinen liebsten Gestalten (mit denen er sich mehr oder minder identifizirt) mehr Glück mitzugeben, als ihm selbst zu Theil geworden ist. Muß er, um sich „zu erheitern und erleichtern" seine Narrenklapper arbeiten lassen? Armer Meister Gottfried! Er ist ein so herzlicher Mensch.

Da wir bei meinen Collegen u. Freunden in Apollo sind, so noch dieß: Bei einer neulichen Vorlesung — d.h. *ich* las — von Heyse's „Elfriede"[9] glaubte ich das Hinderniß ihrer dramatischen Wirkung darin zu erkennen, daß das Motiv der weiblichen Eitelkeit zu weit ab von den großen Leidenschaften liege, deren zerstörendem Wege wir wie einem Gewitter zustaunen, und die die betreffende Person nicht, wie der Fehler der Eitelkeit, kleiner, sondern, trotz moralischer Mißbilligung, über das Gewöhnliche hinaus wachsend erscheinen lassen. Ich kam durch das Verhalten der Frauen (es waren recht mauskluge darunter) auf diesen Gedanken und theilte ihn Heyse mit.[10] Er antwortete[11], die Eitelkeit sei zwar die treibende Kraft hier; aber als *Naturkraft* u. insofern bis zu gewissem Grade berechtigt, nicht in der kleinlichen Form, wie sie gewöhnlich erscheine. Tragisch sei ihm hier die Unfähigkeit auf ein Naturrecht zu verzichten zu Gunsten irgendeiner sittl⟨ichen⟩ Pflicht, und die Aeußerung „Ich kann nicht lügen, das war ja meine Schuld" sei in demselben Sinne zu deuten, dß eben das Naturell mit ihr durchgegangen ist. „Daß zu einem completen Weibe auch die Freude an ihrer sinnlichen Macht, ihre Jugendfülle u. Schönheit gehört, wird von unsern conventionell abgerichteten Damen vielfach bestritten werden". Schließlich meint er, die noch mehr im Naturboden wurzelnden süddeutschen Frauen hätten den tragischen Conflict durchaus verstanden.

Ich schrieb ihm[12], ich wolle ihn nicht mehr damit quälen (selbstverständlich halte ich das Drama gleichwohl sehr hoch); allein Heyse hat doch Unrecht. Als großer Naturzug tritt darin die Eitelkeit hier nicht auf; das hätte besonders vorbereitet werden müssen, bevor dieser Zug in die Action tritt, was hier fehlt. Das — das Vorbereitende — war um so nöthiger, als jedenfalls im Allgemeinen die Weiber-Eitelkeit den großen Cours verloren hat.

Diese 3 Zeilen schreibe ich heut am *20 April* und bin durch das definitive Bauwesen sammt Gattin so zerstreut, dß ich für heute lieber schließe; denn in meinem Kopfe sind doch nichts, als fehlende Leisten, abgesplitterte Ecken, zu tünchende Winkel, zu befestigende Spiegel und um ½ Stunde muß ich im Neubau sein.

Heut Nacht hat's wieder nach Noten gefroren; der theuere Kies, den ich ums Haus liegen habe zu den Steigen, fliegt wie Staub in alle Winde und das Dutzend neugepflanzte souvenirs de malmaison[13] wird wohl schon verfroren sein.

Also, herzlichen Gruß an Frau Wally u. den nächsten Brief hoffentlich aus dem neuen Hause!

Ihr

Th Storm

75. Storm an Schmidt (Postkarte)[1]

Hademarschen-Hanerau. 20/5 81.

Vor einiger Zeit bat mich ein Studenten-Bibliotheksvorstand in Wien[2] um meine opera; ich habe aber diese Papiere beim Umzug verkramt u. weiß nun die Adresse nicht. Da Sie in diesem Verein Vortrag gehalten so, bitte, senden Sie sie mir p. Karte. Im „Etatsrath" habe ich auf 3 Stellen soeben noch große Milderungen vorgenommen.[3] Mit Gruß an Frau Wally

Ihr

Th St

76. Schmidt an Storm

Wien III Hauptstr. 88.

22 V 81.

Verehrtester Freund

Als ich Ihnen unterwegs, von dem Universitätsdorf Erlangen aus, ein paar Dankesworte für den Herrn Etatsrath schrieb[1], dachte ich in Wien rasch zu weiteren epistolarischen Leistungen zu gelangen. Aber es kam anders. Der Alte beschämte den jungen, der erst auf Haustheatern Wilbrandtsche[2] Liebhaber und romantische Schneider aus Berliner Possen agirte und dann ganze Rudel von Geschäften abzuwehren hatte. Ich freue mich schon jetzt auf ein buen retiro[3] im Juli u. August am laulichen Wörther See in Kärnthen, wo wir in aller Einsamkeit Luft schnappen wollen, und wohin mich nur Lessing und ein paar Franzosen begleiten sollen. Es sei denn, daß Sie im neuen Hause flugs ein wolgefügtes und sorglich bis ins kleinste ausstaffiertes novellistisches Bauwerk zimmerten und mir Grundrisse zukommen ließen. Was ich Ihnen über Ihr jüngstes, den widerborstigen Etatsrath, schrieb[4], hat sich mir beim Vorlesen bestätigt. Wundervoll die Paarung des Grotesken mit dem Zarten; jeder muß den alten Kerl beim stillen Suff sehen und wie er sich dann greulich lüftet, oder sein Sandbad, aber auch der armen Tochter erste und letzte Tanzgesellschaft. Es ist tief rührend, wie versucht wird das Mädchen dem bösen Gewahrsam zu entziehen. Aber die steht als ihres Vaters Kind im Banne des unheimlichen Hauses, und sie wird darin untergehen so gut wie der liebe Archimedes dank dieser verderblichen Atmosphäre des Vaterhauses dem Dämon Trunk Schritt für Schritt zugeführt wird. Ausgezeichnet ist bedacht u. zu großer Wirkung verwerthet, wie um ein solches Haus ein umschleiernder Nebel sich legt. Nicht jeder kann hineinschauen, kaum einer wird vertraut mit dem was drinnen vorgeht, man vernimmt nur Bruchstücke, welche die Vermuthung und das Rathen zu einem fest verketteten Ganzen zusammenfügt. Nur über Herrn Käfer hätte ich gern ein Wort mehr gehört. Auch kam mir beim Vorlesen gelegentlich der Vortrag ein bischen schwerflüssig vor, beim stillen Lesen allerdings nicht. Ich bin neugierig, was für drei Stellen Sie wol gemildert haben mögen[6], da ich kein Verlangen nach Milderung spürte und meinem Magen, der kein „zarter Makronenmagen" ist die kräftige Kost aus Ihrer Küche trefflich bekam.

Hoffentlich sehe ich Sie im Laufe des nächsten Winters, falls die Hamburger mich zu einem Vortrag rufen. Während der Osterferien habe ich mich wacker herumgetrieben, in Baiern, im Elsaß, am Niederrhein und in Franken. Mit Heyses verbrachte ich in München einen behaglichen Mittag.[6] Als ich ihm meinen Anti-Ebers[7] zusandte, schrieb er, daß er zu gar keiner Ausarbeitung komme. Und nun! Ein paar Novellen, einige Übersetzungen und ein Alcibiadesdrama.[8] Das nennt er Nichts. Ich fand ihn von frischem Aussehen, auch seine liebenswürdige Frau, nur wird der schöne Paolo zu dick. Gewiß haben Sie recht, dß das Eitelkeitsmotiv in der Elfriede nicht stark genug für die Tragödie ist[9], so bewunderungswürdig auch die Kenntnis der weiblichen Natur ins Auge springt. Wenn man die erste Scene liest, so hat schon die Exposition fast etwas Lustspielmäßiges: ein Edelmann hält, indeß er selbst oft zu Hofe reitet, sein schönes Weib verborgen im Waldschloß. Dumpfe Langeweile, die Frau öd und schlaff, die Zofe sagt, wenn sich doch eine Dachrinne in uns verliebte! Die hiesigen Burgschauspieler, mit denen ich mich gern über derlei Fragen bespreche, gestehen auch ihre Unfähigkeit das Stück trotz aller Schönheiten über Wasser zu halten. In Meister Gottfrieds Sinngedicht bin ich noch nicht bis zum Schluß gekommen, hoffe aber zu Gott, dß die Lux erröthend lachen wird.[10] So oft ich übrigens dran denke, entzückt mich die Zierlichkeit des Logauschen Spruchs. Auch im Aprilheft[11] ist wieder einiges nach Lalenburg zuständige, auch in der spanischen Novelle stören mich Roheiten und die Spiegelfechterei des artigen Gespenstes in der vorausgehenden will mir nicht in den Sinn. Herr Gott! wie resolut gehen diese Kellerschen Jungfräulein ins Zeug, spuken im Schlafzimmer des Freiers und lassen sich schließlich herzen und küssen. Man braucht kein Pedant zu sein und kein Schmachtlappen, um sich über die männische Selbständigkeit dieser Damen zwar nicht zu entsetzen — denn dazu sind sie doch zu liebenswürdig — aber doch baß zu wundern und des öfteren statt lebendiger Wesenheit Gottfried-Kellerheit zu finden, selbstredend immer den Hut in der Hand.

Der Verein hier, in dem ich einen Vortrag halten *sollte, hieß* Akademische Lesehalle und wurde zu Ostern wegen polit. Randals aufgelöst. Ein anderer heißt

Deutsch-österreich. Leseverein Wien I Bäckergasse. Schnorren gehen diese Vereine sämmtlich, also könnte auch dieser Sie um ein so ansehnliches Geschenk angegangen haben.[12]

Schön wars zu Ostern am Rhein. Ich grüßte die heilige Frau im Kölner Altarbild und fand dann als fröhliches Weltkind bei edlem Wein und Maitrank in Casinos u. reichen Privathäusern mein Behagen. Wie dachte ich kürzlich im Claudiuskolleg an Sie[13] und als ich im April zum letzten Mal aus dem Hause in der Würzburger Ludwigstr. gieng, traten auch Sie mir vor Augen und die Stunde nach Tisch, da Sie mir zum ersten Mal die Hand gaben und der Abend, als Sie den Vetter Christian einer kleinen andächtigen Gemeinde ins Herz hinein lasen.[14] Auch nach Nürnberg, wo ich recht Wackenroderisch schwärmte, wünschte ich Sie mir, zumal in der Lorenzerkirche.[15] Ich saß allein vor dem schlanken und überschwanken Sacramentshäuschen und dem englischen Gruß und oben auf dem Chor spielte ein unsichtbarer Organist eine Bachsche Fuge. Ich bin selten so feierlich gestimmt gewesen, so von andächtigem Schauer ergriffen worden.

Hier leben wir nun wieder in Wiener Lustigkeit. Panem et Circenses! Ich bin Tags über recht fleißig, Wally sitzt viel im hübschen Hausgarten, Abends pilgern wir in den nahen Prater, den stets eine bunte Menge durchwogt. Der feierliche Einzug der Kronprinzessin-Braut war ein seltsames Schauspiel.[16] Die Hofdiener in altspanischer Tracht, im Mäntelchen, mit Perücken, aber fidelen Weaner Gsichtern u. schwarzen Bärten, ungarische Magnaten im phantast. Prunkkleid, tänzelnde Schimmel, der Hochzeitswagen eitel Glas und Gold. Ich mußte an Schneewittchens gläsernen Sarg denken.

In welchem Ort ist Ihr Hans jetzt angestellt, der unstete? Ihr Ernst hat wol bald Hochzeit? Und wie gehts Ihnen im neuen Hause? Seien Sie alle herzlichst gegrüßt von uns.

In Treuen Ihr Erich Schmidt

Meine Schwiegermutter und Bertha sind Ende April ganz nach München übergesiedelt, jetzt aber schon wieder auf Besuch in Frankfurt.

77. Storm an Schmidt

Hadem⟨arschen⟩-Hanerau, 6 Juli 81.

Sie erhalten anbei, lieber Freund:

1) die betreffenden Stellen des Etatsrath gedruckt[1], wie sie in usum delphini geändert sind[2]; zugleich habe ich was davon für die Buchausgabe wieder fort soll

mit Bleistift durchstrichen u. die schließliche Feststellung dabeigeschrieben. So haben Sie nun den ganzen Vorgang. Die Aendrung des Nachtgesprächs zwischen dem Rothgießer u. der Alten bleibt, denn es muß, besonders am Ende, bei Allem, was mit der Phia in Beziehung steht das Vulgäre, ja das Derbe vermieden werden, wie z.B. die Anspielung auf den Apfelbiß.[3] Die Nov⟨elle⟩ kommt ins Augustheft.

2) das Vorwort zu 2 weiteren in Druck befindlichen Theilen meiner Gesammtausgabe[4]; und, wenn es nicht zu viel verlangt ist, so möchte ich *umgehend* Ihre Meinung darüber hören.

Ihren Brief v. 22 Mai erhielt ich in Hamburg, wo ich mit meiner 18 u. meiner 16 Jährigen im Schleiden[5]-Speckter[6]-Classenschen[7] Kreise erquickende Stunden verlebte.[8] Und dazu Hamburg im ersten Frühlingsschmuck; ich möchte wissen, welche Stadt damit ihr concurriren könnte!

Ihren von Erlangen an mich abgesandten Brief erhielt ich *nicht*, habe also nicht erfahren was darin gestanden, leider!

Die jeweilige Schwerflüssigkeit im „Etatsrath“ betonte auch schon Ernst, theilweise in den grotesken Partieen ist sie bis zu einem gewissen Grade durch den Stoff bedingt, theilweis vielleicht Folge einer Qual der Arbeit in unrechter Stunde. Ich werde es für die Buchausgabe durchgehen.

Der Anfang des Vorworts[9] bezieht sich auf das Vorwort zu G. Ebers' neuer Novelle. Gelesen habe ich sie nicht.[10] Weshalb sollen diese durch das dumme Publicum hinaufgeschrobenen Leute ihre eiteln Reden ohne Widerspruch in die Welt hinausgehen lassen!

Mit Heyse's Klagen und dann seinem tapfern Produziren ist es allerdings scherzhaft; ich werde ihn[a)] zu meiner Freude im August einen Tag bei mir haben; er will in irgend eins unsrer Bäder.

Von Keller habe ich nach dem dicken Schelten, das ich ihm angethan[11], noch nichts wieder erhalten. Bös wird er hoffentlich nicht geworden sein.

Daß Sie bei so vieler Gelegenheit meiner gedacht haben, thut meinem alten Herzen wohl. Wir sollten wohl noch einmal ein wenig zusammenleben. Wie gern besuchte ich Sie einmal in Wien, wie gern hätte ich Sie, u. zwar Sie Beide einmal hier. Das im Winter halten wir zunächst fest. Aber just im Sommer ist es hier so schön. In meinem geräumigen Hause, in meinem weiten Garten ist wirklich wohlig zu leben; leider komme ich in poësi zu nichts; ich begreif gar nicht, daß ich je was machen konnte.

Hans ist Arzt in Frammersbach bei Lohr in Bayern[12], im Spessart, Fixum 1100 M., einziger Arzt in 5, doch wohl armen Gemeinden, befindet sich dort sehr

a) Hs: *ich*

wohl, schickt lebendige Hirschkäfer und correspondirt alle 14 Tage sehr prom⟨p⟩t mit seinem Stiefmütterchen. Wenn ichs' noch erlebte, dß er mit sich zurecht käme. Ein tüchtiger kenntnißreicher Arzt ist er unzweifelhaft.

Der Amtsrichter Ernst will als Amtsrichter nicht heirathen, sondern nach etwa 3 Jahren — sein Schatz ist kaum 18 J⟨ahre⟩ — Rechtsanwalt werden.[13]

Wenn Sie mir wiederschreiben bitte ich um Frau Lina's Adr⟨esse⟩ in München.

Mit herzlichem Gruße an Sie Beide

Ihr

alter Th Storm.

Eben hatten wir unsre Aeltste die Pastorin (eine glückliche Frau) auf 3 W⟨ochen⟩ zu Besuch[14], nun folgen Ernst's Schwiegereltern[15], dann die Graf-Reventlowsche Familie[16] (4 Pers.) dann Ernst u. Braut, Heyse, einige Tanten, Einquartirung beim Kaisermaneuvre[b)] — also keine ländliche Ruhe.

77 a. Beilage zum Brief Storms an Schmidt vom 6. 7. 81 (Nr. 77)

Vorwort[1]

Nach einer Zeitungsnotiz[2] hat neuerdings einer unserer gelesensten Romanschriftsteller bei Gelegenheit einer kürzeren, von ihm als „Novelle" bezeichneten, Prosadichtung *die Novelle* als ein Ding bezeichnet, welches ein Verfasser dreibändiger Romane sich wohl einmal am Feierabend und gleichsam zur Erholung erlauben könne, an das man aber ernstere Ansprüche eigentlich nicht stellen dürfe.[3]

Ob die so eingeleitete Arbeit einer solchen Herabsetzung ihrer Gattung bedurfte, vermag ich nicht zu sagen. Indessen sei es mir gestattet, wie vordem bei Gelegenheit meines „Hausbuches aus Deutschen Dichtern" zur *Lyrik*[4], so hier zur *Novellistik*, als der Dichtungsart, welche die spätere Hälfte meines Lebens begleitet hat, auch meinerseits ein Wort zu sagen.

Die *Novelle*[5], wie sie sich in neuerer Zeit, besonders in den letzten Jahrzehnten, ausgebildet hat und jetzt in einzelnen Dichtungen in mehr oder minder vollendeter Durchführung vorliegt, eignet sich zur Aufnahme auch des bedeutendsten Inhalts, und es wird nur auf den Dichter ankommen, auch in dieser Form das Höchste der Poesie zu leisten. Sie ist nicht mehr, wie einst, „die kurzgehaltene Darstellung einer durch ihre Ungewöhnlichkeit fesselnden und einen überraschenden Wendepunkt darbietenden Begebenheit"[6]; die heutige Novelle ist die Schwe-

b) Hs: *Kaisermanoneuvre*

ster des Dramas[7] und die strengste Form der Prosadichtung. Gleich dem Drama behandelt sie die tiefsten Probleme des Menschenlebens[8]; gleich diesem verlangt sie zu ihrer Vollendung einen im Mittelpunkte stehenden Konflikt, von welchem aus das Ganze sich organisiert, und demzufolge die geschlossenste Form und die Ausscheidung alles Unwesentlichen; sie duldet nicht nur, sie stellt auch die höchsten Forderungen der Kunst.

Daß die epische Prosadichtung sich in dieser Weise gegipfelt und gleichsam die Aufgabe des Dramas übernommen hat, ist nicht eben schwer erklärlich. Der Bruchteil der Nation, welchem die Darstellung der Bühne zugute kommt, wird mit jedem Tage kleiner, hinter dem wachsenden Bedürfnis bleibt die Befriedigung immer mehr zurück; dazu kommt, daß gerade die poetisch wertvollen neueren Dramen nur selten die Bühne erreichen oder nach dem ersten Versuche wieder davon verschwinden, sei es wegen der Unzulänglichkeit unserer deutschen Schauspieler oder weil, vielleicht im Zusammenhange mit dem ersterwähnten Umstande, den Dichtern ein gewisses praktisches Verständnis für die Darstellbarkeit abging. So haben sich denn andere Leute der Bühne bemächtigt, und man begnügt sich dort lieber mit Sachen, welche den besten der Iffland-Kotzebue-Periode[9] nicht einmal das Wasser reichen; aber was solcherweise der dramatischen Schwester entzogen wurde, ist der epischen zugute gekommen.

Im übrigen geht es mit der Novellistik wie mit der Lyrik; alle meinen es zu können, und nur bei Wenigen ist das Gelingen, und auch dort nur in glücklicher Stunde.

— — Wenn ich mit Vorstehendem diese neuen Bände der Gesamtausgabe meiner Schriften einleite, so habe ich damit nur die Ziele bezeichnen wollen, welche in der Novellistik zu erreichen sind; inwiefern von mir selber in dieser Richtung hie und da etwas erreicht worden, will ich denen, die nach uns kommen, zur Entscheidung überlassen; denn so viel ist gewiß, der einzige Probierstein des poetischen Werkes ist die *Dauer*.

Hademarschen, im Juni 1881.

Th. Storm.

78. Storm an Schmidt (Postkarte)[1]

[12. 7. 81][2]

Dank, lieber Freund; ich will nicht in Ihr Fach pfuschen[3] u. habe so geändert: „— — höchsten Forderungen der Kunst.

Wie es gekommen ist, daß die epische Prosadichtung sich in dieser Weise gegipfelt u. gleichsam die Aufgabe des Drama's mitübernommen hat, wird demnächst von der Literaturgeschichte festzustellen sein. Im Uebrigen geht es hier wie in der Lyrik. Das Wollen ist bei Vielen, das Können ganz vereinzelt.

— — Wenn ich mit Vorstehendem" etc

Sind Sie so zufrieden? Ich lege auf diese Sache einigen Werth; denn es scheint mir grade der Zeitpunkt, daß von einem, der ein gewisses Fundament unter sich hat, ein deutliches Wort gesprochen werde.[4] Mögen nun die Berufenen es aufnehmen und die Richtigkeit oder das Gegentheil ventiliren. Ich möchte, daß bei Gelegenheit des Erscheinens der neuen Bände dieß von Ihnen u. etwa auch noch von Scherer[5] geschähe.

Und nun alle guten Wünsche zu Ihrer Sommerrast u. herzliche Grüße an Frau Wally.

Ihr alter

Th St.

Die Novellenblätter[6] lesen Sie nicht; ich habe Alles besser u., ich glaube, definitiv gut gemacht.

79. Storm an Schmidt

Husum, Septbr. 1881.

Ich bin hier, lieber Freund, um mich durch meinen ärztlichen Bruder über ein Herzleiden beruhigen zu lassen, was mich seit etwa 10 Tagen nicht schlafen läßt und mich arbeitsunfähig u. besorgt machte, dß es finis initium[1] sein könnte. Seine Untersuchung (er ist darin sehr zuverläßig) hat denn nun ergeben: absolut reine Herztöne, Nerven-, nicht Herzleiden, nicht lebengefährdend. Soweit gut, aber einen rechten Brief kann ich Ihnen doch nicht schreiben jetzt.

Nehmen Sie statt dessen mit einigen Notizen fürlieb, die ich allmählich zu Ihrem „Th. St." Aufsatz, übrigens nur in bequemer Brieflichkeit, u. wo es nicht thatsächliche Irrungen betrifft, mehr um Sie auf dieß u. das aufmerksam zu machen, niederschrieb.[2] Seien Sie also nicht zu streng.

Ihren „Miller" habe ich mit exquisitem Vergnügen gelesen[3]; das Ende zu diesen empfindsamen Liebschaften ist prachtvoll. Uebrigens ist es seltsam, dß man bei diesem Roman immer nur die empfindsamen Partien hervorhebt! Es sind ja auch die derbrealistischsten Sachen darin; so — im „Werther" spielt das ja auch — die das gesellschaftliche Verhältniß des Adels zu den Bürg⟨er⟩lichen betreffenden (der Besuch Siegwarts auf dem väterlichen Gute seines Freundes).[a]

Wissen Sie übrigens, dß der Hainbund-Esmarch[4] der Urgroßvater meiner 7 ältesten Kinder ist? Könnten Sie mir nicht auf irgend eine Art verschaffen, was diesen Betreffendes in jenen Briefen ist? — Die von Esmarch selbst hinterlassenen Briefschaften, die vielleicht auch manch Interessantes enthalten, besitzt — wie ich meine — der Vetter meiner verstorbnen Frau u. meiner hiesigen Schwiegerin (ihrer Schwester) Professor Karl Esmarch (Jurist) in Prag.[5] Vielleicht können Sie sich einmal mit ihm in Verbind⟨un⟩g setzen. Ich lege Ihnen die von meinem Neffen verfaßten Familiennachrichten[6] bei; ich weiß nicht, ob ich sie Ihnen schon geschickt habe. Mein guter Neffe sammelt noch immer an diesen Nachrichten.

Der Schriftstellerverein hat mich nach Wien eingeladen; aber ich muß zu meiner Lisbeth ins Heiligenhafener Pfarrhaus, 2 Jahr verheirathet[7] war noch nicht dort; sonst wärs schon hübsch, namentlich, wenn ich Quartier bei dem Erich u. der Wally erhalten hätte.

Und nun seien Sie für heute, Sie u. Frau Wally, herzlich gegrüßt.

Ihr alter

Th Storm

[Am Rand:]

Schreiben Sie Ihrem Vater gelegentlich, dß wir den Phreoryctes Menkeanus[8] neulich in Hademarschen gefangen haben, in einem Keller; ich hab ihn hier lebendig in Wasser.

80. Storm an Schmidt

[gehört z. Sept. 1881][1]

Für Freund Erich

zu seinem Aufsatze „Th. St." in der Deutschen Rundschau v. Juli 1880.[2]

Seite 32/33 „Deutsche Hauspoesie."[3] Gervinus sagt in seiner Geschichte der poet⟨ischen⟩ Nationalliteratur Bd V 2te Aufl. S. 359: „Nachdem die schöne Prosa alle großen Gegenstände des öffentlichen Lebens berührt hatte, so bemächtigte sie sich nun auch im ganzen Umfange aller der kleinen Gegenstände der engern Gesellschaft und des Privatlebens. In diese Gebiete folgt die Literaturgeschichte

[a]) Hs: ohne zweite Klammer

nicht.“[4] — *Sie* haben also dennoch diese Gebiete betreten. Aber die Schriftsteller, welche G⟨ervinus⟩ im Auge hat, sahen wohl nur die kleinen Dinge, weil sie keine Dichter waren; das lag aber an ihnen, nicht an der Region, wo sie ihre Stoffe suchten; wo der Mensch mit seinem Leben ist, da ist auch Poesie, „triffst du nur das rechte Wort“[5]; und das *Haus* ist das Fundament des Staates, und die Strahlenbrechungen des ganzen Volkslebens sind auch dort.[6] Die schönen Reflexionen des sel. G⟨ervinus⟩ aus dem höheren Gesichtspunkt sind doch mitunter recht seichte Redereien.

S. 33. „und stammt“ d. h. ⟨von⟩ mütterlicher Seite.[7]

S. 34. „Pesel“, freilich nur noch im Hause der Urgroßmutter.[8]

S. 35. „Meine Mutter hat's gewollt“ ist kein Volkslied, sondern von mir in diesem Ton gedichtet. (Sie meinen es vielleicht auch nur so)[9] — Ich sehe das nun schon auf derselben Seite. Ich bin Ihnen dankbar, daß Sie die Varianten berücksichtigt haben.[10] Beim „Hinzelmeyer“ ist gleichfalls eine theilweise starke Umdichtung.[11]

S. 36. „Stifters Haidedorf affectirt“? Bei vielmaligem Lesen mir nie eingefallen. *„Brigitta unwahr“?* Dito nicht. Ich liebe diese Sachen.[12]

S. 37. „Unter dem Tannenbaum.“[13] Ich las in Bezug hierauf einmal das wunderliche Urtheil: „St. versteht es, wie kein Andrer aus nichts etwas zu machen.“ Sie haben hier das Richtige getroffen. Es hat Inhalt genug, den ich nur zu fassen, nicht zu erfinden brauchte; womit ich natürlich nicht das Thatsächliche der Erzählung meine, obgleich auch darin viel Erinnerung ist.

S. 37 „Rühren nicht erschüttern.“ Siehe am Ende![14]

S. 38 „Ein leiser achtungsvoller Humor umgiebt“[15] etc Vortrefflich!

S. 38 „Die Schwalben Chorus der Novelle“[16] Dem entsprechend ist die in „Canadian Mont⟨h⟩ly“ Oktbr., Heft 1872 erschienene Engl. Uebersetzung betitelt: „The swallows of St. Jürgens.“[17] Der hübsche Titel ist nur nicht ganz richtig. Denn die Schwalben fliegen in der Novelle nicht bloß um das *nur* durch 2 Treppengiebel ausgezeichnete St. Jürgen, sondern in der Mitte der Novelle um den Thurm der später abgebrochenen Marien-Kirche, die mit St. Jürgen nichts zu thun hat. Der Thurm dieser Husum⟨er⟩ Kirche war aber anders als ich ihn gezeichnet, auch die Lage der Kirche.

S. 39. „Motive aus Heyse u. Stieler“ Wer ist Stieler?[18]

S. 39. Lena Wies. — In *„Abseits“* heißt d. Alte *„Meta“*.[19]

S. 40 „Up dat et⟨“⟩ etc. muß es heißen.[20]

S. 41. „Eine Priesterin, welche die ewige Lampe der Erinnerung hütet.“[21] Ich danke Ihnen, lieber Freund.

S. 43 „Und steigen auch in der Jahre Lauf“ etc müßte wohl ein auf den Verf⟨asser⟩ hinweisendes *(Bodenstedt)* erhalten.[22]

S. 44 Ist das vielleicht etwas zu knapp bemessene Gespräch doch nicht nur mehr den älteren Sachen eigen?[23]

S. 45 Im „Spiegel des Cyprianus“ liegt weder eine Burgsage, noch eine Familientradition zu Grunde[24]; die Anregung war, daß ich etwa ein Dutzend Jahre vorher einen meiner Knaben sich in einer dunkeln Mahagoni-Kommode spiegeln sah, was mir damals unheimlich vorkam. In meinen *Märchen* ist Alles eigne Erfindung, nur daß die (doch nicht recht gelungene) Figur des Feuermanns sich an Gestalten der Volkssage lehnt, Cyprianus der Name eines alten Zauberers ist, dessen Zauberbücher angeschlossen in den Kellern des Plöner Schlosses gelegen, und daß d. Märchen od. die seltsame Historie „In Bulemanns Haus“ wie das gleichbetitelte Gedicht durch den Kinderreim

„In Bulemanns Haus
„In Bulemanns Haus
„Da schauen die Mäuse
„Zum Fenster hinaus etc.

angeregt sind.[25]

S. 45 *„spukt“*. Aber er lebt noch. Schnores.[26]

S. 46 „den Faust“ Nein, es war⟨en⟩ die Umrisse von Retzsch dazu.[27]

S. 47 Die gute ganz getreu geschilderte, noch jetzt 1881, aber als geistige Ruine im Husumer sog. „Kloster“ (St. Jürgensstift) lebende Marthe hatte ein feines Verständniß für den Nolten[28], wie für alle Poesie, sie war ebenso reich an Verstand als an Phantasie, verfolgte auch in den Jahren 48 u. weiter genau das politische Leben.

S. 47 Nicht Mörikes Pfarrhaus; damals, im August 1855, wohnte M⟨örike⟩ in Stuttgart, hatte den Prof.-Titel u. gab eine Literaturstunde am Katharineum (ich meine, eine höhere Frauenschule⟨)⟩.[29]

Das qu. Sonett ist v. Th⟨eodor⟩ Mommsen.[30]

S. 52 unten Mechanismus st⟨att⟩ Mechanikers.[31]

S. 53 Julianens Bild ist aber nur *geistig* im Hause.[32]

S. 55 *„incuria* servi“ steht auf dem Rahmen des Bildes[33], auf einem holzgeschnitzten Bande, das Bild eines finster blickenden Geistlichen gehört der Dichtung an. In der Kirche zu Drelsdorf (Schleswig) ist noch in großem in 4 Abtheilungen getrennten Rahmen aus der ersten Hälfte des 17 Jh’s zu sehen[34]: als lebensgroße Kniestückbilder ein ehrenfest und wohlwollend blickender röthlichblonder stattlicher Pastor Andreas Bonninx u. dessen Ehefrau; an der einen

Seite in voller Figur der etwa 10 jährige Knabe, mit der qu. Umschrift im Rahmen; in der andern Seitenabtheilung eine etwas ältere Tochter, doch auch noch Kind.

Seitwärts hing, liegend, das Todtenbild des Knaben, der eine *rothe Nelke*, so mein ich bestimmt zu erinnern, in der Hand hielt. Dieß Bild ist nach dem Druck meiner Dichtung bei einem Brande des Thurms der Kirche verloren; ich selbst habe vergebens danach gesucht.[35] — Erst etwa 3 od. 4 Jahre nachher (was mir haften geblieben, war besonders die unbarmherzige Umschrift u. d. Todtenbild) auf einer Amtsfahrt durch die sonnig goldne träumerische Herbstlandschaft stand auf einmal Alles, wie es jetzt in d. Dichtung steht, vor mir auf.

S. 55 Nochmals: bei Carsten Cur⟨ator⟩ kommt kein Portrait der todten Juliane vor.[36]

S. 55 „Verschuldung des Paares“[37] Es ist ein eigen Ding, die specielle Schuld des Helden für das Tragische zu verlangen. Mir sagte neulich ein Bekannter, es gedenke ein quidam über mich zu schreiben (ein Pastor in Schleswig, mein ich) und dabei nachzuweisen, wie alle meine Personen ohne eigne Schuld untergingen. Ich muß nun auch nach meinem Sinn die Schuldfrage für das Tragische viel weiter fassen[38]: der Held (lassen wir diesen Ausdruck) fällt eigentlich nie durch eigne Schuld, sondern durch die *Schuld* oder *Unzulänglichkeit* des Menschenthums, sei dieß Feindliche in ihm selbst gelegen oder in einem außer ihm bestehenden Bruchtheil der Menschheit[a], möge er gegen diese oder gegen sich selbst zu kämpfen haben und dadurch selbst oder mit seinem Glück zu Trümmern gehen. So ist es in Aquis Subm⟨ersus⟩ (wo ich an keine Schuld des Paares gedacht) so in „Renate“, wo das Feindliche sowohl in die Seele des Helden, als in die Außenwelt gelegt ist und so die schöne Zeit der Liebe in Trümmer schlägt; im „stillen Musikanten“ liegt das Tragische in dem unlösbaren Zwiespalt zwischen seiner höheren Erkenntniß u. Empfind⟨un⟩g u. andrerseits seiner eng begrenzten practischen Fähigkeit, die er vergebens zu überwinden sucht etc. etc. Gehen Sie einmal diesen Spuren nach. Hierin finde ich seit lange bewußt das Tragische, u. finde das eigentliche tragische Schicksal in der Vererbung des Blutes. Mein höchster Wunsch ist, ([am Rand:] verrathen Sie mir dieß Thema nicht!) noch eine Novelle schreiben zu können, worin der Held, voll Bewußtseins einer ihm von den Vorfahren angeerbten Leidenschaft, sei es Jähzorn, Eifersucht oder sonst was, und in Kenntniß der in der Vergangenheit dadurch heraufbeschworenen Geschicke, die Gelegenheit zu solchen Ausbrüchen seinerseits auf das Strengste

---

a) Hs: *Menscheit*

zu vermeiden bemüht ist u. grade dadurch das Unheil herbeiführt, wodurch er oder sein Menschenglück zu Schanden geht.[39]

— In Erwägung zu ziehen wäre es, ob nicht eine dramatische u. eine epische Tragik zu unterscheiden wäre, gleichsam eine active und eine passive. Doch das ist nur so eine entfernte Empfindung.

S. 37 „will rühren, nicht erschüttern.“[40] —

Wenn von einem *Wollen* die Rede sein kann, wo man eigentlich doch nur dem Zuge der Fabel folgt, so muß ich sagen daß ich auch wohl *erschüttern* wollte, so in „Aqu⟨is⟩ Subm⟨ersus⟩“, „Carsten Curator“ und wohl noch sonst irgendwo; aber was ich wesentlich bemerken wollte, ist das: zwischen dem practisch mit Recht, theoretisch mit Unrecht in Verruf gekommenen „rühren“ — denn es hat freilich seine Berechtigung, wenn der rechte Poet dahinter sitzt, so beispielsweise, wie im stillen Musikanten, wo übrigens die Concertscene, die Apotheose wie Sie es richtig nennen[41], so zwischen Rühren u. Erschüttern (Packen) mitten inne steht, oder vielmehr was von Beidem hat; denn es ist eine *Erhebung* darin — aber zwischen „Rühren“ u. „Erschüttern“, steht bei mir wesentlich ein Drittes, nemlich: *den Leser in einer herben Nachdenklichkeit über die Dinge ⟨des⟩ Lebens zurückzulassen.* Ich glaube, daß dieß mir besonders eigen ist; machen Sie nur einmal die Probe.

Zum „Etatsrath“[42]

Das moralisch oder aesthetisch[b)] Häßliche wird — wo es nicht zu einer gewissen Schreckensgröße aufsteigt, erst dadurch in Kunst, in specie Poesie verwendbar, daß der Künstler es im Spiegel des Humors zeigt, gleichsam es durch den Humor wiedergeboren werden läßt; dadurch entsteht das, was wir das „Groteske“ nennen.[43]

---

81. Storm an Schmidt

Hademarschen-Hanerau 13/11 1881

Ja, ⟨Ihr⟩ lieben Freunde, ich bin seit länger dabei einen Block zu wälzen und weiß noch nicht recht, ob es mir, so wie es muß, gelingen werde. Ich habe mir den Stoff in dem einsamen Küstenstädtchen an der Ostsee, in Heiligenhafen, aufgefischt, wo ich im Septbr/Oktbr vierzehn recht erquickliche Tage bei meiner ältsten Tochter Lisbeth und meinem trefflichen Schwiegersohn verlebte[1], der

---

b) Hs: *aestethisch*

für einen christlichen Priester nur zuviel schönes unbefangenes Menschenthum besitzt. — Sie, lieber Freund Erich, sind von uns Beiden der bessere Mensch; Sie vergaßen meinen armen Geburtstag nicht und nicht den Gruß durch unsern wackern Meister Daniel.[2] Dank für Beides; es thut doch wohl, so ein Gedenken. — Ihr Geburtstagsbrief schloß mit einem dumpfen Kopf, hoffentlich aber steht jetzt bei Ihnen beiden Alles wohl, und hoffentlich erhalte ich bald einen Brief, der uns Ihre Vortragsreise nach Hamburg[3] und im Anschluß Ihren Besuch in Hademarschen in sichre Aussicht stellt. Gehen Sie nicht zu leichtsinnig mit diesem Gedanken um, mit dieser Freude Ihres Nächsten! — Eine solche Freude hatten wir, nicht bloß ich, diesen Herbst; mein alter Heyse war vom 13 zum 16 Septbr., also auch an meinem Geburtstage hier.[4] Er ist körperlich nicht im besten Zustande, geistig derselbe, hat ja auch neuerdings eine treffliche Novelle „Ein getheiltes Herz" geschrieben (Rundschau)[5], wobei man sich nur nicht durch den Titel zu der Annahme verleiten lassen soll, als sei es des Autors Meinung, es könnten zwei Lieben nebeneinander bestehen; es ist vielmehr die Liebe, die durch den Muth der Wahrheit gegen den Reiz einer neuen Leidenschaft den Sieg erringt; etwas Reineres hat H⟨eyse⟩ nie geschrieben, kaum etwas voll Ausgetrageneres; dann das Drama „Alkibiades" in 3 Akten (es erscheint im neuen Münchener Dichterbuch, liegt aber schon in Separatdruck vor[6]) wobei ich nur das Bedenken habe, ob nicht am Ende der Tod der Mandane die Wirkung des Untergangs der beiden Andern schwächt; aber freilich Mandane ist eine zweite weibliche Hauptperson und hat auch unser Interesse: Wohin mit ihr? Dann würde ich S. 66 unten des Separat-Druckes (Stuttg⟨art⟩ Kröner) die schwächeren Worte „Wer droben steht — — ruhen mag." streichen.[7] Es ist natürlich auch hier ein Liebesthema, wie stets bei ihm. Er sagt ja selbst: „Das Andre ist eigentlich doch nur so darum herum"[8], und ich habe nicht viel dagegen. — Von meinem „Etatsrath" meint er[9]: „du bist ja ein Verschwender"; diese ausgeprägten Figuren hätten zu einem größeren Werk gereicht; es lese sich wie zwei erste Kapitel eines grandiosen Romans; und: „Er hätte doch nicht das letzte Wort behalten sollen." Keller's Auslassung darüber ist so originell, dß ich sie Ihnen in Abschrift beilege[10]; er sucht scherzweise darin eine Entschuldigung für seine drei Lumpen[11], vergißt freilich dabei den Punkt, von wo aus wir unsre respectiven schreckenerregenden Gestalten auf die Bühne geschoben haben. Der „Etatsrath" fährt nemlich fort, besonders bei Frauen wahres Entsetzen zu erregen.[12] Ich kann, zu meiner Schande, nicht leugnen, daß es mir Spaß macht. Freund Schleiden in H⟨a⟩mb⟨ur⟩g warf mir, von jenem engen Begriff des Tragischen ausgehend, vor, dß die „Phia" ganz ohne eigne Schuld untergehe[13]; ich antwortete ihm: „Auch Ophelia mußte sterben und war lieblicher als sie."[14] Diese absolute Fodrung einer eignen Schuld erinnert eigentlich mehr an eine pädagogische oder polizeiliche Strafvollstreckung. Daß so zarte Wesen — auch ohne sichtbaren Kampf — *mit* in das große Triebrad des Verderbens fallen, muß ich für die Poesie in Anspruch nehmen. Die Hauptfigur darf es freilich nicht.

Aber — wenn ich Ihnen noch mehr solche abrupte Kunstgedanken hinschreibe, so errege ich in Ihnen so viele Entgegnungen, daß Sie bei der Unmöglichkeit Alles zu schreiben, lieber den Alten allein schwatzen lassen. Also — nichts davon; aber schreiben Sie mir, wie es Ihnen u. Frau Wally geht, wie Frau Lina u. Frl. Bertha in München[15], und wann wir Sie erwarten dürfen. Mit herzlichem Gruß an Ihre Liebste

Ihr

Th Storm

[als Nachschrift, auf dem Blatt, das dem Brief beigelegt war und als Nr. 81 a im folgenden veröffentlicht wird:]

14/11 81.

Eben erhalte ich übrigens schon sein Sinngedicht als Buch (Berlin, W. Hertz)[16] Nochmals herzlichen Gruß. Das Einwintern geht trefflich in meinem überaus behaglichen u. warmen Hause. Eben ist mit fünf recht vollzähligen Familien ein 14tägig Kränzchen, nach dem Abendessen, aber nicht ohne Kuchen Punsch u. Wein, arrangirt, dabei wälze ich meinen Heiligenhafener Block[17], lese allerlei mit Frau u. Kindern, schaue bei hellem Wetter von meiner Stube weit hin in die blauvioletten Fernen, erhalte prom⟨p⟩t jeden andern Sonntag einen langen interessanten Brief von Hans aus Frammersbach bei Lohr[18], und erwarte meinen Freund, den jungen Wiener Professor, wo möglich cum uxore.[19]

Nochmals Ihr

Th St

81 a. Beilage zum Brief Storms an Schmidt vom 13. 11. 81 (Nr. 81)

Aus Keller's Brief v. 25/9 81.[1]

In Ihrem „Herrn Etatsrath" hat mich zunächst wieder der an sich meisterliche Vortrag mit seinem feinen Liquorgeschmack erquickt; sodann aber auch die Kunst erbaut, womit Sie aus dem Allerabsonderlichsten und Individuellsten heraus das rein Menschliche so schön und rührend darstellen.

Und doppelt dankbar empfinde ich das, da Sie offenbar dadurch, daß Sie mit dem häßlichen Dämon in seiner betrunkenen Nudität, mit der abscheulichen und unbestraften Schändung seiner armen unreifen Kinder u. dgl. mich in meiner Zerknirschung über meine drei zusammengebundenen Kuhschwänze[2] ein wenig trösten und aufrichten wollten, wie oftmals kleine Kinder, die einander durch Schläge oder Stöße zum Weinen gebracht haben, sich selbst schlagen oder am Haar zupfen, um das Kamerädchen zu trösten. Und wie virtuosisch haben Sie das zarte Lebensglück, welches dem Kinde gewinkt hat (?), zu ersticken und die arme Willi zu beseitigen gewußt!

Nun, trotz dieser meiner schlechten Scherze denke ich doch ernstlich über das Räthsel des melancholischen Schicksals nach, das Sie schildern, und dieses Warum ist ja auch schon eine affirmative Kritik.

---

82. Storm an Schmidt (Postkarte)[1]

Hademarschen, 17 Novbr 81.

Nein, Liebster, dieß Entsetzliche darf nicht geschehen[2] — es kostet Ihnen nur *einen* Tag; so etwa Morgens 7 oder 1/2 7 Uhr fahren Sie von Hamb⟨ur⟩g ab, sind um 10 Uhr Vormittag hier und fahren dann Nachmitt⟨a⟩g 6 Uhr wieder nach Hamb⟨ur⟩g — wenn's denn nicht länger sein kann. Können Sie nicht etwa *vor* dem Vortrag, also Sonntag zu uns kommen? Die Fahrzeit von Hamb⟨ur⟩g auf hier ist etwas über 3 Stunden, und Abends 10 Uhr kommt hier noch ein Zug von Hamb⟨ur⟩g. Einer *Vormittag* 10 Uhr, einer *Nachmittag* 6 Uhr, einer *Abends* 10 Uhr. — Von hier nach Hamburg: *Morgens* 1/2 6 Uhr, *Mittag* 2 Uhr, *Nachmittag* 6 Uhr. Antworten Sie mir, bitte, umgehend, ob es sich nicht doch machen läßt. Sie *müssen* wissen, wie ich daheim bin.

Daß unsre sich kreuzenden Briefe[3] sich beide mit dem Alkibiades beschäftigen mußten! Mein Bedenken gegen den Schluß schrieb ich Ihnen. Ihr und wohl auch Lewinsky's[4] Bedenken kann ich (abgesehen von der practischen Wirkung, die ich ja nicht beurth⟨ei⟩len kann, nicht theilen. Weshalb soll eine so elementare, erregbare Natur nicht auch ein Mal nach rückwärts gerissen werden? Die Veranlassung ist hier doch schneidig genug.

Und nun — also! Die herzlichsten Grüße an Frau Wally! In specie nächstens mehr von einem erfahrenen alten Hausvater.

Ihr

Th St.

[Am Rand:]

Der Schriftstellertag[5] war mir schon nach den Namen unt⟨er⟩ d⟨er⟩ Einladung verdächtig!

83. Storm an Schmidt (Postkarte)[1]

Hademarschen, 26 Novbr 81.

Eben erhalte ich Ihre Karte.[2] Also: Die Gutsherrschaft Hanerau hat es durchgesetzt, daß die Bahnstation hier „Hanerau" heißt; die Station liegt aber im Dorfe Hademarschen und ich werde Sie dort erwarten, ganz in Person. — Ihr Telegramm adressiren Sie nur: „Rath Storm. Hanerau" —

Aber kommen Sie nur, wenn auch mit etwas Jammer, am liebsten mit Nachtbleiben; aber auch, wenn es nur von 10—6 U. wäre, soll Ihnen eine bequeme Mittagsruhe in meiner stillen u. überaus behaglichen Stube nicht entgehen. Es soll Ihnen hier schon wohl werden. Und aufrichtig: ist der Lebensverlust, für mich allerdings der größte, aber auch für Sie doch, wieder einzubringen, wenn Sie nicht kämen? Wer kann wissen, ob es noch einmal möglich sein wird? Alles erwartet Sie.

Ihr

Th St.

Noch einmal erinnere ich daran: Sie können außer 10 U. Vorm. auch Nachm. 2 (od $2^{10\mathrm{M}}$) Uhr u. Abends 10 U. hier ankommen. Mir ist jeder Zug recht, wenn Sie nur kommen.

84. Storm an Schmidt (Postkarte)[1]

Hademarschen, Sonnt⟨a⟩g Ab⟨en⟩d 11/12 81.

Lieber Freund, bitte um ein Lebenszeichen, wenn auch nur p. Karte nach dieser entsetzlichen Geschichte.[2] Sie sind natürlich in jenem Theater nicht gewesen; aber ich möchte doch jetzt Ihre Schrift sehen; zumal nach jener grausamen Hamb⟨ur⟩g⟨er⟩ Fahrt.[3] Die thut mir um so mehr weh, weil ich fest entschlossen war dahin zu Ihnen zu kommen, wenn ich rechtzeitig erfahren, dß Sie hieher nicht konnten; ich wollte es Ihnen nur vorher nicht schreiben, um Sie desto mehr hieher zu nöthigen. — Heyse schrieb mir kürzlich aus Cannstadt[4], wo er sich electrisiren läßt. In p⟨un⟩cto Ihres Alcibiades-Einwand⟨s⟩ noch dieß[5]: zum kopfschüttelnden Grübeln, warum A⟨lcibiades⟩ plötzlich wieder da ist, wird ein unbefangenes Public⟨um⟩ nicht kommen über die Freude ihn wieder da zu sehen; denn jedes Menschenherz muß seine Rückkehr für die arme Timandra freudig begrüßen. Daher, mein ich, wird es practisch nicht schaden, auch wenn Sie theoretisch recht hätten. Unterbreiten Sie das einmal Levinsky[6]! Gruß an Fr⟨au⟩ Wally.

Ihr

Th St.

85. Storm an Schmidt

Hademarschen-Hanerau, 1 März 82

Nicht meine Gedanken, lieber Freund, sondern nur meine Feder ging solange nicht zu Ihnen; im Uebrigen, wenn Ihnen daran gelegen, kann ich versichern, daß Sie und Ihr junges Eheglück recht zu meinem Leben gehören.

Aber erst gestern habe ich meine recht lange Novelle „Hans Kirch und Heinz" abschließen können[1], an der ich seit Ende Oktober gearbeitet, mit Ausschluß der Weihnachtstage und der gleich darauf folgenden Husumer Reise, wo es mir u. Frau Do fast ging wie Ihnen in Hamb⟨ur⟩g: 9 resp⟨ective⟩ Mittags- und Abendfestivitäten in 13 Tagen[2]; das Leben retteten wir aber. Die Novelle werden Sie, wenn sie nicht verschmäht wird, dießmal wieder im Westerm. lesen[3]; bei der Größe derselben war mir das minus an Honorar bei der Rundschau zu erheblich. Sie werden vielleicht finden, daß der V⟨er⟩f⟨asser⟩ an Altersweisheit dabei zu ersetzen gesucht hat, was ihm an Jugend abging.

Nun weiß ich gar nicht, ob ich Ihnen für Ihre Weihnachtsgabe, auf die ich nun bald ein erjährtes Recht bekommen könnte, wenn Sie nicht einmal einen Einschnitt machen, ob ich Ihnen dafür schon gedankt habe. Der alte Meister Daniel ist einem doch immer ehrwürdig, auch in seiner rührenden Unbehülflichkeit.[4] Ueber Anna Ovena[5] — Sie müßten einmal ihren Gutshof unweit Husum sehen. Mitten aus der baumlosen Marschwiesenfläche erhebt sich eine hohe Baummasse; Reiher kreisen darüber, Schaaren schwarzer Krähen fliegen krächzend auf, wenn man sich nähert; Zugbrücke und doppelte Graft umgeben das alte zweistöckige Gebäude, an das sich ein kleinerer Ziergarten und ein auch nicht großer Baumgarten schließt, in dessen Kronen auf der einen Seite die Reiher, auf der andern die Krähen in zusammen über hundert großen Nestern horsten. „Hoyersworth“ (d. h. Werfte) heißt es noch heute.[6] So wenigstens fand ich es vor etwa 14 Jahren — ja, die Einschachtelung ist lang geworden; also: Ihre Aufsätze über diese meine Specielle, üb⟨er⟩ d⟨en⟩ Alkibiades[7] u. den alten Auerbach[8] hab ich gern gelesen; vorenthalten Sie mir, bitte, dergl. nicht, wenn möglich. Daß Alkibiades’ Rückkehr im Stück selber nicht vorbereitet, muß ich bestreiten, ist aber zu weitläuftig es heute auszuführen. Und warum soll er denn so grau sein? War er denn über die Mitte der Vierziger etwa? Nescio.[9] — Heyse’s Troubadour-Novellen[10] sind gewiß im Ganzen eine ebenso tüchtige als anmuthige Leistung, wie er denn in den letzten Sachen überhaupt die Erschlaffung, die während längerer[a)] Zeit in seinen Arbeiten fühlbar war, wieder überholt hat; die qu. „Rache“ findet in Sue’s „Mathilde“ ein Seitenstück[11]; dem Reiz des Absonderlichen in Eroticis widersteht er freilich nicht. Über die Novelle „Ehre über Alles“[12], auf die er mich beim Hiersein besonders hinwies, er habe das fast ganz so vorgefunden, hab’ ich mehrmals mit ihm gebriefwechselt; es ist ja gar nicht „die Ehre“, die hier die Entwicklung herbeiführt; die ist dem Helden nur so von außen aufgeklext; was ihn treibt, liegt weit ab davon.

Zola versuche ich vergebens zu lesen[13], so sehr ich seine Kraft anerkenne; das halte der Teufel aus! Ich griff zur Restauration nach Coopers „Bravo“[14]; welch ein liebenswürdiges Buch! Ich hatte daran dieselbe Freude, wie einst als junger Mensch; selbst die patriotische Tendenz, die ziemlich stark hervortritt, und über die man in solchen Jahren hinwegliest, störte mich nicht; ich möchte glauben, daß das Buch derselben wesentlich seine Frische verdankt. Wo sind diese liebenswürdigen Autoren unter der Jetztwelt? Warum soll ich mich von Zola martern lassen? — Es war übrigens der assommoir, worin ich las, freilich nur in Uebersetzung[15]; aber das hat hiefür ja wenig Bedeutung. — In p⟨un⟩cto Raimund’s „Verschwender“[16] stimme ich völlig bei; der „Valentin“ allein ist ja eine Meisterleistung, die nur den echten Poeten zum Vater haben kann. Westerm. bringt ja im letzt. Heft einen Aufsatz über R⟨aimund⟩.[17] Neulich ergatterte ich auch eine Art curiosum: „Spiritus Asper (Fried. Ferd. Hempel), „Nachtgedanken über das A. B. C. Buch, Leipzig 1809.[18] Die alte Fibel nebst Bildern ist vorgedruckt. Es scheint nicht ohne Geist, sogar nicht ohne poetischen; der Mann dürfte bei Besprechung der deutsch. sog. Humoristen nicht zu übergehen sein. Ein Bruder meiner ⟨Frau⟩ sprach mir oft davon, als von einem Buche, das er wohl einmal wiederlesen möchte. Nun — eigentlich lesen kann *ich* diese Art Leute nicht; — naschen höchstens.

---

a) Hs: *längererer*

In p⟨un⟩cto meiner selbst lege ich Ihnen aus 2 Febr.-Nummern der „Kieler Zeitung“ einen Aufsatz von dem Dr. Alberti[19], dortigem Universitätsbibliotheks-Custos bei, der die hübsche „Geramundssage“ (Romanzen) geschrieben hat: Trotz des guten Willens, der darin ist, hat mir die Sache keinen eben angenehmen Eindruck gemacht; es ist so trotz gegentheiliger Anführungen, als wenn einem Menschen, der nicht recht aufkommen kann, damit etwas aufgeholfen werden sollte, was ich eigentlich nicht nöthig habe in meinem 65st⟨en⟩ Jahre und wonach ich *nie* auch nur einen Finger ausstreckte. (Wo soll Heyse sich für mich verwandt haben?)[20] Der gute Alberti scheint sich trotz alledem nicht von Gottschall’s Einfluß freihalten zu können[21], von dem jedes Wort über mich durch seine von mir so arg verletzte Eitelkeit bedingt und *be*schränkt ist. Worin sowohl als Lyriker, als als Novellist meine eigenste Bedeutung liegt, was ich hier *vor* Andern habe, verschweigt G⟨ottschall⟩, so wie er, offenbar absichtlich, die Entwicklung meiner Novellistik unbeachtet läßt.

Meine Novellistik ist aus meiner Lyrik erwachsen[22]; daher zuerst, was man meinetwegen etwas Sprunghaftes oder auch Gukkastenbilder nennen mochte, obgleich auch hier meist die Verbindungsglieder unmerklich mitgegeben waren; nachher aber ist das überwunden, und ich darf mich wohl zu denen rechnen, denen die moderne Novelle ihre Ausbildung verdankt; ich glaube kaum daß das zu unbescheiden ist. Was aber *meiner* Novelle von ihrem Ursprunge her geblieben ist, das ist das schärfere Auge des Verfassers für die Punkte des Stoffes, welche den Keim zu Scenen von poetischem Gehalte bieten.

Ich weiß freilich nicht — u. wer wüßte das? — ob ich mich selbst hier richtig sehe. Seltsam ist, daß Alb⟨erti⟩ die Vollendung meiner Novellistik („Aquis Subm.“, „Carsten Curator“, „Eekenhof“) als einen Tribut an die Altersschwäche ansieht, als ein Zurückgehn der eigentlich poetischen Kraft[23]; nur weil er einem 60 jährigen nicht zutrauen kann, daß neben erhöhter Kunst noch die alte Kraft u. Frische in ihm walten könne. — Von den „Söhnen des Senators“, auch von dieser letzten Novelle müßte ich es freilich dennoch gelten lassen. Sie werden ja selber nächstens urtheilen können; denn freilich, „und scheint die Sonne noch so schön, am Ende muß sie untergehn“.[24] Diese Stimmung beherrschte mich auch gestern Abend, als ich, ohne die Lampe anzuzünden, oben in meinem stillen Zimmer saß, während zuerst die Dämmerung Alles um mich her bedeckte, bis endlich der Mond mir wieder freundlich in die Fenster schien. Mein Werk hatte ich abgeschlossen und von mir gethan; auch meine Phantasie hatte nichts Nächstes, womit sie sich beschäftigen konnte, da kam denn Vergangenes in Schaaren und füllte mir den leeren Raum; aber die fröhlichsten Gesichter aus der Vergangenheit haben doch alle einen melancholischen Zug. Da rief Frau Do’s Stimme mich zum Abendessen, und dann gingen wir alle zu Pastor's[25] in den „großen (wir haben auch einen „kleinen") Klubb, und bei einem guten Glase nordischem Punsch und unter einem Rudel frischer junger Mädchen, die theils das Mannhardtsche Institut[26] in Hanerau, theils die eigenen Häuser geliefert, schwamm ich dann wieder ganz lustig in der Gegenwart; heute kommt — bei dem grausigen Oststurm werd' ich sie um 2 Uhr, wo einst Sie hatten kommen sollen, vom Bahnhof holen — meine liebe junge Freundin Elisabeth Tönnies[27], Dr. Ferdinand T⟨önnie⟩'s Schwester, eine vorzügliche Sängerin, aus Husum zu uns, und dann geben wir Montag unser 2tes Dorfconcert für die Warteschule. Ich höre aber, da wir dießmal den Preis von 30 ₰ auf 50 ₰ erhöht haben, so wird uns wohl nur Elite-Publicum beehren, das von mir den „Haideknaben" mit Schumannsch⟨e⟩r Musik (vorig Mal die „Hedwig" ebenso) zu hören kriegt.[28]

Im Uebrigen hat mein Leben jetzt den sehr materiellen, im letzten Grunde doch ideellen Zweck, meine Bauverschwendung wieder einzubringen, was mir denn auch, wenn ich oder die letzten Kräfte nicht gar zu bald dahin gehn sollten, zum Besten meiner Lieben, die ich günstigsten Falls ja doch in nicht ferner Zeit verlassen muß, hoffentlich noch gelingen wird; wenigstens ist schon ein Anfang im vorigen Jahr gemacht worden. In diesem Sinne möchte ich die Auerbachsche Bitte[29] an Sie richten: „Lieber, schreiben Sie bald einmal etwas über mich!" Sie dürfen übrigens nicht zu sehr erschrecken; nur die Bitte, den beiden letzten Doppelbänden (11—12 u. 13—14) einige Worte in der „Freien Presse" oder einem vielgelesenen dortigen Blatte zu⟨zu⟩wenden u. dabei der Gesammtausgabe im Allgemeinen zu erwähnen[30] — d. h. wenn Ihnen dabei sonst nichts entgegensteht. Es handelt sich nemlich ⟨darum⟩, eine neue Auflage der 3 ersten Doppelbände (es sind von den 2000 der zweiten Aufl. noch 180 Exl. zurück) flott zu machen; ich würde dann so glücklich sein, das Honorar von 3000 M. zu dem Nothschilling für meine Töchter legen zu können. Sie sehen, ich werde schon der zusammenscharrende Greis; und es kommt mir recht niederträchtig vor, meinen Brief mit dieser eigennützigen Bitte zu schließen; aber, du lieber Gott, wenn ich nicht selber für meine Kinder sorge, Rudolph Gottschall[31] thut es nicht. Die betreffenden Bände, deren Inhalt Sie freilich schon in den Separatausgaben besitzen, wird Westerm. Ihnen wohl gesandt haben.

Und nun: Schluß! Lassen Sie bald von sich hören. Ich und die Meinen grüßen herzlich die junge Wirtschaft, in specie Frau Wally, in der Wiener Hauptstraße.

Ihr alter und getreuer

Th Storm.

86. Storm an Schmidt

Hademarschen-Hanerau, 6 Juni 82.

Mein lieber Freund!

In diesem unvergleichlichen Frühling, der hier um uns her ist, habe ich recht oft Ihrer gedacht und Sie und Ihre Wally zu uns her gewünscht; nun sind Sie mir aber auch brieflich fast entschwunden, und so poche ich denn bescheiden wieder an und bitte nur, mir etwa auf einer Briefseite von Ihrem Ergehen eine kurze Nachricht zu geben; denn Sie gehören zu dem Dreiblatt Jüngerer, woran mein Herz nun einmal hängt. Ich bitte Sie dabei von Allem abzusehen, was ich in meinen letzten Briefen etwa an flüchtig auftauchenden Wünschen angeregt habe. Von meinem „Hans Kirch und Heinz" hätte ich Ihnen längst gern die Bogen zugesandt; aber obgleich die Arbeit — es ist eine meiner umfangreicheren — Ende Febr. an Westerm. eingesandt worden, hält er bedingungswidrig noch immer die Correctur zurück; sie soll nemlich erst im October (Probeheft des neuen Jahrgangs) erscheinen.[1] Seitdem bin ich „gesanglos und beklommen"[2] gewesen; erst in diesen Tagen hat sich mir ein nicht übler Stoff im Kopfe componirt, der wohl erst Fleisch gewinnen wird, wenn der Sommertrubel vorüber ist. Denn eines Theils beschäftigt mich jetzt sehr die Pflege des recht großen und noch jungen Gartens, anderntheils kehren, wie Sie sich leicht vorstellen mögen, Freunde u. Verwandte einer nach dem andern in villa Storm ein; wie denn auch die Pfingsttage uns mit der Familie des Bruder Doctors[3] aus Husum in freundlichster Weise vergingen. Anfang Juli werde ich aber erst selbst einmal zu meinem Amtsrichter Ernst St⟨orm⟩ in seine spukhafte Amtswohnung auf der nordschleswigschen Haide entschwinden, und dort hoffentlich mir auch noch einen Stoff einheimsen[4], wie vorigen Herbst in der kleinen abgelegnen Ostseestadt Heiligenhafen[5], im Pfarrhause meiner Tochter Lisbeth u. ihres trefflichen Pastors. Hans, der in Frammersbach vielbeschäftigter Arzt ist, quälte auch um meinen u. wo möglich seiner „Mama" Besuch; aber ich habe zu so weiten Reisen keinen rechten Muth mehr, muß auch wegen sog. Magenkatarrhs jetzt eine Cur durchmachen; statt dessen wird sein Bruder Musikus aus Varel ihn besuchen.[6]

Ihre Göthe-Arbeit[7] habe ich mit Dank empfangen, mir aber noch für eine gute stille Stunde aufgespart. Wenn ich Ihrer gedenke, und ich thue das sehr oft, sehe ich Sie — und das ins Handgreifliche übersetzt — immer in so vielseitiger drängender Beschäftigung, daß mir neulich, da ich Sie unter den Preisrichtern der Feuilletonnovellen fand, der lebhafte Wunsch kam, Sie möchten sich — wie ich das ein paar Mal energisch gethan habe — so etwas vom Leibe halten; das Lesen so vieler voraussichtlich unbedeutender Sachen verzehrt ein Quantum Zeit u.

Kraft, das wahrhaftig besser zu gebrauchen ist. Bin ich doch damals, als ich mein Hausbuch zusammenstellte, fast krank davon geworden. Und die Preisnovelle, die schließlich herauskam, war, obgleich ganz harmonisch gedacht, doch eigentlich ein schwächlich Ding. Ich bin schließlich durch eine gemeinsame Freundin des Verfassers um meine gute Meinung darüber angesprochen worden. — Augenblicklich verfolgt mich als Beilage aller möglichen Zeitschriften und heute auch, scheinbar um mir eine Extrafreude zu machen, eine No.X der „Literaturproben“[8] mit einem Text aus einer neuen Literaturgesch⟨ichte⟩, worin meine Lyrik recht kümmerlich herabgedrückt und für meine Novellistik der Begriff der „kleinen Novelle“ (heißt das, worin nicht etwa staatliche Probleme, sondern nur Menschheitsprobleme, die sich im Einzelleben abspielen, behandelt werden?) erfunden worden. Die bibliograph⟨ische⟩ Uebersicht ist unvollständig, wohl auch die Kenntniß meiner Sachen; die ausgew⟨ählten⟩ Gedichte 1 u. 3 sind aus meiner Studentenzeit.[9] *Wer ist Ludwig Salomon?* Ein Schüler Gottschall's? — Trotz des Alters hat man über so etwas doch seinen kleinen Aerger. Nur tief geht's schon nicht mehr.

Ad vocem *„Humor“* fiel mir neulich ein: Der Humor ist zugleich eine Stimmung (das ist freilich nicht ganz der rechte Ausdruck) der *Ueberlegenheit,* und deshalb fühlt der Leser oder Hörer sich stets sicher, auch wenn ihm das Gräßlichste u. Abschreckendste durch den Humor vorgeführt wird. Er fühlt sich an der Hand eines sicheren Führers.

Ich will schließen; es sollte ja nur ein Gruß, ein Lebenszeichen sein; auch die Meinigen grüßen Sie u. Ihre Wally deren Bekanntschaft sie so gern persönlich machten.

Ihr

Th Storm.

[Am Rand:]

Den Herausgebern des scheußlichen Musenalmanachs A. u. P. Heinze habe ich auf ihre[a] wiederholte Einladung neulich gründlich die Nichtsnutzigkeit ihres Unternehmens verdeutscht.[10]

87. Storm an Schmidt

Hademarschen, 13 Septbr 82.

Mein lieber und getreuer Freund!

Ich bin Ihnen auf Ihren vorigen Brief[1] die Antwort schuldig geblieben; auch bei meinem 16 tägigen Besuche in Ernst des Toftlunder Amtsrichters großer

a) Hs: *Ihre*

wüster Junggesellenwohnung — er will erst anno 83 heirathen — kam ich hiezu so wenig, wie zu anderm; denn seit Mai etwa ist mir der Nervenschwung abhanden gekommen; ich habe meine sonst so gesunde Verdauung verloren. „Magenkatarrh“ nennen es die Aerzte — und kann sie noch immer nicht recht wiederfinden. Nicht tröstlich für alte Leute! — Da nahm ich gestern Nachmittag in Gedanken an Sie Ihre mich mannigfach interessirende[a] Faust-Geschichte[2] in die Hand, schreibe Ihnen in Gedanken allerlei: — von dem im Leben so hülflosen Husumer Stadtkind Hugo Delff[3], wie er im Hause seines Bruders Buchhändlers lebt, der ihm einen „eisernen“ Leonberger hält, wie er mir vor Jahren einmal ein Drama in Versen zur Beurtheil⟨un⟩g nach Heiligenhafen geschickt etc —; dann, ob Ihnen bekannt ist, daß Theophrastus Bombastus die Lieblingsgestalt des von mir, wenn auch nicht für die Ewigkeit, entdeckten Solitaire's ist (im Roman „Diana Diaphana“ u. der Novelle „Die Fahrt zur Königin von Britania“)[4]; — dann daß ich einmal meine Originalausgabe der „Kronenwächter“[5] an Einen, der dergl. nicht einmal zu würdigen wußte, weggeschenkt (wie ich auch einmal das Faustbild N. 2 besessen u. verzettelt habe) und dß mir bei neulicher Wiederlesung aus meiner Gesammtausgabe aufgefallen, daß eine Durcharbeitung der ersten Ausgabe geschehen sein müsse; denn in dieser war — was mich damals um alle Täuschung brachte — die Burg der Kronenwächter theilweise von Glas, was ich in der Ges. Ausg⟨a⟩be nicht finden kann. In der W.Grimmschen Vorrede findet sich nichts darüber. — — Solcherlei schrieb ich Ihnen in Gedanken, und da kommt just Ihr herzlicher Geburtstagsbrief[6] — er wird noch morgen ebenso frisch sein — mit seinem reichen Beiwerk, wofür Alles ich Ihnen ebenso herzlich danke. Aber was für ein schöner Mann Sie geworden sind; „er sieht so siegend aus“, sagt die jüngste Schwester meiner Frau[7], unser jetziger Besuch, die immer ⟨in⟩ geprägten Worten fix ist; aber das macht, Sie schwimmen jetzt „in Lebensfluthen, in Thatensturm“[8]; wie Ihre Wally wohl stolz auf Ihren Mann ist! Herzlichen Gruß an die junge Frau. —Und dann die an Gehalt und Druck so trefflichen Chodowieckis, wo der alte Meister Daniel so ganz in seinem esse ist. Sobald ich sie mir von Ihrer Güte in pleno eingeheimst habe, werde ich meine alte Aeneis neu damit binden lassen.[9] — Der „Klapps“ ist dem Mirza Schaffy[10] schon zu gönnen — Heyse meinte, es wäre nur das niveau der Commis-Voyageur-Weisheit darin — es ist ja im Wesentlichen Alles richtig; nur kennzeichnet sich die Kritik dadurch als eine jugendlich-unbillige, daß sie in ihrer Angriffs-Leidenschaft und in dem Drang, ein unverdientes Maaß herabzudrücken, auch das einzelne Gute darin ignorirt. Die Verse in meinem Hausbuch sind doch gewiß vortrefflich. Ihre Kritik der Bö⟨h⟩lau[11] ist von der rechten Sorte; *neu auftretende* Autoren, bei denen man

---

a) Hs: *interessirente*

nichts von Werth oder Entwicklungsfähigkeit anzumerken findet, soll man überhaupt nicht besprechen.

Zu meinem Leid sehe ich daß[b] meine 2 1/2 Correcturbogen Westermann „Hans u. Heinz Kirch" noch nicht an Sie gelangt sind; ich schickte sie Ende Juli an Heyse[12] mit dem Auftrag, sie nach Lesung Ihnen zu schicken, und er versprach mir umgehend, das nach Einholung Ihrer Adresse von Frau Lina — die ich nebst Frl. Bertha kräftigst zu grüßen bitte, zu beschaffen. Jetzt ist H⟨eyse⟩ mit Frau auf einer Rundreise, die ihr Ziel in Weimar zu einer Alkibiades-Aufführung finden soll. Hoffentlich gelangen die Bogen noch an Sie; sonst zu Weihnachten die Buchausgabe ja jedenfalls. Die Novelle wurde schon Ende Febr. eingesandt; sie erbaten sie sich aber für das Oktober-Probeheft des neuen Jahrgangs. Hoffentlich wird sie[c] Ihnen als ein annähernder Beleg, für meine Behaupt⟨un⟩g erscheinen, dß die Novelle, trotz ihrer dehnbaren Form, auch als die epische Schwester des Dramas auftreten kann.[13] Und denken Sie hübsch dabei an „die kleine Novelle" des Literaturgeschichteschreibers Salomon.[14]

Geburtstagsmorgen, 7 Uhr. Die Sonne scheint noch nicht; die Wälder, die sich vor dem Schreibfenster meiner Stube hinziehen, liegen noch kalt u. grau, es hat gestern und heut Nacht geregnet. Ich hätte gern Sonnenschein; aber es ist doch gut heute. Hinunter darf ich noch nicht; denn Frau Do nebst meinen drei Haustöchtern Elsabe (19 J.) Gertrud (17) Dodo (14) und der Tante Agnes rüsten in der Veranda den Geburtstagstisch; eben lassen sie sich dazu Brief u. Bild von Ihnen ausbitten. — — —

Da haben wir denn die Bescheerung nebst Morgentheestunde hinter uns; der imponirende Geburtstagskringel und das bekränzte, mit heitern Kleinigkeiten bedeckte Geburtstagstischchen fehlten nicht, und die fünf Frauenzimmer waren lachend u. glücklich über ihre kleinen Einfälle und Alles schmeckte uns vortrefflich; von Briefen aber war Ihrer noch der einzige. Nun aber kam die Post — die erste; sie kommt noch zweimal heute — und die brachte das erste Päckchen Briefe, auch zu Ihrem Bilde das eines alten 80jährigen Husumer Herrn, eines alten Junggesellen, der in meiner Knaben- u. Jünglingszeit alle Weihnacht- u. Neujahrabend in meinem Elternhause mitgefeiert hat[15]; dann — und das ist fast meine größte Freude, ja es erschütterte mich fast — sorgsam verpackt einen frischen selbstgezogenen Blumenstrauß aus Frammersbach — von unserm Hans, von dem seit jetzt nun 1 1/2 Jahren nur Gutes u. Liebes kommt; alle 14 Tage ein Brief, er lebt in der Ferne ganz mit uns; diesen Sommer hatte er seinen Bruder Karl (meinen stillen Musikanten) bei sich zu Besuch, nachdem er ihm vorher mit einem großen Theil

---

b) Hs: *das*

c) Hs: *Sie*

der Reisekosten beigesprungen. Der kam dort mit einem kranken, wochenlang vergeblich behandelten Beine an; Hans sparte nicht Müh' noch Kosten u. heilte es ihm glücklich. In Würzburg, ich glaube am Tage nach dem Feste, hätten Sie beiden Brüdern dort begegnen können; zum Feste selbst war er nicht; nur seinen Kostenbeitrag hatte er seiner Verbind⟨un⟩g eingesandt. Hoffentlich ist dieß Sorgenkind nun vom Schlimmsten ein für alle Mal gerettet. Seine anerkannten Kenntnisse in seiner Wissenschaft, das Interesse, nicht nur für diese, sondern für Alles fast, was das geistige Leben berührt, das ihn zu keiner Zeit verlassen hat, ist wohl die Flugkraft, die ihn nicht ganz hat sinken lassen. — Möge ich am nächsten Geburtstag, wenn es mir vergönnt ist, dasselbe sagen können. — Übrigens — lieber Freund, Enkel hatte ich nur einen, der wurde im Heiligenhafner Pfarrhause geboren; aber er starb schon nach ein paar Wochen in den Armen seiner Stiefgroßmutter, meiner lieben Frau Do[16]; hoffentlich aber habe ich zu Weihnachten die Großvaterschaft aufs Neue. Zu den abwesenden Kindern — ich muß Sie in meiner nächsten Hausfamilie etwas fest machen — gehört außer den Genannten, einschließlich des Amtsrichters Ernst in Toftlund, dann nur noch meine 22 jährige Tochter Lucie; beide letzteren jetzt in Tondern bei Ernst's Schwiegereltern.[17]

Durch unser Haus ist diesen Sommer ein Strom von Freunden gegangen; zuletzt die verwandten Hamb⟨ur⟩ger Familien Schleiden's[18] u. Speckter's[19], 6 Personen, wovon aber freilich die Hälfte in dem trefflichen patriarchalischen Wirthshause unserer „Mutter Thießen" nächtigen mußte; zugleich hatte ich veranstaltet, daß der mit ihnen befreundete, mein alter und geliebter Lehrer von der Lübe⟨c⟩ker Schule, Director Classen[20] früher der Frankfurter, dann des Gymnasiums (Johanneum) seiner Vaterstadt Hamb⟨ur⟩g mit Frau u. Tochter bei unsern frischen netten Pastorsleuten[21], die ihm verwandt sind, auf Besuch war. So hatten wir 3 Tage hier eine ausgesuchte Tafelrunde, wie Dr.Mannhardt[22] sagte, das Beste, was in Hamb⟨ur⟩g zu haben ist, und dabei sahen wir, daß es allen unsern Gästen so recht urbehaglich war. Wann kommen einmal Freund Erich und seine Wally?

Und nun — Schluß, u. weiter in den Geburtstag; heut Nachmittag großer Familienkaffee; und jetzt scheint auch schon die Sonne. Mein Neffe hat mir gestern — Sie dürfen's nicht verrathen, da noch Schonzeit ist — einen Hasen geschossen, der auch bekränzt an den Geburtstagstisch kommt.

Also —

Grüße an Sie und Frau Wally von mir und den Meinen und Bitte um ferneres treues Gedenken!

Ihr

Th Storm

NB Können Sie mir einmal antiq⟨uarisch⟩ „Die Waise von Genf" v. Castelli aufjagen[23], so bitte ⟨ich⟩ darum; es ist eine gruselige Knabenerinnerung von mir; Sie wissen, ich hege gern dergleichen.

88. Storm an Schmidt (Postkarte)[1]

Hadem⟨arschen⟩-Hanerau. 20/9 82.

Das war ja eine vortreffliche Karte, lieber Freund; also im Januar[2]; aber dann richten Sie sich jedenfalls auf doch einige Nächte in der quaest. casa[3]; für nächstes Jahr aber erbitten Sie sich von dem quaest. Vorstand Ihren Vortrag zu Anfang der Saison, wo noch der Herbst die Herrschaft hat, und bringen dann Frau Wally mit. — Das gegen Gottsched II[4] ist gut; was sich so unberechtigt breit macht u. in der That gemeinschädlich ist, muß ohne Umschweif beim rechten Namen genannt werden. Schade nur, daß G's Literaturgeschichte in's große Publicum und die „Deutsche Lit⟨eratur⟩-Zeit⟨un⟩g"[5] nur in die Hände von Fachleuten oder besondrer Literaturliebhaber kommt. Jedenfalls, es wird nicht verloren sein; so grad heraus ists ihm noch nicht servirt worden. *Arnim*[6] anlangend, so ist er freilich trotz Allem, was mich immer wieder zu ihm zieht, schwer lesbar. Ich möchte sagen, er ist in seinen Erzählungen zu *allgemein* poetisch, er ist mit seinen Gedanken u. seiner Empfindung, trotz aller Objektivität, immer *über* dem Ganzen; so daß unsere Theilnahme sich fast nie auf eine der vorgeführten Personen concentrirt; auch fehlt ihm ein gewisser lyrischer Zug, der auch im Epischen den Leser kräftiger durch die Masse des Thatsächlichen trägt. (Ich schreibe das nur so hin; vielleicht giebt es Ihnen eine Anregung für das Richtige). Als Heyse vorm Jahr hier war, hatte ich eben, mit kühner Ueberspringung der Episoden — ohne das war's mir bisher nicht möglich gewesen — die „Dolores"[7] u. dann freilich gern gelesen, obgleich auch so nicht ohne gewisse Anstrengung gelesen. Als ich es ihm erzählte, frug er: „Kannst Du das lesen?" — Diese Gedanken sind mir bei dem „dreisten Trumpf" in p⟨un⟩cto „Wintergarten"[8] gekommen. Ich gestehe, da habe ich noch nicht heran können; doch mag das ja eine unnöthige Scheu gewesen sein. — „Violetta" u. die „Gräfin" bei Brentano, wo stecken sie? In meiner von dem christkath⟨olischen⟩ Bruder besorgten Ausgabe[9] sind *Godwi* u. *Satyr. Spiele* nicht aufgenommen, weil sie der christkath⟨olischen⟩ späten Richt⟨un⟩g des Autors widersprechen.

Herzlichen Gruß!

Th St.

89. Storm an Schmidt (Postkarte)[1]

Hadem⟨arschen⟩ 16/10 82.

Lieber Freund, eine Frage u. Bitte, deren Beantwort⟨un⟩g Sie mir, wenn möglich, umgehend u. möglichst bestimmt gewähren wollen, weil davon die Fassung andrer Beschlüsse abhängt, die mich drängen. Können Sie nicht *vor* dem Hamb⟨ur⟩ger Vortrag zu uns kommen[2] und dann am 5ten Januar morgens 6 Uhr nach Hamb⟨ur⟩g zurückreisen? Die Sache ist nemlich die, daß wir seit nun 15 Jahren auch von hier aus, immer den auf den 6ten Januar fallenden Geburtstag unser⟨es⟩ Freundes, des Grafen Reventlow[3] in Husum mitfeiern, woran sich dann jetzt ein längerer Aufenthalt dort anschließt. Es würde groß Trauern entstehen, wenn wir dießmal nicht kämen. Können Sie sich daher nicht so einrichten, daß Sie am 1, 2, *spätestens* aber am 3 Januar zu uns kämen? Ihren Besuch will ich keinenfalls quitt gehen. Bitte also,und richten Sie es so, daß Sie einige Tage hierbleiben. Ruhe und behaglichen Raum, wenn Sie noch etwas arbeiten wollen haben Sie auch hier.

Haben Sie meinen „Hans Kirch" erhalten?[4] Ich hoffe, Sie werden sich dadurch in Betreff Ihres energischen Urtheils über mich in dem Gottschall-Artikel[5] etwas gestärkt fühlen.

Edgar Poe.[6] Das Interesse liegt bei ihm nicht auf den Personen, sondern auf einem Etwas, das mit ihnen oder in Veranlass⟨un⟩g ihrer vorgeht, nicht auf der Gestalt⟨un⟩g menschlichen Geschickes, sondern auf der Entwicklung dieses meist unheimlichen oder doch seltsamen Etwas. Nur unser Verstand u. unsre Phantasie w⟨er⟩den in Anspruch genommen, nicht unsre Empfindung d.h. Gemüth. Aehnlich ist es bei dem so ganz anders gearteten Arnim[7], u. in längeren Sachen wirkt es unüberwindlich ermüdend.

Gruß an Frau Wally!

Ihr

Th St.

[Am Rand:]

Was sagt Gottschall?[8]

Wir müßten nemlich 5. Jan. Morg's 10 U. reisen.

90. Storm an Schmidt (Postkarte)[1]

Hadem⟨arschen⟩-Hanerau, 25 Oktbr 82.

— Wir freuen uns auch unbändig, ich soll Ihnen das expreß von meiner Frau bestellen; und diese Freude erreicht dadurch ihren Gipfel, daß wir Sie nun jedenfalls am Nachmittage 2 Uhr des *Neujahrsabends* hier erwarten dürfen; dann essen wir erst mitsammen, gehen dann in die kleine erleuchtete Dorfkirche, dann brennt noch einmal der Weihnachtsbaum mit dem goldnen Märchen Zweig und den Rest des Abends feiern wir, wie hergebracht, im brüderlichen Hause, das Sie auch schon anheimeln wird. Und dann bleiben Sie behaglich ein paar Tage u. werden warm bei uns und wir plaudern uns gründlich aus. Also das ist ausgemacht, Neujahrsabend in Hademarschen. Von unsern Kindern werden Sie wohl nur meinen „stillen Musikanten“ und die beiden jüngsten Töchter Gertrud u. Dodo treffen.

O weh, da fällt mir ein, Sie können entweder nur Vormittg 10 Uhr, wo Sie Morgens 6 U.aus Hamb⟨ur⟩g müssen oder erst Nachm. 6 U. hier anlangen (der 2 Uhr-Zug kommt nur von Norden) wenn Sie also nicht etwa Nachm. 30st. kommen wollen, so haben Sie dazwischen zu wählen; um 6 Uhr kämen Sie zum brennenden Baum; besser, behaglicher aber Tags vorher. Sie schreiben das denn wohl zeitig.

Und nun noch Eins! Die Bewegung (ich gehöre zum Comitée für das Hebbeldenkmal in Wesselburen[2], seinem Geburtsort) ist während seines Wiener Aufenthalts als Buchbindergesell wesentlich durch den Sohn des Arztes Dr.Schlömer, Herrn Hugo Schl⟨ömer⟩[3], hervorgerufen. Er ist in Wien mit rührender Güte u. Fürsorge von der Wittwe Hebbel behandelt, u. kehrt jetzt auf kurze Zeit dahin zurück. Wenn er zu Ihnen kommt, bitte gönnen Sie diesem höchst originellen u. kindlich liebenswerthen Menschen ein Halbstündchen, und lassen Sie sich von ihm erzählen, wie er Hebbels trunkfälligen Bruder aus Rendsb⟨ur⟩g nach W⟨esselburen⟩ geführt u. in dessen Wohnung nach Hebbel-Reliquien gegraben hat. —

Gruß an Frau Wally.

Ihr Th Storm

[Am Rand:]

Möge auf Ihr „plaudite!“ nur kein: „comoedia finita est!“ folgen![4]

91. Schmidt an Storm
(aus einem Brief Storms an Westermann)[1]

[Ende November 1882][2]

. . . Die Anzeige ist so klein, weil das sog. Litteraturblatt der N.Fr.Pr. nur alle 3 Wochen erscheint, nur kurze Artikel bringt und vor Weihnachten sehr in

Anspruch genommen ist. Es handelt sich ja auch um nichts Andres, als die Leute, die bisher nur „Uarda“ u. „Kaiser“[3] kauften, beim Schopf zu packen und auf Ihre opera omnia[4] zu stoßen . . .

91 a. Beilage zum Brief Schmidts an Storm vom Nov. 1882 (Nr. 91)

(Erich Schmidts Anzeige in dem Literaturblatt der Neuen Freien Presse vom 24. 11. 1882, Nr. 6555)[1]

Theodor Storm's gesammelte Schriften. Bd. 11 bis 14. Braunschweig, Westermann, 1882.

Zu den wenigen lebenden Dichtern deutscher Zunge, denen jedes musenholde Haus zurufen soll: „Klopfet an, so wird euch aufgethan“, zählt der Schleswig-Holsteiner Storm, und das Monopol, welches ein gewisser Egyptologe[2] zum Schaden der nicht aufdringlichen echten Poesie über den gesammten Weihnachtsmarkt ausübte, dürfte allgemach soweit erloschen sein, um den neuen vier Bändchen Storm's einen Platz unter dem grünen Tannenbaume offen zu lassen. Sie enthalten vor Allem das Meisterstück „Aquis submersus“, eine Erzählung voll Süßigkeit und voll Traurigkeit, die uns das Herz zusammenschnürt. Die Form ist chronikmäßig ohne Schnörkel, alterthümelnd auch die Fassung des elegischen „Eekenhof“. Storms Liebesleute haben oft weder Glück noch Stern. Aber wen „Renate“ und die an grotesker Zuthat reiche „Wald- und Wasserfreude“ schwermüthig stimmt, wen der verlorene Sohn im herben „Carsten Curator“ mit peinlichen Gefühlen[3] entläßt, dem ruft der Papagei der „Söhne des Senators“ auf gut Plattdeutsch zu: „Komm röwer“ in den heiteren Garten, und dem wird „Im Brauerhause“ gar behaglich zu Muthe. Zwei Gedichte mahnen uns, des Lyrikers Storm nicht zu vergessen. Die Tafel ist gedeckt, man lange zu.

E-ch Sch.

92. Storm an Schmidt

Hademarschen, 15 Decbr 1882

Das that wohl, lieber Freund, daß Sie den Hamburgern gegenüber auf Ihrem Stück bestanden; das hätte auch noch gefehlt! Aber nun schreiben Sie mir, bitte, positiv, daß Sie Abends 6 Uhr am Tage *vor* dem Sylvesterabend hier anlangen und jedenfalls den 1 Januar hier überbleiben werden; jedes plus wird natürlich dankbar acceptirt, aber *darunter* geht's nicht.

Dank für das energische Reclamchen[1], ich sandte es gleich an Westermann, daß es ihm den Muth befeuere; nur bei dem „Herz zusammenschnüren"[2] des Aqu⟨is⟩ subm⟨ersus⟩ kam mir ein leises „O weh!" Daß der Carsten Curator *peinlich* ist, darin sind wir ja einig[3]; aber ich dachte, daß in Aqu⟨is⟩ ⟨submersus⟩ der Schluß doch mehr erschütternd[4] wirke.

Uebrigens — hat Gottschall noch seinen Helmbusch nicht gegen Sie geschüttelt?[5] Und nun haben Sie auch noch mit dem Aegyptologen angebunden![6]

Den „Hans Kirch" anlangend[7], so überkommt mich trotz sonstiger Gewissenhaftigkeit mitunter[a] eine Ermüdung während der Arbeit, der ich mich nicht kräftig genug erwehre. So ging es mir beim „Carsten Curator", daß ich trotz richtigen Empfindens, als ich auf etwa die Hälfte war, den Charakter des Jungen nicht in einen „schönen" Leichtsinn umgestaltete, womit dasselbe zu erreichen war (vielleicht doch, ich bin eben auch jetzt zu müde, um energisch darüber nachzudenken) — so ging es mir bei Aqu⟨is⟩ ⟨submersus⟩, wo ich sehr wohl fühlte daß der Pastor des zweiten Theils einmal durch den ersten hätte wandeln soll⟨en⟩, was eigentlich leicht zu machen war, wenn er mit Offizieren als Feldcaplan ins Schloß kam; und so ist es mir auch jetzt ergangen; der Alte ist nicht zu hart, so sind unsre Leute hier, es hätte nur noch eine Scene geschrieben werden sollen, worin die selbstverständlich im Grunde schlafende Vaterliebe zum Durchbruch gekommen wäre. Ich fühlte das beim Niederschreiben; aber — die Hirnmüdigkeit! Ein Unbedeutendes ist in der Buchausgabe hineingezeichnet beim Gespräch mit dem Pastor.[8] Heyse schrieb mir gleich p⟨er⟩ Karte:[9] „Est, est, est, liebster St⟨orm⟩, und von Deinem allerfirnsten aus dem besten Mutterfaß. Dieser starke Trunk, den ich gestern auf einen Zug genossen, hat mir alle Adern schlagen machen, und ich fühle noch heute, wie er mir in's Blut gegangen. Ich habe nur ein Fragezeichen: wär's nicht gut, die verstohlene, unterdrückte, fast ausgerottete Vaterliebe doch hie und da innerhalb dieser 10 Jahre sichtbarer wieder aufzucken zu lassen?"

Aus dieser Karte u. den Briefen von Groth[10], W. Jensen[11], meinem zum erstenmal befriedigten Reventlow[12] in Husum etc. etc, die entweder unbedingt zustimmen oder etwa schreiben: „ich stehe nicht an, es für ein stylistisches und psychologisches Meisterstück zu erklären; nur" — und sich dann gleich Ihnen eingehend wie um ein Menschenschicksal mit meinem opus beschäftigen (ein Prof. in Holland beabsichtigt schon ein Drama daraus zu machen) muß ich immerhin anneh-

---

a) Hs: *untunter*

men, daß es nach Stifter's Fodrung jedenfalls „eine Abendrede werth ist."[13] Was will denn ein alter Meergreis mehr!

Also, Sie haben im Wesentlichen recht mit Ihrem[b)] Einwand; es ist zu hart, aber — so meine ich wenigstens — nur weil etwas *nicht* gesagt ist. Uebrigens unmaaßgeblich. Daß der Alte hinreist, um den Sohn zu holen; nun das fließt oder ist ein Symptom der nicht erloschenen Vaterliebe, auch greift ja die Hand der Toten nach der seinen, wie er die Nachricht kriegt; da braucht's doch gewiß nicht weitern Motivirens, da er immerhin der Vater ist; es müßte motivirt werden, wenn er nicht reiste. Und ebenso, dß der Sohn folgt: wer ließe sich aus dem wüsten Leben, das er (es zeigt sich ja deutlich in den spätern Scenen) trotz allem als solches mitunter schmerzlich empfunden hat, vom Vater nicht nach der Heimath ziehen, deren Würde er ja noch eben gegen die grünen Jungen aufrecht erhalten hatte. Wie es ihm ergangen, davon kriegt der Leser in der Scene mit dem Alten (S. 79 seqq. der Buchausgabe)[14] genügenden Einblick. Die Geschichte mit dem Anker[15] braucht nach meiner Ansicht nicht medicinisch aufgeklärt zu werden; übrigens ist sie so geschehen.

Sonntag Abend 17 Dezbr. Abends.

Wie die Winde mein hohes Haus umsausen! Wieviel Nacht u. Graus zwischen hier u. Wien! Aber — klopfen wir unter den Tisch! — um kaum 14 Tage sind wir doch zusammen; ich freue mich unbändig darauf. Das ist so etwas vom Allerbesten im Leben. Aber richten Sie sich auf ein paar Tage mehr, als ich oben als minimum erbeten; unsre Reise nach Husum wird erst am 5 Jan⟨uar⟩ angetreten. Schreiben Sie aber, bitte, rechtzeitig, wann Sie kommen! Meine Frau sitzt bei mir und strickt zu allem Andern auch noch Weihnachtsstrümpfe für die großen Jungen in Frammersbach, Toftlund u.Varel. Ueberhaupt es weihnachtet ungeheuer bei uns; das ganze Haus voll geheimer Kistchen u. Kisten; den großen Weihnachtsbaum, wozu heute die lebensgroßen Kreuzschnäbel u. Rothkehlchen, eins sogar mit Nest aus der frommen Züllchower Anstalt angelangt sind, sollen Sie am Sylvester noch in seiner ganzen Herrlichkeit genießen. Meine Frau sagt eben, ich solle auch von ihr sagen, daß sie sich auch unbändig auf Ihren Besuch freue.

Auch von meinem Correspondenzfreunde dem Zimmermeister u. Stadtdeputirten aus Braunschweig[16] langte eben ein Brief an, dß er einen großen Kuchenmann u. dito Frau — wir sind in diesem altbürgerlichen Weihnachtsgeschmack

b) Hs: *ihrem*

eins — eigens für mich gefertigt — an mich abgehen lassen werde; daneben ein begeisterter Gruß aus Genua von einem Alfred, Graf Adelmann u. Frau, der im Hotel dort eben meine viola tricolor gelesen. So läßt sich Alles ganz freundlich an; auch von Hans prom⟨p⟩t u. stets zufriedne Briefe; ihm müssen die Speckter's in Hamb⟨ur⟩g eine schöne Puppe für seine kl. Haustochter besorgen; er sitzt dick in der Praxis.

Und nun — auf frohes Wiedersehn, und frohe Weihnacht und herzliche Grüße an Frau Wally!

Ihr alter Freund

Th Storm

Noch Eins! Könnten Sie mir nicht einige Wiener Hauptantiquare aufgeben; ich möchte auch das dortige Gebiet bestreichen; ich laufe so manchen Büchern vergebens nach. So den Houwald-schen Jugendschriften u.Märchen mit Bildern v. Ramberg[17], so „Nordische 1001 (nicht 101) Nacht" v. Lyser[18], Bd I von Apel u. Launs Gespensterbuch[19] u.dgl.

93. Storm an Schmidt (Postkarte)[1]

Hademarschen-*Hanerau* (Eisenbahnstation)

29 Dezb 82.

Heut Vormittag sag ich zu meiner Frau: „Weiß der Henker, warum ich so traurig in mir bin?" Und jetzt weiß ich's, es war Ihre Trauer-Karte[2], die damals schon hier im Sack des Briefträgers steckte. Aber diese selbst wird denn doch auch wohl der Höhepunkt sein. Zum zweiten Mal darf's uns doch nicht zu Wasser werden. Lassen Sie sich von Ihrem freundlichen Wirth — übrigens alle Ehre und Vertrauen! — nur nichts aufreden; denn natürlich will er selber Sie behalten; sagen Sie ihm lieber, er soll Ihnen einen guten braven Fußsack besorgen. Dann wirds hoffentlich schon gehen; es ist ja nicht weit hieher. Erkundigen Sie sich im Neumünsterschen Wartezimmer, wo 10—15 M⟨inuten⟩ Aufenthalt, nur genau, wie der Zug hieher aufgerufen wird (ich meine übrigens, zu allerletzt). Die Bahn, die Westholsteinsche, endet mit Station Carolinenkoog, Ihre Station, wie bemerkt, ist „Hanerau". Also auch ich sage: „Auf Wiedersehn!" Der 12 F⟨u⟩ß hohe Tannenbaum steht noch im Staatszimmer in unberührter Pracht u. soll

Ihnen u. dem Sylvester zu Ehren noch einmal alle seine Kerzen brennen. Meine Frau zittert mit mir, verlangt aber, ich soll in erster Reihe doch Mitleid mit Ihnen haben, was meinem Egoismus nicht ganz gelingen will. Unbekannterweise freundliche Empfehlung an Herrn Dr. Goldschmidt![3]

Ihr alter

Th Storm

94. Schmidt und Storm an Oskar Schmidt (Postkarte)[1]

Hademarschen-Hanerau 1 I 83.

Meine Lieben

Einen Neujahrsgruß aus dem höchst behaglichen Hademarschner Dichterhause, geschrieben am Arbeitstisch und mit der Feder unseres lieben Poeten, den ich in alter Frische u. Liebe fand. Ich fühlte mich gleich ganz heimisch unter den prächtigen Menschen. Den Sylv.punsch tranken wir bei dem jüngeren Bruder[2], der nun heut Abend mit seiner Familie zu uns kommt. Morgen um 2 fahre ich nach Hamburg zurück. Über die unvergeßlichen Stunden hier, über alle Insassen des Hauses sollt Ihr bald noch mündlich hören.[3] Am 30. war ich in größerer Gesellschaft in Hamburg u. machte der jungen Frau Goddefroy ein bischen den Hof, die in ganz H⟨amburg⟩ für eine „süße kleine Frau" gilt.

Storm empfing mich mit dem „stillen Musicanten" auf dem Bahnhof.[4] Heute früh wars nebelig, aber wir spazierten 1 gute Stunde in den nahen schönen Park, wo in der Mitte ein herrlicher Mennonitenkirchhof liegt.

Ganz Euer E.

[Am Rand in E. Schmidts Schrift:]

Mein Ohr beträgt sich anständig.

[Nachschrift von Storm:]

Herzliche Grüße an meines lieben Freundes Erich verehrte Eltern. Wir sind alle so froh, ihn endlich einmal hier zu haben. Auch meine Frau schickt die freundlichsten Grüße.

Th. Storm

95. Schmidt an Storm
(aus einem Brief Storms an seinen Sohn Karl)

[Wien, 13. Januar 1883][1]

... Nun sind es bald 14 Tage, daß ich in Ihr schieferbekleidetes Castell[2] einzog, um Dank Ihrer rührenden Freundschaft für den jungen Fant, dem herzgewinnenden Wesen Ihrer Frau, die es mir sehr angethan hat, wie auch der stille Musikant und seine Schwestern[3], im Augenblicke zu erwarmen.

(Bericht über Konzert und Oper) . . . sagte mir aber, daß so ein Abend zu Füßen der Märchentanne oder im Haus Ihres trefflichen Bruders[4] mit dem gemeinsamen Genuß guter Gedichte oder einer lübschen Schnurre[5] dazwischen und einem edlen Musikstück von Herrn Karl oder Frl. Lucie aufgespielt[6], eine nicht mit Gold zu zahlende Weihe hat . . .

96. Storm an Schmidt

Hademarschen 5 Febr. 83.

Ja, lieber Freund; und nun ist schon wieder etwa das Zehntel eines Jahres vorbeigeflogen, seit Karl und ich Sie mit so großer Freude vom Bahnhof holten[1], und all die Meinen, die eben damals hier vorhanden waren, mit mir das Gleiche fühlten, als hätten wir den liebsten nächsten Blutsfreund unter uns; denn es hatten's alle gar bald heraus, daß Sie sich so wohl mit uns, als wir mit Ihnen fühlten. Es trifft sich ja nicht immer so. — Dodo spielt eben eine ganz weichmüthige Melodie unter mir im Eßzimmer; ich kann das in diesem Augenblick nicht recht vertragen; — das Leben ist nur noch so kurz für mich. Ich muß mich einmal derbe schütteln. So — und nun will ich fortfahren.

Die „Storm-Saison“ in Husum, wie die dortigen Freunde es nennen, dauerte dießmal vom 5 bis 22 Januar, welche Zeit wir zwischen dem Reventlowschen und dem Hause meines Bruders Doctors theilten[2], der noch ganz frisch war von seinen[a)] im Spätherbst in Berlin betriebenen 6 wöchentlichen Ohren- und Augen-Specialstudien. „Hast Du sonst auch recht was gesehen?“ frug ich. „Frag nur! Alles.“ Das Uebrige hatte er mit seiner Tochter Grethe, die er sich nachkommen ließ, betrieben. Doch — den Bruder haben Sie ja, leider, nicht kennen gelernt; er ist 15 1/2 Jahr jünger als ich; ich sollte zu ihm Gevatter stehen, genirte mich

---

a) Hs: *seiner*

aber und that's auch nicht. Dodo[3], die mit uns war, schwamm in all den Freuden, lief mit Kindern und jungen Herrn Schlittschuh', wurde von älteren Herrn zu Tisch geführt und zeigte wunderbare Gewandtheiten. Ich kam dießmal ohne erhebliche Blessuren aus dieser Campagne; und trug wesentlich nur eine ungeheuere Dummheit, ich will nicht sagen des Verstandes, aber der Phantasie davon mit nach Hause; denn bis heute habe ich eigentlich fast jeden Morgen meine neue Arbeit vor mir ausgepackt, habe sie eine Stunde lang angestarrt, bin im Zimmer auf u. abgelaufen, um dann schließlich Alles ebenso wieder wegzupacken, bis denn schließlich heute Vormittag sich ein blonder Kopf durch meine leis und nur halb geöffnete Thür schob, und ich die tiefblauen Augen meiner Muse endlich wiedersah. Hoffentlich tritt sie nun morgen ganz zu mir herein; denn heute war's nur ein: „Sei ruhig, ich bin ja doch noch da!"

Sie irren, Freund Erich, wenn Sie meinen, ich sei über die erwähnten Jensenschen Bücher[4] nicht Ihrer Meinung; Schlömer[5] würde ganz recht haben, er ist wirklich ein Fragment; aber trotzdem, in dem „Leuchtthurm" weht was Großes, Oceanisches, und dann die furchtbare Geschichte, der beiden Kerle, von denen der eine darin, nemlich im Leuchtthurm stirbt; und in den „Fragmenten" die eigentlich, wenn man einen andern Schluß machte, ganz für sich bestehende Strandräubernovelle, die den Anfang bildet!

Ich habe einen Blick auf einen Artikel in dem letzten Rundschau-Heft über Meyers Gedichte von einem Ad. Frey gethan.[6] Ich sehe da einen Satz: „Das Lob *des Lyrikers* gehört ungeschmählert auch dem Epiker!" Es scheint viel Wahres u. Feines in dem Aufsatz zu sein; nur muß man sich klar sein, daß Meyer so wenig ein ächter Lyriker ist[7], als überhaupt in dem letzten Jahrhundert-Viertel ein solcher aufgetreten ist; dazu fehlt ihm das ursprüngliche Zusammenfallen von Ausdruck u. Empfindung. Ich lasse freilich in dem Punkt wenig passiren; aber ich fühl's, ich habe recht, und — das versteh ich besser, als fast alle Lebenden. Nun scheltet mich! — Was ist das mit Hopfen?[8] Ich halt für möglich, daß da was darin ist. Können Sie mirs einmal unter Band schicken? — In p⟨un⟩cto Meyer, der freilich ein Poet ist, merke ich an: S. 13, *31*, 48, 52, 62, 88, 89, 146, 156, 164, 166, *169*, *188*, 241, *271* (trefflich zum Vorlesen, muß studirt w⟨er⟩den) etwa 35, aber diese Lyrik ist doch eigentlich kalt, etwas wärmer S. 73 „Firnelicht".[9]

9. Febr. Ich setze mich wieder zum Schreiben an Sie, lieber Freund, und wieder spielt mir die Dodo da unter mir ihre weichmüthige Melodie. — Die Muse hat leider auch in den letztverflossenen Tagen nur so eben den Kopf zu mir hereingesteckt; aber statt ihrer ist unsre liebe schöne Gräfin aus Husum[10] auf sechs Tage, welche, auch leider, schon Montag zu Ende gehen, unser Gast. Eben sind die beiden Frau⟨en⟩ in Bruder Johannes' Phaeton[11] auf Visiten nach Hanerau gefahren, denn es ist Schandwetter; vormittags kann man sie frühstückend auf dem Küchentisch zusammen finden, Abends wird mit Tante Rike[12] oder sonst wem aus dem brüderlichen Hause Whist[b)] gespielt, heut Abend ist unser Hademarscher Klubb bei Jürgensens, wo in den drei kleinen Zimmern sich einige zwanzig alte u. junge Gäste vergnüglich zusammenfinden werden. Und so lebt man möglichst harmlos der großen Nacht entgegen.

Ihre Gratulation in p⟨un⟩cto „Maximilian"[13] acceptire ich rück- u. vorwärts; die Gesellschaft, die im Ganzen nicht über Hundert hinaus darf, ist ja übrigens, zumal wenn man die Todten mit zu Hülfe nimmt, eine recht illustre; ohne Schmerz würde ich von den Lebenden Bodenstedt u. Redwitz vermissen[14] (Heyse ist bei deren Ernennung noch nicht im Capitel, nicht einmal im Orden (erst 1871) gewesen⟨)⟩. Von den todten Ordensbrüdern haben mich Mörike (schon 1862, was mich wundert) Reuter (1874) Hebbel (1860) Eichendorff u. Grillparzer gefreut; jetzt sind an oder unter den Poeten da: außer Heyse Geibel, Freytag, Riehl, Lingg, Scheffel, u. G.Keller, und die beiden von mir Protestirten.

Kennen Sie Roquette's J. Chr. Günther's Leben u. Dichten?[15] Ich habe mich dieser Tage, meine alte — von ihm übrigens scheinbar nicht gekannte — zweyte Auflage v. 1739 (außer Verzeichniß 1178 Seiten)[16] neben mir⟨,⟩ an diesem liebenswürdigen und für die Orientirung wirklich förderlichen Buche recht erfreut, so daß ich es nebst dem Jürg Jenatsch meinem über geistigen Hunger klagenden Ernst neulich in sein einsames Haidedorf geschickt habe.[17] — Von Karl neulich ein Brief, worin er etwas wehmüthig der schönen Festzeit u. Ihres Besuches gedachte, der gute innerlich so feine Mensch mit seinem bescheidenen Leben. Er sandte mir auch einen Ausschnitt aus einem Hamburger Blatte über Ihren Vortrag[18], dessen Bedeutsamkeit kurz u. kräftig, hervorgehoben, dann aber etwas betont wurde, was auch ich mir erlaubt habe, Ihnen einige Male, zuletzt bei unserm Zusammensein hier, hinsichtlich Ihres Lessing zu bemerken, daß Sie nemlich für nicht ganz Eingeweihte leicht etwas viel voraussetzen, ein wenig zu gelehrt erscheinen, was man von dem jugendlichen Menschen in unsrem Weihnachtszimmer gar nicht denken sollte.

Doch ich schließe für heut, die Frauen sind wieder da, und bald gehts in den Klubb. Wenn ich so an Ihr Leben denke, kann's mich wohl mitunter grausen, daß mein's so im stillen Winkel hier verrinnt; und doch, wieviel reicher bin ich als die Meisten! Ist der Garten erst wieder grün, dann zieht ja auch wieder mancher lieber Gast durch unser Haus; wären Sie u. Ihre Wally nur auch darunter.

---

b) Hs: *Wisth*

Die Meinen wissen, daß ich an Sie schreibe u. haben mir herzliche Grüße an Sie und an Ihr Liebstes aufgetragen. Vergessen Sie uns nicht!

Ihr

Th Storm.

97. Storm an Schmidt (Brieffragment)[1]

Hademarschen, 1883.

16 Febr. Vormittgs.

Ihr beim Morgenthee empfangener Kleist-Vortrag[2] nimmt mich ganz gefangen; ich habe mich — obgleich das letzte Ende meiner Psychologischen[3] dringend nach mir verlangt — schon tief hineingelesen; es ist doch höchst seltsam, daß das Leben eines Menschen, fast aus unserer, der Aelteren, Generation, von dem, als man es zu schreiben anfing, es noch von directen Zeitgenossen wimmeln mußte, in Betreff großer Partieen so von Dunkel u. Geheimniß bedeckt ist. Daß er zeitweilig im Irrenhaus gewesen, ist recht glaublich; der Familientag u. das Opium neben der der Anerkennung seines Poetenthums so ungünstigen Zeit sind mir die besten Schlüssel für sein Ende; die schlimme Lage Deutschlands, Preußens kommt, glaub' ich, erst in zweiter Reihe.[4] Ich habe mir schon meinen Kleist zurechtgelegt, um wieder dieß u. das zu lesen; sogar den Dichter des Frühlings[5] drückte Ihr Vortrag mir in die Hand; ich liebe den Menschen in diesen einfachen Poesieen und theile ja so ganz sein Naturgefühl.

Aber, liebster Freund, unter einem *populären* Vortrag verstehe ich einen, der nicht aufklärt *über,* sondern, der einführt *in;* der Ihrige, soweit ich gelesen u. beurtheilen kann, ist freilich eben so reich, als eingehend und belehrend; aber er ist für *Wissende.*

„Aber die Rappen werden ihm aufgefüttert".[6]

Richtig, das ist es; aber wer, der den „Kohlhaas" nicht gelesen, soll wissen, was Sie damit sagen wollen, und Kleist's Sachen haben, wenn nicht die Universalbibliotheken eine Ändrung gebracht, höchstens 5 P⟨ro⟩c⟨ent⟩ des Publicums gelesen. Ich halte einen Vortrag vor einem größeren Publicum über solchen Stoff nur möglich, wenn man überall sorgfältig orientirend vorgeht.

— — Ich habe inzwischen weiter gelesen und möchte Ihnen gleich einen zweiten Grund angeben, weshalb — bei Lesen wenigstens — trotz der unleugbaren nie nachlassenden Meisterschaft uns „der zerbrochne Krug" zu lang wird. Der Dichter kann nicht für die Personen, sondern nur für die Situationen, die, da sie nur in einem „Aufdröseln“ bestehen, uns mehr nur gespannt, als angeregt erhalten, unser Interesse gewinnen.[7]

Ich will es besser sagen:

Es fehlt in dem Stück alle Wärme des Gemüths, und daher werden wir innerlich für keine der auftretenden Personen und deren Schicksal interessirt; alles Interesse ruht lediglich auf der Situation und deren Entwicklung; das ist eine unnatürliche Trennung u. schon an sich, am wenigsten in einem so langen Stück und bei dieser hart geschärften Sprache [nicht] auszuhalten, zumal da die Scenen, welche, wie Sie richtig sagen, mehr in einem „Aufdröseln“ bestehen, uns mehr gespannt halten, als lebendig anregen.

So etwa meine ich.

98. Storm an Schmidt

Hademarschen, 10 Mai 83.

Lieber Freund!

Nachdem gestern nach unendlicher Dürre ein siebenstündiges Gewitter erquicklichen Regen niederrauschen ließ, liegt nun vor meinem Fenster Garten und Wald im frischesten Maiengrün, und das Pfingstfest mag nur kommen; einige liebe Gäste bringt es auch; seit Dienstag ist auch unsere Lucie, die Sie, wie Ebbe, leider, nicht kennen lernten, wieder da; geht aber, was die Beiden miteinander abgekartet, wohl im Juni zu Hans, um dem eine Häuslichkeit zu geben[1]; im August gehen wir andern nach Tondern, um den Ernst bei seinen Schwiegereltern zu verheirathen.[2] Ihr Freund Karl wirkt, wie gewohnt, in Varel[3] u. wird im Sommer wohl wieder seinen Bruder Hans im Spessart besuchen.

Daß meine Gedanken sich mit Ihnen beschäftigt ⟨haben⟩, mag Ihnen das anliegende Brieffragment ⟨vom Februar⟩[4] darthun; Ihr Kleistvortrag hatte denn auch noch die Wirkung, dß ich den Meinen den „Kohlhaas“ vorlas. Dann gleich danach den „Hamlet“; bei Beidem freute mich die tiefgehende Wirkung.

Und nun — die „Psychologische“![5] Ja, wie Ihr Student, so schrieb auch gestern mein Freund Nieß, der Braunschweiger (der Geber der Münzketten- u. Kuchenleute) „Ich bin im höchsten Grade erfreut; ich kenne Sie nicht wieder; und welche psychologische Vertiefung u. Wahrheit“ etc.[6] Aehnlich der eine Paetel[7], die sonst nie den Mund aufthun. Ich selbst aber habe Ihnen dießmal keine Correcturbogen geschickt, weil ich in dieser Arbeit zum ersten Mal den hereinbrechenden Altersbankerott zu fühlen glaube. Ich habe des, freilich wohl heiklen Stoffes, nicht Herr werden können; und ich fühlte zum ersten Mal mit bittrem Leid meine Ohnmacht und sagte mir dabei: „Also die Phantasie ist von den Geisteskräften die erste, die von dem alten Menschen Abschied nimmt. Das Resigniren ist sehr bitter. So, lieber Freund, stehe ich der Sache gegenüber; wobei ich freilich die Definitiv-Entscheidung ausstehen lasse. Ich gestatte mir noch eine Eventualität: es kann ja doch am Stoff gelegen haben! — Jedenfalls wird die Kritik leichte Arbeit haben; meine eigne, u. wie es bei der Arbeit zugegangen, sollen Sie haben, wenn Sie gelesen. Mein Toftlunder[8] u. die beiden Lucien, Nichte u. Tochter[9], fühlen auch die Mängel, die Mädchen sagen: „Es ist gar nicht, als hättest Du das geschrieben.“ Uebrigens hoffe ich, Ihnen einen Abdruck beilegen zu können.

Ihren Freund Levinsky[10] bitte auch ich freundlich, meine Sachen einmal seinen Wienern vorzulesen und sage ihm unbekannterweise meinen Gruß. Ich habe dieser Tage Dieß und Jenes von mir wieder eingesehen, und weiß, daß es doch echt sei, und sich von dem, was auf den Schild erhoben wird, zu seinen Gunsten wesentlich unterscheide, an mir selbst erprobt. Ich lese jetzt den Scheffelschen „Eckehardt“[11] wieder u. freue mich des guten Buches, an das Leopold Alberti, als mein Aquis subm⟨ersus⟩ erschienen war, eine bescheidene Vergleichung glaubte anknüpfen zu dürfen[12]; und doch habe ich jetzt, deß gedenkend, ein bis jetzt nicht abzuweisendes Gefühl, daß, abgesehen von dem reichen u. schönen culturhistor⟨ischen⟩ Material, das ja übrigens zu großem Theil dem alten Eckehardt IV angehört, mein „Aquis ⟨submersus⟩“ als Dichtung eigentlich höhersteht. Ich mag mich darin irren, und vielleicht komm' ich am Schluß meines Wiederlesens zu andrer Ueberzeugung; denn dieß Scheffelsche Buch ist jedenfalls eine schöne u. innige Arbeit u. mir eine der liebsten Gaben der Zeitgenossen.

— — Eben — *es ist 10 U.* Vormitt⟨a⟩g — war ich im Garten; wahrhaft erquickend, es könnte einen täuschen, daß man die Arme reckte u. glaubte, man werde wieder jung. Hätten wir Sie u. Wally zu solcher Zeit einmal hier; ja — wie gern wär' ich dagegen im Herbste einmal bei Ihnen! Möge zunächst nur das Bad Ihnen eine gesunde Frau schenken!

— — „Eichendorf⟨f⟩!“[13] — Ja er hat noch die Macht, einen weitweg aus der klappernden Wirklichkeit zu entführen; es ⟨ist⟩ ganz still um uns. Aber wird für seine Prosa Dichtungen bei den Lebenden noch lange ein Verständniß bleiben? Wird der Waldweg dahin nicht bald verwachsen, wo die einsamen Stimmen rufen und die todte Schönheit vergebens noch einmal aufzuleben ringt? Ich hatte mit Ihrem auch wieder ein Brieflein von seinem Enkelkinde, dem Margrethlein[14]; das wohnt mit den Eltern auch auf so einem grün überwachsenen verzauberten Schloß in Mähren.

„Wilbrandt!"[15] — Ich las nur Novellen von ihm und hatte schon immer das Gefühl — der V⟨er⟩f⟨asser⟩ war damals noch in seinen alten Verhältnissen — daß das Alles wesentlich nur Kopfarbeit sei, daß da die echte Ursprünglichkeit, der eigentliche poetische Instinkt nicht darin sei. Ich sagte es einmal unserm gemeinsamen Freunde Heyse[16]; er schien nicht viel dagegen zu haben.

Ihre Lessingarbeit[17] führt Sie hoffentlich in nicht zu ferner Zeit noch einmal nach Hamburg und zu uns. Sie sind in dem Alter u. in der glücklichen Geistes-Lage, zu sagen: „Es ist eine Lust zu leben!"[18] Welch ein Genuß, mit voller Kraft, an einem solchen Werk zu arbeiten! Möge Ihnen jede Freude dabei werden, und die Anerkennung der Besten danach folgen! Hoffentlich erleb' ich's ja noch!

Bei Ihrem im Kopfe vorräthigen Aufsatz über die 130 zeitgenössischen Dichter muß ich bemerken, daß ich einem Dr. J.B. Peters in Bochum, der eine Anthologie „Deutsche Lyrik im *Liede*" herausgiebt, zwei meiner deutschesten Briefe geschrieben habe.[19] Solche selbstbewußte Unfähigkeit kann mich fast bösartig machen. Solch schädliche dilettantische Bücher müßten von rechter Stelle aus ruhig u. ernst, breviter et distincte[20] abgefertigt werden. Und dabei hier noch so etwas wie preciöse Gesuchtheit, das poetisch gute, gesangerprobte Lieder „Vater Noah" von *Kopisch*, „Zu Mantua in Banden" v. *Mosen*, „Des Jahres letzte Stunde" v. *Voß*, „Die linden Lüfte sind erwacht" v. *Uhland*, „Feldeinwärts flog ein Vögelein" v. *Tieck*, „Aennchen v. Tharau" v. *S. Dach*, „Als der Sandwirth v. Passeyer" v. *Schenkendorf*, „Aus der Jugendzeit" v. *Rückert* „Auf den Bergen die Burgen" v. *Dreves* „Es zogen zwei frische Gesellen zum ersten Mal von Haus" v. *Eichendorff* etc. etc[21] wie absichtlich übergeht, während ringsumher das ganz Bedeutungslose wuchert. Ich lege Ihnen das mir gesandte Inhaltsverzeichniß bei.[22]

— — Eben wieder im Garten; mir einen Frühlingsstrauß gebrochen u. auf meinen Tisch gestellt. Am 5 Mai, dem 58st. Geburtstag derer, welcher die „tiefen Schatten" gelten[23], schlug fast den ganzen Tag in meinem Garten sie selbst, die Nachtigall; seitdem nicht wieder. Als wir im Frühling von unserer Hochzeit Abends miteinander durch grüne Einsamkeit (in ihrer Heimath) gingen, schlug sie einmal auch so herzerschreckend fast plötzlich neben uns aus den Büschen. Die ist auch wohl Staub, die damals sang.

— — Aus der Kritik über H. Hopfen[24] taucht mir ja plötzlich das frische Bild meines alten Verehrers Zetsche[25] auf, den ich ganz verloren hatte, seit er mir vor 3 — 4 Jahren ankündigte, ich würde nun in einigen Jahren nicht von ihm hören; er wolle sich aufs Malen legen, und ich weiß nicht, wohin gehen. Auch in Husum (er besuchte unsre Inseln) hat er mich, ich meine, zwei Mal aufgesucht. Das eine Mal trat er in meine Stube, als ich eben einer kleinen Anzahl von Verwandten u. Freunden mein „Aquis Submersus" vorlesen wollte, das eben fertig war. Er ist ein netter treuherziger Mensch, dessen Schicksale in den vergangenen Jahren ich gern erführe. Bitte, senden Sie mir seine Adresse, daß ich ihn fragen kann. Uebrigens, Jul. v. d. Traun[26] ist zwar selbst ein weltgewandter Mann; seine Poesie, u. zwar wo sie sein tiefstes Wesen ausspricht, ist fast durchweg weltabgewandt.

— Mir geht es körperlich leidlich gut, so wie bei Ihrem Besuch zu Neujahr etwa; auch sonst ist Alles wohl, Frau u. Töchter lassen freundlich grüßen.

Und nun Schluß für dießmal. Ich stecke den Brief heut Abend (10 Mai) in den Postkasten und hoffe, daß er am Tage oder Abend vor Pfingsten bei Ihnen anlangt; so habe ich im Fest das angenehme Gefühl, daß dann liebe Freunde meiner, unser gedenken. Lassen Sie mich demnächst doch wissen, wann Sie ihn erhielten.

Gegenüberstehend dann nur noch das Brieffragment v. 5 Febr. d J.[27]

Sie und Ihre Wally herzlich grüßend

Ihr

Th Storm.

99. Storm an Schmidt

Sonntag, 20 Mai 1833 [versehentlich für 1883], Vormittg.

Drunten der Garten in Maigrün u. Sonnenschein;
natürlich weht es — entre deux mers.[1]

Lieber Freund!

Dank für den frischen Brief[2], aber Sie werden sich inzwischen schon besonnen haben; event⟨uell⟩ wird Frau Wally Ihnen einiges bedenkliche Kopfschütteln entgegengesetzt haben; denn auf das kritische Feingefühl (nicht just Verstand) der Frauen, welches durch entsprechende Gebehrden oder zögernde Zustimmung seinen Ausdruck findet, gestatte ich mir Sie als Literaturhistoriker aufmerksam zu machen. Also: —

Meine erste Absicht — die 1. Scene sieht auch wohl so aus, ging dahin die Rettung vor dem letzten Schritt von der Frau vollziehen zu lassen[3]; dann erschien es mir zu kümmerlich, dß er dann nur durch die überlegene Persönlichkeit seiner Frau weiterlebe. So entstand dieser Schluß, der mir jedenfalls nicht besser erscheint, der seinen zwitterhaften Ursprung nicht verleugnet; denn wenn *er*, wie jetzt, die Entwicklung selbst herbeiführt, nur auf Anstoß des zu ihm dringenden Glockenschlages, so sind die Handlungen seines Weibes, das Ringen mit der Mutter etc. ja überflüßig u. dienen nur zur Illustration ihres Characters, was doch bei der Stelle, die ihr im Stücke angewiesen ist, nicht genügt. Und dann: ist diese schließliche Selbstrettung genügend motivirt?

Ich theilte Heyse, nach dem Druck, diese, auch von Ernst erhobenen, Bedenken mit[4]; er schrieb mir wörtlich:

„Dein Schweigen, Liebster, ist trotz alledem Gold. Gegen das Ende ein Legiren mit unedlerem Metall nicht zu verkennen, wie Du ja selbst beklagst." Nun erzählt er, wie er seiner Frau, ohne ihr etwas zu sagen, das Heft giebt. Beim Zurückbringen habe sie gesagt: „Es ist sehr schön. Schade, daß die Lösung nicht ganz überzeugt und zurecht gemacht erscheint. Aber" — wiederholte sie immer — „Es ist doch sehr schön, und ich habe dabei geweint."[5]

Wie hat nun Ihre Wally es gemacht? Bin doch begierig auf diese verschiednen Frauen-Kritiken.

„Sehr schön u. echt u. fein" — meint H⟨eyse⟩ — „ist alles Detail, die Figur der Mutter vortrefflich, der schließliche Eisgang" (was meint er mit dem Wort für eine Scene?)[6] „erschütternd. Nein, Liebster, noch hast Du das Gespenst der Senilität nicht von fern zu fürchten" etc etc.

Wie nun zu helfen, wisse er augenblicklich nicht; es müsse, was nicht so leicht, die Katastrophe wie aus der Wurzel des Problems hervorschießen (das hatte ich mir selber schon vergebens vorgehalten); daß er sie noch verwunde (freilich, *das* hängt mit der Kernfrage zusammen), dß der Maiblumenstrauß noch daliege, daß er sie — den ungeheuern Weg — nach Haus trage, das Alles sei zu uneinfach (die beiden letzten Monita scheinen mir unwesentlich) aber es werde sich schon finden. „Weißt Du", (und dazu giebt Manches in der Novelle allerdings Veranlassung) „daß ich dennoch die dunkle Lösung erwartet hatte? Ob mit Recht, kann ich nicht sagen. Man sollte dergl⟨eichen⟩ gute Sachen nur in bester freiester Stimmung lesen, damit sie sich in einer reinen Psyche spiegeln könnten" (er hatte eben ein Drama „Don Juans Ende" — „kein halber Faust" vollendet)[7]

Ich schreibe Ihnen, lieber Freund dieß so ausführlich, da es ja ein weiteres als bloß auf den einzelnen Fall bezügliches Interesse zu haben scheint; mit „*es*" meine ich die Betracht⟨un⟩g des vorliegenden Falles.

Montag Ein Besuch meines bäuerlichen Vetters, des Bauervogts Hans Carstens aus Hamdorf, Vater-Schwesterssohn[8] und übrigens ein Mensch ziemlich ein Stück über den Durchschnitt, mit Schwester, Sohn u. Tochter und Spaziergänge mit unsern Gästen; Abends dann selb Dreien eine treffliche Bowle bei Dr.Wachs auf dem Gutshof[9], nach Mitternacht köstlicher Weg nach Hause, Mai und Mondnacht u. Nachtigallen, daheim eine arme, harrende, sich müd gelesene

Frau, die es auch mir noch immer „angethan hat“ — das Alles ließ mich gestern diesen Brief nicht schließen. Es ist sehr schön bei uns jetzt; könnte man nur die herhexen, mit denen man's genießen möchte!

Ich schließe also und grüße Sie Beide herzlich; Frau Do und Töchter thun desgleichen.

Ihr

Th Storm

100. Storm an Schmidt (Postkarte)[1]

Hadem⟨arschen⟩ 22/5 83.

Vorhin meine Bücher, eben Ihren Artikel gegen die Archaisten[2] erhalten, dem ich natürlich beistimme, d.h. übrigens: ich verlange für den Dichter das Recht, *wenn er es kann,* auch eine *vergangene* ja auch eine *fremde* Welt uns heraufzubeschwören; es kommt Alles immer u. immer nur darauf an, daß er uns in dieser einen poetisch angeschauten ewig menschlichen Inhalt zu geben vermag[3]; in welcher Form ihm dieser lebendig geworden und zum Ausdruck gekommen, darauf kommt für Werth und Dauer nichts an, so lange Schauplatz und Umgebung bescheiden bleiben und sich nicht als Hauptsache vordrängen. Im Uebrigen kann manches jetzt Vergangene zu echt menschlich schönen u. poetischen Situationen u. Entwicklungen Veranlassung geben. Denken Sie nur an den „todten Heerd“ in Eekenhof. Doch der Beispiele sind überall. Aber freilich, das Antiquarische soll jetzt für mangelnden Inhalt Ersatz geben, u. Ihr Zorn ist ganz gerecht. Ich habe das auch in Scheffels „Frau Aventiure“[4] gefunden, die ich neulich scharf darauf angesehen. Unser Auge ruht immer auf den paar freilich einzig dastehenden Sachen; aber in dem Allermeisten ist der wirkliche Inhalt höchst gewöhnlich; leider! Zu dem Schönen nenne ich noch außer denen im Hausbuch[5]: „Herbstreigen“ 2, 3, 4, u. die Wiederdichtung der Regine Avrillouse „Genaht voll Glast u. Sonne“; etwa den „Meerdrachen“.[6] Uebrigens habe ich wesentlich die letzte Hälfte des Buches durchgesehen. — Bei *Arnim,* ich sprach es wohl schon aus[7], liegt es eben auch darin, dß ⟨es⟩ ihm wesentlich um das Antiquarische zu thun war, u. er sich immer nur für die Situation, nie für die Personen erwärmte, wenn sie nicht wie sein Faust[8] eben auch zur Staffage der antiqu⟨arischen⟩ Scenerie gehörten. Keller corrigirt noch an seinen ca 30 Druckbogen „Gedichte“.[9]

Ihr

Th St.

101. Storm an Schmidt

Hademarschen, 28 Septbr. 83.

Ich hätte Ihnen längst geschrieben, lieber Freund, wenn nicht allerlei krampfige Nervenzustände, übrigens nichts so gar Neues, mich brieffaul gemacht hätten. Ihre „Kindesmörderin“[1] arrivirte prom⟨p⟩t zum 14 Septb. u. lag mit Heyse's „Im Bunde der Dritte“[2] und Wilh. Jensen's „Ein Skizzenbuch“[3] in der Veranda unter einer wahren Blumen- u. Fruchtausstellung auf dem Geburtstagstisch. Ich habe es sogleich verschlungen; denn trotz alledem, das Stück interessirt menschlich und abgesehen von dem selbstverständlich, für die Bühne nicht allein, ganz Unmöglichem, möchte man nur wünschen, daß diese tief und fest ins Leben greifende Art des Comödienschreibens auch noch jetzt mitunter angetroffen würde. Natürlich kam[a)] ich dann auch wieder an Ihren „Heinr. Leop. Wagner“[4] und da ich nun das qu. opus[5] selbst dabei hatte, so konnte ich mich so recht in die Geschichte einnisten. Der Mann ist übrigens, quod ad me[6], Ihrer Arbeit völlig werth. Meine derfallsige Beschäftigung hatte dann noch zur Folge, dß ich den Lenzischen Hofmeister[7], eigentlich zum ersten Male, gründlich u. uno tenore[8] durchlas. Wo der Held so wehmüthig zum Wenceslaus sagt[9]: „Ich hab' mich castrirt;“ hab ich laut auflachen müssen. Die Scene, wo die Beiden über Läufers gleichwohlige (schönes neues Wort!) Heirath conferiren[10], ist prachtvoll; der Schluß des Stückes etwas kümmerlich u. das Ganze doch, das Sie richtig einen „Rattenkönig“ nennen[11], trotz Schröder's, leider, nicht erhaltener Umarbeitung[12], für die Darstellung wohl incurabel. Aber welch ein Jammer, daß über diesem Talente nicht ein Charakter war, der es dirigiren konnte; denn da allein scheint's doch zu liegen. Daß ich mich auch wieder in Ihr liebenswürdiges Buch über Lenz vertiefte, dessen Widmung[13] mich noch immer wieder freut, versteht sich von selbst. So verdanke ich also Ihrem Geburtstags-Angebinde viel Anregung u. gute Beschäftigung.

Das Jensensche Buch wollen Sie gelegentlich ansehen; obwohl seine Lyrik nicht fertig ist, so ist er nach dieser Seite hin der Tiefste und Reichste in Gedanken, Anschauungen, Farbe. Ich mache Sie aufmerksam auf[14] *„Im Eilzug“* — *„Ein Räthsel“*, wo das Motiv nur um ein Haarbreit schärfer hervortreten sollte, obwohl es auch so verständlich ist — *„Am Aschenkrug“*, wo es erst etwas zu sehr durch üppige Wildniß geht, u. man festhalten muß, dß man dieselbe Person in verschiednen Lebenslagen vor sich hat. Ulfeldt taugt nichts; das Uebrige noch ungelesen.

---

a) Hs: *habe*

Was sagen Sie zu Heyse's „Don Juan"?[15] Die Concurrenz mit den uns ins Blut gegangenen, so kräftig musikalisch ausgeprägten Mozartschen Gestalten[16] ist gefährlich; namentlich kommt im Drama der Leporello sehr zu kurz gegen den der Oper, dito der Mönch gegen den steinernen Gast. Sonst aber finde ich, abgesehen, daß das Mittel, das Don J⟨uan⟩, seinen Sohn von der Geliebten sich zu gewinnen anwendet, wenigstens beim Alleinlesen (beim Vorlesen empfand ichs nicht so sehr) mir etwas widerwärtig war, — die Conception durchaus glücklich und menschlich richtig. Das Faustische ist glücklich vermieden; die beiden Factoren des Stückes: Liebe zum Weibe u. Liebe zum Kinde liegen innerhalb des Kreises auch der sinnlichen Genuß-Titanen. Vom Weibe kann der Mann sich lösen, von seinem Kinde, nachdem er sich dessen als seins bewußt geworden, kann er es nicht; und da er auch dieß Verhältniß, wie jenes, nur selbstsüchtig genießen will, zerstört er, was er liebt und da es von ihm selbst untrennbar ist, sich selber mit. Die zu späte Umkehr zur selbstlosen Liebe kann ihm nur noch den Glorienschein des Schönmenschlichen retten, mit dem er in den Tod geht. Ich glaube, dß das eins der darstellbarsten Stücke Heyse's ist. — Was sagt Levinsky dazu, den ich so gern kennen lernen möchte? Haben Sie noch Hoffnung, dß er zum Vorlesen meiner Novellen gelangt?[17] „Eekenhof" — „Hans u. Heinz Kirch" — „Viola tricolor" — Für den „Vetter Christian" ist dort wohl kaum auf Verständniß zu rechnen; paßt auch besser im traulichen Stübchen. Nun, das nur beiläufig.

Noch ein Wort über *„Schweigen"*; Sie werden es hoffentlich bald, hie und da ein wenig umgearbeitet, erhalten können.[18] Ihrem Einwand gegen die aufwallende Heftigkeit des Claus Peters stimme ich nicht bei.[19] Weshalb soll er, da er an dem kitzlichen Punkt berührt wird, nicht in dieser Weise verfahren, u. weshalb soll er nicht in Anbetracht seiner bekannten Antecedentien vor den Nachbaren für den ersten Anlauf falsch verstanden werden können; er steht ja auch schon nach ein paar Tagen, in denen sich das Mißverständniß aufgeklärt hat, wieder auf der Arbeitsliste. Doch auch das nur beiläufig.

Meine *„Chronik von Grieshuus"* rückt nur langsam vorwärts; doch ist ein leidliches Stück in Reinschrift schon vorhanden.[20] Es liegt noch lang u. episch vor mir; mir wird mitunter etwas bedenklich bei der Sache; es ist nicht mehr wie einst, lebensabendliche Stimmung sinkt herab; dann lasse ich, wie jetzt eben — es ist nemlich schon auf der ersten Seite der 6te Oktobr geworden; ich bin inzwischen mit Frau Do sechs Tage in Segeberg gewesen, eine Stätte längst vergangenen Lebensglückes[21] — dann lasse ich meine Frau die letzte Scene lesen; und eben hat sie beim Zusammenlegen der Blätter „Reizend!" gesagt; Sie wissen, das ist das Wort der Frauen, und daß wir beide ihnen viel instinktive Kritik zutrauen; und so will ich denn auch morgen getrost weiterschreiben, wie die Bärbe das schwarze Huhn nicht schlachten kann.[22] — — Doch! Ich will nicht aus der Schule schwatzen.

Ich schließe. Grüßen Sie Ihre Frau Wally recht herzlich von uns u. lassen Sie uns bald einmal wieder gute Nachricht, auch über Ihren Lessing[23] hören. Wie immer Ihr

Th Storm

[Am Rand:]

Beifolgender Ausschnitt aus dem antiq⟨uarischen⟩ Katalog von Karl Th. Völckers in Frankfurt a/M. Römerberg 3 dürfte Sie interessiren.[24]

102. Storm an Schmidt

Hademarschen, 13. Decbr 83.

Das „stattlich", lieber Freund, muß wahr sein; denn auch ich hab in Gedanken schon ein paar Mal einen Brief an Sie angefangen: „Es ist ein stattliches Buch mir ins Haus gefallen!"[1] Gelesen habe ich so eigentlich noch nicht, da ich wirklich so recht mitten (70 S. Reinschrift) in Grieshuus sitze und bis Weihnacht einen Abschnitt fertig haben wollte, wobei es mir aber wie Wieland beim Oberon geht, der 3 Tage über einer Strophe saß.[2] Ich wollte dem Buch, d.h. Ihrem, erst den Rücken steifen lassen; aber ich mags doch nicht von mir geben, und so stecke ich im 2ten Capitel, und sehe mit Freuden, was Sie aus dem spärlichen Material der Jugendzeit herausentwickelt haben. Lassen Sie übrigens den alten Klopstock nur in Ruhe; der war schon gut in seiner Jugend! Doch das nur im Scherz! Vortrefflich die Charakterisirung der einzelnen Aufsätze durch eigene Briefstellen. Aber ich muß erst weiter lesen! Sehr schön mit diesem Bilde, und dem versprochenen.

Und nun — Frau Wally! Ich bitte Sie, liebe Frau Wally, seien Sie hübsch geduldig, damit ich noch Gevatter bei dem lieben Kinde stehen kann! Wie gern käm ich selbst dazu! Aber . . .

Ja, aber, das ist ja über alle Maaßen, Sie, lieber Freund, kommen nach Hamburg, und nicht zu uns! Ich hörte das Erstere schon dort, in einer Gesellschaft bei Frau Rath Wolf, vordem Immermann's Wittwe, die Lisbeth seines „Münchhausen"[3]; eine alte Dame, die ich, oder richtiger, die mich zu Tisch führte. Aber ich lernte auch Immermann's einziges Kind kennen, die Geheimräthin Geffken[4], eine vierzigjährige Frau mit jungem Gesicht u. weißen Haaren; kluge Frauenzimmer. Von der „Lisbeth" also hört ich's; und was ich nun von Ihnen höre, muß ich, leider, wohl als unabwendbar anerkennen. Sollten Sie's aber nicht für nächstes Mal schon jetzt so vorbauen können, dß Hademarschen dabei mit herauskäme?

Heyse's Drama[5] halte ich trotz alle dem doch für kein Zugstück; und bei der letzten Scene der Maja — obgleich die Siegmann sie wunderschön spielte — hatte ich die Angst, das Publicum werde diesen seinen gedämpften Ton nicht aushalten; aber es ging ja, und auch der alte Maurice sagte vor dem letzten Act: „Nun kommt *mein* Act!" und, wie Heyse erzählt, hat er ihn während dessen immer mit Thränen in den Augen vor Mitgefühl in die Beine gekniffen. Der hatte Angst vor Act II wegen der vielen Zwiegespräche darin, die ja aber kräftig sind. Die Liddy geht allerdings auf der äußersten Kante; aber wenn Frl. Horn sie spielt, so thut das eben nichts. Aber die schlechte gute Gesllschaft ist, wenn man sich besinnt, doch zu schlecht gegen das Mädchen, das sich ja ganz ruhig benimmt; ich machte H⟨eyse⟩ vorher das monitum, aber er wollte nichts davon wissen; doch ist es mir von allen Seiten nachher entgegengekommen. Und der Liebhaber? H⟨eyse⟩'s Männer sind nicht so gut wie seine Frauen. Doch habe ich an dem guten Ausfall des Stücks eine reine Freude gehabt; die Schwächen sogar vergessen und nur das viele Schöne und Gute auf mich wirken lassen. — Er meint, es gäbe keine Schauspieler für den Don Juan. Haben Sie in Wien denn keinen? — Uebrigens war mein Aufenthalt in Hamb⟨ur⟩g (13—24 Novbr) sehr nett, abgesehen von der Freude des Nachhausekommens, was fast immer das Beste ist. Ich möchte viel erzählen; aber — auf Papier! Das geht ja nicht. Die beiden dicht beisammen liegenden Häuser bei dem Strohhause, Schleidens u. Speckter's[6] sind dort meine Heimath, nachdem das Haus meines alten Onkel's Scherff, das mir 62 Jahre dort gedient hat, im vorigen Jahre durch seinen Tod erloschen ist.[7] Ich bin aber nicht schlechter gestellt jetzt; nur dß Freund Schleiden, leider, auch schon 74 J. ist; Heyse meinte, als er am Abend vor seiner Abreise dort war: „Ich beneide Dich um solchen Gastfreund." Und die besten Kreise schließen sich dem an. Einer meiner liebsten Lehrer, von Lübeck[a)], Classen[8], Director des Johanneums a.D., ist auch noch da, und, wie im vorig⟨en⟩ Jahr, feierte ich auch dieß Jahr seinen 78 jährigen Geburtstag mit.

Was ich zu Gottfried Kellers Gedichten[9] sage?

— — Liebster, welch eine Geschichte! Da steht der angefangene Brief an Dr. Jul. Mannhardt; aber umschreiben kann ich wahrhaftig nicht.[10] Also weiter!

Ja, man wird erst etwas obstupefactus[11], obgleich das kluge Jüdchen Brahm in der Rundschau ja recht rasch und gar nicht so „dösig" damit fertig geworden

---

a) Hs: *Lübek*

ist.[12] Ich habe mir dieses Buch erst in Husum binden lassen, u. es erst vor 3 Tagen wieder erhalten; das ist denn auch ein „stattlicher" Band, und bald guk ich in Ihren Lessing[13], der auch auf den Weihnachtstisch soll, bald in den guten Gottfried. Die beiden älteren Sammlungen v. 1846 (Heidelb⟨er⟩g, Winter) u. v. 1854 (2te verm. Braunschw⟨ei⟩g, Vieweg u. Sohn) besitze ich längst.[14] Aber es ist ja noch sehr Viel zugekommen. Jedenfalls, wo ich hinsehe, habe ich den Eindruck eines bedeutenden Menschen, und fast überall den eines Dichters. Lesen Sie z. B. einmal S. 231 unten, vom „Feuerhorn" an.[15] Ich glaube Brahm hat recht, nicht die Empfindung, die Phantasie ist bei ihm das Stärkste.[16]. Uebrigens habe ich zu meinen speciellen Lieblingsstücken[17] S. 33, 43, 64, 179, 410, 352 nichts Besondres hinzusetzen können, d. h. bis jetzt. Etwa S. 32 u. 14. Doch ich muß auch hier erst mehr lesen, wenngleich Gedichte sich leichter einsehen lassen, als ein Werk über Lessing. Sein starkes Naturgefühl bezeugt ja auch S. 30.[18]

Von mir lege ich Ihnen „Schweigen" bei.[19] Lesen Sie es nun noch einmal; es ist dieß u. jenes jetzt doch besser. Und ich rühre nicht mehr daran.

Also, die allerherzlichsten Grüße von uns allen an Sie und Frau Wally; und können Sie, so kommen Sie doch zum Februar! Und im Uebrigen mögen gute Sterne über uns walten!

Ihr

Th Storm

Sehen Sie sich doch gelegentlich das „Skizzenbuch" v. Jensen an; darin „Am Aschenkrug", „Im Eilzug" — Begegnung — „Räthsel" etc.[20]

103. Schmidt an Storm
(aus einem Brief Storms an Westermann)

[22. Dezember 1883][1]

... Nun eine bittende Frage! Der größte hiesige Studenten-Verein veranstaltet im Januar eine Reihe von Vorlesungen. Dießmal soll Sonntenthal[2], unser erster gefeiertster Schauspieler den Vogel abschießen und mit einem ungedruckten novissimum[3] aus berühmter Feder debütiren. Rodenberg oder Westermann wird, um Erlaubniß gefragt, wohl nichts dagegen haben; ich garantire einen guten Erfolg; denn Sonnenthal wird eine großes und vornehmes Publicum haben ...

104. Storm an Schmidt

Hademarschen, 26/12 83.

Also, lieber Freund, die Sache ist so: Von Grieshuus ist der erste, Haupttheil, abgeschlossen[1], auf S. 87; der zweite kürzere Theil spielt etwa 50 Jahre später; es lebt nur Einer mehr von damals, freilich der Held, der in dem ersten Theil zuletzt verschwindet.

Nun, da, laut Brief von Ernst, es mit Ihrem[a)] Kommen wegen Unwohlseins nichts wird, will ich versuchen, ob ich den 2ten Theil — aber bis *wann*? im Januar zwingen kann. Sie schreiben mir nichts davon. Ich werde Ihnen dann am 3 Januar festen Bescheid senden ob ich und bis wann ich fertig werden kann.

Westermann wird schon nichts dawider haben; doch muß er gefragt werden.

Lieber wär's mir freilich, wenn L⟨evinsky⟩[2] eines der älteren Sachen einmal lese. Doch —

Mit dem „Poppensp⟨ä⟩ler" will ich gelegentlich vorfragen.

G. Keller's Gedichte[3] scheinen mir allerdings Sachen eines bedeutenden Menschen, aber wenige sind selbst bedeutend. Trotzdem werthvoll für den ganzen Menschen. Tagebuchblätter.

Aber „die beiden Tubus"[4], ich kann ihnen trotz Heyse u. E. Schmidt nichts abgewinnen.

Unsre Weihnachtsgäste sind schon gestern Abend 6 Uhr wieder fort. Aber es war sehr nett. Und nun kommen Ernst u. seine Marie (gen. Liechen) erst Ende Januar! — Jensen schicke ich Ihnen einmal.[5]

Also, bitte, Ihre Antwort; so sehen wir, ob's werden kann. Gruß Frau Wally!

Ihr

Th Storm

Vom 2ten Jan. bitte die Briefe Adr⟨esse⟩: Graf Reventlow in Husum.

105. Storm an Schmidt (Postkarte)[1]

Hademarschen, 30 Dezbr 83. Sonntag Vormittg.

Mein Zimmer voll Sonnenschein; am zweiten Ostfenster, von der Straße ab, Dodo in stillem Nähgeschäft an einem mir v. m. Frau geschenkten kleinen Vier-

a) Hs: *ihrem*

beintisch, ich mitten im Zimmer eifrig bei „Grieshuus" — da bringt meine Frau die Post, einen Brief v. W. Jensen u. Frau aus Freyburg, besonders v. ihr über die Katzenmusik; dann eine Bandsend⟨un⟩g von Ihnen[a)], zwei Zeitungsexemplare.[2] „Lies!" sage ich und dann las sie. Und, lieber Freund, ich wurde ganz bewegt bei Ihrer liebevollen Erinnerung, und wir Drei lebten die damaligen Tage noch einmal freudig mit Ihnen durch. Nett, daß Sie den Großvatershawl[b)] erwähnten und was sonst nicht! Es hat uns alle sehr erfreut. Nur in Einem griffen Sie fehl; von W. Hertz ist nichts in meiner Bibliothek[3]; was ich von ihm kenne, hat mich, trotz Heyse's Fürspruch, nicht locken können.

Und nun: Ich werde Ihnen mein *Druck*-MS. von „Grieshuus" in eigner Abschrift senden, sobald ich es zum „Buch Zwei" fertig hab u. erwarte dann erst Ihr Urtheil, ob Sie es passend finden. Grüßen Sie Frau Wally, u. von uns allen die besten Wünsche pr. 1884.

Ihr

Th St.

Lägen nur auch die Blätter v. „Grieshuus" durckfertig, daß ich an Ihren „Lessing" könnte![5]

106. Storm an Schmidt

Hademarschen, 3 Jan. 84

Lieber Freund, ich sende Ihnen anbei mein Manuscript, das bis „Buch II" gediehen ist, mit der Meinung, daß es zum Lesen genug sei.[1] Das B⟨uch⟩ II beginnt nach einem Menschenalter. Lesen Sie es nun, ob Sie es zum Lesen gut, resp⟨ective⟩ passend genug erachten.

Versuchen will ich, ob ich es im Januar fertig stellen kann; glaube es aber kaum. Ich meine aber, daß der Vorleser schließen kann: „Weiter hat der Vf. uns die Chronik noch nicht erzählt, ist aber z. Z. eifrig mit der Aufzeichnung beschäftigt oder so dgl.

Die Geschichte, wie sie da ist, ist, sozusagen, abgeschlossen.

Im 2ten Theil tritt der Hinrich als alter unerkannter Mensch auf etc.

Aber nun Eins: das Manuscript muß gleich, d. h. Tags oder 2 nach der Lesung, an mich oder, je nachdem, an Westermann „eingeschrieben" gesandt werden.

---

a) Hs: *ihnen*

b) Hs: *Großvatershwal*

Ich werde dann schreiben, wohin. Kann ich es in den ersten Tagen des Febr. dahin besorgen, d. h. Thl 2 mit, dann könnte es wohl ins Aprilheft kommen; sonst kommts wohl erst Oktob⟨e⟩r.[2]

Ich bin äußerst begierig auf Ihre Meinung. Schreiben Sie mir, bitte, ein Wort noch bis 12 d. M. Adr⟨esse⟩ Graf Reventlow, von da bis 19 d. M. Adr⟨esse⟩ Dr. Storm. Wir reisen ⟨am⟩ 5ten, meine Frau[a)], Dodo u. ich, dahin ab, comme toujours[3], Ebbe geht am 4ten zur Saison nach Erfurt.[4] Nur zwei Mädchen wohnen im Castell.[5]

Ihr Artikel steht auch schon in der Kieler Zeitung[6]; ich zittre, dß er in die „Landpost" kommt. Uebrigens haben der Pastor u. ich nur 2 mal im Concert gelesen.[7] N. B: Bei meinem Bruder hätten Sie den „Hambg. Correspondenten" finden können.[8]

An dem in der tägl. Rundschau erschienenen Artikel[9] über mich bin ich unschuldig; ich hab's nicht hindern können. Uebrigens war er im M. S. viel ausführlicher.

Aber es ist Postzeit. Gruß an Frau Wally.

Ihr

Th Storm.

107. Storm an Schmidt (Postkarte)[1]

Husum, 19 Januar 1884.

Ich will Sie, lieber Freund, nur benachrichtigen, daß wir nächsten Dienstag nach Hademarschen zurückgehen. Hoffentlich finde ich dann dort einen Endbescheid über die qu. Vorlesung. Daß es Ihnen gefallen, hat mich sehr gefreut.[2] Ich habe, obgleich diese Woche völlig mit Diners u. Soupers besetzt ist, doch Vormittags an dem letzten Theil gearbeitet, da ich ihn, wenn möglich, am 10 od. 12 Februar fertig haben möchte, um ihn noch im Aprilheft zum Druck zu bringen. Sonst wird er jedenfalls erst im Oktober publicirt w⟨e⟩rden, als Anfang eines neuen Bandes. Nun muß ich aber, wenn es gelesen werden soll, erst Westerm⟨ann⟩ fragen, und bitte daher um möglichst baldige Entscheidung u. um Nachricht, an welchem Tage die Lesung statt findet.

---

a) Hs: kein Komma

Von Hause aus ein Mehreres. Grüßen Sie Frau Wally, die Meine, die just bei einer alten Waschfrau mit Dodo Kaffee trinkt, kann keine Grüße einlegen. Gesundheitlich komme ich hier ganz leidlich durch.

Ihr

Th Storm

108. Storm an Schmidt (Postkarte)[1]

Hademarschen, 26 Jan. 84. Sonnabd.

Lieber Freund, könnten Sie mir nicht in den *nächsten* Tagen Nachricht geben, ob etwas aus dem Lesen wird, wo möglich auch, wann? Es ist mir wichtig, das Erstere wenigstens jetzt zu wissen, um mit Westermann correspondiren zu können. Bitte jedenfalls ein paar Karten-Zeilen.

Dienst⟨a⟩g kamen wir zurück und ich arbeite nach Kräften, kann aber eine große Müdigkeit nicht loswerden; denn in Husum[2] ging es scharf her: Puter, russ. Haselhühner, Fasane, röm. Punsch, Yquem etc, Benedictiner etc, Tag für Tag. Alles I Qualität. — Nun, es wird sich wohl wieder geben. An Töchtern hab ich nun auß⟨er⟩ Dodo, auch Gertrud, die Ihnen bekannte, wieder, die 4 Monate der Schwester Lisbeth, der Frau Pastorin, geholfen hat; meine 20 jährige Elsabe macht in Erfurt die Saison bei Freunden mit[3] u. ist 13 mal in 14 Tagen auf Bällen u. Gesellschaften, ein theuerer Spaß für den Papa! Aber *einmal* in der Jugend!

Ihr

Th Storm

Der Afrikanische Sohn meines Bruders[a], Franz[4], hat geschrieben. Seine Briefe ⟨waren⟩ verloren.

109. Storm an Schmidt

Hademarschen, 27/I 84.
Sonntag Morgen.

Lieber Freund!

Eben Ihre Karte erhalten, wonach mir scheint, dß Sie ohne Rücksicht auf Westermann lesen lassen wollen[1]; *thun Sie es auch nur*! Die Reclame muß ja jedem Verleger lieb sein.

---

[a]) Hs: kein Komma

Uebrigens habe ich doch gleichzeitig hiemit ihm ein durchcorrigirtes M. S. gesandt u. ihn gebeten, Ihnen zu telegraphiren.[2] Aber, wie gesagt, lassen Sie nur lesen! Mit dem Lesen wird er schon einverstanden sein. Aber ob mit der Honorarfodr⟨un⟩g? Ich bin beim Alten geblieben; aber bei dem Letzten, was er erhielt „H. u. H. Kirch“[3] suchte er es mir ja durch Aendrung des Druckes dolose[4] zu verkürzen; mußte dann doch die 3100 M zahlen. Er scheint mir jetzt wieder auf dergleichen aus, obgleich er mich ein Jahr nach jenem Druck selbständig fragte, ob ich etwas habe.

Und wann kommen Sie nun nach Hamburg, und können Sie nicht einen Tag zu uns kommen? Drängen will ich nicht; ich glaub auch, ich lebe noch ein Stück.

Und wie gehts mit Ihrer Wally?

Ich habe nach unsrer Reise hier jeden Vormitt⟨a⟩g an Grieshuus gesessen, da ich es von den Fingern los sein möchte und habe auch 25 Seiten Reinschrift von Buch II hinter mir; es handelt sich dort noch um den Enkel von Junker Hinrich u. um diesen als greisen Mann. Bin sehr begierig, ob auch das Ihnen zusagen wird. Meine Elsabe saisonirt in Erfurt; Gertrud u. Do[5] sind hier bei uns; Letztere, die Ostern confirmirt wird, fast erwachsen.

Wir grüßen alle Sie u. Ihre Wally freundlich.

Ihr Th Storm

Von Alexand. Schindler[6] erhielt ich dieser Tage einen Brief, den er nur noch unterschrieben hatte: „ich bin durch Morphium-Ueberfütterung ein unbrauchbarer Leichnam u. glaube nicht mehr an die Worte meiner Aerzte“; er wird auch wohl nächstens zu den Schatten gehen. Von Ada Christen[7] ihr Buch „Unsre Nachbarn“ (schrieb Besseres) und die Erzählung, daß ihre Conservenfabrik gegen 1000 Arbeiter zähle u. sie in fürstlichen Verhältnissen lebe; von Wilh. Jensen gestern sein Drama „Kampf ums Reich“, das die Veranlass⟨un⟩g zu dem Skandal.[8] Ich glaube, daß ein Dramatiker in ihm steckt; er hat die Kühnheit u. die Lebendigkeit, auch sonst noch genug. Ich las bis Act III, er ist darin ganz romantisch. Von Keller hörte ich lange nichts.

d. O.

110. Storm an Schmidt

Hademarschen, Sonntag 24 Febr 1884.

Lieber Freund!

Eben erhielt ich Ihren Brief[1]; Sie werden den meinen, der dadurch hinfällig wird, auch wohl erhalten haben.

Ich dachte oder Sie schrieben, Rubinstein habe zum 16ten auf den Saal verzichtet, und so schrieb ich an Westerm⟨ann⟩ u. Paetel, wie Sie meinten, sie möchten zum 17ten meine Bücher anzeigen. Hoffentlich ist die Zeit⟨un⟩gsredaction so vorsichtig, zurückzuhalten.

Sorgen Sie nur, daß die Sache denn doch jedenfalls geschehe; der gänzliche Wegfall[2] wäre mir äußerst fatal.

Und wann wird es im März geschehen? — Bei solcher Sachlage — denn ich habe unvorsichtiger Weise mit Westermann die erste Terminzahlung 4 Wochen nach Einsend⟨un⟩g des M. S's bestimmt, und weiß nicht, ob ich ohne diese eine große Frühlings-Reise nach Berlin werde machen können. Daher ich zum 4 od. 5 März abliefern wollte — also, bei solcher Sachlage, wäre mir ein außerordentlicher Dienst geleistet, wenn ich bis zum 1sten oder 2 März das M. S., *zugleich* aber eine Abschrift Ihrer wesentlichen Aenderung — denn Kleinigkeiten kann ich ja bei der Correctur des Drucks noch ändern — in Händen hätte. Besonders ist es mir um die Huhnschlacht-Scene[3]; das ist mir, wie eine Erlösung, daß Ihnen u. Sonnenthal die, wie sie ist, nicht gefallen hat; ich habe sie 4 Mal umgeschrieben, und immer, auch diese letzte Fassung wollte mir nicht genügen: da ließ ich es stehen. Die Blindheit des Alters lag auf meinen Augen; freilich muß die Sentimentalität heraus. *Lassen Sie mich besonders dieß in Ihrem Arrangement erhalten*; vielleicht sende ich Ihnen dann noch eine Umschreibung von mir, *vor* der Vorlesung.

Mit Ihrer Kritik bin ich sehr wohl begnüget; mit 66 Jahren muß man mehr, als zufrieden sein, den erreichten Standpunkt noch eine Weile festzuhalten.

Schreiben Sie mir bitte in p⟨un⟩cto jener Scene kurz, was Sie daran stört; ich bin doch wegen des vielen daran Arbeitens nicht ganz sicher. Natürlich muß es von: „sah nun erst, daß ihr in der andern Hand ein Messer blitzte" bis zu — — „der Ohm, da er mit dem Knecht"[4] etc. anders werden; noch mehr? — Könnten Sie nicht die kleinen Aenderungen[a)] mit Bleistift überschreiben, aber, bitte, etwas leserlich; denn räthselnd stehe ich vor Ihrer Briefstelle[5] „in Ihrer Kunst keine Epoche, wie diese Leistungen einer ? und ??" und dann am Schluß von Müllenhof⟨f⟩[6] „der sehr berserkerhaft ??, erfahren."

So gut zusammen, wie dieses erste Buch, kommt übrigens das zweite nicht; es ist übermaaßen schwer, anständig davon zu kommen; es wird sich zum ersten verhalten wie Erzählung zur Novelle.

— Daß der Lenoren-Vortrag[7] so wohl gefallen, freut mich; um so mehr, da der Kleistsche[8], glaub ich, ihrem dortigen Publicum im Wesentlichen zu hoch

a) Hs: *Aedrungen*

war. Ich lese seit einiger Zeit Ihren Lessing und versinke dabei mitunter in einen Band meiner Lachmann-Ausgabe[9], in die Anakreontiker, in Logau, in die größeren Gedichte, „Religion“, die kräftigen ungenirten Erzählungen; ganz besonders hat mir das Kapitel über Friedrich[b)] d. Gr. gefallen[10]; im Uebrigen genirt es einen etwas im Lesen, daß man so gar nichts von den Komödien weiß, unter denen Sie so frisch hantiren; wie ich mich bei dieser Lectüre denn überhaupt vor Ihrem Wissen und vor dem unfraglichen Drang nach Wahrheit beuge den ich in Ihrem Buche finde. Ich kenne die Arbeiten von Düntzer[11] nicht; aber es soll schon was dazu gehören, daß er so unbefangen und zugleich so frisch daran gegangen ist, wie Sie. Freilich hatten Sie seine Arbeit, so weit sie reicht. Ich bin zu S. 180 vorgedrungen. Leicht ist das nicht zu lesen.

Daß Ihr Vaterthum stets mehr gesichert erscheint, ist ja auch was Gutes; gönnen Sie Ihrer guten Wally nur in *jeder* Beziehung Ruhe; dann wollen wir sehen, ob es noch in Versen geht. Ich gehe zum Juli bei meinem Ernst, der mit seiner kleinen Frau 8 Tage bei uns war, auch einer neuen Großvaterschaft entgegen. Möge es auf beiden Seiten gut gehn.

Wie glücklich sind Sie doch mit dem Theater und mit Ihrem guten Vernehmen mit den beiden besten Wiener Schauspielern[12]

Worin wird C. F. Meyer mühsam? Ich las zuletzt nur „Leiden eines Kindes“, was ich recht gut fand.[13]

Also, lieber Freund, wenn Sie können, thun Sie mir das Erbetene?

Die Meinen erwidern Ihre Grüße.

Ihr

Th Storm.

In Betreff der Huhnschlacht-Scene: was verstehen Sie unter *Wiederholungen*?

111. Storm an Schmidt (Postkarte)[1]

Hadem⟨arschen⟩ 4 März 84.

Dank für Ihren Brief, lieber Freund. Sie haben fast überall recht. Es muß heißen[2]:

---

b) Hs: *Friedich*

ihre blauen Augen blickten rathlos und fast hülfeflehend auf den vor ihr Stehenden. „Was könnet Ihr nicht, Jungfer?“ frug Junker Hinrich, als ob er plötzlich einen Schalksstreich berge?“

[Hier ist der folgende Satz durchgestrichen, aber noch leserlich:
Da zuckte es auch um des Mädchens Lippen und kläglich lächelnd hub sie das Huhn empor: „Der Ohm, da er“ etc.]

Da kam ein kläglich Lächeln auf des Mädchens Antlitz; sie hub das Huhn empor und sagte: *„Der Ohm, da er mit dem Knecht* etc.

So ist die zerrissene Verbindung hergestellt, innerlich u. äußerlich, und das sentimentale Unglück heraus. Bitte besorgen Sie die paar Worte noch an Sonnenthal. — Sie stehen in der fröhlichen Fülle Ihrer Kraft, ich dort, wo die Einsicht größer ist als die Kraft, die schaffende, sagen wir: die Phantasie. Das verlangsamt die Arbeit; in 3 Tagen aber hoffe ich an W⟨estermann⟩ abzusenden[3]; der in Folge des Lesens dießmal gut berathen wird in p(un)cto honorarii. — Nach Berlin erst nach Ostern. Kommen wir dort zusammen: ich logire bei Wussow's. Aber das Künftige — bedenken Sie sich. Wiens saftige Fülle und —.[4] Schweigen zugesichert. — Die Undeutlichkeit liegt nicht in Ihrer *kleinen* Schrift, sondern, wenn sie vorkommt, in den dickschreibenden Federn. — „Hochzeit des Mönchs“[5] noch ungelesen. — E. Schmidts Lessing, aber jeden Tag, wird immer interessanter; ich muß demnächst durchaus noch Voltaire's Siecle de Louis XIV lesen.[6] Herzlichen Gruß an die Frau. Nächstens wieder ordentliche Briefe!

Ihr

Th St.

112. Storm an Schmidt (Postkarte)[1]

Hadem⟨arschen⟩ 23/3 84.

Lieber Freund, es thut mir nur leid, dß wir die Geschichte mit dem Lesen angefangen haben; denn sie kostet mir circa 4—600 M., da ich deßhalb pauschal mit W⟨estermann⟩ abschließen mußte, u. es sehr lang geworden ist. Im Mai wird natürlich wieder nichts daraus, oder, wenn was daraus wird, ist kein Publicum da. — Nun, transeat cum ceteris[2]! wie Heyse sagt. —

Ihr Lohenstein-Aufsatz[3] hat mich sehr amüsirt; der Müllenhof⟨f⟩sche ganz der Sache angemessen.[4] — Am 11. d. M. sandte ich das fertige „Grieshuus“ an

Westermann; Oktb. u. Novbr. wird es erst gedruckt.[5] Ich gehe nach Ostern nach Hamb⟨ur⟩g u. dann nach Berlin. —

Von Ossip Sch⟨ubin⟩ las ich die erste Hälfte ihres Rundschaustücks[6]; ein geniales Frauenzimmer, gewiß; aber nicht für mich. Ist sie jung, alt, Frau oder was? Ferd. v. Sanes[7] Gedichte kenne ich nicht. Grüßen Sie herzlich Ihre Wally; die Nachricht hat mich sehr gefreut.

Ihr

Th Storm

[Postskriptum auf dem unteren Teil der Postkarte abgeschnitten]

113. Storm an Schmidt (Postkarte)[1]

Hademarschen, 26 Mai 84.

Vor 3 Stunden von der 6wöchentlichen Reise in meinen blühenden Garten zurückgekehrt[2] — Gott sei Dank — begrüßt mich Ihre Karte mit der glücklichen Nachricht über Weib und Kind.[3] Nun ist Alles gut; grüßen Sie Ihre Wally herzlich.

Daß meine Einleitung[4] gut war, davon war ich stets so fest überzeugt, als daß[a)] ein irgendwelches Streichen darin mindestens eine höchst gefährliche Sache sei; denn der Reiz liegt in dem ruhigen Nacheinander, das nicht gebrochen werden darf. Levinsky werde ich dankbar sein, wenn er mich lesen will[5]; aber ich werde schwerlich besseres oder so gutes schreiben, als ich schon geschrieben habe. Doch — wir werden sehen.

Nächstens mehr; ich wollte die jungen Eltern nur begrüßen.

Ihr alter

Th Storm

114. Storm an Schmidt

Hademarschen, Sonntg 13 Juli 84.

Lieber Freund, mir ist, als wären wir unsäglich weit aus einander; ich ahne nicht, wo Sie sind, was Sie thun und treiben und möchte doch wissen, wie es

---

a) Hs: *das*

Ihrer Wally mit dem Püppchen[1] geht, zumal mein Toftlunder Richter mich nun auch zum Gr⟨oß⟩ Vater eines Mädels gemacht hat.[2] Hoffentlich trifft dieß Blatt Ihre kleine Familie in frohester Gesundheit. Hier ist trotz der Glühhitze der letzten Tage — heute regnet es — frisches Sommerleben gewesen, das Haus wie ein Hotel: eine Schwester meiner Frau, Karl als Sommerferiengast, ein angenehmer Bruder meiner verstorbenen Frau, eine Freundin aus Husum etc. u. das geht nun so weiter bis in den Winter. Der Garten giebt's in Fülle; Erbsen, Erdbeeren, worin sich Alles fast leid gegessen; nun Kirschen und Stachelbeeren; und Sie[a] glauben nicht, wie schön die Holst⟨einische⟩ Landschaft in solchem Sommerwetter ist. Und dabei sind wir alle recht gesund. Neulich hatten wir hier ein allerliebstes Concert für die Warteschule in einem großen Saal; von 8 jungen Damen war Frl Elisabeth Tönnies[3] die Meistersängerin; aber sie *kann* auch. Meines Bruders Haus ist ebenso voll Besuch; so geht es immer hin und wieder. Freilich, zum Arbeiten kommt man schlecht dabei; aber Karl giebt Dodo, die ganz fix im Concert eine Solopartie sang, u. Gertrud jeden Morgen eine Gesangstunde, u. ich freue mich, wie sicher u. gründlich und — vorsichtig er das versteht; der Arme, der seine schöne Stimme verloren u. das Bewußtsein seiner geistigen Gesangsfähigkeit behalten hat.[4]

Im Uebrigen — obgleich ich nach dem letzten Satze ein köstlich Rosenbouquet im Garten geschnitten — fährt die Zeit fort, uns leise zu verschlingen. „Auch der edle Geibel", wie mir Keller schreibt[5], „ist nun dahin, soweit er dahin sein kann, und mit ihm eine letzte Gestalt einer Zeitepoche oder Kategorie verschwunden, die nicht ohne heiligen Ernst, aber auch nicht ohne ein wenig (?) überschüssiges Pathos gelebt hat."

Das ist richtig; aber eben deshalb konnte G⟨eibel⟩[6] auch kein Lyriker ersten Ranges sein. Seine Popularität und seinen Ruhm bei den Fürsten hat er einerseits dadurch, daß er eine Reihe von Dingen, die alle Welt versteht, in Versen, die ein wenig mehr, als das Gewöhnliche waren, besang, und es ist trotz alledem dabei zu bleiben, daß er doch den Backfischen d. h. seiner ersten Samml⟨un⟩g seinen Ruhm verdankt, — denn das, was er wirklich u. besser als alle andern konnte, was aber nicht zur echten Lyrik gehörte, dem zu Liebe hat Keiner ihn gelobt —; andrerseits, daß er ein christlicher Mann war, wodurch schon Fürsten u. Adel für ihn sind. Es ärgert mich ein wenig, daß Alles so auf die Trommel schlägt, selbst W. Scherer.[7] Ich schrieb Ihnen wohl schon, was ich in mein Notizbuch schrieb[8]:

---

a) Hs: *sie*

Es ist die Form kein Goldgefäß,
In das man goldnen Inhalt gießt;
Die Form ist nichts, als der Contur,
Der einen schönen Leib beschließt.

Wenn Sie mir sagen: „Ihre Eigenliebe ist verletzt“; so antworte ich Ihnen offen: „Ja, auch das ist dabei.“ Man klagt über den Tod des letzten Lyrikers, u. weiß nicht, oder ignorirt, daß Einer lebt, der wirklich der Letzte war.[9] Davon kann mich, was ich an Lyrik nach mir gesehen, auch nicht abbringen.

Doch — Sagte ich Ihnen schon, daß ich auch in Berlin von Ihrem dorthin Kommen hörte?[10] Und wie steht die Sache jetzt?

„Grieshuus“ wird nun auch als Buch gedruckt[11] und erscheint zum 20 Oktbr, während der 2te Thl in Westermann im Novbrheft erscheint. Die Wiener Studentenschaft hat mich zum Ehrenmitglied ihres Lesevereins ernannt u. hatte mich auch zu ihrem großen Commers eingeladen. Sie bekommen einen vollständigen Correcturabzug von Grieshuus.

— Von Bd 1—6 der Ges. Ausgabe erscheint nächstens 3te Auflage. Die andern spätern u. besseren Bände gehen nicht so. „Grieshuus“ erscheint in Oktav u. in Miniatur. Welches soll ich Ihnen demnächst senden?

Von Kiel aus erhielt ich neulich durch vertraute Hand die Anfrage, ob ich acceptiren würde, wenn man mich zum Ehrendoctor philosoph. machen würde.[12] Ich bejahte das; das kommt von „Hans u. Heinz Kirch“, das nach gewissen Richtungen sehr durchgeschlagen hat.

Neues ist nicht aufgeschlagen; ich notire Einzelnes zu meiner Jugendgeschichte[13]; meine letzte, sehr unbequeme Arbeit war, Heyses Gedichte durchzusehen[14], drei Bde, und ihm meine Ansicht zu sagen, was etwa zu streichen sei. Es ist glücklich beendet; aber er ist in Betreff des, was echt lyrisch sein muß, wenn es nicht nichts sein soll, viel leichter befriedigt als ich. Da lag's. Freilich es ist sonst des Schönen Vieles: die Episteln, das Meiste der Terzinen, „Hoch stand ich auf dem Palatin“ etc. Auf den Wunsch seines Verlegers faßt er nemlich seine Gedichte in einen Band zusammen, wo denn doch Manches fort muß.

Die Sonne scheint indessen wieder, die Lerchen singen, u. der Tag — es ist 11 Uhr — läßt sich nicht nehmen, auch einer der goldenen zu werden, wovon wir eine schöne Reihe gehabt haben. Mögen sie auch Ihnen und Ihrer Wally und dem tertium[15] golden sein; denn auf dessen kleinem[b)] Köpfchen ruht doch wohl der Quell des Lichts für seine Mutter.

Meine Frau ⟨und⟩ Kinder lassen freundlich grüßen.

Ihr

Th Storm.

115. Storm an Schmidt

Hademarschen-*Hanerau* Sonntg 24/8 1884.

Lieber Freund!

Ihr vor mir liegender Brief ist v. 18. v.M's; seither war ich 8 Tage von hier, in Schleswig u. auf einem unserer ältesten und interessantesten Edelsitze[1] — doch das führte zu weit; jetzt sehe ich aus dem einflügeligen Fenster auf meinen Garten, auf abgeerndtete Kornfelder, Wälder und in blaue Ferne; für einen Schleswig-Holsteiner ist es hier wunderschön, und Alles unter goldnem Sonnenschein. Was Sie vom Berliner Literaturleben schreiben, dem stimme ich bei[2]; ich scheute dort unwillkürlich[a)] die Berührung (sub rosa dieß); und was einem Alles ins Haus kommt: z.B. will Sacher-Masoch „mit Gruß u. Handschlag" eine Unterschrift von mir haben zu einer Auffodrung für D⟨eutsche⟩ „Schriftstellergenossenschaft".[3] Diese -schaften aber, in die sich das miesigste Gesindel verkriecht, sind mir höchst verhaßt. Laß sie was leisten und sonst in die Speichen fallen, das Schriftstellerthum ist keine Armenanstalt. Ich lehne natürlich ab.

In p⟨un⟩cto Auerbach, das ist vortrefflich[4]; Sie haben sich die trefflichen Aussprüche natürlich zu eignem Gebrauch vermerkt. — Aber, Liebster, ein Grillenfänger bin ich nicht; fange ich mal eine, so lasse ich sie gleich wieder fliegen. Es kann einen aber wohl einmal ärgern, als nichtexistent betrachtet zu werden[5], während man fühlt, daß[b)] man da ist. Uebrigens, welche Verlotterung hatte Geibel abzuwehren? Er kämpfte in seiner begeisterten Bornirtheit für Platen[6] gegen unsern größten lyrischen Formkünstler Heinrich Heine[7]; ich kann nichts dafür, daß er ein Jude war. Sehen Sie den ganzen Platen mit seiner äußerlichen Form durch, die nicht Umriß (Contur) des Körpers, sondern ein steifer Topf ist, in den man die Grütze hineingießt, und wenn Sie einen einzigen Vers darin finden können, der von der tiefen Formschönheit ist, wie:

---

b) Hs: *kleinen*
a) Hs: *unwillkührlich*
b) Hs: *das*

„Die Luft ist kühl und es dunkelt,
Und ruhig fließt der Rhein;
Der Gipfel des Berges funkelt
Im Abendsonnenschein." — so etc.[8]

Das solltet Ihr Literaturhistoriker bedenken, die Ihr immer wieder auf jene dumme, todte, werth- u. wirkungslose Form zurückkommt.

Sehr einzelne Male hat Geibel auch die bessere. Geibels „strenges Maaß"[c)] taugt nichts, weil es kein Leben hat. Heines Lyrik ist das strengste u. lebendige Maaß. Das Andre ist Aushülfe der Pauvreté[9]; nur Hölderlin[10] steht einzig da.

— Ich weiß nicht, ob Westerm⟨ann⟩ Ihnen Buch II von Grieshuus gesandt — ich hatte es ihm gesagt — es ist seit einiger Zeit gedruckt[11] und ich habe die Freude daß es, nach unsäglicher Arbeit, gelungen scheint. Heyse, von dem ich nach Zusend⟨un⟩g des Thl I eine wahrhaft begeisterte Antwort erhielt, mit dem Bemerken, es werde mir schwer werden mich in Thl II auf gleicher Höhe zu halten, hat mir nun noch fast entzückter über Thl II geschrieben[12]; und von meinem strengsten Kritiker, meinem Sohn Ernst, erhielt ich heute eine Karte[13]: „Ueber „Gr⟨ies⟩h⟨uu⟩s" schreibe ich nächstens; es ist meines Erachtens I Ranges." Es ist mir jetzt immer eine große Beruhigung, wenn ich keine Schande hinter mir lasse; denn voll ist man mit nun bald 67 Jahren doch nicht mehr beisammen. Zum Winter habe ich leider noch keinen Stoff; schreibe jetzt eine leichte Sommerarbeit, nach einem Erlebniß meines Karl auf dem Conservatorium, das er, da wir in seinen Ferien in lauer Sommernacht draußen auf der Terrasse saßen, aus langer Pfeife rauchend, ganz eminent — er kann das — erzählte.[14] Es wird in meiner Niederschrift nicht eben viel. — Was Sie von Heyse sagen, ist sehr fein aufgefunden, und dabei sehr charakteristisch. „Siechentrost"[15] habe auch ich gern gelesen, obgleich ich stets einen etwas modernen Hauch beim Lesen empfand.

Keller schrieb mir am 26 März[16]: „Meine Arbeiten haben sich bisher ziemlich auf dem Fleck herumgedreht, indem ich bald dieß, bald jenes vornahm und wieder liegen ließ. Der Grund ist, dß der Roman oder die größere Novelle, wie man es nennen kann, noch nicht klar u. reif genug war, und ich doch darauf sehen muß, nicht schon zu sehr abzufallen durch unbedachtes Abschließen. Jetzt wird Letzteres aber doch in den kommenden paar Monden stattfinden."

So haben wir zu Weihnachten denn vielleicht wieder etwas zu erwarten.

---

c) Hs: keine Anführungsstriche

Dieser Brief trifft Sie wohl noch in Ihrem Sommeraufenthalt, wenn auch schon in fröhlicher Lessing-Arbeit[17], wozu ich Geduld u. frische Laune wünsche. Auf Ihre Götze-Behandlung[18] bin ich neugierig.

Alle guten ⟨Wünsche⟩ für Jung-Wolfgang und Mama Wally! Wie gern wär' ich im September mal bei Ihnen!

Aber stockt die Berliner Geschichte denn vollständig?[19] Ich würde es für Sie nicht bedauern.

Meine Frau u. Kinder grüßen freundlich Sie u. Frau Wally. So thu auch ich.

Ihr

Th Storm.

Levinsky muß „*Eekenhof*" mal lesen.[20]

116. Storm an Schmidt

Hademarschen-Hanerau, 17 Septb. 84.

Dank, lieber Freund. Die Chodowieckis waren dießmal extra! Ich habe eben alle Texte dazu in meinem Lachmann-Lessing nachgelesen.[1] Diese französischen Unterschriften zu deutschen Gedichten in einem D⟨eutschen⟩ Buche sind ein starkes Zeichen, in welcher Schande wir gesteckt haben. — Ich bin sehr begierig auf die andern sechs, und sende hier statim „Grieshuus" II.[2] Kleinigk⟨ei⟩ten in Orthographie u. Interpunktion habe ich hier stehn lassen.

Mein Geburtstag (14 Septbr) war ein schöner Sonnentag; im Garten blühten zum zweiten Mal die Rosen. Ein Freundespaar aus Husum, Graf Reventlow u. Frau, waren (von Freitg bis Montag) hier; Abends außer den Brüderlichen noch ein Paar von hier. Auf meinem von den Frauen compon⟨ierten⟩ Geburtstagstisch lagen unter vielen Briefen auch der Ihre, den ich noch nicht gesehn, u. vier einactige Dramen von Heyse[3]: „Simson" (das einzige in Versen u. schon gelesen) u. „Ehrenschulden" u. „Das Fagott", Trauerspiele, „Unter Brüdern", Lustspiel. „Simson" ist sehr schön, echt Heysisch gemacht; wie ich ⟨mich⟩ mit der Fabel abfinde weiß ich noch nicht (S. 30 seq.?).[4] —

Also Ihr Wolfgang[5] schreit Ihnen Nachts was vor? Wie lange habe ich das nicht gehört! Aber es gehört dazu.

Die Franzosen scheinen nach Ihrer Schilderung ja recht munter; auch Reventlow referirte mir einen netten Zola[6], wo die Schwiegereltern das *Ein-* oder *Zwei-*

kindersystem ausmachen, der Mann es hält, die Frau mit einem Andern es bricht, worüber der Mann nun das Unglück mit den Alten hat.

Platen?[7] — ja, ist er doch nicht mehr für Schulmeister? Würde etwas fehlen, wenn dieser Vorkämpfer für falsche Form fehlte? Ich stelle anheim.

Was heißt das in Ihrem Brief: Brahms[8] behauptete bei *Lemcke* (wer ist das?) nicht Lyrik gefunden zu haben?

Saar[9] muß ich zu erhalten suchen. Auch ich habe allerlei zum Hausbuch. Notiren Sie bitte u. schicken Sie mir einmal!

Vom „Salamander" sagte H⟨eyse⟩ mir einmal leise lächelnd: „Das war ja keine zum Heirathen⟨"⟩.[10]

Wildenbruch?[11] Ja, sein Harald hat in der Composition einen bösen Haken (der Eid); auch die Sprache mag etwas kalt sein; aber er hat doch einen großen Zug; ich sah von ihm die Karolinger. Er kann etwas, das wesentlich mit die Tragödie ausmacht, was die Andern nicht können. So erscheint er mir, der ich in dem Punkt freilich wenig urtheilsfähig bin. Er begnügt sich in der Composition zu leicht in dem, worauf das Ganze sich zu wenden hat. Sie haben vielleicht recht.

Aber ich habe nach dem Geburtstag entsetzlich viel Briefe zu schreiben u. muß heut schließen.

Grüßen Sie herzlich Frau u. Schwiegermutter u. seien Sie selbst von uns allen gegrüßt!

Ihr

Th Storm.

117. Storm an Schmidt

Hademarschen, 28 Novbr. 84.

Lieber Freund!

Es ist 5 Uhr, draußen Nacht und Regen, der Wind fährt an die Fenster; Dodo und die Ihnen unbekannte 19 jährige Gertrud sind aus, um bei Freunden zu weihnachtsticken. Hier in meinem Zimmer oben brennen die Lampen, meine Frau ist zu mir heraufgeflüttet[1]; eben haben wir Thee getrunken; der Kessel saust noch. Beim Thee las meine Frau mir einen kl. Aufsatz von einem angehenden Docenten Ihres Faches Dr. Paul Schütze in Kiel, über Anna Ow. Hoyerin zur Feier ihres 300 j. Geburtstages 1584.[2] Sie sandten mir auch einmal etwas über sie.[3] Der „ " Schütze will auch in Kiel über mich vortragen[4] z⟨um⟩ Besten der Hebbelstiftung, der etwas Hülfe auch noth thut.

— Beifolgend nun die Oktavausgabe von Grieshuus[5], die der gute Paetel, leider, so unsinnig theuer gemacht, daß sie eigentlich niemand kaufen kann; die wohlfeile Miniaturausgabe ist hintennach gekommen. Das Buch scheint in der That allgemein zu gefallen; Fontane[6], Jensen[7] haben mir begeisterte Briefe geschrieben; auch Heyse schreibt immer wieder — „Die Geschichte wächst mir noch immer“[8]; Meister Gottfried K⟨eller⟩ schrieb mir dieser Tage[9]: „Ich habe eben das Büchlein gleich hinter einander weggelesen, und zwar nicht aus kritischer Neugierde, sondern zu meiner wirklichen Erbauung, und ich danke Ihnen nochmals für diesen schlanken Hirsch, den Sie mit ungeschwächter Kraft auf Ihren alten Haidegründen gejagt haben.“

So will ich denn nun einmal sehen, ob ich davon noch eine neue Auflage erleben kann; denn Auflagen machen von meinen Sachen nur, die vor wenigstens 20 Jahren erschienen sind. Andres wird beim Verleger nicht bestellt; Zusendungen aber finden nicht mehr statt.

Ich packe dem Buche ein andres altes bei, das Sie damals bei mir zu interessiren schien.

Ich leide seit vielen Monaten an bösem Magendruck, was mich sehr am Arbeiten und meiner übermäßigen Correspondenz — Gott u. alle Welt schreibt an mich u. will dieß und das — stört; ich beantworte freilich nur die Hälfte. Wär ich das nur los, ich glaube, ich besuchte Sie kühn noch einmal in Wien.

Sie schrieben neulich von den v. Saarschen Gedichten; in einem letzten Bande des „Neuen Novellenschatzes“ las ich eine sehr feine Novelle von ihm[10] u. im Vorwort kommt Heyse zweimal auf mich zurück d.h. mich in meiner „Resignationsperiode“.[11] Daneben aber bestand meine kräftige Lyrik schon.

Wer ist Lemcke, in dem Brahm?[12]

Noch eins: Aber tiefe Verschwiegenheit! Sie schrieben: „Mit Berlin ist es nischt.[13] Ich brenn' nicht darauf.“ Ich schreibe: „Mit dem Kieler Doctor ist es nischt.“[14] Wie die Facultät zusammengetreten, ist ein Doctor ihnen für mich doch zu schade gewesen. Die Anfrage, ob ich wolle, ist also in die Asche gefallen. Ich fühle, leider, dabei, dß ich alt werde[a)], denn als mir das Mißlingen mitgetheilt wurde, hatte ich nicht einmal die Empfindung eines gestörten Spaßes. Entsinnen Sie sich noch, wie wir im Würzburger Museum den Jensenschen Artikel lasen, weil man mich bei der Einweih⟨un⟩g des neuen Universitätsgebäudes nicht bedoctert hatte?[15]

---

a) Hs: *wirde*

Und nun wollen wir an Weihnacht denken, das schon sein Licht in unsre Seele wirft. Seien Sie recht froh mit Ihrer lieben Wally u. Ihrem Wolfgang. Meine Frau und ich grüßen Sie alle herzlich.

Ihr

Th Storm.

Eben erhalte ich den Kleist von Brahm[16], den ich meinem Ernst auf den Weihnachtstisch legen will.

Also auch demnächst ein Kleist von Ihnen.[17] Möge ichs erleben.

Ihr Th St.

118. Schmidt an Storm

(aus einem Brief Storms an Tönnies)[1]

[13.12.1884][2]

... Mit Wilh. Scherer[3] hatte ich neulich, als er hier war, einen kleinen Disput über Geibel; daß er in seiner Rede einen Vergleich zwischen Bismar⟨c⟩k als Reichsschöpfer und dem Zeus, aus dessen Haupt Athene entspringt, ausdrücklich „geistreich" nenne, während doch jeder Oberlehrer dergleichen Wendungen beim Sedanfest produzire. — „Ja", meinte er, „gewiß; wäre Geibel nicht vielfach trivial, so wäre er nicht populär." Und er fügte sogleich, ohne daß ich Ihren Namen nannte, hinzu: „gegen Stormsche Lieder kann freilich die ganze Geibelsche Lyrik nicht von ferne aufkommen." ...

119. Storm an Schmidt

Hademarschen, 13 Decbr. 84.

Es stand „Novbr" da; ich änderte eben in „Decbr." weiß nicht was richtig. 22/12 84

Morgens, bei Lampenlicht. Lieber Freund, neulich habe ich den Caroschen Einacter und eben Ihren lieben reichhaltigen Brief[1] empfangen; auf den ich gleich zu antworten beginnen will. Das Carosche[2] opus habe ich mit größtem Interesse uno tenore[3] durchgelesen, und stimme voll in die Klage um den zu früh Verstorbenen ein, wenngleich diese analytische Methode mir mehr beim Lustspiel am Platz zu sein scheint; denn das Interesse weilt doch, wie bei der Criminalgeschichte wesentlich nur auf der Lösung des Räthsels. Ich danke Ihnen aufrichtig, daß Sie mir diese posthume Bekanntschaft zugeführt haben. Die Einacter scheinen jetzt auch tragisch Mode zu werden. Die „Burgruinen"[4] lasse ich mir auch kommen.

Die Heyseschen Einacter[5] anlangend, so sind doch „Das Fagott" u. das „Lustspiel" nicht zu zählen. „Ehrenschulden" vortrefflich; „Simson" auch; aber „Delila" genügt nicht. Mein sonst so trefflicher Heyse ist gegen freundschaftliche Kritik weniger geduldig, als ich; denn als ich Einwendungen machte, meinte er, von bibelfesten Leuten würden die nicht gekommen sein[6]; doch veranlaßte ihn das, in dem zweiten Abdruck die Worte S. 23 „Ich sollt ihn fliehn—*bis*—ich red' ihn an!" hinzuzusetzen. Aber damit ist es nicht gethan: er selbst, wie er mir schrieb, will, daß sie eine Dirne sei, wie nach der Bibel, mit der (der Dirne) ja auch diese einzelnen edlen Regungen vereinbar seien, und so lügt sie ihm das Märchen (S.26 unten) vor. Ehe die hinzugefügten Worte nicht da waren, mußte jeder das für subjektive Wahrheit halten. Aber auch so hilft es mir nicht; denn die Heysesche Delila ist überall eine Idealfigur, nicht ein Zipfel von einer Dirne guckt hervor. Ist sie aber keine solche, dann darf nicht so mit ihr verfahren werden, wie im Verlauf des Stücks.

Zu Heyse's Lyrik stehe ich etwa wie Sie. Diese *gemischte* Lyrik ist sein Fall; die reine dagegen ist es unter 500 mal nur einmal. Ich habe das zu meinem Schmerz erfahren. Denn als diese in einen neuen zusammengefaßten Band kommen sollte, bat er mich, seine 3 Bände Lyrik durchzulesen, u. zu sagen, was ich streichen wolle.[7] Nun sind aber unter seinen 3 Bänden etwa 1/3 oder 1/2, was reine Lyrik sein müßte, was *ich* jedoch ohne Bedenken alles streichen würde. Und das konnte ich Heyse nicht wohl sagen, einfach, weil wir uns hier nicht verstanden hätten; nun mußte ich doch daran. Natürlich muß er mich seitdem für einen Dummkopf halten, der nur einen wunderlichen dunklen Schaffenstrieb hat.

Das Scherersche Wort[8] hat mir eine erquickende Genugthuung gegeben; das hätte freilich in einen Panegyrikus auf Geibel nicht gepaßt; aber — diese Worte spricht Sch⟨erer⟩ zu Ihnen im Stübchen; sie sollten nur in seiner Literaturgeschichte stehen; ([am Rand:] ich glaube zu wissen, daß das nicht angehen würde; bitte mißverstehen Sie mich nicht; es kam mir nur auf den Gegensatz an.); denn wenn, oder vielmehr, als Gottschall von derselben Lyrik sagte, es seien Nippssachen für Damentischchen[9], da wurde das in dem Menzelschen Literaturblatt gedruckt und von aller Welt gelesen und geglaubt und achselzuckend nachgesprochen. — Aber auch diese intime Anerkennung macht mir Freude.

Meister Daniel ist mit besondrer Freude bewillkommt; die Sachen sind besonders hübsch. Ich habe sie schon im Lessing nachgelesen.[10]

17. Decbr. Eben 5 10℔'s Paquete nach Wörth fertiggemacht, wo ja noch Lucie u.Elsabe bei Hans sind, und 2 solche für Ernst nach Toftlund. Nun kommt noch Heiligenhafen u. Husum. Das Paquet-Machen ist ebenso charaktergefährlich wie das Croquet-Spiel; man erzürnt sich mit seinen besten Helfern, und wird ganz nervenkribbelich.

— Sie sprechen von Laokoon[11] u. denken in Betreff meiner dabei wohl an die Einleitung zu „Grieshuus". Zum ersten Mal, bewußt, half er mir bei „Auf d. Universität" (Lenore).[12] Ich hatte eine Schilderung der Localität im Walde geschrieben (locus facti); das, als ich es las, schien mir langweilig. Da fiel mir ein: „Laokoon! Also, geh dahin spazieren[a])!" Und ich that es; und nun war es gut.

— — Ich habe mich eben — in Decennien hatte ich's nicht gelesen — in meine „Universität" vertieft — Eislauf — Schmetterlingsgang zum blühenden Baum — mit Lore Abends durch den Schloßgarten — wie süß und jung das ist; aus meiner innersten Jugend herausgeschrieben. Ich bin voll Heimweh nach diesem Land, das nicht mehr ist. Es ist nicht wahr, daß meine Sachen der letzten Jahre besser sind als diese. Lesen Sie es einmal; Sie aber sind noch jung!

22 Decbr. Liebster, es wird Zeit, den Weihnachtsbrief zu schließen. Drunten in der großen Stube steht schon die mächtige Tanne, die ihren Wipfel unter der Decke biegt; alle Paquete sind besorgt, mehrere angekommen; ich schreibe an einer kleineren Novelle[13]; fiel mir morgens im Bett ein, die im Jan. fertig sein wird. Uebermorgen Abend 10 Uhr kommt unser Karl; morgen wird Baum geputzt. Zum Weihnachtsputz gehört dießmal ein gutes großes Brustölbild von mir, im Herbst gemalt, das heute mit Rahmen von Berlin kam.[14] Denken wir unser am Weihnachtsabend! Ueber Andres in Ihrem[b]) Briefe später!

Führt nie wieder ein Weg aus Wien über Hamburg hieher?

Frau u. Kinder grüßen u. wünschen frohes Fest, Ihnen und Ihrer Wally u. dem Wolfgang!

Ihr treuer

Th Storm.

[Am Rand:]

Ich stecke jetzt in Brahm's Kleist.[15] Ein gescheutes Jüdchen! Mitunter übers Ziel hinaus. (Penthesilea)

---

a) Hs: *spatzieren*

b) Hs: *ihrem*

120. Storm an Schmidt

Hademarschen, 3 Febr. 85.

Lieber Freund, wenn Sie nur mich und hinter meinem Stuhl meine Frau bemerkt hätten, als wir Ihren Brief lasen, und meine Angst, als ich nach dem schweren Eingang das Wort „erkrankte" nicht gleich lesen konnte und statt dessen immer das auf Menschen doch nicht passende Wort „verendete" darin suchte, und doch nicht davon weg konnte! Doch — es ist vorübergegangen, und Sie sind derselbe geblieben; nur um die ins Blut gegangene Erkenntniß reicher, daß alles Lebensglück uns jeden Augenblick kann wieder abgenommen werden. Und doch, wie viele Augenblicke lassen wir leer vergehen! — Wir drücken Ihnen und Ihrer lieben Wally herzlich die Hand. Möge der Wolfgang[1] auch die übrigen Kinderklippen glücklich umschiffen!

Ich entsann mich dabei — Sie wissen, ich habe kein Kind verloren — einer harten Stunde: meine jetzt 22 jährige Elsabe[2] lag im Scharlach, sie war fast 8 Jahre, ein kräftiges Mädchen, wie sie es jetzt noch ist. Unser guter Karl, der das Scharlach schon gehabt hatte, schlief bei ihr in der Stube und sorgte auch Nachts für sie; das dank ich ihm noch. Da, als ich eines Vormittags im Gericht eine längere Verhandlung hatte, kommt mein Bruder der Arzt zu mir, um mich vorzubereiten, daß ich das Kind verlieren könne. Ich konnte nicht fort, Sie können sich die Stunde denken, während der ich noch verhandeln mußte. Als ich aber nach Hause kam, war eine glückliche Krise eingetreten. „Und die Welle kam, und sie trug sie nach oben!"[3] In Thränen-Jubel hab ich mir das damals wohl hundert Mal vorgesagt.

Jetzt sind die Blattern in d. dänisch. Stadt Kolding und nicht weit davon wohnt Ernst, mein Amtsrichter, der ebenso stolz auf seine kleine Constanze[4] ist, wie Sie auf Ihren Wolfgang sind. Ich muß an ihn schreiben; das Kind wird auch ungeimpft sein.

Ich hätte Ihnen gleich auf Ihren Brief geschrieben; aber meine neue Arbeit[5] mußte bis 1 Febr. fertig, um in's Märzheft der Rundschau zu kommen, und da habe ich bis vorgestern, wo ich sie absandte, über meine Kräfte arbeiten müssen, zumal noch 2 Tage Kranksein (Durchfall, dießmal mit Erbrechen) mitten hineinfielen. Es ist das seit 3 — 4 Jahren bei mir ein alle 3—4 Monate wiederkehrendes Uebel, Erbrechen aber war nur, außer neulich, das erste Mal dabei. Ich halte es immer ruhig im Bett ab. Schön ist es nicht, und schwächt sehr, was mit 67 Jahren uns länger matt legt. Die Husumer Saison (vom 5 Jan. — 21sten), zuletzt 7 Tage und 7 Gesellschaften, wurde recht gut hintergebracht, der Zufall befiel mich erst 8 Tage später. Ob Nachklapp davon — weiß ich nicht.

Im Punkt meiner neuen Arbeit sehen Sie also, daß Sie davon noch in diesem Monat, recht bald vielleicht Correcturbogen sehen werden. Der Gedanke dazu kam mir ganz von innen, Morgens im Bett; und da ich keinen andern Stoff hatte, so begann ich auch damit.[6] Ich habe es übrigens ganz wie im naiven Traumzustand geschrieben und bin um einen Conflict eigentlich herumgekommen. Der Stoff hätte ganz anders ausgenutzt werden können; er hatte nicht lange genug gelegen. Nun, lesen Sie nur einmal! — „Eine stille Geschichte" hab ich darüber geschrieben.

Jetzt aber rührt sich ein alter mächtiger Deichsagenstoff in mir[7], und da werde ich die Augen offen halten; aber es gilt vorher noch viele Studien! Die Sache wird ein paar Jahrhunderte ⟨zu⟩rück liegen.

— — *4 Febr.*

Eben — uns alle überraschend eine Heirathsanzeige:

Hugo Schlömer[8]
Olda Schlömer geb. Nigris,
Vermählte.
Sagrado bei Görz den 1 Febr. 1885

Nun soll er einen tüchtigen Brief haben! Was der wohl geworden ist? Ich bin überaus begierig. Die Anzeige war wie die eines Fürsten, so elegant.

— — Daß Sie in Ihrer Noth neben Keller auch zu mir gegriffen, das freut mich. Aber wo bleibt Kellers Roman, den die Rundschau angekündigt hatte?[9] Es war ihnen sehr um meine Novelle für das Märzheft, mit dem, glaub ich, ein neuer Band beginnt. Jean Paul[10] — ja, das ist eine Sache, zu lesen ist er für mich nicht; aber es stecken Sachen darin, die sich eben nur in Jean Paul finden. Ich schenkte an Hans, der ihn liebt, eine schöne Originalausgabe[a)] v. Titan zu Weihnacht.

In p⟨un⟩cto „Don Juan's Ende"[11] stimme ich ganz mit Ihnen, die Nachtscene ist, was man sagen mag, nicht hinterzukriegen, die kurze Scene zw. D⟨on⟩ J⟨uan⟩ u. s. Sohn prächtig, wie natürlich noch Vieles darin. Sein Ende im Vesuv ist gut gedacht, ob darstellbar — das weiß ich nicht. ([Am Rand:] „Die beiden Klingbergs" — sind sie nicht v. Klinger? — hab ich nicht gelesen —)[12]

Sie erwähnen des *Radierwerks von Ludwig Grimm.*[13] Ich habe es nur flüchtig, da es zu meiner Studentenzeit herauskam gesehen; aber der Wunsch, es zu besitzen, hat mich durchs Leben begleitet. Ist es noch zu haben? Wo ist es verlegt, existirt die Verlagshandl⟨un⟩g noch? Bitte, wenn Sie etwas wissen oder erfahren können, schreiben Sie mir darüber!

---

a) Hs: *Origalausgabe*

Zu Weihnachten erhielt ich von meiner Frau die neuerschienene Chodowiecki-Mappe (Lichtdruck — *nicht* die *Reise*)[14] gleichzeitig, leider, dasselbe von einem Berliner Verehrer, der sich nur W.H. bezeichnete. Dadurch kam ich auf den Einfall, mir selbst eine Original-Chodowiecki-Mappe zu machen; ich ließ mir in Husum 16 Cartons u. Mappe schneiden, und sah nun erst, wie viele der lieben Sachen ich Ihnen, lieber Freund, verdanke; aber die 16 reichten nicht, obgleich 8, ja 10 Kupferstiche oft auf einem Carton sind; ich habe mir noch einmal 16 bestellt. — Natürlich bleiben die in den, nur ihren Platz werthen, Büchern vorhandenen Bilder an Ort u. Stelle; nur in p⟨un⟩cto des „Bunkel"[15] bin ich zweifelhaft, ob er nicht einzuschlachten ist. Es macht mir viel Spaß. Es ist eins der Veilchen, die am Wege blühn!

Ein Buch, wonach ich, selbst in dieser Arbeitszeit, immer wiedergegriffen, worin eine große Arbeit für die Literaturhistoriker steckt, hat mir kürzlich Fr. Hebbels Wittwe geschickt: „Fr.Hebbel's Tagebücher. Bd I".[16] Sie werden es schon gesehen haben; es ist mir Alles darin interessant, Vieles bedeutend erschienen. Die Reminiscenzen aus Kindheit u. Jugend, seine Urtheile über sich, die Werke andrer Schriftsteller etc das ist in der That ein bedeutendes posthumes opus. Aber davon müßte man zusammen reden! Das Buch ergänzt die Biographie und interpretirt die Werke Hebbels. Zum Herbst soll der 2te Bd da sein.

Außerdem suche ich in „Martin Greifs" Gedichten[17] vergebens bis jetzt nach einem, das in die Tiefe geht. Es ist mitunter, als sollt' es kommen; es kommt aber nicht. Der junge Docent in Kiel, der es besprochen u. mir geliehen, hat es natürlich mit bewundernden Bleistiftnotizen versehen (Paul Schütze). — Ich will aber weiter suchen unter denen ohne Bewunder⟨un⟩gs-Notiz.

Ein sehr interessantes u. sehr kleines Buch eines Verstorbenen ist: „Max Posener, Gedichte u. Erzählungen". Aus dem Nachlaß. Berlin. Julius Sittenfeld, 1883.[18] Eine hübsche Strophe v. Greif nach zwei schlechten (S. 268)[19] *„Eine Bauerdern wollt einen Grafen han."*

Engel tragen keine Grafenkron
— Das geht nicht an —
Daß ich bei denen wohne,
Bracht mich ein junger Grafensohn
Unter die Rauschgoldkrone.

In der Familie steht es ringsum ganz leidlich. Der Hans in Franken ist noch immer in Besitz seiner beiden Schwestern; sie haben ein reiches Weihnachtsfest gehabt, an dem auch Hans freudig Theil genommen. Ihr schöner Weihnachtsbaum hat viele Beschauer angelockt; von Haus hatten sie 5 10℔ Paquete, von Freunden aus Husum Kiel etc noch mehr. Im Frühling kommen beide Mädchen, eine bleibend nach Hause. Im Pfarrhaus zu Heiligenhafen wächst eine famose Enkelin heran, die Toftlunder werde ich erst im Sommer dort kennen lernen; von Karl dieser Tage einen zufriedenen Brief; er war — wie immer, mit seinem feinen Herzen zu unser aller Freude — Weihnachten 10 Tage bei uns. Im Hause machen die beiden Jüngsten Gertrud (Dette) u. Dodo, reges Leben. Mit Gertrud stecke ich mitten im „Laokoon"; sie ist lernbegierig; und der krystallene Lessing läßt sich schon mit einer 19 jährigen lesen[b]. Dodo entwickelt sich zu einer Clavierspielerin, u. wie ich hoffe, zu einer angenehmen Sängerin.

Mit meiner Frau u. mir geht's nicht ohne Hindernisse; aber doch noch leidlich. Sie u. die Töchter hier grüßen mit mir Sie u. Ihre Wally sehr herzlich, und wünschen alles Gute für den kleinen Wolfgang.

Ihr alter

Th Storm.

N.B. Vergessen Sie nicht *Ludwig Grimm!*

121. Storm an Schmidt

Hademarschen, 2 März 1885.

Ich sende Ihnen, lieber Freund, eine kleine, wie ich glaube, wesentliche Aendrung meiner „stillen Geschichte"[1], die leider erst der Buchform zu Gute kommt. Im Uebrigen mag das Bessern daran ziemlich gleichgültig sein, und ich tröste mich mit Heyse's dictum: „Transeat cum ceteris!"[2] — In dem Märzheft der „D. Rundschau", wo sie abgedruckt ist, hat Brahm sich, mir ganz angenehm, über „Grieshuus" ausgelassen[3], wovon vor 3 W⟨ochen⟩ erst etwa 850 v. 2000 Exl. verkauft waren; ich erkundigte mich dießmal speciell, und bin nun sicher und zufrieden, daß ich niemals einen großen Kreis gewinnen kann. Merkwürdig, daß die ersten 6 Bde der Ges. Ausgabe seit Herbst 1868 im v⟨origen⟩ Jahr in 3ter Aufl. (a 2,000 Exl.) erschienen sind. — Ich bin jetzt beim Stoffsuchen und dieß und jenes gaukelt mir vor; aber ich muß einen haben der mir völlig zusagt, der ganz mein Bestes hervorlockt; denn zweimal nach einander darf man sich nicht gehen lassen.

Im Uebrigen habe ich, nach Beendigung des Brahmschen Buches[4], meinen Frauen und einer besuchenden jungen Gräfin Reventlow[5] „Die Herrmanns-

---

[b]) Hs: *Lesen*

schlacht⟨"⟩[6] vorgelesen, mit großem Erfolg; aber für die Deutsch. Frauen wenig schmeichelhaft; denn die Repräsentantin derselben kommt doch über ein zuletzt etwas wildes „Thus chen" nicht hinaus; an allem Hohen ihres Mannes hat sie keinen Antheil, und den Ventidius wirft sie nur dem Bären vor, weil er ihre Locke der Kaiserin geschickt hat. Keine Spur von Begeisterung für ihr Vaterland, ja sie weiß und ahnt nicht einmal etwas von diesen Dingen. So aber waren die Deutschen Frauen doch nicht zur Zeit der Dichtung, später, was Kleist, leider, nicht erlebte am wenigsten. Wegen dieser aus persönlichstem Haß geschehenen That brauchte Herrm⟨ann⟩ ihr nicht zuzurufen: „Heldin grüß ich Dich! Wie groß und prächtig hast Du Wort gehalten!"[7] — Der Zweikampf um den Varus ist an sich peinlich; vielleicht geschrieben um Herrm⟨ann⟩'s Mäßigung, wo es die vaterl⟨ändische⟩ Sache gilt, hervorzuheben. Ich hatte das Stück in 30 Jahren nicht gelesen. Jetzt will ich den „Prinzen v. Homb⟨ur⟩g" vorlesen.

Das Kleistsche „Thus chen" hätte höchstens die Kammerkatze der Thusnelde sein dürfen. Ich halte das aus einer vorübergehenden Anschauung geschöpft u. empfunden, nicht mit künstlerischer Besonnenheit geschaffen.

Für heut ein Lebewohl! Vergessen Sie bei einer Antw⟨ort⟩ nicht die Radir⟨un⟩gs-Mappe von Ludwig Grimm.[8] Und grüßen Sie Ihre Wally und den Jungen!

Ihr

Th Storm

[Am oberen Rand:]

Ich erlebe hoffentlich noch *Ihren* Kleist![9]

121 a. Beilage zum Brief Storms an Schmidt vom 2. 3. 1885

Zu S. 22 des Correcturbogens.[1]

Von Zeile 28 an soll es heißen[2]*:*

dem Ladentisch; wahrhaftig, Herr Nachbar, ich weiß noch heute, daß das Bein in perlgrauen Hosen steckte! Im Uebrigen[3], wie man's nur verlangen konnte: dünnes, aber modisch frisirtes schwarzes Haar, ein kleiner Schnurrbart in einem glattrasirten Angesicht; die eine Hand, in hellem knappen Handschuh, lag mit dem Augenglas auf seinem Knie. Er sah nicht übel aus, beileibe nicht! Aber um Mund und Augen zuckte etwas — ich kannt' es wohl, Herr Nachbar — es macht die Weiber fürchten und fängt sie endlich doch, wie arme Vögelchen. Man soll nur wissen, daß nichts, als böse Lust dahinter steckt!

Die Alte stand mit übergeschlagenen Händen etc.

Gleich danach sind die Worte:
zumal er allezeit — — — Backen zuckte
zu streichen.[4]

122. Storm an Schmidt

Hademarschen, 10/7. 85.

Mein herzlieber Freund!

Ich weiß freilich nicht, ob Sie jetzt ein Auge für einen Brief von Th. St. übrig haben; denn in Zeitungen, die ich nicht gelesen, soll ja zu lesen sein, daß Sie Director des Göthe-Museums in Weimar mit 7000 M. Gehalt geworden.[1] Da muß ich doch ein Tittelchen Bestätigung von Ihnen selber haben, und wenn auch nur p. Karte.

Zunächst aber meinen Dank für Ihren Brief v. ⟨8. IV.⟩.

— Da kommt ein candid⟨atus⟩ zur Visite und ich muß hinunter —

Später. Er ist fort; ich bin wieder oben an dem einflügligen Nord-Ost-Fenster; und der Abendglanz liegt auf den Baumwipfeln meines jetzt wirklich zauberschönen Gartens, auf den gelben Kornfeldern dahinter und auf unserm Wald, der dann folgt; ein andrer weltfern in graublauem Duft vermischt sich mit dem Himmel. Unten hör ich Karl's Stimme, der auch hier Ferien hält, und mit Cousine Lucie viel schöne Musik macht, neue und auch alte. Es ist echtes volles Sonnenwetter, das Leben auf der Terrasse und im Freien — wo werd ich je so wundervoll wieder wohnen?

Also: Zunächst meinen Dank für Ihren Brief v. 8. IV. d. J. und für Ihre[a)] freundlichen Lessinggrüße.[2]

— Eben ruft Dodo vom Garten herauf, und ich mußte ihr Bast zum Blumenanbinden herunterwerfen. — Das ist Sommerleben; vor Blühen und Lauben will eins das Andere ersticken. Vorhin habe ich 2 Stunden Begießen überwacht! —

Sie dürfen aber deßhalb nicht glauben, daß ich so in den Tag hineinfaulenze[b)]. Weit davon! Von 7 U. Morgens bis 1 U. Mittag wird seit 3 — 4 Monaten ruhig gearbeitet. Denn trotz der Directorschaft in Weimar werden Sie und Frau Wally doch wohl gern wieder einen Correcturbogen oder ein paar[c)] von Th. St. sich zu Gemüthe führen, und Ende d. M. soll an Westermann abgeliefert werden, damit *es*, nemlich „Noch ein Lembeck"[3], das erste Heft des neuen Jahrgangs eröffne.

---

a) Hs: *ihre* b) Hs: *hineinfaullenze* c) Hs: *Paar*

Weiter sag ich nichts; es ist ein intricates Stück, eine Art Wagniß, was mich oft in die verzweifeltsten Positionen bringt, so daß ich hülfesuchend die Arme in die leere Luft strecke. Es spielt im 14 Jh. natürlich hier zu Haus. Interessant, es auszumeißeln; aber — Böse Arbeit!

Meine „stille Geschichte" hat Vielen nicht gefallen, obschon W. Jensen die Gestalt des Erzählers ein Kabinettsstück findet[4], u. Heyse das Ganze nur etwas zu lose componirt hält, dabei aber sagt[5]: „Diese ‚st⟨ille⟩ Gesch⟨ichte⟩' athmet wieder den ganzen Zauber Deiner Natur und Kunst, worüber kein Wort mehr zu verlieren." Jensen findet die Idee mit der dummen Mutter vorzüglich, wünscht aber noch eine desfallsige prägnante Scene, worin sein Trinken durch ihre Dummheit recht herauskommt. Nicht unrichtig!

Ich selbst glaube darin jetzt einen Fehler u. den Grund abfälliger Urtheile zu erblicken, daß das scharfe, fast häßliche Motiv in zu großem Abstand zu der milden Freundlichkeit des alten Erzählers u. also der Art der Erzählung steht.

Doch jetzt ist 8 U. u. Essenszeit. Morgen hoffentlich mehr!

11/7. *9½ U. Vormittag Sonnabd.*

Die Hitze ist aufs Höchste gestiegen; Elsabe — jetzt mit Lucie von Wörth a/M. seit Wochen zu Hause[6] — und Dodo haben von kaum einem Beet zwei mächtige Schüsseln Vierlander-Erdbeeren (die würzigste) eben in die Küche gebracht; 154 Beeren auf einer Pflanze. Wir erwarten auf 2 Tage heut Mittag die Frau Bürgermeister Feldberg, unsre alte Freundin, eine schöne und humoristische alte Patrizierfrau — sie ist in der Erzählerin im „Finger" nach dem Leben portraitirt[7] — mit ihrer höchst amüsanten schon älteren Nichte und einem jungen Freunde, einem Baumeister. Ohne Besuch sind wir Sommers nie; aber auf diesen freu ich mich. Nur die zu schließende Novelle tückt mich etwas!

Daß ich Ihnen so lange nicht geschrieben, lieber Freund, dessen Briefe mir doch selbst Erquickung sind; das kommt — kurz gesagt — vom Alter, von, ich weiß nicht ob vorübergehender — Schwäche. Seit 6—7 Mon. habe ich beständig mit Magendruck, auch wohl mit dem alten Herzen zu kämpfen, jeden Tag, am Schlimmsten Nachmittags, die sichtlich von mangelhafter Verdauung herrühren. Vielleicht ist durch ein Gebiß und dann ordentlich Kauen viel zu helfen — der Magen ist ja die Sonne des Leibes — und das soll denn auch versucht werden. Trotz dessen winde ich mich arbeitend durch den Vormittag. Dann aber — der Nachmittag! Und Briefschreiben bringt das Uebel so leicht hervor. Ich war nie beim Zahnarzt; aber jetzt muß ich ihm wohl gründlich in die Hände fallen. Das nur, damit Sie Bescheid wissen. — —

Erich Schmidt (1885)

Hademarschen-Hanerau, 5/2 86

Mein lieber Freund!

Das war ein Vortrag, wie wir nur ihn alle wünschen mögen; mit Andacht und Theilnahme haben wir darauf nun auch gelesen, welchen Vater Sie verloren haben. Ihre Freunde müssen Ihnen nun noch so treuer sein. –

Grüßen Sie Ihre Wally und danken Sie ihr freundlich für ihr Ebbe-Suchen; ich habe nun anliegenden Brief an Frau Schwester Ruppe geschrieben; da ich aber ihre Adresse nicht weiß, muß ich Sie, leider, bitten, ein Couvert dazu zu schreiben und ihn in den Postkasten zu befördern. Da mir die Sache mit den geistlichen Damen aber wegen ihrer [illegible] bedenklich erschien, habe ich heute zugleich einer mir von Frau Rathsarchivar Jacobs II in Gotha empfohlenen ortskundigen u. gefälligen Dame geschrieben. Die Sache soll schon zur rechten Zeit in Ordnung kommen.

Brief Storms an Schmidt vom 5. Februar 1886

1/1 88

Liebster verehrter Freund

Am Neujahrstage, während leichte Orgel=
klänge aus der Matthäikirche zu mir herüber=
dringen, kann ich gewiß nichts besseres thun,
als nach der ersten Botschaft für meine Mutter
Ihnen herzlichste Wünsche und die Versicherung
meiner warmen, wenn auch leider stets schweig=
samen Treue zu bringen. Durch ein Briefchen
Eberts aus Gotha – wohin im Frühjahr meine
Schwester heiratet – wissen wir, daß es Ihnen gut
geht, daß die angestammte zähe Kraft die Gebresten,
die Ihnen während der letzten 2 Jahre so hart zu Leibe
rückten, siegreich zurückgeschlagen hat. Ich wette
auch, daß schon wieder was Hübsches auf Ihrem [illegible]
steht. Halten Sie's nur wie in 'alten guten
Tagen' und schicken Sie einen Correcturbogen, denn
für Stormiana habe ich auch mitten im Gestöber

Brief Schmidts an Storm vom 1. Januar 1888

Theodor Storm (1886)

Ich u. die Meinen kamen[d)] kürzlich von einer reichlich 14 täg. Reise; erst in Husum mit Reventlow's silberner Hochzeit[8], wo ich den Fest-Toast bringen mußte, die nett verlief u. wo meine 3 Töchter wacker tanzten. Die 4te, Gertrud, ist bei ihrer Schwester, der Frau Pfarrer, um ihr beim Umzug nach der neuen schönen Pfarre — Kirchdorf Grube am Grubersee in Holstein[9] — zu helfen. — Von Husum ging es mit Lucie, während Elsabe u. Dodo sich dort noch weiter vergnügten, weiter gen Norden in die behagliche Amtsrichterei von Toftlund zum Sohne Ernst. Da war ländliche Ruhe, eine junge glückliche Familie und eine einjährige entzückende Enkelin; die kleine Schönheit von Toftlund, wie sie dort genannt wird.[10] Jetzt geht das Leben wieder hier weiter, sonnig u. gut für jetzt, wie Schade, daß das Alles nur zum Grabe wandert!

Hier haben Sie meine Hand, lieber Freund, u. bitte, nur eine Karte in p⟨un⟩cto Weimar!

Grüßen Sie herzlich Frau Wally, wie Sie beide hier Alles grüßt; und vergessen Sie nicht, mich zu benachrichtigen, was der Bube macht!

Ihr

Theodor Storm.

Haben Sie den „Briefwechsel zw. Herm. Kurtz u. Mörike, Stuttg. Kröner"[11] gelesen? Weltferne Menschen!

123. Schmidt an Storm (Postkarte)[1]
(aus einem Brief Storms an Elsabe)

[Anfang September 1885][2]

... An Ihrer Novelle[3] bewundre ich vor Allem das letzte Drittel als ein Meisterstück. Ich bin ganz weg darin u. alle meine Leute auch. Der Titel[4] gefällt mir aber gar nicht u. der chronikalische Eingang ist nicht sehr einladend.[5] Bald schreib ich ausführlich ...

124. Storm an Schmidt (Postkarte)[1]

9 Septb. (Mörike's Geb⟨ur⟩tstg) 1885.

Kirchdorf Grube, Station Lensahn, Holstein, Adr. Past⟨or⟩ Haase

Dank für die abgedrungenen Zeilen[2], lieber Freund; der bockbeinigen Ein-

d) Hs: *kommen*

leit⟨un⟩g wäre ich auch wohl von selber für die Buchausgabe noch zu Leibe gegangen. Sie ist schon überarbeitet; aber zu einer Aendrung des Titels wäre es ohne Sie schwerlich gekommen. Jetzt ist aber der rechte gefunden: *„Ein Fest auf Haderslevhuus.“*[3]

Nach Ihren Zeilen muß ich annehmen, daß Sie gegen die ersten ²/₃ außer der Einleitung noch sehr was auf dem Herzen haben, was ich — trotz Lessing[4] — begreiflicherweise gern erfahren möchte, da ich nach etwa 12 Tagen ohne Zweifel, höchstens nach 14 T⟨a⟩gen, die Correcturbogen des Buches in Händen haben werde. Können Sie es mir, wenn auch noch so flüchtig, bis dahin skizziren, so bitte ich, bis einschließlich 14 d. Ms es hieher, bis 16 nach Eutin, Adr. Justizrath Esmarch[5], später nach Hamburg b/d. Strohhause, Adr. Dr. Schleiden[6] *ab*zusenden, wo ich etwa bis 25 od. 26 d M. bleiben werde. Dodo ist auf der ganzen Reise mit mir. Hier sitz ich in einem alten behaglichen Pfarrhause, in einem 2 St⟨unden⟩ von der Eisenbahn an einem See belegenen Kirchdorf; jeden andern Sonntag predigt einer der hiesigen Pastoren in Cismar in einem schönen Klosterbau aus Mitte des 13 Jhs. Letzten Sonntg waren wir mit meinem Schwiegersohn dahin. Der Ort ist wie eine verzauberte Klosteridylle.

Ich grüße Sie u. Ihre Wally herzlich.

Ihr

Th St.

125. Storm an Schmidt

Hademarschen, 17 Oktbr. 85

Erst heute, lieber Freund, komme ich zur Beantwort⟨un⟩g Ihres lieben eingehenden Briefes v. 10 v. M's[1]; am meisten hindert mich in allem, was ich thue, der ewige Magendruck nebst Anhängsel. Vom 31 Septb. bis 29 Oktb. war ich mit Dodo, die jetzt ein flottes Mädchen ist und neulich schon in Gesang u. Komödie einen kleinen Kranz errang, auf Reisen. Aus Kirchdorf Grube bei meinen Kindern, schrieb ich Ihnen[2], dann 3 Tage in Eutin u. 9 in Hamburg. Das Heimkommen that aber wohl. Ich lebe jetzt — und es geht ganz trefflich — mit 4 Töchtern; denn Lucie u. Elsabe, die Clavierspielerin, sind jetzt von Hans definitiv zurück.[3] Ich bin nun nahezu mit der Correctur der Oktav- und der Miniaturausgaben der letzten Novellen fertig.[4] Leider habe ich die Wiederholung von John Riew's Charakteristik nicht finden können; das Blatt aber von Ihnen, worauf es steht, ist das einzige, was ich von unsrer Correspondenz vermisse.[5] Bitte, für die Gesammtausgabe notiren Sie es mir gelegentlich noch einmal. In „Ein Fest auf Haderslevhuus" — nicht wahr, famoser Titel — ist die bockbeinige Einleitung ganz zusammengeschmolzen[6]; Carol IV., die nicht klappende Construction, die Wappengeschichte, auf Francois, kaffeebraun, in klarem Wort gefestet, lân, die weiße Stute, Sälde, Virgilium latein, Moschusduft, *der* Wachs, Albe, *alles geändert oder gestrichen.*[7] Wie gut, daß ich einen Philologen zur Seite habe wie Groth einst unsern Müllenhof⟨f⟩![8] Aber überall darf er doch nicht recht behalten; also:

1. In den Zeiten, wo es keine Schienenwege und nur kümmerliche andre Wege gab, kamen die Leute aus Schl. Holstein sehr weit umher, besonders in p⟨un⟩cto der Universitäten; weshalb, da ich es brauche, soll Rolf nicht in Paris u. Prag studirt haben?[9] Sein Vater war ein sehr mächtiger Mann.

2. Die Scene mit Kaiser Karl[10] ist nicht bedeutend; aber nicht unzierlich; und ich brauche sie, da ich mir den Rolf einmal so gedacht habe.

3. Wenn so kurz nach ihrem Auftreten am Thüringer Hof die Poeten des 13 Jh. nicht mehr gelesen wurden, dann haben sie wohl kaum je eine Epoche gehabt. Die Base besaß keine Handschriftsammlung; sie hatte nur ein paar Handschriften von ihrem Leben am Thüringer Hof noch bei sich.[11] — Das darf der Poet sich doch wohl erlauben; denn es ist nicht unglaubwürdig.

4. Die Worte im Tristan, die von mir übersetzt lauten: „Gott woll ein süß Erleben so süßem Geschöpfe geben!"[12] sind nach *meinem* Gefühl keine Phrase, sondern schön, tief u. wahr. Und es ist psychologisch richtiger, auch keuscher, bei einer so plötzlichen Annäherung den Liebenden zu einem von ihm geliebten fremden Wort, das er vielleicht auch noch als bekannt voraussetzen kann, greifen zu lassen, als zu eigenem; die eigenen ergeben sich dann ja bald. — Eine einzige Sylbe habe ich geändert, was Ihnen recht sein wird.

Noch Eins: auch der chronikalische Fund ist ausgemerzt.[13] Sie hatten sehr Recht.

Ihre unverkennbare Freude an dem Ganzen hat mich sehr erfreut, ja überrascht; denn ich traue mir nicht mehr so ganz. Das Alter, der Krebs, der am Gehirne frißt! — Sehen wir nun, was unser scharfsinniger Freund Brahm sagen wird![14]

Ich hoffe Ihnen die beiden Sachen zu Weihnachten senden zu können; d.h. fein gebunden. — —

Für Ihr Bild[15] meinen herzlichen Dank, es ist das beste, das ich kenne; ich beneide Sie um den Haarpull; denn meiner, der noch vorigen Herbst so gepriesen wurde, nimmt auf immer Abschied.

Das Stück von Mörike ganz einzig; aber es war die älteste, Fanny, die ich damals in der Wiege sah; die Mutter schrieb mir gestern, daß sie ihren ältesten 1½jährigen Sohn verloren.[16] Der guten Frau Mörike schicke ich Drucke von allen meinen Sachen; ich sei der einzige, der noch ihrer denke, schrieb sie mir einmal. An Dr. Baechthold werde ich morgen ein Briefchen schreiben.[17]

Den „schönen Aufsatz“ über Mörike[18] wiesen Paetels damals mir zurück; sie hätten schon. Der Kellersche Roman[19] ist jetzt, hoffentlich definitiv, in der D. Rundschau angekündigt; er schrieb mir schon vor ein paar Jahren davon. Daß er sich zu Schiller gezogen fühlt, begreif ich. Ihr Urtheil über C. F. Meyer ist sehr richtig, stimmt auch mit dem Kellers[20]; und doch schafft's mitunter etwas Gutes, fast nie etwas Schlechtes.

Sie sprechen v. W. Hertz[21] Formgewandheit. Kommt denn irgend etwas Tüchtiges dabei zu Tage? Noch einmal, und, wenn auch zum hundertsten Male:

Für schöne lyrische Form ist das Coincidiren von Inhalt und Wortklang absolut nothwendig; der geistige Inhalt, und nur dieser muß in den Worten klingen, vor dem bloßen schönen Wortklang habe ich nicht den mindesten Respect:

„Das Schiff war nicht mehr sichtbar,
Es dunkelte gar zu sehr.“

Heine.[22]

man brauchte die Worte gar nicht zu verstehn, und man wüßte doch aus ihrem Klange, daß es Abend würde. Das allein ist lyrische Form. — In der Formgebung besteht die Kunst; aber die Form muß sehr tief gefaßt werden.

Das Ahnenlassen eines noch nicht ausgegebenen Reichthums gehört zu meiner alten Hauskunst, und wohl so recht zur epischen Kunst; denn, wo das fehlt, muß der Epiker erscheinen als Einer, der nur aufsagt, was er gelernt hat; und damit ist nicht leicht ein Hörer in die Welt der Phantasie zu versetzen. — Auch beim Gesange habe ich immer gesagt: „es muß so sein, als sei noch eine Tonne Ton's dahinter“. Es wird wohl bei jeder Kunst zutreffen.

Sonntag Morgen. [18. Oktober]

Ich sitze am Ostfenster, nächst dem Sopha und schreibe „Bein auf Beine“[23]; im Lehnstuhl sitz ich. Weiche etwas trübe Luft; aber ich schaue weit hinein in die Lande, auf die bläulichen Nebelhüllen, die den fernsten Wald nur kaum erkennen lassen.

Daß ich's nicht vergesse: für die *Göthe-Gesellschaft* bitte ich auch mich zu notiren.[24]

Mein Kind Ebbe (vollständig Elsabe, Ton ruht auf der ersten Sylbe El) anlangend, so habe ich von meinen Frauen über meine Unbescheidenheit, Ihnen eine Clavierspielerin aufladen zu wollen[25], meinen Segen schon weg; und ich selber, ich will's nicht leugnen, zitterte ein wenig — das war nicht das Alter, sondern das Vaterherz, das auch mitunter Verkehrtes macht, und ich log mir vor: sie haben vielleicht unten oder oben ein Stübchen und wohnen selber in der Mitte. Nun ist's um so besser, daß der Platz fehlt.

Ich dachte also, das Mädel — sie wird 23 Jahr — um Ostern hinzusenden, später auch selbst einmal zu kommen. Ich habe für das Jahr 2,000 M. ausgesetzt, incl. Reise. Daß sie sich in guter Gesellschaft bewegt, ist, aufrichtig gesagt, mir ebenso wichtig, als das Clavierspielen; dieß jedoch keineswegs unwichtig, sie müßte daher, wo möglich, bei einer Familie untergebracht werden, die in der Geselligkeit steht. Ob das dafür möglich, weiß ich nicht. — Da ich sie nur im Clavierspiel u. etwa Harmonielehre unterrichtet wünschte, so wären Privatstunden vielleicht dem Conservatorium vorzuziehen, wenn das nicht zu theuer würde. Ich darf mich in diesen Dingen wohl Ihrer u. Ihrer Wally Hülfe versichert halten. Sie werden ja Gelegenheit haben, darüber gelegentlich berichtet zu werden.

— Noch muß ich einen Gruß von Frau Professor Junghans geb. Hallier[26], einer Bekannten Ihrer Schwester an diese ausrichten, den Sie wohl bestellen. Sie ist eine Nichte meines alten lieben Dr. Schleiden[27] in Hamburg u. macht mit ihrer älteren unverh. Schwester dort ein hübsches Haus. Dodo logierte dießmal bei ihnen[a]; ich vorig. Herbst fast 3 Wochen.

Auch einer Ihrer Schüler, ein netter Junge, Paul Kuh, Emil's Sohn[28], war einen Mittag bei uns; aber mein novissimum gefällt ihm zwar sehr; doch nur bis dahin, wo Rolf die Todte aus dem Sarg nimmt[29], von da wünscht er ihn an die Pappelstelle u. dann zurück, um die Todte wieder in den Sarg zu legen. Das schrieb er mir, freilich sehr bescheiden.

Doch da kommt Dodo mit dem geschlagenen Ei. Morgen-Frühstück (das „Morgen“ kann auch gestrichen werden.⟨)⟩

Ich, wir alle grüßen Sie und Ihre Wally u. Ihr Wölfchen herzlich in dem neuen Heim. Möge es Ihnen Genugthuung geben, und möge für alle große Arbeit, die Sie jetzt und immer bewältigen, Ihnen nie Gesundheit fehlen! Hausfrieden u. -Freude braucht man, glücklicherweise, nicht zu wünschen.

Ihrer lieben Frau Schwiegermutter bitte ich in Erinnerung aller von ihr empfangenen Güte in jener bösen und doch so lieben Zeit, wo auch wir uns fanden[30],

---

[a]) Hs: *Ihnen*

mich innig zu empfehlen. Wie gern träf ich einmal wieder unter Ihrem Dach mit ihr zusammen. Doch, das geht wohl nicht.

Ihr alter

Th Storm.

Wie ist denn Ihr Titel jetzt: Herrn Archivdirector oder Geheimer-Hofrath oder wie?

126. Storm an Schmidt

Hademarschen, 18 Novbr. 85.

Endlich, lieber Freund, muß ich Ihnen doch für den köstlichen Neutheil Ihres Lessingbuches[1] Dank sagen. Die Zeit seit meinem letzten Briefe war von sich fortsetzendem Unwohlsein, dabei von einem, wie Heyse sagt, labor improbus[2] — weiter unten davon — und unbedeutender Neuarbeit angefüllt; da kam Ihr Lessingband. Ich begann sofort zu lesen; aber Sie müssen Nachsicht haben, ich war nicht in der Verfassung stramm durchzulesen. Ich naschte und las zuerst seine dramaturgische Laufbahn in Hamburg, dann „Frau Eva" und hatte hier aufs Neue durch Ihre herzenswarme Darstellung die Freude, mich an diesem herrlichen Menschenbilde zu erquicken, dieser vielleicht einzig zu ihm gehörenden Frau, deren Portrait gewiß jeder Leser gern neben dem Lessings in dem Buch gesehen hätte. Giebt es keins?

Aber — war es nicht möglich noch ein paar Seiten bei diesem kurzen Eheglück zu verweilen? Mir ist, ich hätte Mittheilungen aus Freundesbriefen aus jener Zeit einmal gelesen. Dieser auf Glück verzichtende Lessing ist eine große Gestalt.

Dann begann ich cap VII „Emilia Galotti". Sie haben diese Auseinandersetzung mit solcher Klarheit und weit umschauend und in das Tiefste und Kleinste, was alles doch zum Ganzen gehört, hineinverfolgend geschrieben; daß ich nicht davon konnte, bis ich voll Bewunderung das Capitel beendet hatte.

Weiter las ich noch nicht. Ihnen in den „Laokoon" zu folgen, fehlte mir bis jetzt der Muth; es ist sehr übel, wenn man jede ernstere Beschäftigung mit Körperschmerz bezahlen muß.

Darf ich nun von meinem „labor improbus" sprechen.

Meine Oktavausgabe von „Ein Fest auf Haderslevhuus" war eben gedruckt, und ich muß es nur jetzt bekennen; ich habe, ohne zu fragen, das Buch „Meinem

Freunde Professor Erich Schmidt“ gewidmet.[3] Und nun kommt das Unglück! Heyse, dem ich die Correcturbogen sandte, schreibt mir auf einmal: „Du hast ja überall in Jamben geschrieben!“[4]

Voll Bestürzung — Sie freilich hatten es gelesen; aber was hatten Sie damals nicht alles um die Ohren! — nehm' ich die Sache her und sehe denn, es wimmelt von fünffüßigen Jamben. Diese Auflage der Oktavausgabe muß unrettbar nun so in die Welt; aber die Miniatur-Ausgabe[5] ist purifizirt — nur 2 oder 3 Mal ließ ich absichtlich stehen — auch eine etwas stärkere Motivirung (daß er die Todte aus ihrer Ruhe reißt[6], was gewaltig, selbst von Ihrem Schüler Paul Kuh[7], der mich im Herbst besucht hat, viel Widerspruch findet) ist hinzugekommen, und noch Einzelnes revidirt. Ich werde Ihnen beide Ausgaben schicken, und bitte herzlich um Verzeihung, daß ich Sie mit Ihrem Namen in dieß Altersgebrechen mit hineingerissen habe, vor dem ich so oft die Jüngeren warnte.

Die Wintermorgensonne scheint mir in die Fenster; es ist schöne stille Winterszeit, und für den, der noch die Kräfte hat, die froheste Zeit zur Arbeit.

Ich schreibe eine Kleinigkeit[8] für die „Deutsche Jugend“, die mich seit lange darum gebeten; einen schweren Block habe ich mir für nach Neujahr aufgespart, und will dann sehen, ob ich ihn noch wälzen kann.[9]

Grüßen Sie Ihre Wally u. das Wölfchen und seien Sie von uns allen herzlich gegrüßt.

Ihr

Th Storm

Soll ich noch Weiteres thun oder bin ich als Mitglied der qu. Göthegesellschaft angesehen[10], nach der Mittheilung an Sie?

Später.

Ich lese eben in ⟨das⟩ I Cap. Der Bibliothekar hinein; wie anmuthig, natürlich und allmählich sich erhellend sind die Notizen des v. Liebhaber, und wie hübsche Seitenlichter auf den Menschen Lessing![11]

127. Storm an Schmidt

Hademarschen, 24 Jan. 86

Mein lieber Freund, Ihr Blatt mit der schweren Kunde[1] wurde mir nach Husum nachgesandt, wo ich eben eine sorgenvolle Reise nach Kiel antreten wollte oder mußte: meine Lucie, dort auf Besuch bei einer Freundin, hatte ich zu dem Elektropeuthiker (es ist wohl richtig geschrieben) Dr. Dähnhardt[2] gesandt, um sie wegen Ischias u. starker Nervosität zu untersuchen. Nun wünschte er mich selbst zu sprechen, und das Resultat war denn, daß sie in die (vorzügliche) Klinik von Neubert gebracht ist, und wir dort erwarten müssen, ob sie in 4—5 Monaten geheilt werde. Der Spaß wird wieder 10—1200 M. kosten; und — ich traue diesen Nervenkuren nicht. Dem schönen Mädchen sieht u. fühlt man so nichts von diesem Leidwesen an.

Das, lieber Freund, hat diesen Brief verzögert; ich hätte sonst gleich geschrieben; denn ich weiß ja, was Sie verloren haben, und daß *für Sie* Ihr Leben eine andre Gestalt annehmen wird, eine ärmere; denn die Periode Ihrer schönen Jugend schließt sich mit dem Tode dieses Vaters für Sie ab. Die so schönen Herz und Körper erquickenden Vereinigungen der Ihrigen in den Sommerferien werden zwar wohl noch statt finden; aber Ihr Vater und Freund, der Ihnen in dieser Zeit ebenbürtig und voll Verständniß und Liebe gegenüber stand, wird nicht mehr da sein. Und die Stelle wird nicht wieder besetzt. Ich werde mir heute Abend in der Stille den liebenswürdigen Brief, den er mir einmal schrieb[3], hervorkramen, und ihn, nachdem ich ihn gelesen, zu den Briefen seines Sohnes legen. Ich habe jetzt oftmals eine starke Empfindung von der Furchtbarkeit, daß wir so aus dem Staube auftauchen, theilweis bis zur Verehrung gut und groß, oder zum Entzücken schön werden und dann welken, faulen und am Ende der letzten Spur nach in dem Staube wieder verschwinden. Wenn ich so lese: „Beschattet von der Pappelweide" oder „Blühe, liebes Veilchen, das ich selbst erzog"[4] oder was sie Liebes sonst derzeit geschrieben haben, und wenn ich dann aus diesen Dingen auftauche und nach allen jenen hinhorche, die damals so still oder laut, so selig oder erzürnt ihr Wesen getrieben haben, dann graut mir vor der ungeheueren Stille, die jetzt darüber liegt.

Lieber Freund, ich drücke Ihnen und Ihrer Wally herzlich die Hand u. will nun nicht weiter.

In diesen Tagen schick ich Ihnen in p⟨un⟩cto meiner Ebbe einen Brief an Frau Pfarrer Rupp[5], den Sie wohl richtig adressiren. Für Frau Wally's freundlichen Brief[6] meinen Dank.

Ihr

Th Storm.

128. Storm an Schmidt

Hademarschen-Hanerau, 5/2 86

Mein lieber Freund!

Das war ein Nachruf[1], wie wir uns ihn alle wünschen mögen; mit Andacht und Theilnahme haben wir daraus nun auch gelesen, welchen Vater Sie verloren haben. Ihre Freunde müssen Ihnen nun um so treuer sein. —

Grüßen Sie Ihre Wally und danken Sie ihr freundlich für ihre Ebbe-Mühen; ich habe nun anliegenden Brief an Frau Pfarrer Ruppe[2] geschrieben; da ich aber ihre Adresse nicht weiß, muß ich Sie, leider, bitten, mir ein Couvert dazu zu schenken und ihn in den Postkasten zu befördern. Da mir die Sache mit der geistlichen Dame aber wegen ihrer 12wöchentlichen Verduftung etwas unsicher erscheint, habe ich heute zugleich auch an eine mir von Frau Rechtsanwalt Jacobs II in Gotha[3] empfohlene ortskundige u. gefällige Dame geschrieben. Die Sache soll schon zur rechten Zeit in Ordnung kommen.

Wir waren, d. h. ich cum ux.[4] und Elsabe waren v. 5 v. M. an in Husum bei Graf Reventlow's u. meinem Bruder Dr.; meine Frau ging ⟨am⟩ 22 nach Haus, ich nach Kiel, wo ich meine Lucie — Sie sahen sie wohl nicht — wegen Nervosität u. Ischias in einer trefflichen Klinik untergebracht habe, leider, auf noch unabsehbare Zeit. Elsabe tanzt noch in Husum, die beiden Jüngsten waren in Kiel bei einem Onkel. — Wenn Sie auch erst solchen Haushalt zeitweilig aufzulösen haben! — Jetzt bin ich dabei, in den nächsten Tagen, eine etwas unbedeutende Arbeit, deren Correcturbogen Ihnen aber auch nicht entgehen sollen, für die Rundschau zu beenden: „Aus engen Wänden."[5]

Den Meinen lese ich jetzt Heyse's Tragödie „Die Hochzeit am Aventin"[6] vor. Bis jetzt (wir sind in Act IV) finde ich es trefflich, voll dramatischer Bewegung.

Aber ich hab mich heut todtmüde geschrieben; grüßen Sie herzlich Ihre liebe Wally und den Wolf!

Ihr alter

Th Storm.

129. Storm an Schmidt

Hademarschen, 3 März. 86.

Lieber Freund!

Nicht ohne ein gewisses Zagen — „O stürz' nicht Fels!"[1] — setze ich mich heute hin, um Ihnen meinen Frühlingsfreudenplan vorzulegen; welche Familienereignisse Ihrerseits könnten sich nicht dagegen u. dazwischen stellen!

Also: mit Frau Pastor Ruppe bin ich einig, Elsabe hat ihr eignes anständiges Zimmer u. kann, da die Tochter der Pastorin zurückkehrt u. während der Ferienzeit zu Haus bleibt, continuirlich da sein. Eine 21jährige Professorstochter, liebenswürdig, wie Frau Ruppe schreibt, ist ihre Genossin. Das Conservatoriensemester soll Anfang Mai beginnen.[2]

Soweit Alles gut; aber nun! Ich denke Elsabe hinzubringen, etwa 5 Tage vor dem Beginn des Unterrichts in Weimar zu erscheinen (ich schreibe noch an den Director Müller-Hartung[3]) und — ja, darf ich das denken? — 8—10 Tage zu Ihnen zu kommen — den ein *Wieder*kommen wird es für mich wohl nicht geben. Darf ich bitten mir zu schreiben, ob das angehen oder ob der Fels stürzen wird. Ich kann im Nothfall freilich auch im Hotel mein Nachtquartier aufschlagen, wenn's auch nicht so schön ist wie unter Freundesdach.

Ebbe und ich gehen voll Freude dieser Zeit entgegen; die Welt wird dann ja auch hoffentlich voll frischen Grüns sein, das noch immer meine alte Seele entzückt.

Unter Kreuzband erhalten Sie sogleich meine Winterarbeit[4], die ich mir eigentlich zu einer *bequemen* Arbeit machen wollte. Aber das ist mir einmal nicht gegeben; ich mag mir in der Form strenge oder weite Grenzen setzen, das ist für die Ausführung einerlei. Bemerken will ich nur, daß ich die Scene zwischen Fritz u. Magdalene S. 32 später verbessert habe[5], u. daß Sie S. 34 Z. 1 die Worte: „es wird immer schöner — neuem Leben." streichen und statt dessen lesen müssen: (denn freilich ein wenig Plattdeutsch müssen Sie bei der „Geschichte" verstehen —)

> „Is doch schön to Huus — un nu versök, ob Du't noch bäter, as de Dockter kannst!"

Lesen Sie es nur einmal Ihrer Wally; meinen Frauen hat es wohl geschmeckt; Dodo ist für einige Scenen ganz begeistert.

Von Dr. Baechthold hatte ich gestern einen langen eingehenden Brief, der voll Begeisterung von Ihnen ist.[6] Ich muß bekennen, als ich vor Wochen Ihnen sagte, ich wolle an B⟨aechtold⟩ schreiben, konnte ich später nicht dazu kommen, u. so war dieser Brief der erste von ihm.

Haben Sie Heyse's „Hochzeit am Aventin" gelesen? Das hat mir wohl gefallen. Ich denke mir aber, 1864 ist er nach dem 2t. Act mit der Fortführung der Fabel in Noth gerathen, u. so geht es erst 20 Jahre später wieder vorwärts.[7]

Das ganze Haus grüßt Sie und Ihre Wally u. das Wölfchen, besonders Elsabe und Ihr getreuer

Th Storm.

130. Storm an Schmidt

Hademarschen, 28 März 86.

Lieber Freund!

Ihr Conservatorien-Director Müllerhartung[1] schreibt mir, daß im Conserv. nur 2, auch 3 Schülerinnen eine Stunde zus. haben. So könnte Elsabe denn daran theilnehmen, zumal er auch für Unterricht in den Ferien zu sorgen verspricht.

Am 28 April sei die Aufnahme, am 2 Mai beginne der Unterricht. Nun wollen Sie mich erst am 4 Mai, wenn das Getümmel der Göthe-Gesellschaft vorbei ist; aber — haben Sie etwas dagegen, wenn ich schon am 1 Mai komme und mich bis zum 4ten in einem mir von Ihnen anzugebenden einfachen Gasthof einquartire? Ich möchte am 2 Mai, wenn ich mich danach befinde, von der Tagesordnung etwa 2 u. 3 und Diner u. Theater mitmachen.[2] Die Hauptsache, daß ich mit einzelnen Leuten mich wohl begrüßen möchte, die dort wohl erscheinen werden; auch würde ich dann ja Ihre Schwiegerin Bertha[3] noch sehen. Ich denke Dr. Tönnies reist auch mit.[4] Sollten Sie nun am 3 Mai eine Gesellschaft geben müssen und mich nicht gern an den Musikantentisch setzen wollen, so könnte ich mich ja an dem Tage durch Frau Pastor Ruppe zu Tisch laden lassen.

Möglich aber auch, dß mir dem Trouble gegenüber der Muth sinkt und ich erst am 4 Mai komme, Ebbe wird auch am 4ten noch eintreten können; ich wollte Ihnen nur in omn. eventum[5] Nachricht geben.

Mit unsrer Lucie noch unabsehbar, und ich muß deßhalb Sonnabend auf einige Tage nach Kiel.[6] Nun hat auch Hans in Wörth a/M. tüchtig Blutspeien gehabt[7], was in keiner unsrer Familien dagewesen, schreibt aber seit ein paar Tagen doch wieder seine Briefe selbst, und expedirt Kranke von Bett u. Sopha aus. Uns andern geht's leidlich: alle 14 Tage großer Klubb mit Musikaufführung, Gesangstücken in Kostüm, Kartoffelcomödie[8] und ordentlicher Menschencomödie; interessanter vielleicht als in den größten Städten; und so ist denn ja auch der Winter nun dahin; es thaut und nebelt und regnet; Massen von Schneeglöckchen drängen im Garten aus der Erde, die Veilchen haben große Knospen; draußen klingen, strudeln u. rinnen die gelösten Wasser von den Höhen in die Flächen, und die noch blätterlosen Baumwipfel u. die Luft sind plötzlich belebt von den wohlbekannten Vogelstimmen und mein stolzer selbstgezogener Hahn Alektryo[9] geht stolz vor seinen Hühnern.

30 März.

Gestern in Familie, wozu sich dann und wann ein gern zuhörender Gast fand, die Vorlesung v. Faust I mit Vorspielen beendet, und sie, obgleich sie's kannten, in stummer Erschütterung gelassen, als ich dann mit meinem Buch wieder nach oben stieg. Iphigenie hatte ich vorher gelesen. Nun bin ich etwas in Zweifel in p⟨un⟩cto Faust II; ich denke, ich lese ihn auszugsweise; sie hörten gern mehr davon. Eine Leserei ist in meinem Hause, namentlich in Betreff Gertrud's, die das Buch immer in der Tasche trägt, die Sie sich vielleicht besser erklären können als ich, der ich mich nie an die Prosa des Vfs herangewagt, so sehr ich seine Verse liebe, und das ist: Hölderlins Hyperion[10]; das wird wie eine Art Schatzkästlein immer wieder gelesen. Ich denk', es ist so ein Utopion für die Jugend darin.

In Heyse's „Getrennten Welten"[11] fehlt mir das dramatische punctum saliens[12]; die Trennung dieser Welten dient nur dazu, innerhalb jeder derselben eine Ehe herbeizuführen, wozu wohl kaum getrennte Welten nöthig sind. Uebrigens interessant gemacht; die Figur von Baron „Broich" besonders; der „Oberförster" mir zu dick aufgetragen.

Was das mit Wildenbruch u. der Odyssee ist[13], müssen Sie mir mündlich sagen; auch von Einem müssen wir ein Wort reden: ich griff neulich einen Band v. Gutzkows „Unterhalt⟨un⟩gen am Häusl. Heerd" — übrigens kein übles Journal — und las darin, ich meine v. anno 1861[14], wo ein Ungenannter berichtet, er habe in einem Dorfe von einer kl. Komödientruppe ein Stück „Eulenspiegel" aufführen sehn. In dem Darsteller seien einige Genieblitze kund geworden, besonders aber habe ihn u. seine anwesenden Freunde ein etwa 20jähriges interessantes Mädchen, mit ein wenig vortretender Unterlippe interessirt; sie habe erst den Vorhang aufgezogen u. dann gespielt. Nach dem Theater hätten er und seine Freunde die Schauspieler zum Abendbrod in das Dorfwirthshaus gebeten; nur vier seien gekommen, darunter die beiden Genannten; aber der Eulenspiegel habe seinen Humor nicht mitgebracht, sie hätten ernst und darunter auch von dem Schicksal des Schauspielerlebens gesprochen; plötzlich habe der Eulenspiegel sich zu dem jungen Mädchen gewandt und gesagt: „Das ist auch Eine, die ihr[a)] Leben hier verschüttet; sie ist Ferdinand Raimunds jüngste Tochter!" Der Vf. fügt hinzu, das Mädchen müsse in Raimunds Todesjahr geboren sein; er gebe die Sache hier bekannt, damit womöglich eine helfende Hand hier eingreifen könne.

Es ist ja ein Vierteljahrhundert her, lieber Freund; aber es quält mich doch: was ist daraus geworden? Denn Raimund[15] ist einer, dessen ich ohne Liebe nicht gedenken kann. Vielleicht könnte Levinsky Auskunft geben.

— — Uebrigens bin ich, wie ich — ich glaub', nach Heine — zu sagen pflege „gesanglos und beklommen"[16]; doch leidlich gesund. Ich begänne so gern die

---

a) Hs: *Ihr*

beabsichtigte Deich- u. Sturmnovelle[17]; aber sie müßte gut werden, da sie so heimathlich ist; doch ich kann nicht; auch fehlt mir so viel im Material, was ich zur Zeit nicht schaffen kann. Die kurze Zeit und die sich darin noch dazu verkürzende Kraft, das drückt mich mitunter.

Aus den „römisch. Briefen" Göthes geben Sie wohl, wenn wir beisammen sind, schon einen oder andern Brocken zum Besten.[18] Hüten Sie sich nur — es wird ja schon bei Ihnen keine Noth haben, bei dieser ungeheueren Göthe-Arbeit, ein Göthe-Pedant zu werden; denn woran wir unsre ganze Kraft wenden, das — und auch, wo es unbedeutend ist — werden wir leicht versucht zu lieben. Kannte ich doch Einen — Hofrath Aldenhoven in Gotha[19] — der mich für unbefugt zur Lyrik hielt, weil Göthe ein Lyriker gewesen und nach ihm Keiner dazu berechtigt sei. Als ob ein einzelner Mensch eine ganze Kunst erschöpfen könne! Schon die Romantik brachte tiefe wundervolle Töne, von denen G⟨oethe⟩ nichts gewußt hat.

Doch — „quo me rapis?"[20] Heißt es nicht so?

Ich und die Meinen, insonders Ebbe, grüßen Sie und die Ihrigen, inclus. Jungen, herzlich; und haben Sie ein kurzes Wort über meinen angedeuteten Reiseplan, so bitte ich darum.

Ihr

Th Storm.

131. Storm an Schmidt

Hademarschen 2/6. 86.

Ja, lieber Freund, diese Duchesse[1] scheint mir doch so etwas von einem Dämon; sie hat so etwas verflucht Prosaisches bei all ihrem Poeten-Verkehr, und sieht so poesievernichtend aus.

Ich bin denn Sonntg-Abend, 30 April[2] nach Haus gekommen, und es war wunderschön; so schön wie jetzt mein Garten, ist der Weimarer Park doch nicht; nur ist so viel sinnverwirrendes Aufarbeiten um mich. Gott sei Dank, daß die Nachtigall noch in meinen Tannen schlägt; ich thät es aber auch, wenn ich eine Nachtigall wäre. Viel andre Vögel 2ten Ranges helfen ihr; auch ihre Cousine, die Bastard-Nachtigall.

Dabei habe ich den angenehmsten und kurzweiligsten Nachgeschmack von Weimar[3] und danke Ihnen und Ihrer Wally für alles Gute, das Sie mir dort haben zu theil werden lassen oder mir vermittelt haben; macht einen Haufen.

Haben wir auch wenig tief u. ruhig miteinander verhandelt, beisammen und sich gut sein, das thut's. Nehmen Sie nur mein liebes Kind[4], wie Sie es ja thun werden, ein wenig an sich.

Nach Weimar u. Jena war ich denn noch 3 Tage in Gotha, 3 in Erfurt (Schloß des Grafen Gotter), 2 in Cassel, 4 in Heiligenstadt — prächtiger Weg v. Cassel dahin durch finsteres Waldgebirg, Hotelnacht in Hamburg, andern Tags nach Haus.

Die anmuthigste Station war in Gotha bei RA Jacobs II, Sohn des Malers, Enkel des Griechen Friedrich Jacobs.[5] In seinem vom Vater nach römischer Art (in der Mitte eine durch alle Etagen aufsteigende Glaslaterne; daherum die schönen Zimmer) erbautem Hause die einigste liebenswürdigste Familie: Mann u. Frau, die alte frische geistvolle Mutter des Mannes, Hofräthin Jacobs, ein netter Sohn, Primaner, und fünf Schwestern von 16 — zu 4 Jahren, alle braun, eine schön, zumal an Augen und Nacken.

Ich wollte nur 2 Nächte bleiben; das machte die Aelteste Susi betrübsam. „Nun", sagte ich, da wir alle mitsammen durch die Stadt wandelten, „Susi, ich bleibe drei!" — „Na," erwidert sie, mit einem wie erlösenden Seufzer und halb zu sich selber, „dann geht es noch!"

„Nun, Susi," sprach die Mutter, „das hängt doch von Herrn Storm ab; den mußt du doch erst fragen!"

Und was war es? Sie wollte 7 16—17 jährige Freundinnen zum Kaffee bitten, denen sollte ich eine Akademie geben. Und so erfuhr ich das Allerlieblichste, las vor 8 zum Theil bildhübschen Mädchen „Späte Rosen" und eine Reihe von Gedichten, die aber mehrere sehr genau kannten. Wie sie lautlos und mir die hübschen Köpfe entgegenstreckend lauschten, besonders die schöne keusche, bescheidene, jungfräuliche Lansky mit den schönsten Augen, die ich — ich glaube es wirklich — je gesehen habe; ich trank wahrhaftigen Jugendnectar von jungen Lippen und aus märchenhaften Augen — —

„Nun, nun Alter!" werden Sie sagen. Nun, Sie sehen ja, ich bin nicht in den gefährlichen Augen ertrunken, sondern sitze hier heimathfroh an meinem Nordostfenster und schreibe an meinen jungen Freund Erich, den Archivdirector.

Aus Briefen wäre mitzutheilen:

1. daß *Heyse* mir am 18 v. M. schreibt[6]: „In der Rundschau findest Du eine tragische Bluette[7] von mir, die mir die Ehrenschulden[8] an Gehalt zu überbieten scheint und eine tiefere und schönere Erschütterung wirkt, als jenes Schicksal, das mehr dem moralischen Irrweg gehorcht, als dem freien und reinen Entschluß. Sage mir, was Du davon denkst."

2, daß Freund *Petersen,* der Regie⟨run⟩gsrath in Schleswig mir von seiner gr. Reise (Zürich, Freiburg i. Br., München)[a] schreibt (am 11 Mai):

„In Zürich war ich 3 Tage; saß täglich ein paar Stunden bei Meister Gottfried, und den letzten Tag kamen wir auch in der Meise zusammen, mit Böcklin[10] u. s. w. Ich fand K⟨eller⟩ frisch u. behaglich, er scheint viel zu lesen, namentlich auch die neueren französ. Sachen. Allerlei Interessantes kam zur Sprache, von Ihnen wurde natürlich auch öfter gesprochen; K⟨eller⟩ klagte sich unverzeihlicher Schreibfaulheit an, und beschloß baldigst zu schreiben.[11] Als ich kam, wurde eben Fortsetzung des ‚Salander' eingepackt, nachdem durch Telegramm schon monirt war."

Das klingt doch ganz tröstlich. Heyse hat P⟨etersen⟩ auch in München getroffen, frisch, strahlend, arbeitsmuthig; wie er, H⟨eyse⟩ auch an mich schreibt.

Ein Alexander Fischer aus Budapest schickt mir gestern, wundervoll ausgestattet, seine Uebersetzung der „Tragödie der Menschen" von Emerich Madách[12]; die Verse sind zum Theil wunderbar ungeschickt. Kennen Sie es? Eine Art Faust, eigentlich eine Kette von Tragödien, in denen Adam u. Eva nacheinander sie selbst, und dann resp. Pharao, Miltiades, Tancred, Keppler etc und sie Weib eines Sklaven, des Miltiades, Julia etc sind. Die Uebersetzung nach einer Bühnenbearbeitung. Es soll etwa 50 Mal vor ausverkauftem Hause in Budapest aufgeführt sein. Eggenbergscher Verlag daselbst.

— Hat Ebbe Ihnen schon erzählt, dß die Nachbarn ihr u. Hilda die Polizei auf den Hals geschickt, weil sie bei offnem Fenster geübt haben?[13] Dieß Nichtdürfen mochte aber auch der Teufel wissen!

Nun grüßen Sie mir herzlich Ihre liebe Frau Wally und den braven Wolfgang und bleiben Sie gut

Ihrem alten

Th Storm

Gedichte liegen bei.[14]

132. Storm an Schmidt

Hadem⟨arschen⟩ 8 Juli. 86.

Lieber Freund!

Verzeihen Sie mein Schweigen; ich plagte mich recht mit diesem vernichtenden Magendruck, so dß ich jetzt Karlsbader concentrirten Mühlbrunn trinke, der

a) Hs: zweites *mir*

natürlich auch nicht hilft. — Daß Sie mir so treu Ihre Karten schickten und so redlich mein Kind besuchten[1], dafür danke ich Ihnen herzlich; es ist wieder eines jener Hindernisse, die mich ja wohl in Geduld und Ausdauer üben sollen; denn 3 Monate werden wenigstens verloren gehen; indeß soll, wo möglich diese Zeit wieder hinten angesetzt werden. Jetzt soll Elsabe in den Luftcurort „Rutenhaus“, der etwa $2^{1}/_{2}$ St. von Schleusingen liegt, von wo aus während der Ferienzeit Hilda sie denn auch besuchen wird. Uebrigens ist Alles, im Hause und aus der Stadt ja liebenswürdig gegen Ebbe; die Kalkreuth, die Böhlau[2] ist bei ihr gewesen, auch die Frau ihres Klavierlehrers Jahnke; die Böhlau's wollen mit ihr spazieren[a)] fahren.

Und Sie trinken auch Brunnen? Lassen Sie sich nur nicht im Götheschen Bücherstaub ersticken!

Wie es Ihrer Wally geht, erfahre ich wohl in Ihrem nächsten Briefe!

Bei uns ist augenblicklich meine Älteste[3] mit ihrem famosen fast 4jährigen Mädel u. einer netten 10jährigen Stieftochter; auch Tante Lotte[4], des Bruders Dr. Weib u. Schwester meiner verst⟨orbenen⟩ Constanze, eine Prachtfrau, war 3 W. bei uns; vorigen Sonntag kam — zu aller Geschwister, Mütter, Tanten und Cousinen Freude — auch unser prächtiger Karl[5] mit vielen Noten und seiner 6 Fuß hohen Pfeife. Händel, Bach u. Be⟨e⟩thoven sind schon mannigfach tractirt, mit Cousine Lucie u. der Pastor-Schwester Lisbeth; eine große Tour durch das östliche Holstein unter seiner Führung mit Schwestern und Cousinen, an den Ugley, Kellersee etc ist schon geplant. Mit ihm kommt allezeit ein frischer Hauch ins Haus.

Am 11 d. M. wird in Toftlund mein erster Enkel getauft, der den prächtigen Namen „Hans Adolph Storm“ bekommt[6] (H. nach mir — „ich wagte ihm nicht deinen Poeten-Namen zu geben“, schreibt Ernst; übrigens heiße ich ja „Hans Th⟨eodor⟩“ u. alle Aeltesten in der Familie heißen „Hans“ u. Adolph nach dem Vater seiner Frau) Leider wage ich aus Gesundheitsrücksichten nicht persönlich bei der Taufe zu erscheinen. Mir ist als sei in dem Namen „Hans Adolph“ so etwas Altherzogliches.[7]

Gestern war ein mir sehr lieber Vetter, Scherff[8] aus Hamburg mit Braut, hier; zum Abschied, für mich auf immer; denn er geht um 8 Tage mit seiner Frau, jetzt noch Braut, nach Aukland auf Neu-Seeland, wo ihm ein älterer Bruder in angesehenen Verhältnissen lebt.

Sie sehen; einsam ist es hier nicht, u. Alles um mich schön genug; wäre ich nur noch einmal wieder gesund. Ich sitze hier, wie ja stets im Sommer, an meinem

---

a) Hs: *spatzieren*

Nordostfenster, dem schmalen; Sie glauben nicht, wie schön u. ruhig sich heckendurchzogene Felder und Wälder draußen vor meinen Augen ausbreiten; kein Mensch, keine Menschenwohnung tritt dazwischen; und vorne bewegen sich die Wipfel meines Gartens in leichtem Wehen.

Unter so lebendiger Umgebung ist es, abgesehen von meinen abnehmenden Kräften, nicht leicht zu arbeiten. Dennoch ist der „Schimmelreiter" begonnen[9], allerlei Studien sind dazu gemacht; Material zu einer Art Familien (meiner Frau) geschichte[10] ist für den Winter angehäuft. Nun kommt auch noch Emil Franzos mit seiner neuen Zeitschrift, so liebevoll u. dringend; ich hatte ihn schon auf die Zukunft vertröstet; da macht mir unsre Tante Lotte (die Frau Dr.) irgend eine Husumer Mittheilung[11]; und nun kocht doch etwas.

Mit der Bitte, daß ich es in 3 Wochen wiedererhalte, schicke ich Ihnen das neueste Drama von Liliencron[12], das mich durch seine unmittelbare leidenschaftliche Handlung sehr in Anspruch nimmt. Lesen Sie, und lesen Sie nur den ersten Act einmal vor, am Ende mit aller Wucht, und Sie werden etwas an Wirkung erfahren. Es interessirt mich sehr, wenn auch das Ende mir etwas überstürzt u. die Verklärung des Kaisers mir zuletzt etwas unvermittelt kommt.

Ich weiß nicht, sind Sie in Weimar oder lessingbeschäftigt im Bade; aber ich schicke getrost ab; irgendwo wird es Sie schon finden.

Mein Haus grüßt Sie, meine Frau dankt Ihnen für Ihre Freundlichkeit gegen Ebbe; Grüße von mir an alle die Ihren, das Wölfchen nicht zu vergessen!

Unter mir ertheilt Karl an Dodo eine Gesangstunde; es tönt durch die Decke. Sie sollten das Mädel jetzt einmal hören!

Ihr alter

Th Storm.

133. Storm an Schmidt

Hademarschen, 16 Septb. 86.

Ihr Brief, lieber Freund, soll der erste sein, den ich aus der Fluth der Geburtstagsbriefe von Be- und Unbekannten beantworte; eben ist mein einzigster Geburtstagsgast v. außen her, Graf Reventlow aus Husum[1], wieder abgereist.

Ich habe oft, sehr oft Ihrer gedacht; aber die Vormittage gehörten ganz immer der Arbeit, die Nachmittage theils den stets wechselnden Logirbesuchen; Sie saßen — so dachte ich, höre aber in Ihrem Brief nicht davon — an der Heiligen Lessing-Arbeit.[2] So schrieb ich nicht. In dem Sinne, wie Sie über Scherer jetzt schreiben, habe ich Ihrer bei seinem Tod gedacht.[3] Reventlow monirte gegen Sch⟨erer⟩s Bedeutenheit, was er einmal an Freytag geschrieben, daß er (Sch⟨erer⟩) in seiner Jugend nicht habe begreifen können, daß man, ich weiß nicht, Göthe oder Homer über ihn setze. So etwas monirten Sie ja an ihm in p⟨un⟩cto Geibel.[4] Es ist mir übrigens unzweifelhaft, daß Sie nicht lang in Weimar bleiben dürfen.[5] — Schade für Ebbe[6]; es freut mich so, daß Ihre Wally, u. sie sich gern haben. Meine Arbeit, die morgen zu Ende geht, „Ein Doppelgänger“ heißt sie, war ein Wagstück. K. E. Franzos wollte für seine neue Zeitschrift „Deutsche Dichtung“, die viel zu bunt u. breit angelegt ist, für die ersten Hefte etwas Lyrisches u. Poetisches haben[7]; auch mein Portrait. Er[a)] erhielt Letzteres u. 2 vor 20 Jahren geschriebene Elegien[8]; das Novellistische lehnte ich ab. Da erzählte mir Tante Lotte, meines Bruder Doctors Frau[9], die just hier war, den etwas unheimlichen Tod eines Husumer Menschen, u. wie ich andern Morgens aufsteh, ist die Geschichte fertig in meinem Kopf, u. ich schreib an Franzos, daß ich ihm einen „Doppelgänger“ schreiben werde.[10] So ist gekommen, was bei mir nie geschah, daß schon gedruckt wird, während ich noch daran schreibe. Doch ist's nun zu Ende. Ich bin neugierig wie es Ihnen gefallen wird; ich bin über die Berechtigung des Ganzen etwas in Zweifel gerathen. Die Hauptperson ist ein Arbeiter, ein junger Züchtling. Ich werde dieß u. das was Sie gelesen später unter dem Collectivtitel „Bei kleinen Leuten“ oder „Aus engen Wänden“ drucken lassen.[11] Diese Art zu arbeiten werde ich aber niemals wieder begehen oder besser „*ver*gehen“.

Auf Ihre „Charakteristiken“ freue ich mich[12]; in p⟨un⟩cto Sylvesterfeuilletons möchte ich Sie[b)] bitten, leise anzudeuten, daß in der furchtbaren Friesengestalt doch schließlich ein nicht übler Kerl sitzt.[13] Der alte prächtige Junge war zu aller Freude im Sommer seine Ferien wieder hier. Von hier stellte er sich an die Spitze von sechs jungen oder nicht ganz jungen Mädchen (2 Schwestern, 2 Cousinen, 2 Freundinnen⟨)⟩; sie machten eine Tour ins östliche Holstein und landeten im Pfarrhaus zu Grube, wo seine Schwester Lisbeth, welche die ganze Gesellschaft eingeladen hatte, sie Nachts 1/2 12 U. empfing; nach Rückkehr lebten Dette u. Dodo noch acht Tage von K⟨arl⟩s humoristischen Sprüngen u. Einfällen. Die Geschichte u. dramatische Ausführung von den „*furcht*baren Ugels“ (sie waren auch am *Uglei*see) war ein Hauptpunkt; Nottelmann[14] hatte gefragt, ob sie nach dem Ugelland wollten. Verzeihen Sie; ich fühle die Unerzählbarkeit dieser kindlichen Späße.

Von Gottfried's „Salander“ las ich vor der Weimar-Reise die 3 ersten Hefte[15]; seitdem noch nichts wieder; ich fürchte, er ist am Ende mit dem, was uns gefallen

---

a) Hs: zweites *er* b) Hs: *sie*

hat. — Wenn's mit Th. St. nicht nur auch schon so ist! — Heyse hat im Nov. Schatz schon mit H. Smidt[16] sehr fehlgegriffen, er hat auch im alten Manches, was ich nicht genommen hätte.

Jensen habe ich über seine Heiligen auch etwas abfällig geschrieben[17]; dieß schmutzige Thierungeheuer von Bettelmönch taugt nicht zur Hauptperson, und das Mädel hat mir in ihren Erlebnissen auch keine Theilnahme abgewonnen. Aber sein „Skizzenbuch" müssen Sie lesen; wenn auch das sonst so tiefe u. schöne „Am Aschenkrug" zu breit ist u. etwas Verworrenes an sich hat. Das Ehepaar ist übrigens sehr nett.

Von Heyse erhielt ich gestern ein als M. S. gedrucktes „novissimum"[18], von dem er selbst nicht erwartet, daß es den Menschen gefalle; überdieß, meint er nicht mit Unrecht, „res venit ad triarios"[19] d. h. die neue Literatur.

Den „Trifels u. Palermo" v. Liliencron erhielten Sie doch. Ich erbat mir das Buch von ihm „um es Loen zu geben".[20] Was sagen Sie davon? Wollen Sie das Exl. an L⟨oen⟩ geben, so schick ich Ihnen einen Brief an diesen.

Ferner: Mein „Fünfnovellenband"[21] muß in den nächsten Wochen fertig werden. Ich habe auch dem Herzog[22] gesagt, daß ich ihm das Buch schicken wolle. Oder — wollen Sie ihm das Buch für mich überreichen und soll ich etwas u. was als Widmung hineinschreiben und soll ich ein paar Zeilen Brief an die K⟨önigliche⟩ Hoheit dazuthun?

Bitte, vergessen Sie nicht mir hierauf zu antworten.

Sollten Sie Ebbe sehn, so sagen Sie ihr, bitte, es gehe mir recht gut; ich würde in den nächsten Tagen an sie[c)] schreiben.

— — Ein Schweres steht mir vielleicht für diesen Winter bevor: Hans hatte vor etwa 11 Wochen schwere Blutstürze aus den Lungen. Er besserte sich wieder u. practizirte[d)]. Vor 10 Tagen erhielt ich Brief von seinem Hauswirth, sein Zustand sei sehr bedenklich; dann von Hans selbst, er ist zum Skelett abgemagert etc — — mit einem Wort, er ist ein Mann des Todes.[23] Ich habe ihn gebeten, nach Haus zu kommen; ich möchte den Armen doch in meinen Armen sterben lassen. Aber er will noch nicht, kann auch zur Zeit noch nicht; ja er hängt an einem Mädel, das er noch glaubt heirathen zu können. Es ist ein Elend. Wie es werden wird, weiß ich zur Zeit nicht. Sagen Sie Ebbe noch nichts davon; ich will es ihr selbst schreiben.

Für heut nicht mehr. Grüßen Sie Frau Wally und Ihren lieben Jungen, von mir und allen Meinen, die ich hier habe.

---

c) Hs: *Sie*
d) Hs: *practisirte*

Das Bild, was ich Ihnen beilege, ist vom selben Datum 7 Juli 1886 wie das an Ebbe gesandte.[24] Mir scheint dieß jetzt das beste.

Herzlich Ihr

Th Storm

134. Storm an Schmidt

Hademarschen, 22 Septb. 86.

Ich muß Ihnen noch einmal schreiben, lieber Freund, nur habe ich noch nicht einmal an meine Ebbe geschrieben.

Franzos — er erhielt für seine „Deutsche Dichtung" gestern den Rest des M. S.'s[1] — theilt mir heute mit, daß er an neurarchischen Schmerzen in Folge Ueberanstrengung für längere Zeit so erkrankt sei, daß an geistige tiefgehende Arbeit nicht zu denken sei.

Das „Stormheft"[2], wozu er selbst den Essay habe schreiben wollen, und das während des Laufs meiner Novelle „Der Doppelgänger", wovon der Anfang schon in Heft I gedruckt ist, erscheinen müsse, komme nun in Noth — es kommt darin handschriftl. Poesie u. Portrait mit Randzeichnung; zu meinem ist W. Steinhausen[3], der in der Groteschen Sammlung die Brentanoschen Gedichte so wunderbar illustrirt hat, gewonnen; u. der qu. Essay — er könne nicht, Brahm, ein recht verständiger, aber kalter Mann, fürchte er, würde meiner Bedeutung als Lyriker, auf welche er einen ganz überaus hohen Werth lege, nicht gerecht werden. *Sie* hätten[a] ihm zwei Mal anderweit einen Korb gegeben; vielleicht thäten Sie es mir zulieb, wenn ich Sie bäte.[4]

Ich will Sie nun nicht bitten, sondern nur anheimstellen, ob Sie es können; ich denke, 4 Wochen hat es Zeit, 3 wenigstens. Und der Aufsatz von Weinhold über Freytag in Heft I ist nur 2½ Seiten — die „D. Dichtung" hat Lexiconformat; kl⟨ein⟩ Folio — so würde es ja eine Quintessenz aus ihrem größeren Essay thun können.

Besinnen Sie sich einmal u. antworten Sie mir nur ein Ja oder Nein p. Karte. Mir wär' es natürlich sehr lieb. Ich habe noch heute Ihren Essay von anno 80 gelesen; er wirkte ordentlich erquicklich[5]; ein alter Mensch kommt leicht dazu, sich gering zu schätzen. Dabei notirte ich, vielleicht überflüssig, die Kleinigkeiten auf dem beigehenden Zettel.[6]

[a]) Hs: zweites *hätten*

Herzliche Grüße an Ihre erstarkte Wally u. — wenn Sie sie sehen — an meine Ebbe!

Hans schrieb vor 8 Tagen in einem dictirten Briefe, er würde nun um ca 14 Tage kommen; ich glaube nicht, dß er es können wird.

Ihr

Th Storm

Schickte ich Ihnen schon meine neue Photographie?

135. Storm an Schmidt

Hademarschen d. 16 October [1886].

[Diktiert][1]
Lieber Freund!

Heute seit 14 Tagen lieg ich unthätig an Rippenfellentzündung darnieder. Keine Gefahr mehr, aber es war ein Stück *inferno!* — Hüthen Sie sich vor dem festgenagelt werden; das um keinen Preis! Nun möchte ich Sie bitten, dem Großh[erzog] *persönlich* mein Buch zu übergeben[2], in das ich denn so bald ich kann, hinein schreiben will:

„Seiner Königlichen Hoheit, dem Durchlauchtigsten Großherzog Carl Alexander von Sachsen, Gnädigsten Fürsten und Herrn
in dankbarer Erinnerung an die Maitage 1886 in Weimar.
Hademarschen. (Datum)

Allerunterthänigst

Th St.

Wollen Sie das thun? Briefe kann ich noch lange nicht schreiben. Ich würde Ihnen dann gleichzeitig Ihr Exemplar schicken.

„Trifels u Palermo"[3] — wollen Sie das Ihnen gesandte Exemplar an Loën geben und ihn mit einem Gruß von mir bitten, sich die Sache einmal[a)] genau anzusehen. Ich komm, Lilienkron gegenüber sonst in Verlegenheit; der neulich ein, mir dem Inhalte nach schon längst bekanntes, Buch: „Eine Sommerschlacht." herausgegeben hat.[4] Lesen Sie es später! —

Ihr getreuer

Th Storm.

[a)] Hs: *eimal*

[Nachtrag von Frau Do:]

Lieber Herr Professor!

Diesen Brief hat mein Mann mir eben dictirt; es waren schreckliche angstvolle Tage, denn mein Schwager Dr. Storm so wohl, wie unser Hausarzt Dr. v Brinken waren beide sehr bedenklich dabei[5]; Gott sei Dank, hat die gute Natur meines Mannes gut geholfen, und wenn auch noch lange schwach, so werden wir doch langsam der Genesung zu schreiten. Die Langeweile plagt ihn sehr. Unsre Ebbe wird Ihnen gewiß in diesen Tagen von uns erzählt haben. *Grüßen* Sie bitte Ihre liebe Frau von uns Allen, auch unser Ebbekind, morgen bekommt sie wieder Nachricht, ich habe so viel zu schreiben u. guten Freunden Nachricht zu geben, daß ich nie fertig werde. Und so seien Sie Alle herzlich gegrüßt von Ihrer

Do Storm

136. Storm an Schmidt

Hademarschen d 28./9. [fälschlich für 28. 10. 86][1]

[Diktiert]

Lieber Freund!

Es geht ein wenig besser, doch liege ich noch wie festgenagelt im Bett; vom Aufstehen keine Rede. Das Buch für den Großherzog[3] überreichen Sie wohl ohne Karton, in einen Bogen weißes Papier geschlagen; ich hatte leider vergessen, ein weißes Dedicationsblatt vorbinden zu lassen. Grüßen Sie herzlich Ihre Wally und unsre Ebbe, falls Sie sie sehen, von der wir gestern Abend Brief erhielten.[4]

Herzlich

Ihr

Th Storm.

Auch von mir die herzlichsten Grüße

Ihre

Do Storm.

137. Storm an Schmidt

Hadem⟨arschen⟩ 4. Dezb 9 U. M⟨orgens⟩ [1886]

Im Bett. [Mit Bleistift geschrieben][1]

Mein lieber Freund, das war ein beglückender Ruf von Ihnen[2]; es war nicht Nachlässigkeit von mir, ich wollte Ihnen nur jetzt, wo Sie so viel und Freudigeres zu schaffen haben meine kümmerliche Persönlichkeit nicht vor Augen bringen.

Meine Krankheit ist, so zu sagen, gehoben; es handelt sich nur noch um große Schwäche u. um eine Art Ischiasischen Leidens, wegen des wir heut electrisiren wollen in Hüfte u. Unterleib, das mich sehr gequält hat. Doch ich stehe täglich etwas auf, sitze im Lehnstuhl u. gehe ein w⟨e⟩n⟨i⟩g im Zimmer umher; sogar in mein sonnenerhelltes Zimmer hab ich gestern einen Guk gethan, und auf die heitere mit leichtem Schnee bedeckte Landschaft hinaus gesehen.

Daß Sie Berlin nicht ausschlagen konnten, trotz der Thränen einer Großherzogin, versteht sich; Sie *konnten* dort nicht *bleiben*[3] und eine zweite solche Gelegenheit konnte nicht kommen. Ich freue mich dessen. Daß Wally so spät folgt, wird Ebbe zu Gute kommen, die ich jedenfalls den Sommer dort lasse.

Vom Herzog ein sehr Herzlicher Brief[4], dictirt, mit seiner eigenhändigen Unterschrift, worin ich gebeten werde, noch oft einmal wieder zu kommen. Soll ich ein kurzes Wort erwidern?

Aber jetzt muß ich meiner Gertrud weiter dictiren; sonst gehts nicht:
[mit Tinte in Gertruds Handschrift:]

Wenn Sie Gelegenheit haben, so lassen Sie bitte Elsabe Nachricht über mein Befinden zukommen; ich sitze jetzt augenblicklich in meinem Lehnstuhl. Nun zunächst meinen herzlichen Dank für Ihr interessantes Buch „Charakteristiken", was mir zum Theil alte liebe Bekannte enthielt.[5] Eine ganze Reihe ist mir schon von Gertrud vorgelesen: „Siegwart's Liebesleben, aus der Wertherzeit, Frau von Stein, Frommann, Leonore, beim Kleist" sind wir beschäftigt; den „Höfling über Klopstock" habe ich mit Vergnügen alleine gelesen, er war mir neu, Etwas Lümmel müssen die Klopstock's doch gewesen sein, desgl. Raimund u. Th. Storm. Die Sachen intressiren mich Alle außerordentlich; es ist jetzt ein wahres Labebuch für mich; Ich und meine Vorleserin haben Beide viel Freude daran, letztere zumal weil manche Lücke in ihrer Götheleserei zu füllen ist dadurch. Zu Kleist möchte ich bemerken: den Grund, aus welchem[a)] „Der zerbrochene Krug" so vielfach ermüdet[6] finde ich darin, daß kein mit Leib und Seele begabter Mensch, das[b)] heißt richtig begabt, es aushalten kann ein Bühnenspiel, und wenn es auch beschnitten wird, doch noch ein paar Stunden lang vor sich abwickeln zu sehen, wo fortwährend nur Geist und Verstand, nicht eine Secunde lang aber unser Gefühlsantheil, in Anspruch genommen wird. Der erbärmliche Dorfrichter Adam lebt nur, aber freilich kräftig, durch den Humor, in den er eingetaucht ist. Aber es ist unmöglich sich für seine Schuld oder Nichtschuld zu erwärmen; sonst aber ist keine Person im Spiel, woran wir unser Interesse hängen könnten. Eine solche

a) Hs: *welchen*
b) Hs: *daß*

Gestalt darf nicht die Hauptperson sein. Darum habe ich auch in meinem Etatsrath die Gestalten der beiden Kinder so herausgearbeitet; bei dem Aufsatz über mich steht Seite 461 in der drittletzten Zeile des Gedicht's leider ein unangenehmer Druckfehler: „*d*ringend" statt dem tieferen, feineren u. wohlklingenderen „ringend".[7] Ein bischen geärgert haben Sie mich auch wieder, was Sie Seite 463 schreiben, man habe von mir nicht's, was sich mit Mörike's „altem Thurmhahn" messen könne[8], so mag das im humoristischen freilich wahr sein⟨,⟩ im Übrigen möchte ich es bestreiten; steht das Mörikische Gedicht im Humoristischen höher als mein Oktoberlied[c)] im rein Lyrischen? Und es wäre wohl noch anderes auf meiner Seite zu nennen. Über Einzelnes möchte ich Sie befragen; z. B.: Wo in Aqu. submersus bei mir die Sprachlichkeiten liegen, welche mich aus dem Kranz der vier übrigen Meister ausschließen?[9]

Es mag wahr sein; aber ich weiß es nicht, übrigens ist Siechentrost[10] weit jünger als Aqu. submersus. Daß diese Kleinigkeiten meine Freude an Ihrem Artikel[d)], wie wohl kein Gleicher über mich mehr geschrieben werden wird, nicht stören, brauche ich wohl nicht zu versichern.

Meinen Bötjer Basch erhalten Sie erst nach Neujahr, in dem unter dem Titel „Bei kleinen Leuten" dann erscheinendem Buche, das zugleich die Erzählung „Ein Doppelgänger⟨"⟩ enthalten wird.[11]

Aber ich denke wir müssen diesen, wenn auch in Portion geschriebenen Aufsatz schließen, wenn ich es nicht büßen soll. Meine Frau u. Tochter — Dodo ist nach Heide — grüßen Sie und die Ihren herzlich.

[wieder in Storms Handschrift:]

Ihr alter Lazarus, der aber noch wieder zu erstehen denkt, obgleich er sich die Hunde fernhält.[12]

Th Storm.

Eben kommt Heyses „Roman der Stiftsdame"[13], auf den ich sehr begierig. Ueber „Bötjer Basch" ist er vor Vergnügen außer sich.[14]

138. Dorothea Storm an Schmidt

[8. 12. 86][1]

Aus dem schwarzen Briefrande, lieber Herr Professor, werden Sie ersehen, daß ein für uns und für unsern Hans schweres Leben, sein Ende erreicht hat.[2]

---

c) Hs: *Ocktoberlied*

d) Hs: *Artickel*

Der Schmerz für uns liegt mehr, als in dem Tode, darin, daß die vielen und nicht geringen Anlagen durch eine unglückliche angeerbte Zuthat sein ganzes Leben zu keiner Blüthe hat kommen lassen[3], und weder ihn, noch uns zu freudigen Stunden hat verhelfen können. Es ist gut so, aber es ist sehr traurig. Von meinem Mann kann ich auch grade nicht besonders gute Nachrichten bringen, er hat viele Schmerzen, einen Magenkatarrh der ihm gänzlich den Appetit genommen, und die Schmerzen lassen ihn oft nicht schlafen; die unglückliche Jahreszeit lieber Herr Professor thut dieser Krankheit, oder vielmehr der Genesung großen Schaden; es sind morgen nun 10 Wochen, und wir sind in den letzten Wochen wirklich nicht weiter gekommen; dazu nun die gemüthliche Aufregung, nein es ist mit der Genesung nicht wie wir gehofft haben; aber wenn es denn nur endlich wieder ganz gut wird. Mein Mann grüßt Sie herzlich, er freut sich immer[a] so sehr wenn er Ihre Handschrift sieht; sollten Sie Ebbe sehen, so grüßen Sie das gute Kind auch bitte; mit freundlichem Gruß an Ihre Frau u. Sie

bin ich Ihre

Do Storm

138 a. Beilage zum Brief Dorothea Storms an Schmidt
(Todesanzeige)

Sonntag den 5 December d. J.[1] starb im städtischen Krankenhause zu Aschaffenburg[2] nach schwerem Lungenleiden mein geliebter Sohn

Hans Storm

practischer Arzt zu Wörth a/Main.[3]

Theodor Storm
Amtsgerichtsrath a. D.
für mich und die Meinen.

139. Storm an Schmidt

Hademarschen-Hanerau 20/2. 1887.

Mein lieber Freund, mir ist, als hätte ich Sie fast verloren; ich mit den Augen gegen Untergang, Sie die jungen muthigen Augen auf den reichen Lebensweg

[a]) Hs: *inner*

gerichtet, der sich Ihnen aufthut. Aber anpochen will ich doch einmal wieder; und zunächst sagen, es geht jetzt immer besser. Freilich ist ein Nierenleiden, das sich durch steinharte rothe Körnchen u. Plättchen (Salze) im Urin kundgiebt, noch da, u. ich trinke Wildunger und werde im Sommer wohl nach Wildungen müssen (ich weiß wohl, daß schlimmsten Falls man elend daran zu Grunde gehen kann); aber im Uebrigen werde ich doch mehr u. mehr der Alte, und gewinne meine geistige Elasticität wieder. In einem Monat hoffe ich Ihnen mein Buch „Bei kleinen Leuten" senden ⟨zu⟩ können[1]; vorher vielleicht den „Doppelgänger" der wenigstens Heyse „außerordentlich" gefallen hat. Neues wälzt sich auch schon im Kopfe[2], und ich bin Vormittgs u. Nachmittags einige Stunden aus dem Bette. Sie glauben nicht wie es mich zum „Schaffen" drängt. Das stete Lesen u. Vorlesen hören ist auf die Länge nicht auszuhalten. Gertrud ist meine Leserin; zuletzt hatten wir Tiecksche Novellen[3] u. den „treuen Eckart"[4], worin die schönsten Tieckschen Verse stecken: wie Eckardt den erkrankten Grafen v. Burgund im Dunkel aus dem Walde trägt, der ihm die Söhne getödtet:

„Es mehren sich die Plagen",
Sprach der Burgund in Noth;
„Wohin willst Du mich tragen?
Du bist wohl gar der Tod?" —
„Tod bin ich nicht genannt",
Sprach Eckardt noch im Weinen" etc

dann Voßens Louise[5]; zuletzt gestern Abend Ihr hübsches Weihnachtsgeschenk: „Grimm, Über das Alter". Lachen hab ich im Stillen müssen, wie S. 46 u. 47 die beiden großen Philologen sich über das Wort „flac" quälen. „Flag", „Flage" ist bei uns ein kurzer Regenschauer.[6] Also: die wonniglichen Tage sind ihm entfallen, wie ein Regenschauer, der ins' Meer fällt. Das ist auch allein sachlich u. poetisch correct.

Auch protestire ich gegen die Behauptg, daß *jetzt* die Tauben es besser haben, als die Blinden[7]; denn diese verlieren nur die Dinge, die Tauben aber den Menschen. Uebrigens Dank für die interessante Schrift, die sonst nicht an mich gekommen wäre.

Keller schickte mir nach etwa jahrelangem[a)] Schweigen seinen „*Salander*" mit einem längeren Briefe, darin er u. A. schrieb[8]: „Ich werde wohl einen An- u. Ausbau errichten müssen, um ihm zu dem Licht zu verhelfen, dessen er durch Ungunst des Schicksals entbehrt." „Ich weiß wohl, was dem Buche fehlt." Dieser Ausbau wird nun gar wunderlich werden.

---

a) Hs: *jahrelangen*

Elsabe[9] schrieb mir, sie habe von einem Zürcher oder doch Schweizer gehört, Keller sei nur noch im Wirthshause zu finden, er werde wohl nichts Ordentliches mehr schreiben. Das ist hoffentlich nur so hingeschnackt⟨.⟩

Dank, daß Sie Ebbe neulich zur Bowle zogen; sie vereinsamt dort etwas u. meint, ohne das Wörtchen „von" ginge es in Weimar nicht recht.

Nun — nicht mehr heute; ich mit Frau u. Kindern grüßen Sie u. Ihre Wally herzlich. Fällt eine Viertelstunde für mich ab, so schreiben Sie mir über sich, wie Ihnen zu Sinne; was Sie dort erwartet, wie der Umzug äußerlich vor sich gehen soll. Doch will ich in keiner Weise drängen.

Wie immer

Ihr Th Storm.

[am Rand nachgetragen:]

Von den Wiener „Literaturfreunden der Presse" wurde ich Anfang der Krankheit zu einem Vortrag-Halten eingeladen. Auch noch nicht beantwortet.

140. Storm an Schmidt

Hademarschen, 24/5. 87.

Lieber Freund Erich!

Endlich, damit ich nicht gar vergessen werde, muß ich doch wieder einmal anpochen. Sie begannen Ihren Brief v. 24/3 mit den Worten „Gruß und Heil dem Genesenen!"[1] Es war damals noch eine schlechte Genesung, und obwohl ich heute eine hagelneue Novelle „Ein Bekenntniß" an Westermann absende, so ist sie auch jetzt noch keine vollständige. Das fünfmonatliche Krankenlager war zu viel für den alten Körper, und von der Krankheitsreihe, die sich nach der anfänglichen Rippenfell-Entzündung entwickelte u. wieder verschwand, selbst Nierenstein u. Nierensteinkolik, ist die letzte, die den häßlichen Namen „trockner Magenkrebs"[2] hat, geblieben. Erschrecken Sie nicht zu sehr vor diesem Namen, das Uebel ist mit Condurango-Rinden-Decoct vielleicht zu curiren, jedenfalls wohl im Zaum zu halten; diesen genieße ich regelmäßig. Man kann lange dabei leben und stirbt dann zuletzt an einer andern Krankheit. Reden Sie, bitte, nicht davon; es wär' mir leid, wenn die Zeitungen sich damit schleppten.

Mein Garten ist jetzt wunderschön im Maiengrün, die Tannen hoch, Maililien und Apfelbäume blühn; ich genieße nach der zurückgelegten Reise längs den

Ufern des Todes alles doppelt; wie köstlich hör' ich hier von meinem Nordfenster aus die Vögel in den Tannen singen.

— — Anbei sende ich Ihnen meine „Kleinen Leute"[3]; daß es ungebunden ist, wollen Sie entschuldigen; es soll nicht wieder geschehen; gleichfalls den etwas geschraubten Titel von N. II![4]

In Betr. des Erfolgs v. „Vor Zeiten"[5], wovon 1000 Exl. gedruckt sind, so schrieb mir Paetel neulich, daß etwa 450 Exl. verkauft seien; er war zufrieden (ich nicht) und hatte Lust zu ähnlichen Unternehmungen. Ich bin nun überzeugt, ein großes Publicum gewinne ich bei Lebzeiten nicht. Keller schickte mir seinen „Salander" in 4 Auflage[6]; ich muß ihn noch mal lesen. — Daß Sie so hübsch mit Heyse noch in Weimar zusammengewesen[7], hat mich gefreut; er ist eine vornehme Persönlichkeit, bei der man nach jeder Richtung hin sicher sein kann; sein einziger Fehler ist, daß er für seines Freundes Th. St's Lyrik kein Verständniß hat, so wenig wie Th. Mommsen, der nur das beachtenswerth findet, was in Göthes Jugendspuren geht.[8] Wie man in Weimar in „Salomo"[9] die Balkis hat völlig streichen können — das hab ich noch nicht nachgelesen. Seitdem hat H⟨eyse⟩ ja mehr gute Erfolge zu verzeichnen; am meisten hat mich der der „Hochzeit auf dem Aventin"[10] gefreut; zu leugnen ist aber nicht, daß die beiden ersten Acte den 3 letzten gefährlich werden können.

Sie sind nun in Berlin hoffentlich zur Ruhe[11] und haben Weimar hoffentlich völlig hinter sich. So viel ich mich entsinne ist Ihre Bendlerstr. auch im Westen und nicht zu weit vom botanischen Garten, wo für Weib und Kind angenehm zu promeniren ist; freilich, Sie haben viele Eisen im Feuer, und das ist gut; lassen Sie sich nur nicht verbrauchen wie der arme Scherer[12], und bedenken Sie, daß die Nerven ein Capital sind, von dem man nur die Zinsen genießen soll.

An Neuem aus meiner Familie ist mitzutheilen, daß Ernst seine Amtsrichterei in Nordschleswig quittirt und am 17 d. Ms sein Bureau als Rechtsanwalt u. Notar in unserer alten Vaterstadt Husum eröffnet[13]; man hatte ihn dort schon erwartet und er hat in den paar Tagen schon einen guten Anfang gemacht. Hoffentlich hat er den Fuß fest aufgesetzt. Schade, daß Sie ihn nicht kennen!

Meine Gedanken gehen jetzt oft zwischen den beiden Brüdern hin und wieder, zwischen ihm, der sich ein neues Leben schafft, und dem Todten, der fern von hier sein trauriges Leben ausschläft.[14]

Ich schließe, lieber Freund; grüßen Sie herzlich Ihre Wally und auch den ungestümen Jungen! Die Meinen senden Ihnen gleichfalls freundliche Grüße.

Ihr

alter Th Storm.

Wollen Sie mir 1/2 Seite schreiben, so würde der Brief mich v. 2 Juni — 25sten in Kirchdorf Grube in Holstein per Lensahn, Adr. Pastor Haase, treffen. Ich gehe mit meiner Frau u. Dodo dahin, Lucie zu Reventlows nach Husum, Gertrud auf eine Freundesreise nach Mölln (Lauenburg) Lübeck u. Eckernförde.

141. Storm an Schmidt

Hademarschen, 29 Septb. 87.

Herzlichen Dank, mein Lieber und Getreuer, für Ihren guten und der Verzagniß des Greisenalters etwas zu Hülfe kommenden Brief[1]; Dank auch für den eben eingetroffenen pompösen Faust![2] Sind Ihre Nerven denn nicht bei der Verfertigung dieser Noten in tausend Stücke zerrissen! Um Gotteswillen! lest doch mitunter einmal etwas von G. K⟨eller⟩, P. H⟨eyse⟩ oder Th. St⟨orm⟩, damit Ihr gesund bleibt. Ist denn das Buch mit dem rein Urfaustischen schon heraus?[3] Bitte, lassen Sie mich's gelegentlich wissen; ich sitze trotz der paar hundert Geburtstagsbriefe u. 90 Telegramme doch etwas in der Ecke.

Dank auch für die Freundlichkeit, mit der Sie bis zu Ende aus unsre Ebbe dort empfangen, der ich nach dem Geburtstg noch gar nicht habe schreiben können; denn ich bin bleichsüchtig u. matt, 2/3 des Tags von vernichtendem Magendruck gequält und kann nur ein paar Stunden Vormittgs schreiben oder arbeiten. Um etwas Leichteres zu thun — viele Wochen habe ich gar nichts thun können — habe ich „Aufzeichnungen aus meiner Jugend"[4] wieder aufgenommen u. werde einen Theil davon vielleicht um Neujahr in die D. Rundschau geben.

„Ein Doppelgänger"[5] ist gut; und auf ein Lob über die Localfarbe verzichte ich von Herzen.

„Ein Bekenntniß"[6] — ich sandte es Ihnen absichtlich ohne ein Wort dabei — hat einen Fehler, der wohl in der Schwäche des Alters liegt; man ist müde, man läßt etwas weiter laufen, obgleich man sieht, daß es verkehrt ist, und zuletzt ist Alles so verfilzt, daß es nicht mehr heraus zu operiren ist. Ein visionairer Traum aus meiner Jugend, der mir zuerst besonders für die Charakterisirung der Frau gut zu passen schien, ist hinein verflochten[7]; aber er erweckt im Leser Erwartungen, die nicht erfüllt werden. Das ist der Fehler.

Als Heyse vor ein paar Jahren sein „Auf Tod und Leben" verfaßt hatte, schrieb er mir davon nach Hamb⟨ur⟩g und ich antwortete ihm, daß ich, seltsamer Weise, am Tage vorher mir dasselbe Thema, jedoch mit andrer Entwicklung notirt hätte.[8] Erst nach 2 Jahren, nach meiner Krankheit kam ich zur Bearbeitung. Ich schickte die Correcturbogen auch an Heyse[9]; aber wie ich schon durch mich u. Andre wußte, er kann keine Kritik vertragen und sah meine Arbeit wohl als so etwas an.[10] Und so monirte er mir außer dem erwähnten, mir selbst wohl bewußten Fehler, auch den Umstand, daß ich den Mann nach dem Tode der Frau die wissenschaftliche Erkenntniß gebe, daß eine Heilung möglich gewesen sei und nannte das wunderlicherweise ein neues Motiv, während es bei mir nur eine Vertiefung des Hauptmotivs ist; dieß *und* das Nahen einer neuen Liebe. Das Motiv, sagte H⟨eyse⟩, ist doch: „Darf man einem als unheilbar Erkannten den Tod geben?" — „Nein", erwiderte ich ihm, „mein Motiv ist: „Wie kommt man dazu, sein Geliebtestes zu tödten?" und: „Was wird mit uns wenn wir es gethan haben?"[11]

Soweit haben wir gestritten. Dann meinte er, wir müßten es einem andern forum überlassen. — Da seid denn nun Ihr Literar-Historiker daran! Uebrigens meinte Heyse, er habe das Motiv doch reiner herausgebracht, erkannte aber gern an, daß in seiner Arbeit die Zusammenschweißung des tragischen Motivs mit einem Lustspielmotiv verfehlt sei und deutete an, daß er dem Ding wohl einmal dramatisch zu Leibe gehen werde.[12] Nun, nous verrons!

Sie möchte ich fragen: Halten Sie die unmenschliche Arbeit, den visionairen Traum[13] heraus zu operiren, für so nothwendig, daß davon der ganze Werth der Arbeit abhängt oder nicht? Daß es besser wäre, ist wohl nicht zu leugnen.

Ich lege Ihnen einen Zeit⟨un⟩gsausschnitt über die Hademarscher Feier[14] bei. Heyse hatte mir sein großes Bild in schönem Rahmen gesandt, die Kieler Damen einen kunstreich in Eichenholz geschnitzten Schreibtisch (von Meister Sauermann in Flensburg)[15] mit 22 verschließbaren Fächern; der Preis soll mit Sessel, kl. Teppich u. der mit dem Bilde von der Gesammtausgabe gepreßten Schreibmappe 1700 M gewesen sein. Er steht jetzt mitten in meinem Zimmer in schönem Licht. Die nach dem Sopha gekehrte Seite lasse ich mit grünem Tuch beschlagen und hänge einige Geburtstagsgeschenke daran, die bekannten Thorwaldsenschen Medaillons „Nacht" u. „Morgen"[16] und eine anmuthige kleine Landschaft von dem bisher mir unbekannten Dresdner Maler Förster zu meinem „Wennt Abend ward".[17] Von Pietsch kam eine wunderschöne gr. Kupferätzung „Herbst"[18], öde Haidelandschaft; aber ich habe kaum Platz mehr; von Amelangs Verlag 1 Exl. des neu illustr. „Immensee"[19], wovon aber nur das Landschaftliche interessiren kann; von Wilh. Jensen, der zu meiner Ueberraschung plötzlich mit sehr netter Tochter da war, Teller aus der Schwarzwald-Industrie u. herzliche Gedichte[20]; von Paetel, der auch da war, auf einem großen Blumenkissen das liebenswürdige Buch von unserm armen Schütze[21], der, leider, nicht da war und 2 Tage später sterben mußte; ferner eine reizende Tanagra-Figur, eine alterthümliche reizende

Silberschaale (beides jetzt im Aufsatze meines Schreibtisches) die wirklich schönen Illustrationen von Eckhardt von Liezen-Meyer, Gabriel Max[22] etc, ein prächtig Familienbild von meinem Ernst, er mit dem Stammhalter auf dem Schooß in der Mitte, von meiner Frau in Gestalt einer mittelalterl. Laterne mit goldfarbenen Butzenscheiben eine Lampe für die Veranda, einen großen Baumkuchen etc etc.

In Blumen u. Früchten wurde ich fast begraben. Deputirte der Stadt Husum brachten mir den sehr schön in Berlin gearbeiteten Ehren-Bürgerbrief (einziger College der sel. General Manteufel[23]) — nun Liebster halte ich aber auf; das Fest hier war köstlich; schade, daß Sie[a)] u. Wally fehlten. Grüßen Sie sie herzlich u. erzählen meiner Ebbe etwas aus diesem Briefe! Mit Gruß

Ihr alter

Th Storm.

(Ich schrieb dieß auf den Knieen)

142. Schmidt an Storm

[1/1 88][1]

Liebster verehrter Freund

Am Neujahrstage, während sachte Orgelklänge aus der Matthäikirche zu mir Unchristen dringen, kann ich gewiß nichts besseres thun, als nach der ersten Botschaft für meine Mutter Ihnen herzlichste Wünsche und die Versicherung einer warmen, wenn auch leider etwas schweigsamen Treue zu bringen. Durch ein Brieflein Ebbes aus Gotha[2] — wohin im Frühjahr meine Schwester heirathet[3] — wissen wir, dß es Ihnen gut geht, also die angestammte zähe Kraft die Gebresten, die Ihnen während der letzten 2 Jahre so hart zu Leibe rückten, siegreich zurückgeschlagen hat. Ich wette auch, dß schon wieder was Hübsches auf Ihrer Kunkel[4] steckt. Halten Sie's nur wie in alten guten Tagen und schicken Sie wieder Correcturbogen, denn für Stormiana habe ich auch mitten im Gestöber dieses ruhelosen Berlin Muße. Ihr Jugendgenoß il gran Teodoro, ist seit seinem 70. Geburtstage etwas elegisch angehaucht, wehrt die Glückwünsche unwirsch ab und fühlt sich greisenhaft umwittert obwohl es ihm beneidenswerth gut geht und dieser Körper aus Haut und Knochen nervenlos allen römischen Inscriptionen und Staatsrechten, allen Berliner Akademien und Diners trotzt, immer quecksilbern, maliciös

---

[a)] Hs: *sie*

beredt an der Seite seiner von den vielen Kindbetten stark aus dem Leim gegangenen Hecuba.[5] Ich muß ihm viel von meinen Goethearbeiten erzählen: hab ich doch dank einer kaum gehofften Inconsequenz Serenissimä[6] die ganzen Handschriftenmassen zum 2. Theile des Faust hier und kann Fausts Helena durch alle Entwicklungsstadien verfolgen; oft ist das höchst interessant, wie eine Reihe von Motiven und Worten sich langsam classisch und hyperclassisch stilisirt, oft aber wird man vom Variantengewimmel mehr verwirrt als gefördert.[7] Na, Sie werden's ja im Sommer sehen, wenn Ihnen nicht schon mein 1. Theil den Appetit an allem solchen kritischen Lesen verdorben hat. Aber das Urfäustchen[8] bitte ich ein bischen anzugucken vor allem die Kerkerscene, die ich im Sommer wie ein Rhapsode fast von Haus zu Haus, von Thee zu Thee recitirt habe.

Gestern Abend — Wally war erkältet und früh ins Nescht — saß ich allein mit Brahm[9], der als armes Hagestölzchen spät von einem horror vacui[10] zu uns gezogen worden war, und als es 12 schlug, sagte ich zu ihm Schiller! (mit dem er nicht vom Fleck kommt)[11] und er zu mir Lessing! (mit dem ich ganz stocke).[12] Aber gleich nach Fausten geht's[a)] zur ältern Liebe zurück.

Ich bin jetzt durch Frau Juliane, i. e. Julian Schmidts[13] Wittib, einer Dame auf der Spur, die des alten Hain-Esmarch Papiere[14] besitzen soll und hoffe bald eine Belagerung zu eröffnen, von der ich Ihnen, dem Verwandten, berichten werde. Bei dem Prager[15], der voriges Jahr starb, war nichts zu holen.

Ihr Bekenntniss[16] ist mit größter Andacht repetirt worden, nachdem es erst Tagelang einen Ehrenplatz unter der Tanne innegehabt. Die ernste Durchdringung des Problems gegenüber der leichten Behandlung eines naheverwandten Motivs bei Heyse wollt' ich gleich das erste Mal erwähnen. Des lieben Paolo neuen Band[17] werden Sie gelesen haben. Ich stelle Nr. 1 u. 2, besonders aber Villa Falc⟨onieri⟩ mit ihrem landschaftl. Hintergrund, sehr hoch, finde Emerenz abscheulich und die Märtyrerin sehr gemacht. Er scheint jetzt ganz in Stücken zu leben und weben, und die Prinzessin Sascha[18] ist eine ganz unübertreffliche Wiener Mama — doch wollen die Theater, scheints, nicht viel davon wissen. Im Januar kommt H⟨eyse⟩ wahrscheinlich hierher.

Kürzlich wohnte ich im Deutschen Theater dem Begräbnis der Spielhagenschen Philosophin bei[19], nachdem ich den arroganten Autor einige Abende zuvor bei einem kleinen Schauspielersouper kennenlernte.[b)] Er war in seiner Weise recht artig und wollte sich meiner in der Tat zu groben, sachlich jedoch gerechten Rec⟨ension⟩ seiner Angela[20] offenbar nicht erinnern. Seine Romane lese ich nicht

a) Hs: *geht*
b) Hs: *kennen lernen*

mehr, aber in kritischen Erörterungen ist der gescheite Mann immer des Zuhörens werth.

Von hiesigen Schriftstellern sehe ich kaum jemand, der Sie interessiert. Hans Hopfen[21] kann was Tüchtiges, wenn er sich Mühe giebt, was neuerdings selten der Fall ist. Ich mag ihn bei all seiner bajuwarischen Rüpelhaftigkeit, die allmählich[c)] etwas bewußt und kokett wird, gut leiden. Nachbar Rodenberg[22] ist ein rechter Phraseur, guter Geschäftsmann, Süßholzraspler, macht sentimental journeys durch Berlin, hat im Grunde wenig Urtheil — aber seine Rundschau redigiert er gut, womit Frenzels[23] Schönheit nicht gelobt sein soll. Meyers Pescara[24], à la bonne heure, edel ciselirt, wiewohl gleich allem Meyerschen etwas mühsam. Haben Sie das Gemeindekind der trefflichen Frau v. Ebner[25] gelesen? Ich mußte vorige Woche drei Novitäten der Helene Böhlau, muselmännisch verheirateten Al Raschid Bey recensiren.[26] In der Geschichte Reines Herzens schuldig ist für mich sehr starkes Talent, viel echtes Herzweh und daneben eine seltene Portion Humor, nichts aber klar und künstlerisch. Ich hatte es schwer ruhig zu kritisiren, da ich zuviel persönliche Impulse kenne, die Böhlaus[27] nicht kränken möchte und auch weiß, daß Kalckreuths[28] wegen der naiven, übrigens sehr liebenswürdigen und hübschen Abspiegelung ihrer Familie ärgerlich sind. Sahen Sie das Buch und quid tibi videtur?[29] Ich wüßte gern Ihr Urtheil.

Ist nicht eine neue Auflage Hausbuch in Sicht? Ich möchte gern für Ferd. Saar[30] plaidiren und einen lieben armen Teufel in Wien, einen alten Zuhörer(??) von mir, dem manchmal sublimiora[31] gelingen.

Wir sind, alles in allem, hier höchlich zufrieden, im Hause und draußen. Ich möchte die weimarische Zeit nicht missen, aber der Gedanke, diese seidenen Hoffesseln das Leben lang zu tragen, wäre mir fürchterlich. Im Frühjahr gehe ich auf einige Wochen hin und freie zugleich die Schwester dem Gatten[32], der als erster Jude in unsere Familie tritt. Ich habe nichts dagegen, da er innerlich nichts Jüdisches hat.

Seien Sie alle tausendmal gegrüßt. Frisch und gsund 's ganze Jahr!

In Treuen Ihr

Erich Schmidt.

Berlin W Matthäikirchstr. 8
1/1 88

---

c) Hs: *allmälig*

143. Storm an Schmidt

Hademarschen-Hanerau, 16 Febr. 88.

Lieber alter junger Freund!

Sie hatten recht, daß Sie mich nach der Mutter kommen ließen: Ihr Neujahrsbrief war mir eine rechte Freude, und es ist schön, wenn die Jungen der Alten, die nicht mehr recht mitziehen können, so herzlich gedenken. Haben Sie Dank dafür! — *Gut* geht es mir, leider, nur sehr bedingt; ich kann vielleicht sagen, daß ich mich in den letzten Monaten arbeitsfähiger befinde; aber unter den linken Rippen sitzt mir eine starke Geschwulst an der Aorta, — es wurde erst für Magenkrebs gehalten[1] — ein Aneurisma[2], das mich wesentlich Nachts durch Druck u. Pulsiren ziemlich gequält hat; Ursache sind wohl die in Folge noch immer äußerst mangelhafter Verdauung entstehenden u. darauf drückenden Gase. Jedenfalls hat es etwas Störendes, mit solcher Ungehörigkeit seine paar letzten Lebensmeilen zu marschiren.

Dennoch haben Sie recht; es ist nicht nur etwas Neues auf, sondern auch schon wieder von der Kunkel[3], und in wenigen Tagen hoffe ich Ihnen Correcturbogen meiner bis jetzt größten Geschichte, dem *„Schimmelreiter"* schicken zu können[4], den ich wohl besser schon vor 10 Jahren hätte schreiben sollen. Es wird Sie, lieber Freund, in eine Ihnen wohl fremde Welt führen und ich hoffe, daß Sie es nicht ohne alle Theilnahme aus der Hand legen werden. Ich will nur hoffen, daß Sie „mitten im Gestöber" ein paar ruhige Stunden dazu finden mögen.

Es ist aber nicht nur dieses *endlich* fertig gebracht; denn ich begann es schon im Sommer 1886, nachdem ich es Jahre lang herumgetragen[5] und wegen dazu nöthiger Vorstudien im Frühjahr v⟨origen⟩ J⟨ahre⟩s vorläufig gegen das „Bekenntniß" zurückgelegt hatte; — sondern es sind auch schon die ersten zwei Seiten zu einem neuen Stück *„Das Armesünder-Glöcklein"*[6] niedergeschrieben, zu dem der Keim während meiner Krankheit in meine Seele fiel; ich weiß nicht, welcher vorüberfliegende Vogel ihn von seinen Flügeln streifte. Da kommt mir aber das Seltsame, daß ich über dieß Glöcklein, das doch unbezweifelt in Gebrauch gewesen, weder von Laien noch Priestern, weder von Chroniken noch alten Weiber⟨n⟩ etwas Sicheres erfahren kann. Wo war ein solches? Wo hing es? Ueber dem Dach des Gefängnisses? in eignem Balkengefüge? In oder am Kirchthurm oder auf dem Kirchendach?

Alles schweigt — die Breslauer Sünderglocke im Magdalenenthurm war ursprünglich diesem Dienste nicht bestimmt — wissen Sie etwas, können Sie irgend etwas darüber irgendwoher erlangen, so halten Sie nicht zurück, sondern kommen mit der Wissenschaft der Kunst zu Hülfe![7] Und baldmöglich!

Heyse hat in seinem Einacter „*Die schwerste Pflicht*"[8] das quaest. Problem, nach meiner Meinung, gut herausgearbeitet. Der Gedanke, die That von Mann an Mann begehen zu lassen, war glücklich; dadurch wurde ihm die Frau disponibel. — — In diesem Augenblick erhalte ich einen Brief von ihm[9]: er ist so entzückt von der kl. Reinhold in Hamb⟨ur⟩g als „Sascha"[10], daß er meint, nur sie habe das Stück zum Kassenstück gemacht, es sei der Mühe werth, allein um ihretwillen von Hadem⟨arschen⟩ nach Hamb⟨ur⟩g zu fahren. Er mag deshalb auch nicht die Rolle in Weimar sehn, und freut sich in gröblichem Katarrh einen Vorwand zur Ablehnung zu haben.

Il gran Theodoro stellt sich in seinem eminenten Gelehrten-Hochmuth, in den er eingemauert ist, so außerhalb des Menschlichen, daß er eigentlich umgangs- und urtheilsunfähig in menschlichen Dingen wird. Ich habe neulich ein recht verrücktes Brieflein von ihm erhalten.[11] Möge er glücklich sein!

Für Ihren „Urfaust"[12] danke ich Ihnen sehr; auch ich habe die Kerkerscene hier u. in Husum bei Reventlows u. bei meinem Bruder vorgelesen unter lebhafter Theilnahme der Hörer. Uebrigens kann ich mir nicht denken, daß es nicht noch einen Mehr-Urfaust im M⟨anu⟩ S⟨kript⟩ gegeben hätte.

Professor Esmarchs Papiere sind an seinen Verwandten, Pastor Esmarch in Süderstapel (Schl. Holstein) gegangen, der der Chronist der Familie ist.[13] Wenn ich erst Näheres über Ihren Erfolg der Hain-Esmarch-Papiere bei der alten Dame erfahren[14], werde ich ihm schreiben, daß er Ihnen eventuell zur Hülfe komme.

Der Neujahrsabendbesuch von Brahm[15] ist trefflich; grüßen Sie ihn gelegentlich!

— — Ich war in diesem Januar denn wieder, wie in allen Jahren, die ich hier wohne, außer im vorigen in Husum[16], v. 5 bis 31 Januar, erst bei Reventlows, dann beim Bruder Doctor, mit Gertrud u. Dodo. Ich habe dort ja nun auch meinen trefflichen Ernst, der seit Mai v. J. dort Rechtsanwalt u. — nicht zu vergessen — Notar ist, und dem von Großvater und Vaters wegen, vor allem aber um seinerselbst wegen ein unbegrenztes Vertrauen der Bevölkerung entgegenkommt, und der nebst seiner kleinen frischen Frau dort Gott und den Menschen wohlgefällt. Drei Schreiber in seinem Bureau u. ein Referendar muß jetzt auch noch dazu. Aber freilich, da er außer der Stadt wohnt, so hat bei solchem Geschäftssturm die Frau kaum noch einen Mann, die Kinder kaum noch einen Vater.

Ich gebe was darum, könnten Sie den herrlichen Menschen noch einmal kennen lernen. Werden Sie nach meinem Tode etwas über mich wollen, so werden Sie freilich an ihn kommen.[17]

Daß Sie um Neujahr herum ein Lebenszeichen von meiner Ebbe erhielten freut mich, wie Alles was sich zwischen uns herüber und hinüberspinnt. Sie scheint sich in Weimar wohl zu befinden. Wenn sie, wie ich hoffe, Ostern von Müller-Hartung[18] selbst als Schülerin angenommen wird, werde ich sie wohl noch 1 Jahr dort lassen. Er hat das Gute an sich, daß er seine Schülerinnen auswendig spielen läßt.

Vom „Gemeindekind“[19] las ich die 3 ersten Stücke, die mir sehr gefielen; dann unterbrach mich meine Sommerreise; dazu gekommen bin ich nicht wieder, so sehr meine Frau es mir lobte. Helene Böhlau's „Reinen Herzens schuldig“[20] ist mir bis jetzt nicht zugegangen, bekomm' ich's zu fassen, schreib ich Ihnen darüber.

„Hausbuch“ ist gar nicht in Sicht[21]; ich hab' vorigen Sommer einmal vergebens deshalb verhandelt. In Sicht ist: Ges. Ausgabe Bd VII — X 2te Aufl. und Bd XV — XVIII Neudruck.[22] Bd 1 — VI steckt mitten in der 3 Aufl., alles je 2000 Exl. Schicken Sie mir einmal Ihr Exl. Ferd. Saar u. streichen die sublimiora etwas mit Bleistift an[23]; Sie[a)] sollen es prom⟨p⟩t in Monatsfrist zurückerhalten.

Lassen Sie mich doch über Ihren jüdischen Schwager einmal etwas Näheres erfahren! Wie heißt, was ist er? etc. etc.[24]

Doch ich will für heut' ein Ende machen, lieber Freund! Seien Sie und Ihre Wally von uns allen herzlich gegrüßt, und Ihr Junge noch speciell[b)] von dem alten Onkel Storm.

Ich denke mitunter an einen Rückzug nach Husum[25], zumal ich als Ehrenbürger frei von Communallasten bin, die sonst dort über 1000 M. für mich betragen würden. Sie sollten im Sommer mit Wally u. dem Jungen nur noch einmal auf 8 Tage zu uns kommen — von Berlin hieher 10 Stunden auf der Bahn.

Somit Ihr alter und getreuer

Th Storm.

144. Schmidt an Storm

(aus einem Brief Storms an Paetel)[1]

[Anfang Mai 1888][2]

. . . Ich staune über die Wucht und Größe, die Sie als Siebziger für den „Schimmelreiter“ aufbieten konnten, dessen Thema auf so furchtbare Weise zeit-

a) Hs: *sie*

b) Hs: *spiell*

gemäß[3] geworden ist. Alles Meer- u. Strandhafte des Gegenstandes ist so sehr ersten Ranges, daß ich ihm nichts überzuordnen wüßte; und in der Seele des Mannes brandet's gleich leidenschaftlich. Wundervoll die Verbindung des Abergläubisch-Geheimnißvollen mit dem sachkundigen[4] Realismus, der da weiß, wie man Deiche baut u.s.w. wie die Fluth frißt u.s.w. Die epische Fabel spielt naturgemäß eine zweite Rolle.

145. Storm an Schmidt

Hademarschen-*Hanerau.*
18 Mai 1888.

Mein lieber Freund!

Ihren Pfingstbrief sollen Sie doch haben, wenn's auch mühselig geht; denn das zurecht leben nach den 5 Monaten Krankenlager will nicht mehr gelingen. Seit der „Schimmelreiter“ von der Hand war, ist es immer etwas weiter hinabgegangen; sonst hätte ich längst Ihren lieben Brief[1] beantwortet. Heyse schrieb mir eine wahre Jubelkarte[2]: „Ein gewaltiges Stück, das mich durch u. durch geschüttelt, gerührt und *erbaut* hat! Wer thut Dir das nach!〈“〉 etc. etc. Er wird wohl beim zweiten Lesen etwas zurückgehn.

Wenn Sie wieder einmal an mich schreiben, so möchte ich bitten, den Satz: „Die *Exposition* ist mir zu schwerflüssig[a)]“ etc[3] mir etwas genauer zu bestimmen; ich weiß nicht, was Sie hier unter *Exposition,* ob Sie namentlich auch die Darstellung des Knabenlebens darunter verstehen.

— — Mich haben jetzt Bleichsucht — da ich nicht die mildeste Form von Eisen vertragen kann, so soll nun endlich doch die Hexe dran — hoffentlich ein altes gutes Volksmittel (Rothwein mit einer auf der Apotheke vorhandenen Wurzel) — aus Verdauungsschwäche entstehende und mich Nachts u. Tags folternde Gase, Herzklopfen, Athemnoth, daß ich aus dem Garten kommend, erst 10 Min. keuchend im Lehnstuhl liegen muß, um nur den nöthigen Lebensathem wieder zu bekommen, etc etc so heruntergebracht, daß ich jeder Arbeit entsagend, ja fast jedem Schreiben, so hingelebt habe, mir Temmesche Geschichten[4] aus alten Gartenlauben vorlesen lassend. Eine schauderhafte Existenz! Wie mancher Alte hat's doch besser!

---

a) Hs: *schwerflüßig*

Jetzt aber habe ich mich bei dem wundervollen echten Maiwetter aufgerafft und, „als säh ich noch in goldne Erdenferne“[4a], junge Obstbäume in meinem Garten gepflanzt. Die Tannenbestände sind jetzt hoch u. voll Vogelgesang, und ich sitze dann an irgend einer Tannenwand, wärme meine Greisenglieder u. höre, wie Gartenlaubsänger, Meise, Hänfling, Buchfink u. Gäl-Göschen — denn sie sind alle da — mein altes Herz mit ihrem Gesang erfreuen; sogar Frau Nachtigall war an drei verschiednen Tagen da u. grüßte uns mit ihrer süßen Kehle; Abends freilich kam, mordgierig, auch der Waldkauz und heulte; und der schwarze Kater schlich eifersüchtig im Tannendüster. —

— — Und wie steht es bei Ihnen? Ich habe täglich die Anzeige der Geburt von Wolfgangs Schwesterlein erwartet, und bald sind schon $^2/_3$ des Mai's zu Ende. Vergessen Sie mich nur nicht bei Ihren Anzeigen; ich denk, es wird ein Pfingstkind. Möge nur Alles glücklich vorübergehn![5]

Was aber haben Sie in diesem Sommer zu thun! Und Ebbe schrieb mir schon, Sie hätten etwas kümmerlich ausgesehen[6]; nun außer allem andern auch noch Faust II[7] u. Lessing[8]! Lassen Sie ihn nur nicht gegen Göthe in Ihrem Herzen zu sehr zurücktreten; und — zehren Sie mir nicht zu sehr von Ihrem Nerven*kapital;* Sie *sollen* sich nicht todt arbeiten, wie Scherer es gethan hat.[9]

— In p⟨un⟩cto der „Landesdeichsprache“[10] werde ich für meine Binnenlandsfreunde am Schlusse[c)] der Buchausgabe einige Worterklärungen bringen; u. so hoffentlich auch Freund Bächthold zufriedenstellen. Wie schade, daß mein Dichterkind nicht mit Ihnen Beiden zu Tisch gesessen![11]

Durch Freund Schleiden[12] in Hamburg werden Sie eine kl. Schrift über mich: „Th. St. Einige Züge zu seinem Bilde“[13] erhalten. Sie ist wohl zu parteiisch für mich u. etwas vom socialdemokratischen Standpunkt; aber mir war, als müsse sie auch Sie interessiren. Auch in der „Frankfurter Zeitg“ war vor ein paar Monaten in 2 Nummern ein Aufsatz über mich v. Johannes Proelß[14], der mir der Aufbewahrung werth schien. Aber Sie haben, nach einem Brief von Biese[15], vor einiger Zeit einen Artikel über meinen armen jungen Freund Paul Schütze publicirt[16], der mit den Worten „Moriturus te salutat“ schließen soll; können Sie mir das Heft nicht einmal schicken; es geht in 8 Tagen prom⟨p⟩t an Sie zurück.

Und somit schließe ich nach mancher Unterbrechung. Möge Ihnen und Ihrer Wally helle Pfingstfreude zu Theil werden! Wir erwarten zu Pfingsten unsern Ernst, den vielbeschäftigten[b)] Husumer Anwalt[17], mit Frau u. Tochter u. Stammhalter u. Kindsmagd; auch noch mein Husumer Neffe Kasimir[18] der eben in Hannover sein erstes Bauführer-Examen gemacht hat, wird bei uns logiren. Seine

---

b) Hs: *vielbeschäftigten*   c) Hs: *Schluße*

Eltern, der Bruder Doctor u. Frau gehen zu Bruder Johannes.[19] Ich habe hier ja oben mein köstliches Zimmer, da mag der Trubel unten u. im Garten vor sich gehen. Ich freue mich sehr auf die raschvergehenden Tage.

Die Meinen legen freundliche Grüße für Sie u. Wally ein. Dodo[20] singt jetzt, wie eine Nachtigall!

Ihr alter

Th Storm

146. Storm an Schmidt

Hademarschen, 23 Mai, 88.

So ist denn auch in Ihrer Ehe, lieber Freund, eine recht dunkle Stunde vorübergegangen[1]; und dennoch, da es einmal so war, können Sie Ursache haben, zufrieden zu sein. In der Bekanntschaft meiner hiesigen Schwägerin ist ganz dieselbe Sache 3 mal vorgekommen, und die armen Wesen haben meist 3 Monate noch in ihrem Jammerzustand bleiben müssen, bis der Tod sie erlöst hat. Das ist Ihnen, und besonders Ihrer lieben Frau erspart worden, und wir wollen uns Glück wünschen, daß *sie* Ihnen erhalten geblieben und an Ihrer Seite und mit Ihrem tüchtigen Jungen allmählich dem frischen Leben wieder entgegen gehen kann. Grüßen Sie sie aufs Herzlichste von mir und sagen ihr, daß wir hier aufs Innigste an ihrem Mutterschmerze theilnehmen.

— — Bei uns ist das Haus denn nun wieder leer, Pfingsten ist vorüber; aber das Fest, so lieb mir alles war, läßt mich hinterher doch etwas leiden. Dafür ist man denn freilich Großvater.

Die Meinen grüßen Sie u. Frau Wally und

Ihr alter

Th Storm.

Freundliche Grüße bitte an unsre liebe Ebbe in Weimar zu bestellen.[2]

D. O.

147. Dorothea Storm an Schmidt

Hademarschen d 4 August 88.

Lieber Herr Professor!

Wie oft habe ich Ihnen schon ein paar Worte schreiben wollen[1], wie oft die Feder wieder fortgelegt; gerade an die, die meinem Manne so lieb u. theuer waren, ist es mir doppelt schwer zu schreiben; Sie lieber Herr Professor haben einen treuen väterlichen Freund verloren, wie lieb hat er Sie gehabt u. sich gefreut wenn Ihre Briefe kamen. Das ist nun Alles vorbei u. man kann sich in die furchtbare Trennung nicht finden. Wie wir vereinsamt stehen, das Leben uns oede u. leer ist, kann ich nicht sagen, mir ist als könnte ich nie wieder froh werden; so viel Liebe u. Güte wie mein geliebter Mann uns gab, ist nirgends zu finden und kommt mir Haus u. Garten wie ein Kirchhof vor. Seine Leiden waren aber so groß in den letzten 3 Tagen daß wir, die wir ihn so schwer hingaben, doch den lieben Gott um Erlösung bitten mußten, aber wie ist das schwer. Am Tage vor seinem Tode verlor mein Mann die Sprache und es traten Lähmungen der rechten Hand ein; das war namenlos schwer, zu wissen er hatte uns noch etwas zu sagen, u. er konnte nicht. Des Mittags (Dienstag) vor seinem Todestage[2], bat er mich um Papier u. Bleifeder, ich bat ihn, da die rechte Hand gelähmt, ob ich nicht schreiben solle, da sah er mich lang an, sagte ziemlich hastig: „meine süße Frau, Gedanken — Gedanken — Gedanken —⟨“⟩ und dann nichts mehr, wie suchte sein liebes gutes Auge uns, wir versprachen u. thaten Alles was wir konnten, legte ich meine Hand auf seine geliebte Stirn, so wurde er ruhiger, o lieber Herr Professor es war zu hart, überhaupt Jemand den man so von ganzem Herzen geliebt, leiden, dann scheiden zu sehen auf Nimmerwiederkommen, es ist unsäglich schwer; zuletzt trat ein Lungenschlag hinzu, bis zum Ende erkannte er uns aber[3], der gute, gute liebe Mann. —

Nun heißts weiterleben[4], es scheint mir noch als eine Unmöglichkeit, aber es muß ja sein. Bewahren Sie uns lieber Herr Professor ein freundliches Gedenken, ich weiß es würde unsern lieben Todten freuen. Herzliche Grüße von den Kindern an Ihre verehrte Frau,

Ihre trauernde

Do Storm.

Anmerkungen

(Zu 61) Erstdruck nach dem Original im Schiller-Nationalmuseum, Marbach.

1 Storm hatte sich zum 1. Mai 1880 pensionieren lassen, um in Hademarschen (Holstein) „als Poet noch eine neue Periode zu erleben" (schon am 23. 10. 1878 an Karl, bei Gertrud Storm, S. 168) und noch „etwas für das Leben zu leisten" (am 12. 2. 1880 an denselben, S. 173).

2 Die Novelle „Die Söhne des Senators" hatte Storm schon 1879 in Husum begonnen; er beendete sie, wie diese Briefstelle zeigt, am 14. 6. 1880 in Hademarschen. Sie erschien dann tatsächlich im Oktoberheft der Deutschen Rundschau (Bd. 25/1880, S. 1—28).

3 Regierungsrat Wilhelm Petersen (1835—1900). Vgl. den Briefwechsel Storms mit ihm (bei Gertrud Storm, S. 125—221; eine neue Edition dieser Briefe im E. Schmidt-Verlag, Berlin, wird von B. Coghlan vorbereitet).

4 Wilhelm Jensen (1837—1911), Dichterfreund Storms, in Heiligenhafen geboren, damals in Freiburg wohnend. Über ihn vgl. Anm. I 1,65.

5 Kleine liebe Sendung: wahrscheinlich — wie schon früher — einige Chodowiecki-Blätter. Vgl. im I. Bd. unserer Ausgabe.

6 E. Schmidt war seit 1876 mit Wally Strecker verlobt und wollte — nach Erhöhung seines Gehalts (vgl. den Brief vom 26. 6. 80: Nr. 63) — im September 1880 heiraten.

7 Interims-Etage: Storm bewohnte „inzwischen" (lat. = interim), d. h. in der Zeit zwischen seiner Übersiedlung nach Hademarschen und der Fertigstellung seiner Altersvilla, die obere Etage eines kleineren Hauses in Hademarschen (vgl. Foto Nr. 256 bei E. O. Wooley: Theodor Storm's World in Pictures, Bloomington 1954).

8 Hamburger Fuß: 0,2855 Meter.

9 Ernst, Storms zweitältester Sohn (1851—1913). Vgl. Anm. I 1,74.

10 Storm hatte seinen ältesten Sohn Hans (1848—1886) im August 1877 durch seinen Sohn Ernst nach Hause holen lassen. Vgl. den Brief Storms an Pietsch vom 15. 9. 77 (bei Pauls, S. 241 f.) und den Brief vom 16. 8. 77 an E. Schmidt (Nr. 20 im I. Bd. unserer Ausgabe).

11 Die im Herbst 1880 geplante Reise nach Berlin (u. a. zu dem befreundeten Ehepaar v. Wussow, vgl. Anm. I 31,4) mußte aufgegeben werden, weil „das Reisegeld einen anderen Weg ging" und Frau Do sich einer schweren Operation unterziehen mußte (Gertrud Storm: Th. Storm. Ein Bild seines Lebens, Bd. II, S. 200).

12 Über diese Ängste um seinen ältesten Sohn Hans berichtet Storm ausführlich in seinem Brief vom 10. 9. 1880 an W. Petersen (bei Gertrud Storm, S. 166) und später auch an E. Schmidt (im November 1880: Nr. 68).

13 Gemeint ist Gottfried Kellers Brief an Storm vom 13. 6. 1880 (bei Goldammer, S. 55 f.). Mit „Novellenzyklus" ist hier wohl „Das Sinngedicht" gemeint, eine Novellenfolge, deren Abdruck erst im nächsten Jahr erfolgte (Deutsche Rundschau 26/1881 ff.).

[14] Der Katalogausschnitt lag dem Brief noch bei. Vgl. die Beilage (Nr. 61 a), aus der hervorgeht, daß Storm Büchertitel von und über H. L. Wagner für den Wagner-Forscher Erich Schmidt ausgeschnitten hatte (die Angaben „Antiqu. Katalog N. 70 v. K. Th. Völckers, Frankfurt a/M" in Storms Handschrift).

[15] Clemens Brentano: Gockel, Hinkel und Gackeleja, Frankfurt: Schmerber 1838. P. Schütze (Th. Storm. Sein Leben und seine Dichtung, Berlin: Paetel 1887, S. 227) berichtet, daß er dieses Buch, die Erstausgabe, in Storms Bibliothek gesehen habe.

[16] J. K. A. Musäus: Moralische Kinderklapper für Kinder und Nichtkinder, Gotha 1787.

[17] Der Brief W. Petersens an Storm vom 17. 6. 80 ist erhalten. Dort lautet die betreffende Stelle:

„Das waren ja zwei schöne halbe Tage; Alles stimmte, als wenn es eigens bestellt gewesen. J⟨ensen⟩ war sehr befriedigt und schüttelte sich vor Behagen bei der Erinnerung. Die ganze Fahrt nach Neumünster hat er von Ihnen und den Ihrigen, von der köstlichen geräuschlosen Bewirthung, den schönen Bäumen gesprochen . . ." (Nach dem von B. Coghlan für die neue Storm-Petersen-Briefausgabe vorbereiteten Text. Hs: bisher unveröffentlicht in der Landesbibliothek Kiel.)

(Zu 62) Abdruck nach dem Original im Schiller-Nationalmuseum, Marbach.

[1] Storm erhielt das Juli-Heft der Deutschen Rundschau, in dem E. Schmidts Storm-Essay abgedruckt war (Bd. 24/1880, S. 31—56) also schon am 26. Juni 1880, und zwar bevor Erich Schmidts briefliche Ankündigung (in Nr. 63) und der Sonderdruck selbst ihn erreichten. Vgl. Storms Postkarte vom 28. 6. 80 (Nr. 64) und Anm. 64,7.

[2] „Storm will rühren, nicht erschüttern". Dieser Satz aus E. Schmidts Rundschau-Aufsatz (S. 37) hat Storm tief getroffen: vgl. seine zweite Replik in der Beilage zu seinem Brief vom Sept. 1881 (Nr. 80) und Anm. 80,40.

[3] In Übereinstimmung mit diesem Bekenntnis hat Storm ein Jahr später in seinem „Vorwort" die Novelle „die Schwester des Dramas" genannt. Vgl. das hier unter Nr. 77 a abgedruckte „Vorwort".

[4] Storm *hat* die „kleinen Irrthümer berichtigt" und „allerlei an die Seite geschrieben", allerdings nicht auf den „Rand" des Abdrucks notiert, sondern auf 10 Briefseiten, die er dann seinem Brief vom Sept. 1881 an E. Schmidt beilegte (hier abgedruckt unter Nr. 80).

[5] Frau Do war ans Wochenbett von Storms Tochter Lisbeth nach Heiligenhafen geeilt; der Enkel (geb. 16. 6. 80), nach seinem Großvater „Hans Theodor" genannt, starb schon am 1. 7. 80.

[6] Gemeint sind die Korrekturabzüge zum Abdruck der Novelle „Die Söhne des Senators" in der Deutschen Rundschau; vgl. Anm. 61,2 und 65,3.

[7] E. Schmidt hatte in seinem Rundschau-Aufsatz Storms Novelle „Zur Wald- und Wasserfreude" folgendermaßen charakterisiert (S. 54):

„Der alternde Junggesell und das treulose Mädchen im „Waldwinkel" sind voll Leidenschaft und Sinnlichkeit und über dieser Einsamkeit liegt eine schwüle räthselhafte Atmosphäre, wie denn die Kunst des Andeutens und Verschleierns gerade in dieser Novelle besonders weise geübt wird. Storm hat in hohem Maße den unbeirrbaren Takt, der genau weiß, wie weit er gehen darf. Er kann ein Thema, das eine stark sinnliche Behandlung herauszufordern scheint und welches Franzosen vom Schlage Paul de Kock's oder Barrière's nicht sinnlich, sondern frivol lüstern behandelt haben, mit einer latenten Sinnlichkeit und einer reizvollen mädchenhaften Scham ausstatten, wie es ihm gegenwärtig kaum einer nachthun dürfte."

8 Transeat cum ceteris (lat.): möge sie (die Novelle) mit den übrigen untergehen.

(Zu 63) Erstdruck nach dem Original in der Schleswig-Holsteinischen Landesbibliothek, Kiel.

1 Ankündigung eines Sonderdrucks von dem Storm-Aufsatz, den E. Schmidt für die Deutsche Rundschau geschrieben hatte (abgedruckt im Juli-Heft, Bd. 24/1880, S. 31 bis 56; wiederabgedruckt in E. Schmidts „Charakteristiken" I, S. 437—473).

2 Aufschlußreich im Hinblick auf die Entstehung des Storm-Aufsatzes sind die Briefe E. Schmidts an W. Scherer (bei Richter/Lämmert, S. 125, 131, 133). Zum Beispiel am 19. 10. 79: „Rodenbergs hier ... Aufsatz über Storm zugesagt." Am 18. 12. 79: „Den Stormaufsatz werde ich in den Ferien schreiben." Am 30. 12. 79: „Der Aufsatz über Storm wird mir recht schwer, gerade wegen der persönlichen Beziehungen. Der Mann ist nämlich sehr empfindlich und ich kann nicht alle seine, im Resignationsstil geschriebenen, oft sehr über einen Leisten geschlagenen Novellen, in Bausch und Bogen ohne Rückhalt loben. Da heißt es einige Male einen diplomatischen Eiertanz aufführen. Aber im Ganzen ist mir die Aufgabe sehr lieb. Wären die dummen auswärtigen Vorträge nicht, so würde ich sicher diese Woche fertig." Am 31. 1. 80: „Hätte ich nur erst den Storm fertig, aber ich muß immer wieder einige Tage pausieren, was dem Aufsatz nicht günstig ist." Aber am 26. 6. 80: „Den Storm habe ich im Januar während 3—4 Wochen mühsam so ‚zitzerlweis' geschrieben, auch mit mancher Rücksichtnahme, die mich geniert. Druckfehler sind auch ein paar stehen geblieben, so S. 50 Mitte *birgt* statt *bringt*."

Ähnlich äußert sich E. Schmidt in einem unveröffentlichten Brief vom 31. 1. 80 an P. Heyse: „Ich plage mich jetzt mit einem von Rodenberg begehrten Aufsatz über Storm, kann bei massenhaften laufenden Pflichten nur alle paar Tage eine Seite schreiben und muß einige Male einen diplomatischen Eiertanz aufführen. Aber das Ganze kommt aus dem Herzen." (Hs: Bayrische Staatsbibliothek München.)

3 Daß E. Schmidt seine tagebuchartig während und nach Storms Würzburg-Besuch im Februar und März 1877 niedergeschriebenen „Erinnerungen an Theodor Storm" (in Bd. I, S. 15—19 zum erstenmal abgedruckt) bei der Konzeption seines Storm-Aufsatzes benutzt hat, zeigt ein Vergleich.

Hier nur zwei Beispiele:

Im Storm-Aufsatz (S. 35): „Ich erfahre, daß Storm zuerst in dem volksmäßigen Liede die Frau hat klagen lassen, ‚Was ich so süß empfinde, nun ist es worden Sünde', aber die erste Zeile schien ihm schon vor der ersten Drucklegung nicht den rechten Volkston zu treffen, der in dem ruhigen, formelhaften ‚Was sonst in Ehren stünde' so glücklich gewonnen wurde."

In den „Erinnerungen" (Bd. I, S. 17): „So hieß es anfangs ‚Was ich so süß empfinde, Das ist nun worden Sünde', 1. Zeile als unvolksmäß. geändert in ‚Was sonst in Ehren stünde'."

Oder im Storm-Aufsatz (S. 46): „In der Husumer Schule nur mit Schiller und Körner bekannt, durfte er erst als reifender Jüngling in Lübeck weitere Eroberungszüge thun. Er wußte noch sehr wenig von Goethe, als ein Freund beim Vogelschießen den ‚Faust' gewann, der ihm nun einen ganz neuen, weltweiten Begriff von Poesie aufgehen ließ."

In den „Erinnerungen" (Bd. I, S. 17): „Husumer Gymn⟨asium⟩: Schiller, Körner etc., nichts ⟨von⟩ Göthe. Dann die letzten Schuljahre Lübeck. Vogelschießen, s. Stubengenosse gewinnt Goethes ‚Faust'. Verschlungen."

4 Keller antwortet E. Schmidt am 11. 7. 80. Der Brief wird in Anm. 65,5 zitiert.

(Zu 64) Erstdruck nach dem Original im Schiller-Nationalmuseum, Marbach.

1 Postkarte der Deutschen Reichspost. An Professor Erich Schmidt in Straßburg i. E. Jung St. Peter 6. Poststempel: Hanerau 28. 6. 80.

2 E. Schmidts Brief vom 26. 6. 80 (Nr. 63), der den Rundschau-Artikel ankündigte.

3 Gemeint ist die „Zuversicht" E. Schmidts, nach seiner Berufung an die Wiener Universität im September endlich heiraten zu können (E. Schmidt war mit Wally Strecker seit 1876 verlobt).

4 Aus den Wolken muß es fallen: Anspielung auf die von der österreichischen Regierung versprochene Zulage von 500 Talern. Zitat aus Schillers Gedicht „Die Gunst des Augenblicks" (5. Str.).

5 Gemeint ist eine entsprechende Mitteilung in dem Brief Kellers an Storm vom 13. 6. 80 (bei Goldammer, S. 57). Über Dr. F. Tönnies vgl. Anm. I 55,4 und hier 74,3.

6 Über den „nepos" (lat.: Enkel) vgl. Anm. 62,5.

7 Gemeint ist der im Brief vom 26. 6. 80 (Nr. 63) angekündigte Sonderdruck des Rundschau-Artikels.

(Zu 65) Erstdruck nach dem Original in der Schleswig-Holsteinischen Landesbibliothek, Kiel.

1 pecus (lat.): Rindvieh.

2 Während seines zweiten Aufenthalts in Würzburg (Febr./März 1877) wohnte Storm zur Untermiete bei E. Schmidts Schwiegermutter Frau Lina Strecker, Würzburg, Ludwigstraße 12 (vgl. Anm. I 1, 1 u. 2).

3 Gemeint sind die Korrekturabzüge des Erstdrucks der Novelle „Die Söhne des Senators", die Storm E. Schmidt zugeschickt hatte. Die Novelle erschien dann im Oktoberheft der Deutschen Rundschau (Nr. 25/1880, S. 1—28).

4 Storms Freund Wilhelm Jensen (1837—1911) hatte „sich auf dem Rückwege die ganze Zeit vor Behagen über den Besuch" bei Storm „geschüttelt" (so Storm in seinem Brief an E. Schmidt vom 16. 6. 80, Nr. 61).

[5] Der Brief G. Kellers an E. Schmidt vom 11. 7. 80 lautet:

Hochgeehrter Herr

Erlauben Sir mir, Ihnen meinen Dank darzubringen für die gütige Zusendung Ihres Essay über Theodor Storm. Ich habe mich sowohl an der Vortrefflichkeit Ihrer Arbeit überhaupt erbaut, als insbesondere mich an den wohlwollenden Zitaten erquickt, mit welchen ich ab und zu mit meiner Wenigkeit bei der Ehren-Hochzeit des Freundes Storm aufgerufen werde. Möge er noch lange am Gastmahle des Lebens sitzen.

Ihr hochachtungsvoll ergebener

Gottfr. Keller

(zitiert aus: Gottfried Keller, Gesammelte Briefe, hrsg. von C. Helbling, Bd. IV, S. 215 f.).

[6] Ein entsprechender Brief P. Heyses an E. Schmidt ist nicht erhalten.

(Zu 66) Erstdruck nach dem Original im Schiller-Nationalmuseum, Marbach.

[1] In den ersten Jahrzehnten des 19. Jahrhunderts hatte der Buchhändler Koch aus Schleswig während der Husumer Pfingst- und Michaelismärkte eine Bücher- und Bilderverkaufsausstellung in einem Klassenzimmer der alten Husumer Gelehrtenschule. Über einen entsprechenden Jahrmarktsbesuch mit Theodor Mommsen aber ist — auch im Briefwechsel Storm-Mommsen (hrsg. von H. E. Teitge, Weimar 1966) — nichts bekannt.

[2] Das Bild hat Storm in der Novelle „Auf der Universität“ beschrieben, im Kapitel „Im Schloßgarten“ (K 2,190).

[3] Seuls sur la terre (frz.): allein auf der Welt.

[4] Storm hatte sich wie E. Schmidt (vgl. im vorigen Brief Nr. 65) gegen eine kirchliche Trauung ausgesprochen, hatte sich aber ebenfalls nicht gegen die „Familie“ durchsetzen können. Vgl. z. B. die Briefe an die Braut vom 30. 7. 1846 und Sonnabend [29. 8. 46] (bei Gertrud Storm, S. 289 u. S. 310).

[5] Alles Vergängliche ist nur ein Gleichnis: Zitat aus Goethes „Faust“ II, Vers 12104 f.

[6] Meister Gottfrieds Wunsch, daß Storm „lange am Gastmahl des Lebens sitzen möge“. Vgl. am Schluß seines Briefes an E. Schmidt vom 11. 7. 80 (zitiert in Anm. 65,5).

[7] Über seine Sorgen um den „Ältesten“, Hans, schreibt Storm ausführlich an Wilhelm Petersen am 10. 9. 80 (bei Gertrud Storm, S. 106).

[8] Ernst, Storms zweitältester Sohn. Über ihn vgl. Anm. I 1,74.

(Zu 67) Erstdruck nach dem Original in der Schleswig-Holsteinischen Landesbibliothek, Kiel.

[1] Ernst Raupach (1784—1852). Dramatiker. Über ihn vgl. Kosch, S. 2166. Sein rührseliges Volksstück „Der Müller und sein Kind“ (1835) wurde seinerzeit oft aufgeführt.

[2] Bertha Strecker (1856—1940): Wally Schmidts Schwester, unverheiratet.

[3] Anspielung auf die Anfangs- und Schlußzeile „Johann, der muntere Seifensieder" des Gedichtes „Johann der Seifensieder" von Friedrich von Hagedorn (1708—1754).

[4] Über die Schauspielerin Charlotte Wolter vgl. E. Schmidts Brief an Storm vom 29. 12. 80 (Nr. 70) und Anm. 70,15.

[5] Franz Grillparzer (1791—1872). Über ihn vgl. Kosch, S. 732 f. „Weh dem, der lügt" ist das meistaufgeführte Lustspiel dieses Dichters (Erstaufführung: Wien 1838).

[6] Joseph Lewinsky (1835—1907). Seit 1858 bekannter Charakterdarsteller am Wiener Burgtheater. Über ihn vgl. Kosch, Theaterlexikon, S. 1230 f.

[7] Joseph Ritter von Weilen (1828—1889), Professor der dt. Sprache und Literatur an der Generalstabsschule in Wien, Dramatiker, Freund Grillparzers. Über ihn vgl. Kosch, S. 3257.

[8] Salomon Ritter von Mosenthal (1821—1877), mit Weilen (s. o.) Begründer der Schauspielschule am Konservatorium in Wien, Dramatiker. Über ihn vgl. Kosch, S. 1778 f. Von seinen Gedichten hatte Storm das Gedicht „Rosengeflüster" schon in die erste Auflage seines „Hausbuchs" aufgenommen (S. 513).

[9] Daniel Spitzer (1835—1893), Redaktionsmitglied der Neuen Freien Presse in Wien. Auch Erzähler („Wiener Spaziergänge" 1869). Über ihn vgl. Kosch, S. 2786.

[10] Heinrich Leuthold (1827—1879), Lyriker, Mitglied des Münchener Dichterkreises „Krokodil". Über ihn vgl. Kosch, S. 1518. Gemeint ist hier der Band: H. Leuthold: Gedichte, hrsg. von J. Baechtold, Zürich 1879 (2. verm. Aufl. Frauenfeld: Huber 1880). Storm hat von Leuthold kein Gedicht ins „Hausbuch" aufgenommen. Vgl. auch den folgenden Brief Nr. 68.

(Zu 68) Erstdruck nach dem Original im Schiller-Nationalmuseum, Marbach.

[1] Dieser Geburtstagsbrief E. Schmidts an Storm ist verlorengegangen.

[2] E. Schmidt hatte Storm schon mehrfach Kupferstiche von D. Chodowiecki zum Geburtstag geschickt. Vgl. auch im I. Bd. unserer Ausgabe.

[3] Vgl. Anm. 67,10. Der „Chor des Sophokles" ist ein Gedicht H. Leutholds bzw. eine Übertragung aus dem Griechischen, mit dem Titel: Sophokles, Lob des attischen Landes (in: H. Leuthold: Gedichte, 2. Aufl. Frauenfeld 1880, S. 281 f.).

[4] Mit dem Wort „Tirili" spielt Storm auf Leutholds Gedicht „Lerchen und Unken" an, wo z. B. der Refrain der zweiten Strophe lautet:

Dieser Ton gelingt ihm nie,
Dieser süße Ton der Seele:
Tirili, tirili, tirili.

Ähnlich Storm am 3. 1. 82 an Keller (bei Goldammer, S. 93). Daß lyrische Poesie „Naturlaut" sein soll, fordert Storm freilich schon in seinem Brief an Brinkmann vom März 1852 (bei Gertrud Storm, S. 37).

[5] August Graf von Platen (1796—1835). Vgl. über ihn Kosch, S. 2065 f. Storm hatte von Platen 5 Gedichte in die 1. Aufl. (1870) und 9 in die 4. Aufl. (1878) seines „Hausbuchs" aufgenommen. Vgl. auch Storms Brief an E. Schmidt vom 24. 8. 84 (Nr. 115).

[6] Johann Christian Friedrich Hölderlin (1770—1843). Über ihn vgl. Kosch, S. 1011 f. Storm hatte bereits in die 1. Aufl. des „Hausbuchs" 4 und in die letzte Aufl. 5 Gedichte Hölderlins aufgenommen. Storms Verehrung für Hölderlin kommt auch besonders in seinen Briefen an E. Schmidt vom 24. 8. 84 (Nr. 115) und vom 28./30. 3. 86 (Nr. 130) zum Ausdruck.

[7] Über den ersten Anstoß zur Novelle „Der Herr Etatsrat" schreibt Storm am 17. 11. 80 ganz ähnlich an Wilhelm Petersen: „Zu einem alten Anfang: ‚Also Sie haben die Bestie noch gekannt?', der jahrelang gelegen, haben sich plötzlich die Szenen eingefunden . . ." (bei Gertrud Storm, S. 171).

[8] Ebbe: Storms Tocher Elsabe (1863—1945).

[9] Schlußverse des Storm-Gedichts „Über die Heide" (K 1,169).

[10] Lute Hademarschen, d. i. Lucie Storm (1853—1927), Tochter von Theodor Storms Bruder Johannes. Lute Husum, d. i. Lucie Storm (1860—1935), Theodor Storms Tochter.

[11] Maria Krause (1863—1932), Tochter des Musiklehrers am Lehrerseminar in Tondern, des späteren Musikdirektors Adolf Krause (1830—1900) und seiner Frau Friederike, geb. Schmidt (1837—1913). Die Hochzeit fand am 1. 8. 83 in Tondern statt.

[12] Storm ähnlich an W. Petersen am 10. 9. 80 (bei Gertrud Storm, S. 166).

[13] Näheres über Storms damalige Bemühungen um seinen Sohn Hans in den Briefen an W. Petersen vom 10. 9. und 14. 9. 80 (bei Gertrud Storm, S. 166—169).

[14] Dieser Brief von Hans Storm an die Familie „Stadt Utrecht, 5. X. 80, abgesandt von Southampton" ist erhalten. Im Original lautet die betreffende Stelle:

„Lene bat mich, ich sollte mal wieder ein Gedicht machen, was ich diese Nacht that, u. welches ich hier einfüge, vielleicht findet es Beifall:

1) Tropisch Regen niedertroff,
Tropfschwerer Verjüngungsstoff!
Tropisch tropft der Regen nieder,
Und verjüngt die Erde wieder!

2) Also zeitigt mein Gemüthe
Vollen Lebens kräftige Blüthe,
Wenn die Hoffnung warm tropft nieder,
Und verjüngt das Herze wieder!"

Die Änderung der letzten Zeile des Gedichttextes im Brief geht auf Storm selbst zurück, wie die Nachschrift, mit der der Vater den Brief an seine Kinder Ernst und Lisbeth weiterschickt, zeigt:

„Dieser Brief von Hs hat hier große Freude gemacht; das Gedicht (zumal, wenn Du am Ende statt „Herze" „Herz mir wieder" liest) ist wirklich hübsch; und zugleich eine warme Offenbarung des Herzens. Ich möchte auch jetzt zu hoffen beginnen. Die Noth, die ihm in Hambg entgegengegähnt; dann der freundliche Aufenthalt hier in der Familie hat ihn offenbar tiefer als je erfaßt. Aber nun muß er auf jeder angegebenen Station Briefe der Familie vorfinden. Schreibe Du nun auch, aber *sofort* (Adr. Niederländisches Consulat zu Batavia, an den Schiffsarzt auf dem Dampfschiff des Roterdamer Lloyd ‚Stad Utrecht'), damit ‚Stad Utrecht' nicht schon wieder fort ist, und dann schicke den Brief an Lisbeth.

Mama geht es so gut, dß wir heute schon eine kl. Gesellschaft geben (Instituts-Mannhardts, Dr. Wachs jun, brüderl. Haus).

So, nun schreib an Hs u. gelegentlich auch an mich einmal

D. Vater Th. Storm"

Diese Nachschrift zeigt noch einmal, mit welch nie endender Fürsorge der Vater immer wieder versucht, seinem Sohn Hans auf den rechten Weg zu helfen, und wie der Vater von Hoffnung und Furcht hin- und hergerissen wird (Hs: unveröffentlicht im Privatbesitz; Fotokopien im Archiv der Storm-Gesellschaft in Husum).

15 In Anlehnung an den Vers in Storms Weihnachtsgedicht „Knecht Ruprecht": „Alt' und Junge sollen nun / von der Jagd des Lebens einmal ruhn" (K 1,198).

16 Ähnlich in einem Brief an W. Petersen vom 1. 12. 80: „Aus Paris erhielt ich einen Korrekturausschnitt eines biographischen Lexikons zur Revision des mich betreffenden Artikels. Darin war übersetzt ‚Zerstreute Kapitel' Le capital dissipé; also ‚das verschleuderte Kapital'. Sehr boshaft." (Bei Gertrud Storm, S. 173 f.)

Storm hat diese falsche Übersetzung seines Novellentitels so amüsiert, daß er die Geschichte in den ursprünglichen Schluß seiner Novelle „Der Herr Etatsrat" eingebaut hat. Im Erstdruck (Westermanns Monatshefte 50/1881, S. 362) heißt es:

„‚Ist das eine Novelle, deren Sie mich da gewürdigt haben?' frug er und langte aufs neue in die Zigarrenkiste, die ich ihm mittlerweile zugeschoben hatte. ‚Eine Novelle? Ich glaube kaum; wenn Sie durchaus klassifizieren müssen, so stellen Sie es zu den „Zerstreuten Kapiteln", die ich neulich so fein mit „Le capital dissipé" übersetzt gelesen habe.' "

Für die Buchausgabe (Berlin 1882) hat Storm diesen Schluß gestrichen.

17 Bei dem Artikel, den Storms Tochter Lucie in der Zeitschrift „Die Grenzboten" gelesen hat, wird es sich um den Artikel handeln: „Theodor Storm" von Adolf Stern (Grenzboten 39,2/1880, S. 314—324).

(Zu 69) Erstdruck nach dem Original im Schiller-Nationalmuseum, Marbach.

1 Postkarte der Deutschen Reichspost: Herrn Professor Erich Schmidt in Wien III, Hauptstr. 88. Poststempel unleserlich.

2 Die Datierung auf den Dezember des Jahres *1880* ergibt sich aus den Schlußzeilen: „nach Neujahr sehen wir Sie hier" und aus der Mitteilung E. Schmidts in seinem Brief an Storm vom 23. 8. 80 (Nr. 65): „Man hat mich zu einem Vortrag nach Hamburg eingeladen ... für November. Da gehts nicht, doch habe ich mich für den nächsten März zur Verfügung gestellt."

3 in effigie (lat.): im Bilde (auf einem Foto).

4 Die Buchausgabe der Novelle „Die Söhne des Senators" (Berlin: Paetel 1881).

5 Storms Einstellung zu Königs Literaturgeschichte verdeutlicht Anm. I 50,6 und eine Bestellung des Buches bei Paetel in einem unveröffentlichten Brief vom 5. 12. 80: „Königs schlechte sog. Literaturgeschichte will ich nur der Illustrationen wegen für mich selbst" (Hs: Landesbibliothek, Kiel).

(Zu 70) Erstdruck nach dem Original in der Schleswig-Holsteinischen Landesbibliothek, Kiel.

1 E. Schmidt hatte in den Jahren 1877—1880 Storm schon mehrmals mit Kupferstichen des von Storm so geliebten Daniel Chodowiecki (1726—1801) erfreut. Vgl. die entsprechenden Briefstellen und Anm. im I. Bd. unserer Ausgabe.

2 Zu Berthold Auerbach (1812—1882) vgl. Anm. I 37,8.

3 Gemeint ist die Buchausgabe der Novelle „Die Söhne des Senators" (Berlin: Paetel 1881), die Storm Wally Schmidt zu Weihnachten geschenkt hatte (vgl. den vorigen Brief Nr. 69).

4 Der geplante Vortrag in Hamburg ließ sich im Winter 1881 verwirklichen. Die „casa santa Storm" (Storms „heiliges Haus" in Hademarschen) aber konnte Erich Schmidt erst Sylvester 1882 besuchen. Vgl. Anm. 94,3.

5 Siegfried Lipiner (1856—1911), Epiker, Dramatiker, Bibliothekar des österreichischen Reichsrates in Wien. Sein Epos „Renatus" (1878) erneuert das Tannhäusermotiv. Über ihn vgl. Kosch, S. 1546.

6 Alfred Meißner (1822—1885) hatte E. Schmidt schon 1877 in Darmstadt kennengelernt. Vgl. E. Schmidts Brief vom 12. 3. 77 an Storm (Nr. 2 im I. Bd.) und Anm. I 1,20.

7 Ähnliche Urteile über G. M. Ebers (1837—1898) enthalten auch schon die Briefe E. Schmidts vom 9. 4. 77 und 1. 1. 78 (Nr. 14 und 29 im I. Bd.). Die genannte Rezension von Ebers' Roman „Der Kaiser" erschien in der Deutschen Literaturzeitung 2/1881, S. 180—182.

8 Urteile über G. Freytags Roman „Die Ahnen" enthält schon E. Schmidts Brief an Storm vom 9. 4. 77 (Nr. 14).

9 Die vier Bände der neuen, umgearbeiteten Fassung von Kellers Roman „Der grüne Heinrich" erschienen 1879/80 bei Göschen in Berlin. Vgl. auch Anm. 71,8 u. 9.

10 Johann Nepomuk Nestroy (1801—1862). Über ihn vgl. Kosch, S. 1857 f. Österreichischer Lustspieldichter des Biedermeier. Am bekanntesten seine „Zauberposse": „Der böse Geist Lumpazivagabundus oder das liederliche Kleeblatt" (Erstaufführung 1833, Wien).

11 E. Schmidt erinnert sich hier offenbar an seine Gespräche mit Storm über eine Aufführung von Lessings „Emilia Galotti" in Berlin, wo Seydelmann den Marinelli gespielt hatte (vgl. E. Schmidts „Aufzeichnungen": Nr. 1 im I. Bd., S. 17 unten).

Lewinsky: vgl. hier Anm. 67,6.

Seydelmann: vgl. Anm. I 1,59.

Davison: Bogumil Dawison (1818—1872), seit 1849 Charakterdarsteller am Wiener Burgtheater. Über ihn vgl. Kosch, Theaterlexikon, S. 302 f.

12 M. T. Cicero (106—43 v. Chr.) definiert in seiner Schrift „De oratore" (Über den Redner) den Begriff des „perfectus orator", des „vollkommenen Redners"; von dem „vir bonus et honestus", von dem „tüchtigen und sittlich guten Mann" dagegen spricht er in seiner Schrift „De officiis" (Über die Pflichten).

13 Rudolf Baumbach (1840—1905). Lyriker, Epiker, damals in Wien. Über ihn vgl. Kosch, S. 108 f. Sein Epos „Frau Holde" war 1881 in Leipzig erschienen.

[14] Über J. V. v. Scheffel (1826—1886) vgl. Anm. I 1,21 und über Julius Wolff (1834—1910) vgl. Anm. I 29,8.

[15] Charlotte Wolter (1843—1897), Schauspielerin am Burgtheater in Wien. Hauptrollen als tragische Liebhaberin und Heldin.

(Zu 71) Erstdruck nach dem Original im Schiller-Nationalmuseum, Marbach.

[1] in effigie (lat.): im Bilde. Es handelt sich um das in Heide angefertigte Foto, von dem im Brief Nr. 69 die Rede ist.

E. Schmidts Reaktion erfahren wir aus einem Brief an seine Eltern vom 9. 1. 81: „Storm hat nun sein wolgelungenes Bild (eingerahmt) geschickt mit einem allerliebsten Brief. Der Weltfahrer Hans scheint sich doch herauszurappeln. Ein 30 SS langer Brief aus Batavia bezeuge, wie sehr er sich auf den nächsten Aufenthalt daheim freue." (Hs: unveröffentlicht im Deutschen Literaturarchiv/Schiller-Nationalmuseum, Marbach).

[2] Gemeint sind Kupferstiche von Daniel Chodowiecki (1726—1801), der Shakespeares Werke (u. a. „Hamlet", „Heinrich IV", „Die lustigen Weiber von Windsor", „Coriolanus" und „Macbeth") sowie Matthias Claudius' („Asmus") „Sämmtliche Werke" (vgl. Anm. I 23 a, 1) illustriert hat. Die Zitate „Schlafen, vielleicht auch träumen!" und „Wie steht es um Euch, Mutter!" deuten auf die bekannten Szenen des „Hamlet" (III 1 u. 4).

[3] Das „brüderliche Haus" ist das Haus von Johannes Storm (1824—1906), dem ältesten Bruder des Dichters, der in Hademarschen eine Holzhandlung betrieb und 2 Töchter und 5 Söhne hatte.

[4] Der betreffende Brief Margarethe Mörikes an Storm vom 23. 12. 80 („Wie glücklich preise ich Sie, lieber Herr ...") wird in der neuen Edition des Briefwechsels Storm — Mörike (E. Schmidt-Verlag, Berlin) von H. u. W. Kohlschmidt zum erstenmal veröffentlicht.

[5] Ludwig Graf zu Reventlow (1824—1893), seit 1865 Landrat von Husum, und seine Frau Emilie Gräfin zu Reventlow, geb. Gräfin Rantzau (1834—1905). Der Storm-Reventlow-Briefwechsel ist z. T. erhalten, neuerdings veröffentlicht in den Schriften der Th. Storm-Gesellschaft 25/1976.

[6] Storms Tochter Elsabe (1863—1945) war einige Wochen in Husum und wohnte einen Teil dieser Zeit bei Storms Bruder Dr. Aemil Storm (1853—1897).

[7] Vgl. Anm. 68,11.

[8] Gottfried Keller hatte die vier Bände der Neufassung seines „Grünen Heinrich" und seinen Brief vom 1. 11. 80 Storm zugeschickt (vgl. bei Goldammer, S. 58 ff.). Schon am 17. 11. 79 berichtet Storm seinem Freund W. Petersen, was er vom 3. Band ab S. 120 gelesen hat (bei Gertrud Storm, S. 170). Ein ausführliches Urteil Storms über diese Abschnitte enthält der Brief an Keller vom 14. 12. 80 (bei Goldammer, S. 60 f.).

[9] Im Dezemberheft der Deutschen Rundschau (Bd. 25/1880, S. 466—470) war eine Rezension der „neuen Ausgabe in vier Bänden": „Der grüne Heinrich. Roman von Gottfried Keller. Stuttgart: G. J. Göschen 1879—80" von Otto Brahm erschienen. Brahm vergleicht die neue Ausgabe mit der ursprünglichen Fassung. Storm spielt u. a. auf den Satz an: „ein Werk von so ernstem Charakter, noch dazu in der gegenwärtigen

Form, wird sich einzig dem reiferen Leser erschließen" (S. 467). Zu Storms und Kellers Diskussion anläßlich der Umarbeitung des „Grünen Heinrich" vgl. ihren Briefwechsel.

10 Vgl. Anm. 70,7.

11 Julius Wolff (1834—1910). Über ihn vgl. auch Anm. 29,8 im I. Bd. Gemeint ist sein Epos „Der wilde Jäger"; es war 1877 erschienen.

12 Aus J. V. von Scheffels „Frau Aventiure" hatte Storm E. Schmidt in Würzburg „mit viel Feuer und Begeisterung" vorgelesen (vgl. in Bd. I, S. 16 und die entsprechende Anmerkung dazu).

„Schon färbt der Rain sich bunter": erste Zeile des Gedichts „Frühlingsreigen" aus Scheffels „Frau Aventiure".

„Die Finken des Waldes die Nachtigall ruft": erste Zeile des Gedichts „Dörpertanzweise" aus „Frau Aventiure". Beide Gedichte wurden ins „Hausbuch" aufgenommen (4. Aufl. 1878, S. 664 u. 665).

13 J. V. von Scheffel: Gaudeamus! Stuttgart 1869 (Liedersammlung); ders.: Der Trompeter von Säckingen, Ein Sang vom Ober-Rhein, Stuttgart 1854 (Versepos).

(Zu 72) Erstdruck nach dem Original in der Schleswig-Holsteinischen Landesbibliothek, Kiel.

1 Julius Rodenberg (1831—1914). Herausgeber der Deutschen Rundschau. Vgl. den Briefwechsel Storm—Rodenberg, hrsg. von P. Goldammer, in: Schriften der Th. Storm-Gesellschaft 22/1973, S. 32—54.

2 Elwin Paetel (1847—1901) oder Hermann Paetel (1837—1906), Storms Verleger. Vgl. die ausgewählten Briefe Storms an Paetel: Neue Storm-Briefe, hrsg. von W. E. Tornette, in: Die Bücherschale 1927, Heft 3, S. 3—18. Die übrigen Briefe sind zum großen Teil unveröffentlicht (Hs: Landesbibliothek Kiel).

3 Über Lewinsky vgl. Anm. 67,6.

4 Über J. N. Nestroy vgl. Anm. 70,10. Als scharfer Kritiker aller Sentimentalität und Tragik hat Nestroy in seiner Posse „Judith und Holofernes" (1849) Hebbels „Judith" (1841) parodiert.

Die zitierten Stellen lauten (in: Sämtliche Werke, hist. krit. Ausgabe, hrsg. von F. Bruckner und O. Rommel, Wien 1929, Bd. IV):

Holofernes: „Ich bin der Glanzpunkt der Natur, noch hab' ich keine Schlacht verloren, ich bin die Jungfrau unter den Feldherrn. Ich möcht' mich einmal mit mir selbst zusammenhetzen, nur um zu sehen, wer der Stärkere ist, ich oder ich..." (3. Auftritt, S. 167). „Laß aber erst 's Zelt ordentlich zusamm'räumen, überall lieg'n Erstochene herum — nur keine Schlamperei!" (23. Auftritt, S. 190).

Heman [der Schneider]: „Aha, der Blinde da, der tut auch, als ob er mich nicht sähet; der Herr is mir den Anzug noch schuldig vom vorigen Jahr."

Daniel: „Steiniget ihn! Steiniget ihn!" (19. Auftritt, S. 186).

5 Storm hatte in den 70er Jahren häufig mit dem Hebbelbiographen Emil Kuh über Hebbel diskutiert (vgl. den Briefwechsel mit Kuh, in: Westermanns Monatshefte 67/1889—90) und Ende der 70er Jahre eben diese Hebbelbiographie (Wien 1877) ge-

lesen. Hinzu kamen einige „Hebbel-Artikel“ (vgl. den Brief Storms an E. Schmidt vom 25. 5. 78 = Nr. 39, und Anm. I 39,3).

[6] Franz Grillparzer. Vgl. Anm. 67,5.

[7] Über J. v. Weilen vgl. Anm. 67,7.

[8] Eduard von Bauernfeld (1802—1890). Lustspieldichter des österreichischen Biedermeier, Freund Grillparzers. Über ihn vgl. Kosch, S. 104 f. Seine Bühnenbearbeitung der „Soldaten“ von Lenz hatte Bauernfeld unter dem Titel „Soldatenliebchen“ 1863 am Burgtheater in Wien auf die Bühne gebracht.

[9] Heinrich Laube (1806—1884), Erzähler, Dramatiker. Über ihn vgl. Kosch, S. 1471 f. H. Laube war von 1871—1879 Leiter des von ihm gegründeten Wiener Stadttheaters.

[10] Betty Paoli, Pseudonym für Barbara Elisabeth Glück (1815—1894). Österreichische Lyrikerin, Erzählerin. Über sie vgl. Kosch, S. 666.

[11] Die ersten drei Folgen des Erstdrucks von Gottfried Kellers „Sinngedicht“ waren in der Deutschen Rundschau, Bd. 26/1881, S. 1—38, S. 161—192, S. 321—342 (Januar bis März 1881) erschienen.

[12] Gemeint ist Storms ältester Sohn Hans (vgl. die Briefe Nr. 68 und 71 sowie Anm. 68, 13 u. 14).

[13] Gemeint sind Ernst Storm und seine Verlobte Maria Krause (vgl. Storms Brief an E. Schmidt Nr. 68 (Nov. 1880 und Anm. 68,11).

[14] auf der Kunkel: in Arbeit (Kunkel: in Südwestdeutschland gebräuchliches Wort für „Spinnrocken“).

(Zu 73) Erstdruck nach dem Original im Schiller-National-Museum, Marbach.

[1] Postkarte der Deutschen Reichspost: Herrn Professor Erich Schmidt aus Wien, in Wien III. Adr. Frau Professorin Lina Strecker in Würzburg (nachgeschickt mit dem Vermerk: abgereist nach Wien III, Hauptstr. 88, Landstraße). Poststempel: Hanerau 6. 4. 81.

[2] Der Erstdruck von Storms Novelle „Der Herr Etatsrat“ findet sich im August-Heft von Westermanns Monatsheften, Bd. 50/1881, S. 529—557.

[3] Auch in anderen Briefen bezeichnet Storm „die Familie in der Zerstörung“ als das Thema seiner Novelle „Der Herr Etatsrat“. So schreibt er z. B. am 8. 6. 1881 an Albert Nieß: „... man hat von mir gesagt, die Familie sei die Domäne meiner Poesie; dieser ‚Etatsrat‘ zeigt die Familie in der Zerstörung mit den tiefsten Schatten ...“ (Briefe Th. Storms an A. Nieß, mitgeteilt von H. Mack, in: Westermanns Monatshefte 81/1936, S. 74).

[4] Ähnliche Gedanken zum „Sinngedicht“ äußert Storm an W. Petersen am 3. 2. 1881: „Kellers ‚Sinngedicht‘ ist in der Anlage und den ersten Partien etwas künstlich; trefflich, sowie er bei der Lucie einreitet“, und im April 1881: „Anfangs etwas gewaltsam, etwa wie ‚Lear‘, dann einige Kellersche Unglaublichkeiten, auch eine Roheit: wie der junge Ehemann seiner jungen Frau die verkommenen Brüder vorführt, da hört eigentlich alles auf. Aber trotz alledem eine kräftige und mich entzückende Leistung“

(bei Gertrud Storm, S. 175, S. 177 ff.). Vgl. auch den Brief Storms an Heyse vom 28. 2. 1881 (bei Bernd II, S. 70).

5 Das „neue Heft“ ist das April-Heft der Deutschen Rundschau in Bd. 27/1881, das S. 1—38 zwei weitere Fortsetzungen des „Sinngedichts“ enthielt: die Novelle „Die Geisterseher“ und den Anfang von „Don Correa“. Mit Hildegunde meint Storm Hildeburg in der Novelle „Die Geisterseher“. Die „Spukerei“ findet sich in eben dieser Novelle, S. 12 ff.

6 Vgl. Anm. 65,2.

(Zu 74) Erstdruck nach dem Original im Schiller-Nationalmuseum, Marbach.

1 Vgl. die Postkarte Nr. 73 und Anm. 73,2.

2 Die „Altersvilla“, die Storm sich in Hademarschen gebaut hatte.

3 Ferdinand Tönnies (1855—1936) war E. Schmidt wohl seit 1878 persönlich bekannt. Storm an Tönnies nach Straßburg am 18. 4. 78: „Vielleicht sind Sie schon durch E. Schmidt eingeführt ...“ (bei H. Meyer, S. 364).

4 Wieviel Kummer der älteste Sohn Hans dem Vater inzwischen gemacht hatte, verschweigt Storm hier. Etwas mehr verraten die Briefe vom 15. 3. 1881 an Heyse (bei Bernd II, S. 72 f.) und vom April 1881 an W. Petersen (bei Gertrud Storm, S. 176 f.).

5 Emil Kuh (1828—1876) war mit 48 Jahren gestorben, ohne seine zweibändige Hebbelbiographie vollenden zu können. Die Biographie erschien, von R. Valdek (R. Wagner) zu Ende geführt, 1877 in Wien.

6 „Bulldog“ nennt E. Schmidt im vorhergehenden Brief Heinrich Laube (vgl. Brief Nr. 72 und Anm. 72,9). In Westermanns Monatsheft 49/1880—1881 hatte H. Laube die Novelle „Louison“ (S. 549—600, 681—739) veröffentlicht.

7 Leicht verkürztes und verändertes Zitat aus dem Brief G. Kellers an Storm vom 11. 4. 1881 (bei Goldammer, S. 68), das E. Schmidt — aus Storms Brief — am 24. 4. 81 Scherer mitteilt (bei Richter/Lämmert, S. 166).

8 Landolt (nicht Landolph) und Figura Leu (aus „Der Landvogt von Greifensee“) werden hier von Storm mit Heinrich und Judith (nicht Julie) in Kellers „Grünem Heinrich“ verglichen, weil beiden Paaren der Mut und die Leidenschaft für einen festen Lebensbund fehlt.

9 Paul Heyses Trauerspiel „Elfriede“ (1877 bei Hertz erschienen) ist schon mehrfach Gesprächsstoff der Briefe Storm—Schmidt gewesen. Vgl. die Briefe vom 2. 5. 77 (Nr. 15), vom 1. 1. 78 (Nr. 29) und vom 1. 4. 79 (Nr. 52).

10 Gemeint ist der Brief Storms an Heyse vom 1. 3. 81 (bei Bernd II, S. 69 f.). Die Vorlesung hatte im Hause des Reichstagsabgeordneten Dr. H. H. Wachs auf dem Gut Hanerau stattgefunden. Die „mauskluge“ Frau, die diese Einwendungen gemacht hatte, war Frau Dr. Helen Mary Mannhardt, eine Nichte Livingstones, gewesen.

11 Gemeint ist der Antwortbrief Heyses vom 10. 3. 81 (bei Bernd II, S. 71 f.), aus dem Storm hier z. T. wörtlich zitiert.

12 Storm in seinem Brief an Heyse vom 15. 3. 81 (bei Bernd II, S. 72 ff.).

13 „souvenirs de malmaison“: damals neuartige Rosenzüchtung (den Bourbonrosen, Vorläufern der Teehybriden, zuzuordnen).

(Zu 75) Erstdruck nach dem Original im Schiller-Nationalmuseum, Marbach.

[1] Postkarte der Deutschen Reichspost. An Herrn Professor Erich Schmidt in Wien Landstraße, Hauptstraße 88. Bahn-Poststempel: Tönning/Neumünster 20. 5.

[2] Gemeint sind, wie aus dem folgenden Antwortbrief E. Schmidts hervorgeht, die „Akademische Lesehalle" oder der „Deutsch-österreichische Leseverein".

[3] Es handelt sich um „Milderungen", die Storm auf Verlangen des Verlags für den Zeitschriftendruck (Westermanns Monatshefte 50/1881, S. 529—557) vorgenommen hatte. Die „Milderungen" sind bei Köster (K 8,271 f.) und Goldammer (Gd 3,730 f.) abgedruckt; darunter waren auch die „allzu deutlichen Worte" (so Köster): „Denn euer Vater Adam hat wohl mit vom Paradiesesbaum gegessen; aber den Fluch dafür hat Gott der Herr uns armen Weibern aufgeladen!" Vgl. auch Storms Brief an E. Schmidt vom 6. 7. 81 (Nr. 81).

(Zu 76) Erstdruck nach dem Original in der Schleswig-Holsteinischen Landesbibliothek, Kiel.

[1] Diese „Dankesworte" für die Novelle „Der Herr Etatsrat" sind nicht erhalten. E. Schmidts Reaktion auf Storms letzten langen Brief vom 17. 4. 81 wird deutlich aus seinem Brief vom 24. 4. 81 an seine Eltern, wo es u. a. heißt: „Von Storm eine Novelle, etwas schwerfällig (der Herr Etatsrat) und ein vortrefflicher Brief mit hübschen Citaten aus Bekenntnissen Gottfr. Kellers, wie ihm die Lalenburger Narretheien in seinen Geschichten am meisten Spaß machten . . ." (Hs: unveröffentlicht im Deutschen Literaturarchiv/Schiller-Nationalmuseum, Marbach).

[2] Adolf von Wilbrandt (1837—1911): vgl. Anm. I 34,10.

[3] buen retiro (span.): schöner Ruhesitz, erholsame Zurückgezogenheit.

[4] Nicht erhalten; vgl. Anm. 1.

[5] Vgl. Anm. 75,3.

[6] Über E. Schmidts Besuch bei Heyse ist, auch im Storm-Heyse-Briefwechsel, nichts Näheres bekannt geworden.

[7] Anti-Ebers: gemeint ist die in Anm. 70,7 genannte Rezension des Romans „Der Kaiser".

[8] Paul Heyse hat 1880/81 weitere „Troubadour-Novellen", u. a. „Die Rache der Vizgräfin", „Ehre über alles", „Die Dichterin von Carcassonne" (vgl. Bernd II, S. 63 bis 69 u. 71) und das Drama „Alkibiades" (Uraufführung: Weimar, Oktober 1881) veröffentlicht; anderes war im Druck. Vgl. zu der Stelle auch Storm an Heyse am 15. 3. 81: „Und Du klagst über Mangel an Arbeitskraft?" (bei Bernd II, S. 74).

[9] Vgl. Storms Brief Nr. 74 (vom 17. 4. 81) und Anm. 74, 9—12.

[10] Über Gottfried Kellers „Sinngedicht" hatte sich Storm schon in seinem Brief an E. Schmidt vom 6. 4. 1881 ausgesprochen (Nr. 73).

Mit den Worten „Daß die Lux errötend lachend wird", spielt E. Schmidt auf den „Logauschen Spruch" an, d. h. auf das Epigramm von Fr. v. Logau (1604—1655), von dem Kellers „Sinngedicht" ausgeht: „Wie willst du weiße Lilien zu roten Rosen machen? / Küß eine weiße Galathee: sie wird errötend lachen".

11 Aprilheft: vgl. Anm. 73,5. Die „vorausgehende Novelle" war die Novelle „Die Geisterseher" (S. 1—23), und mit der „spanischen" (richtiger: portugiesischen) Novelle ist die Novelle „Don Correa" gemeint.

12 Storm hatte E. Schmidt nach der Adresse einer „Studenten-Bibliothek" gefragt, die ihn um seine „opera" gebeten hatte (im Brief Nr. 75 vom 20. 5. 81).

13 Storm hatte bei der ersten Begegnung mit E. Schmidt in Würzburg und in seinem „Hausbuch" aus seiner Vorliebe für Matthias Claudius kein Hehl gemacht. Vgl. in E. Schmidts „Erinnerungen an Th. Storm" (Bd. I, S. 17 und Anm. I 1,43).

14 Vgl. E. Schmidts „Erinnerungen an Th. Storm" in Bd. I, S. 15 und Anm. I 1,8 u. 9.

15 Wilhelm Heinrich Wackenroder (1773—1793). Über ihn vgl. Kosch, S. 3163. Mit Tieck erster deutscher Romantiker. Vgl. den Reisebericht von seiner Reise nach Nürnberg und darin die romantisch-enthusiastische Beschreibung der Lorenzkirche, des Sakramenthäuschens und des Englischen Grußes (1793).

16 Am 10. Mai 1881 hatte in Wien die Hochzeit des österr.-ung. Kronprinzen, des Erzherzogs Rudolf (1858—1889), mit der Prinzessin Stefanie von Belgien stattgefunden.

(Zu 77) Erstdruck nach dem Original im Schiller-Nationalmuseum, Marbach.

1 Es handelt sich um die Korrekturabzüge der Novelle „Der Herr Etatsrat" für den Zeitschriftendruck, der, wie Storm weiter unten angibt, im Augustheft erscheinen sollte und auch wirklich erschien (Westermanns Monatshefte 50/1881, S. 529—557). Diese Korrekturfahnen waren 1913 offenbar noch in E. Schmidts Besitz (vgl. den unveröffentlichten Brief von R. Pitrou an Gertrud Storm vom 8. 5. 1913. Hs: Nissenhaus, Husum). Sie sind inzwischen verlorengegangen.

2 Für den Zeitschriftendruck der Novelle „Der Herr Etatsrat" hatte Storm einige anstößige Stellen beseitigt oder, wie er sich auch ausdrückt, einige „Milderungen" vorgenommen: vgl. Anm. 75,3.

„in usum delphini" (lat.): zum Gebrauch des Dauphins. So nach der Ausgabe der römischen und griechischen Klassiker, die Ludwig XIV. für den Thronerben drucken ließ (Lyon 1674—1730) und in der alle anstößigen Stellen beseitigt waren.

3 „Apfelbiß": gemeint sind die „allzu deutlichen Worte" (so Köster: K 8,271), die Storm ganz — auch für die Buchausgabe — gestrichen hat und die wir in Anm. 75,3 zitiert haben.

4 Es handelt sich um die Korrekturfahnen zu einem Vorwort, das Storm für die im Druck befindlichen Bände 11/12 seiner „Ersten Gesammtausgabe" entworfen hatte. Wir drucken das Vorwort unter 77 a ab. Vgl. dort die Anmerkungen.

5 Karl Heinrich Schleiden (1809—1890). Protestantischer Theologe. Pädagoge, Gründer einer privaten Bürgerschule in Hamburg (1842). Onkel von Hans Speckter. Über ihn vgl. ADB, Bd. 31, S. 416 f.

Einige Briefe Schleidens an Storm befinden sich in der Kieler Landesbibliothek, Storms Briefe an Schleiden sind bisher verschollen.

6 Hans Speckter (1848—1888). Hamburger Maler und Illustrator (u.a. des „Hausbuchs"). Über ihn vgl. ADB, Bd. 35, S. 87 f. Interessanter Briefwechsel. Hs: in der Kie-

ler Landesbibliothek und im Archiv der Storm-Gesellschaft in Husum, zum großen Teil unveröffentlicht. Einige Briefe abgedruckt von R. Schapire, in: Zeitschrift für Bücherfreunde, N. F. 1910, Bd. 2, S. 39—49.

[7] Johannes Classen (1805—1891), ein von Storm besonders verehrter Lehrer des Katharineums in Lübeck; er war später (1853—1863) Gymnasialdirektor in Frankfurt und zuletzt (1864—1874) Direktor des Johanneums in Hamburg.

[8] Näheres über Storms 11tägigen Aufenthalt in Hamburg mit seinen Töchtern Elsabe und Gertrud vgl. Storms Brief an Petersen vom 3. 6. 81 (bei Gertrud Storm, S. 179).

[9] Gemeint ist der Satz des Vorworts: „Nach einer Zeitungsnotiz hat neuerdings einer unserer gelesensten Romanschriftsteller bei Gelegenheit einer kürzeren, von ihm als ‚Novelle' bezeichneten, Prosadichtung *die Novelle* als ein Ding bezeichnet, welches ein Verfasser dreibändiger Romane sich wohl einmal am Feierabend und gleichsam zur Erholung erlauben könne, an das man aber ernstere Ansprüche eigentlich nicht stellen dürfe" (hier abgedruckt unter Nr. 77 a).

[10] Georg Ebers (1837—1898), damals vielgelesener Romanschriftsteller (vgl. im I. Bd. dieser Ausgabe u. a. Anm. 1,56). Über seinen Roman „Der Kaiser" hatte E. Schmidt gerade eine „bitterböse Rezension" geschrieben (vgl. seinen Brief an Storm vom 29. 12. 80 = Nr. 70 u. Anm. 70,7), von ihm auch als „Anti-Ebers" bezeichnet (E. Schmidts Brief an Storm vom 22. 5. 81, Nr. 76).

Welche Ebersche Novelle Storm hier meint, kann jetzt mit Hilfe der wiederentdeckten „Zeitungsnotiz" eindeutig beantwortet werden: es ist die Novelle „Eine Frage" (vgl. Anm. 77 a, 2). Storm hat die Novelle tatsächlich nicht gelesen; das „Vorwort", das Ebers seiner Novelle voranstellt, enthält nämlich keinerlei „eitle Reden", sondern ist eine Art Widmungsgedicht an den befreundeten Maler Alma-Tadema (1836—1912), dessen Gemälde „Eine Frage" Ebers zu dieser Novelle angeregt hatte (s. u.). Was Storm dem Eberschen Vorwort zuschreibt, sind in Wirklichkeit Gedanken und Ausführungen des Rezensenten, des Verfassers der „Zeitungsnotiz" (vgl. 77 a, 2). Das „Vorwort" überschriebene Widmungsgedicht der Eberschen Novelle „Eine Frage" nämlich lautet in der Erstausgabe von 1881:

Vorwort

Im Kunstpalast am grünen Isarstrand
Hab' ich gar lang vor einem Bild gesessen,
Es hielt mich wie mit Zauberkraft gebannt,
Und als ich heimzog, konnt' ich's nicht vergessen.

Ein Jahr verging, der Winter kam herbei,
Nur selten sahen wir die Sonne scheinen,
Da faßt' ich mir ein Herz und rief: „Es sei!"
Und nach dem Süden zog ich mit den Meinen.

Wie Wandervögel bauten wir ein Nest
An einem Palmenufer lichtumflossen;
Dort blühte uns das Dasein wie ein Fest
Und herzensdankbar haben wir's genossen.

Oft konnt' ich dort zum Meere purpurblau
Mit neuer Lust den Blick herniedersenken;
Und tausendmal mußt' ich bei solcher Schau
An Alma Tadema's Gemälde denken.

Einst kam ein Tag, froh wie ein Brautgesicht,
Ganz voll von Duft und Licht und guten Stunden,
Und da, — es flog mir zu, ich sucht' es nicht, —
Hab' ich das Wort zum Bild des Freunds gefunden.

11 Gemeint ist der Brief Storms an Keller vom 15. 5. 81, in dem Storm einige Stellen des „Sinngedichts" kritisiert hatte (bei Goldammer, S. 73 f.).

12 Über Hans Storms Tätigkeit als Arzt in Frammersbach bei Lohr vgl. B. Opel im „Main-Echo" vom 8. 2. 1956.

13 Über Ernst Storm, Theodor Storms zweitältesten Sohn, vgl. Anm. I 1, 74.

14 Lisbeth (1855—1899) war seit 1879 mit Pastor Gustav Haase (1838—1904) in Heiligenhafen verheiratet.

15 Vgl. Anm. 68,11.

16 Vgl. Anm. 71,5.

(Zu 77 a) Abdruck nach dem (ersten vollständigen) Erstdruck in: Theodor Storms Sämtliche Werke, Bd. 9, Spukgeschichten und andere Nachträge, hrsg. von Fritz Böhme, Braunschweig/Berlin: Westermann 1913, S. 94—96.

Böhme hat, wie er in seinen Anmerkungen angibt (a. a. O., S. 233), das Druckexemplar des Vorworts benutzt, das Storm E. Schmidt zugeschickt hatte. Es umfaßte zwei Oktavblätter, war doppelseitig bedruckt und trug auf der ersten Seite den Westermannschen Verlagsstempel mit dem Datum „4. Juli 1881" sowie die handschriftliche Bleistiftnotiz E. Schmidts: „Auf *meine* Bitte cassirtes Vorwort Storms".

Dieses aus dem Besitz von E. Schmidt stammende Druckexemplar des Vorworts war zum erstenmal Albert Köster zur Verfügung gestellt worden, der es unvollständig abdruckte in den Anmerkungen zum Storm-Keller-Briefwechsel (erste Buchausgabe Berlin: Paetel 1904, S. 119 f.). Fritz Böhme hat das Exemplar dann für seine Storm-Ausgabe benutzt und zum erstenmal vollständig abgedruckt (Bd. 9, 1913). Es ist später in den Besitz der Staatsbibliothek in Berlin übergegangen (Signatur: Yc 9936/10 Rara) und während des zweiten Weltkrieges verlorengegangen.

Da weder Storms handschriftlicher Entwurf noch eins der oben genannten Druckexemplare erhalten ist, mußte hier auf den Erstdruck von Böhme zurückgegriffen werden.

1 Das „Vorwort" war gedacht als Vorwort zu dem Doppelband 11/12 der „Gesammelten Schriften" (Braunschweig: Westermann 1882). Storm hat das Vorwort zunächst handschriftlich verfaßt, dann vom Westermann-Verlag drucken lassen und beim Verlag mehrere Druckexemplare bestellt, wie ein bisher unbekannter Brief Storms an Westermann vom 1. 7. 1881 zeigt, wo es u. a. heißt:

„Das beiliegende Vorwort, wozu es jetzt eben der rechte Zeitpunkt ist, wollen Sie gefälligst, etwa unter römischen Paginazahlen, dem jetzt in Druck befindlichen Bande der Gesammtausgabe vorangehen lassen, und würden Sie mich verpflichten, wenn Sie mir davon (weil ich es Heyse u. Prof. Erich Schmidt in Wien mittheilen möchte) *vierfache* Correctur schickten."

(Hs: Archiv der Storm-Gesellschaft, Husum.)

Den einen dieser Korrekturabzüge hat Storm dann wirklich Paul Heyse zugeschickt (vgl. den Brief Storms an Heyse vom Juli 1881 bei Bernd II, S. 78), den anderen — wie eine Postkarte vom 1. 8. 81 an Heyse (Bernd II, S. 78 f.) und der vorliegende Brief vom 6. 7. 81 (Nr. 77) zeigen — an E. Schmidt.

[2] Welche Zeitungsnotiz Storm zu diesem Vorwort angeregt hat, war bisher nicht bekannt. Aufgrund intensiver Nachforschungen in verschiedenen Zeitungen glauben wir nicht fehlzugehen in der Annahme, daß es sich um folgende Buch-Anzeige in den Itzehoer Nachrichten vom 12. 4. 1881 (Nr. 44, Sp. 15 u. 16) gehandelt hat:

„*Eine Frage* von Georg Ebers. Verlag von E. Hallberger in Stuttgart und Leipzig.

Der berühmte Verfasser der culturhistorischen Romane ‚Egyptische Königstochter', ‚Uarda', ‚Der Kaiser' usw. hat sich hier einmal auf das unscheinbare Feld der Novellistik begeben und auch hier es bewiesen, was er in sinniger Anordnung, reizender Ausführung und poesiereicher Sprache zu leisten vermag. Ein Idyll nennt es der Verfasser selbst[a]) und will es nach einem Gemälde seines Freundes Alma Tadema in der Münchener Pinakothek erfunden haben, oder vielmehr, wie er sagt: ‚es flog mir zu, ich sucht es nicht'[b]), denn es ist leichtere Arbeit, als der kunstvolle, auf langjährigem Studium beruhende Bau mehrbändiger Romane. Unter dem reinen Himmel Süditaliens, wie in der besseren Luft und dem anmuthigen Gleichmaß des klassischen Alterthums sich bewegend, ist die kleine Geschichte gleich weit entfernt von den Plattheiten der sog. Dorfgeschichten und dem Süßlichen mancher als Idyll bezeichneten Dichtungen. Sie erhält unser Interesse wach und zeigt uns einfach angelegte, aber folgerichtig durchgeführte Charaktere in nicht allzu schwieriger Verwickelung, die schließlich eine natürliche und erwünschte Auflösung findet."

[a]) Genauer Titel: Eine Frage, Idyll zu einem Gemälde seines Freundes Alma Tadema, erzählt von Georg Ebers, Stuttgart und Leipzig: Eduard Hallberger 1881.

[b]) Zitat aus dem „Vorwort" überschriebenen Widmungsgedicht zu Ebers' Novelle „Eine Frage" (zitiert in Anm. 77,10).

[3] Formulierungen der Zeitungsnotiz wie die, daß der „berühmte Verfasser culturhistorischer Romane" sich auf das „unscheinbare Feld der Novellistik" begeben habe und daß so eine Novelle „leichtere Arbeit" sei „als der kunstvolle, auf langjährigem Studium beruhende Bau mehrbändiger Romane" haben offenbar Storms „Zorn" (an Heyse 1. 8. 81) erregt; sie spiegeln sich im ersten Absatz des Vorwortes wider („einer unserer gelesensten Romanschriftsteller", „Verfasser dreibändiger Romane", Novelle „ein Ding ... zur Erholung", an das man „ernstere Ansprüche eigentlich nicht stellen dürfe").

Daß Storm den Inhalt der Zeitungsnotiz ungenau wiedergibt (Worte des Rezensenten werden dem Ebersschen Vorwort zugeschrieben: vgl. Anm. 77,10) und sich schon wenige Wochen später nicht mehr genau erinnern kann, wie die angezeigte Ebersscbe Novelle heißt (an Keller am 14. 8. 81: „Ich glaube, sie heißt ‚Eine Frage' "), erklärt sich wohl daraus, daß das Lesen der Zeitungsnotiz mit den Vorbereitungen für den Einzug ins neue Haus, die Altersvilla in Hademarschen, zusammenfiel: die Zeitung mit der betreffenden Notiz wird während des „Umzugtrubels" (so an Keller „letzten April" bzw. 8. Mai 1881, bei Goldammer, S. 70) verlorengegangen sein.

Storm hat später, in seiner Rede anläßlich des Festessens, das ihm zu Ehren am 12. 5. 1884 in Berlin gegeben wurde, Formulierungen und Gedanken aus dem ersten Absatz seines Vorworts verwendet. Ludwig Pietsch referiert in seinem Bericht in der

Morgenausgabe der Vossischen Zeitung vom 14. 5. 1884 u. a. folgende Partien aus Storms Rede:

„Er [Storm] sei sich ... bewußt, jederzeit mit vollem künstlerischen Ernst an seinen kleinen Dichtungen gearbeitet zu haben und sich immer bewußt gewesen zu sein, daß seine Lieblingsgattung, die *Novelle*, an Werth gegen keine andere Dichtungsart zurückzustehen habe. Als ein bekannter Schriftsteller (wer ist es?), der bis dahin meist dreibändige Romane geschrieben, einmal eine Novelle herausgab, erklärte derselbe in seiner Vorrede dazu, er habe einmal das Bedürfniß gehabt, sich *auszuruhen*, und deshalb nur — eine Novelle verfaßt. Er, Storm, hätte das nie verstanden. Ihm wäre die kleinste Novelle noch immer als die ernsthafteste, alle Kraft des Geistes erfordernde, oft fünf Monate in Anspruch nehmende Arbeit erschienen" (wiederabgedruckt bei Bernd III, S. 249).

Diese Anspielungen und dieser Bericht haben damals natürlich ein Rätselraten ausgelöst, welchen Romanschriftsteller und welche Novelle Storm gemeint habe. Eine wenig beachtete Leserzuschrift im Magazin des In- und Auslandes vom 19. Juli 1884 (53. Jg., Bd. 105, Nr. 29) macht das deutlich:

„Wer schreibt Novellen zu seiner Erholung? Geehrte Redaktion! In Anlehnung an die Gesslersche Notiz (in Nr. 25), daß Th. Storm in seiner bekannten Berliner Rede auf Wilhelm Jensen angespielt habe, ist eine Berichtigung wohl gestattet. Th. Storm hat *Georg Ebers* gemeint, welcher in seiner Vorrede zu der Novelle: ‚Eine Frage' ausspricht, ‚daß er dieselbe zu seiner Erholung geschrieben habe'. Dies aus dem Munde Th. Storms in einer Gesellschaft gehört zu haben, erlaubt sich Ihnen mitzuteilen Ein Unbekannter in Berlin" (abgedruckt im Anmerkungsteil von: Th. Fontane, Briefe IV, Briefe an Karl und Emilie Zöllner und andere Freunde, hrsg. von Kurt Schreinert und Charlotte Jolles, Berlin: Propyläen-Verlag 1971, S. 239 f.).

4 Storm meint seine Vorreden zum „Hausbuch aus deutschen Dichtern seit Claudius", und zwar die Vorrede zur ersten Auflage (Hamburg: Mauke 1870) und zur 3. Auflage (Hamburg: Mauke 1875). Wieder abgedruckt bei Fritz Böhme im Nachtragsband 9 (Braunschweig: Westermann 1913), S. 85—92, bzw. S. 92 f., sowie bei Köster (K 8,112 bis 117 u. 295), und Goldammer (Gd 4,612—617 u. 711 f.).

5 Zur Theorie der Novelle vgl. K. K. Pohlheim „Novellentheorie und Novellenforschung. Ein Forschungsbericht" (Stuttgart: Metzler 1965) und B. von Wiese „Novelle" (Stuttgart: Metzler 1963) sowie die dort angegebene Literatur. Zu Storms Novellentheorie vgl. besonders: P. J. Arnold in: Zeitschrift für Deutschkunde 37/1923, S. 281—288, und R. Masson, in: Langues modernes 40/1946, S. 449—476; 41/1947, S. 33—51.

6 Daß Storm hier *zitiert*, ist von der Forschung vielfach übersehen worden. Folgende Worte sind in Anführungsstriche gesetzt: (Die Novelle ist nicht mehr) „die kurzgehaltene Darstellung einer durch ihre Ungewöhnlichkeit fesselnden und einen überraschenden Wendepunkt darbietenden Begebenheit". Ein Brief Storms vom 12. 3. 82 an E. Alberti (Hs: Landesbibliothek Kiel) gibt einen Hinweis auf die Herkunft dieses Zitats. Dort benutzt Storm dasselbe Zitat, fügt aber in einer Anmerkung hinzu: „So charakterisiert K. G. v. Leitner in einem Briefe an mich die alte Novelle und seine eigenen."

Karl Gottfried Ritter von Leitner (1800—1890) ist ein österreichischer Schriftsteller, der auch mit Storm korrespondiert hat. Zwei Briefe von ihm an Storm werden in der

Landesbibliothek in Kiel aufbewahrt. In einem dieser — bisher nicht veröffentlichten — Briefe hat sich das Zitat gefunden. Mit diesem Brief vom 4. 4. 1881 schickte Leitner Storm seinen Band „Novellen und Gedichte" (Wien/Pest/Leipzig: Hartleben 1880) und in diesem Brief charakterisiert er seine Novellen folgendermaßen: „... diese entsprechen kaum dem Begriffe, den man in neuerer Zeit von dieser Gattung epischer Prosa-Dichtung aufstellt; vielmehr gehören sie, und zwar schon nach der Zeit ihrer Entstehung, noch jener früheren Periode an, wo man unter Novelle die knappe Darstellung einer durch ihre Ungewöhnlichkeit fesselnden und einen überraschenden Wendepunkt darbietenden Begebenheit zu verstehen pflegt" (Hs: unveröffentlicht Landesbibliothek, Kiel).

Den Begriff „Wendepunkt" hatte in diesem Zusammenhang bereits Ludwig Tieck benutzt (L. Tieck: Schriften, Bd. 11, Berlin 1828, Vorbericht). Vgl. dazu B. v. Wiese: Novelle, Stuttgart: Metzler 1963, S. 11, 15 ff.

[7] „die heutige Novelle ist die Schwester des Dramas und die strengste Form der Prosadichtung. Gleich dem Drama behandelt sie die tiefsten Probleme des Menschenlebens":

Eine Interpretation dieser Stelle gibt Storm selbst wenige Monate vor seinem Tode in einem Brief vom 15. 5. 1888 an Johannes Wedde: „Wenn ich einmal gesagt habe, daß die Novelle die Schwester des Dramas sei, so habe ich dadurch nur mehr die Stellung der ersteren in der Prosa — mit der des letzteren in der Versdichtung vergleichen wollen, und daß beide zu ihrer Vollendung der Knappheit und eines im Mittelpunkt stehenden Konfliktes bedürfen, von dem aus sich das Ganze organisiert." (nach dem Erstdruck in: F. Tönnies, Gedenkblätter, Berlin 1917, S. 71 f.).

Daß Storm sich schon Ende der 70er Jahre Gedanken über die Kunstform und besonders über den dramatischen Bau der Novelle gemacht hat, zeigen folgende Stellen aus seinen Briefen, z. B. an G. Keller vom 20. 9. 72:

„Manche gedachte und schon geschriebene Szene [von ‚Eekenhof'] wurde hinter die Kulissen geschoben und darauf hingearbeitet, daß nur die Reflexe davon vor dem Zuschauer auf die Bühne fallen." (bei Goldammer, S. 42), an E. Schmidt vom 9. 10. 79 (Nr. 57): „Die Novelle, wie wir sie jetzt herausgearbeitet haben, ist eine Parallel-Dichtung des Dramas. Es läßt sich nach dem jetzigen Stande der Sache, meine ich, auch Erzählung, sowie Roman und Novelle nicht allzuschwer unterscheiden; die Novelle verlangt die strengere geschlossenere Form, einen Conflict, von dem aus Alles organisirt ist. Natürlich wird diese Fodrung, auch nach dem Stoffe, mehr oder minder erfüllt sein."; und an denselben im Brief vom 26. 6. 80 (Nr. 63): „Jedenfalls ist mein künstlerisches Bekenntniß, daß eine aufs Tragische gestellte Novelle, wenn sie ist wie sie sein soll, so gut wie die Tragödie erschüttern und nicht rühren soll."

In diesem Zusammenhang müssen auch Storms literarische Fach- und Streitgespräche mit Dr. K. H. Keck, dem damaligen Direktor des Husumer Gymnasiums, dem Mitarbeiter und (ab 1881) Mitherausgeber des Deutschen Literaturblattes, genannt werden (vgl. Anm. I, 24,6). Über die Gespräche zwischen Storm und Keck ist wenig bekannt. Aber die Ausführungen, die Keck am 1. 3. 1879 auf der Titelseite des Deutschen Literaturblattes Nr. 23 unter der Überschrift „Neue Novellenliteratur" veröffentlicht hat, sind sicherlich von diesen Gesprächen mit Storm beeinflußt und insofern für die Stormforschung von Interesse. Es heißt da u. a.:

„Bei diesem unter Führung von Paul Heyse und Theodor Storm sich entwickelnden Reichtum an Novellenliteratur ist die Frage wohlberechtigt, was denn eigentlich das Charakteristische der Novelle sei und ob und worin sie sich von der gewöhnlichen Erzählung unterscheide. ... Aus der Betrachtung der innigen Verwandtschaft, welche zwischen der italienischen Novelle und der Shakespearschen Tragödie herrscht, und aus den vorzüglichsten Schöpfungen der neuern Meister dieser Gattung ergiebt sich, daß Novelle nur diejenige Erzählung zu heißen berechtigt ist, welche zwei wesentlichen Anforderungen entspricht. Erstlich muß sie im Gegensatz zum breiten Strom des Romans nicht eine reiche Ideenwelt, sondern ein einzelnes psychologisches Problem darstellen; zweitens aber muß die Form der Behandlung die sein, daß die Voraussetzung zu einem tragischen Konflikt führen, der Höhepunkt also eine Scene voll dramatischer Spannnung ist. Der Roman kann und muß mehrere Höhepunkte dieser Art haben, in der Novelle darf nur einer, aber dieser eine muß auch vorhanden sein, die gewöhnliche Erzählung kann ihn ganz entbehren, weil sie keinen tragischen Konflikt zu enthalten braucht. Daher ist der Bau der Novelle dem des Dramas ähnlich; dem Inhalte nach bedarf sie zwar nicht der großen Action des Dramas, aber sie hat dieselbe knappe Form, denselben energischen Fortschritt, sie duldet ebenso wenig wie das Drama Episoden und müßiges Beiwerk."

Diese Ausführungen Kecks sind von der Stormforschung bisher nicht beachtet worden. Sie sind aber bedeutungsvoll, weil sie im Zusammenhang stehen mit Storms novellen-theoretischen Erörterungen im „Vorwort" von 1881.

[8] Vgl. Paul Heyse: „Von dem einfachen Bericht eines merkwürdigen Ereignisses oder einer sinnreich erfundenen abenteuerlichen Geschichte hat sich die Novelle nach und nach zu der Form entwickelt, in welcher gerade die tiefsten und wichtigsten sittlichen Fragen zur Sprache kommen ..." (in der Einleitung zu: Deutscher Novellenschatz, hrsg. von P. Heyse und H. Kurz, 1. Bd. [1871], S. XIV.).

[9] Iffland (1759—1814) und Kotzebue (1761—1819): meistgespielte Bühnenschriftsteller in der Zeit von 1790—1820. Iffland war ab 1796 Direktor des Kgl. Preuß. Nationaltheaters in Berlin. Über Iffland und Kotzebue war in den Gesprächen und Briefen Storms und Schmidts schon früher die Rede gewesen (vgl. z. B. im I. Bd. unserer Edition, S. 16, 45, 90, 92, 104).

(Zu 78) Erstdruck nach dem Original im Schiller-Nationalmuseum, Marbach.

[1] Postkarte der Deutschen Reichspost. An Herrn Professor Erich Schmidt in Wien. Landstraße. Hauptstr. 88. Poststempel: Hanerau 12. 7. 81.

[2] Handschriftlich von fremder Hand nach dem Poststempel ergänzt.

[3] Das vorhergehende Schreiben E. Schmidts ist verlorengegangen. Es enthielt offenbar Zustimmung und einen Änderungsvorschlag: „Erich Schmidt war — ich sandte es [das Vorwort] auch ihm, — sehr erfreut darüber" berichtet Storm in einer Postkarte vom 1. 8. 81 an Heyse (bei Bernd II, S. 79). Ähnlich äußert sich Storm in seinem Brief an Keller vom 14. 8. 81: „... Erich Schmidt —, obgleich letzterer es freudig begrüßte ..." (bei Goldammer, S. 76).

Die vorliegende Änderung und Kürzung des vierten und fünften Absatzes („Daß die epische Prosadichtung ... in glücklicher Stunde") geht auf E. Schmidts Anregung zurück; das zeigen Storms Worte: „ich will nicht in Ihr Fach pfuschen" und „Sind Sie so zufrieden?"

4 Storm hat dies „deutliche Wort" dann doch nicht „gesprochen": er hat das Vorwort „von dem Druck zurückgezogen" (an Keller am 14. 8. 81, bei Goldammer, S. 76).

Obwohl auf dem von Böhme benutzten Korrekturexemplar von E. Schmidt mit Bleistift notiert war „Auf *meine* Bitte cassirtes Vorwort Storms", scheint der Entschluß, das Vorwort nicht zu veröffentlichen, im wesentlichen von Storm selbst ausgegangen zu sein. Das zeigt eine bisher unveröffentlichte Postkarte Storms an Westermann vom 22. 7. 81:

„In Betreff des Vorworts muß ich anheimstellen, mich in die Druckkosten zu verurtheilen, und es in anliegender Form zu meinen Acten zu legen; etwa für die Zeit, wo mein Buch geschlossen sein wird: Erich Schmidt begrüßte es mit lebhafter Freude; vielleicht benutzt er das dort Ausgesprochene bei einer Besprechung der neuen Bände; ich selbst aber hatte ein Bedenken, ob es nicht — wie soll ich sagen — vornehmer oder würdiger sei, die Sache für sich sprechen u. die Polemik gegen Eintagserscheinungen auf sich beruhen zu lassen, und da Freund Heyse mir darin dringend beistimmte, so soll es fortbleiben" (Hs: im Archiv des Westermann-Verlages, Braunschweig).

Ähnlich äußerte sich Storm am 1. 8. 81 Heyse gegenüber: „Das qu. Vorwort laß ich fort; der Grund, daß ich es Dir sandte, war eben mein Zweifel, ob es nicht vornehmer sei etc. Es war so im ersten Zorn geschrieben." (bei Bernd II, S. 78). Vgl. auch an Keller am 14. 8. 81 (bei Goldammer, S. 75 f.).

5 Wilhelm Scherer (1841—1886), Literaturhistoriker, Lehrer E. Schmidts, damals Professor für deutsche Literatur und Literaturwissenschaft an der Universität Berlin. (Vgl. den Briefwechsel Wilhelm Scherer — Erich Schmidt, hrsg. von W. Richter und E. Lämmert, Berlin 1963).

6 Es handelt sich wahrscheinlich um den Zeitschriftendruck der Novelle „Der Herr Etatsrat" in Westermanns Monatsheften 50/1881, S. 529—557.

(Zu 79) Erstdruck nach dem Original im Schiller-Nationalmuseum, Marbach.

1 finis initium (lat.): der Anfang des Endes.

2 E. Schmidts Storm-Aufsatz war 1880 in der Deutschen Rundschau (Bd. 24, Juli-Heft, S. 31—54) erschienen; Storm hatte ihn schon am 26. 6. 80 gelesen (vgl. Anm. 62,1). Die „Notizen" zu diesem Aufsatz müssen zwischen Juni 1880 und September 1881 entstanden sein. Sie lagen dem Brief Nr. 79 bei und werden unter Nr. 80 abgedruckt.

3 Gemeint ist E. Schmidts Aufsatz: Aus dem Liebesleben des Siegwartdichters, in: Deutsche Rundschau, Bd. 28/1881, S. 450—463; später abgedruckt in Charakteristiken I, S. 178—198.

Siegwartdichter: Johann Martin Miller (1750—1814). Sein Roman „Siegwart. Eine Klostergeschichte (2 Bde., Leipzig: Weygand 1776) war anonym erschienen.

4 Christian Hieronymus Esmarch (1752—1820), studierte 1771 Theologie in Kiel, dann in Göttingen, wurde dort Mitglied des Göttinger Hainbundes (vgl. darüber Adolf Langguth: Christian Hieronymus Esmarch und der Göttinger Dichterbund. Nach neuen Quellen aus Esmarchs handschriftlichem Nachlaß. Berlin: Paetel 1903). Von 1784 an war er Zollverwalter am Kanal in Holtenau (bei Kiel) und in Rendsburg; Vater des Justizrats Johann Philipp Ernst Esmarch (1794—1875), des Bürgermeisters von Sege-

berg, dessen Tochter Constanze Storms erste Frau und die Mutter seiner sieben ältesten Kinder war.

5 Karl Esmarch (1824—1887), 1855 Professor des römischen Rechts in Krakau, seit 1857 in Prag.

6 Ernst Esmarch (1854—1932), ein Neffe des Dichters, Pastor in Süderstapel und Altona, veröffentlichte zuerst „Einige Nachrichten über das Esmarchsche Geschlecht" (Bredstedt 1875) und erweiterte seine „Nachrichten" später zu der „Chronik der Familie Esmarch" (im Selbstverlag 1887) mit einem Vorwort Th. Storms (Gd 4,620 f.).

7 Vgl. Anm. 77,14.

8 Diese Mitteilung war für E. Schmidts Vater bestimmt, der in „Brehms Tierleben" u. a. „Die niederen Tiere" bearbeitet und unter den Regenwürmern den Phreoryctes Menkeanus als „einen der selteneren der deutschen Regenwürmer" erwähnt hatte, der „sich am liebsten in Brunnen aufhält".

Über E. Schmidts Vater, den Professor der Zoologie Oscar Schmidt (1823—1886), vgl. Anm. I 18,14.

(Zu 80) Erstdruck nach dem Original im Schiller-Nationalmuseum, Marbach.

1 Die von fremder Hand nachträglich eingetragene Bemerkung „gehört z. Sept. 1881" rechtfertigt sich aus der Angabe im vorhergehenden Brief Storms vom Sept. 1881, wo es heißt: „Nehmen Sie statt dessen mit einigen Notizen fürlieb, die ich allmählich zu Ihrem Th. St. Aufsatz . . . niederschrieb."

2 Erich Schmidts Aufsatz „Theodor Storm" war 1880 im Juli-Heft der Deutschen Rundschau erschienen (Nr. 24, S. 31—56). Storm hatte das Heft schon am 26. Juni bekommen (vgl. Brief Nr. 62). In dem Zeitraum zwischen dem Juni 1880 und September 1881 also sind diese „Notizen" Storms entstanden.

3 Gemeint ist die Stelle aus E. Schmidts Aufsatz (S. 32 f.): „Hier bei Goethe in dieser Ballbeschreibung von der Kinderscene an bis zu den harmlosen Ohrfeigen des Gesellschaftsspieles und in zahllosen anderen Stellen des naivsentimentalischen Romans [‚Werthers Leiden'] ist deutsche Hauspoesie, und wenn hier das Empfindungsleben des Helden stürmisch anschwillt, bleiben andere in der Sphäre inniger Sinnigkeit stehen, wie Claudius. So unsympathisch uns heute die schlaffe Lebensführung dieser Stillen im Lande sein muß, er war doch eine reine Seele, ein traulicher Dichter, und nicht zuletzt ihm ist es zu verdanken, wenn die guten Leutchen in Vossens ‚Luise' ihr reichliches Mahl durch gute Lieder würzen. Die Hauspoesie treibt und blüht in manchen Iffland'schen Stücken. Wol war Schiller berechtigt, Shakespeare's Schatten gegen diese Männlein und Weiblein zu beschwören, einen Riesen gegen Pygmäen, aber auch in diesem Falle zeigte Goethe seine billigere Art, Menschen und Dingen die gute Seite abzugewinnen:

Denn Alles stimmt uns heiter, macht uns froh,
Denn ungefähr geht es zu Hause so.

Und war der Realismus solcher Hauspoesie nur auf die ‚erbärmliche Natur' angewiesen? Noch heute sehen wir Hofrath Reinhold und Margarethe mit Rührung . . ."

4 Storm zitiert aus: G. G. Gervinus, Geschichte der poetischen Nationalliteratur der Deutschen, Leipzig: Engelmann, 2. Aufl. 1844, wo es im 5. Bd., S. 359 tatsächlich heißt:

„Nachdem die schöne Prosa alle großen Gegenstände des öffentlichen Lebens berührt hatte, so bemächtigte sie sich nun auch im ganzen Umfange aller der kleinen Gegenstände der engern Gesellschaft und des Privatlebens. In diese Gebiete folgt die Geschichte nicht. Sie hat es mit dem zu thun, was auf dem öffentlichen Boden der Nationalkultur, zur rechten Zeit gesäet, als erzielte Pflanzung darin aufgeht; das Unkraut, das von selbst dazwischen wuchert, geht sie nicht weiter an, ..."

5 Zitat in Anlehnung an J. von Eichendorffs Gedicht „Wünschelrute":

Schläft ein Lied in allen Dingen,
Die da träumen fort und fort,
Und die Welt hebt an zu singen,
Triffst du nur das Zauberwort.

6 Ähnlich, aber noch deutlicher, äußert sich Storm Theodor Mommsen gegenüber am 1. 5. 1885: „Ich glaube in jedem Einzelleben giebt es Tiefen, so tief, wie sie das Leben des ganzen Menschenthums nicht tiefer bieten kann; das sind die Schachte, darin das Gold der Poesie glimmt; und mir ist, als sei ich mitunter da hinabgestiegen und hätte auch das Gold geprägt. Sie als Historiker müssen auf das Ganze blicken; dem Dichter darf das Einzelne nicht entgehen; nur freilich soll er keine Alltags-, Hausstands- u. Haushaltungsgeschichte schreiben. Ich meine, ich habe das nie gethan." (bei Teitge, S. 127).

7 Storm möchte das Wort „mütterlicherseits" eingefügt haben in den Satz „Theodor Storm ist ein Sohn der kleinen schleswig-holsteinischen Stadt Husum und stammt aus einer daselbst alteingessenen Familie" (S. 33). Storm meint die Familie seiner Mutter, die Familie Woldsen (seit 1680 in Husum).

8 Diese Notiz bezieht sich auf folgende Stelle aus E. Schmidts Aufsatz: „So gut ein Alterthumsforscher aus schriftstellerischen Berichten, Funden, gegenwärtigen Zuständen, Analogien etwa das alte alemannische Haus neu schafft, so und treuer kann ich mir aus Storm's Werken das Storm'sche Haus in seinen Theilen aufbauen, ja sogar den ‚Pesel' mit dem richtigen Namen nennen" (S. 34).

Einen Pesel hat Storm im Hause seiner Urgroßmutter Feddersen (Husum, Schiffbrücke 16) kennengelernt und in „Immensee", „Carsten Curator" und „Von heut und ehedem" erwähnt.

9 Diese Notiz bezieht sich auf die folgende Stelle aus E. Schmidts Storm-Aufsatz: „Auch ein Volkslied, das Reinhard, ‚Urtönen' lauschend, irgendwo aufgegriffen hat, muß die Situation mit grausamer Offenheit zum Bewußtsein bringen: ‚Meine Mutter hat's gewollt, den Andern ich nehmen sollt'. So ist's auch hier" (S. 35).

10 Die Varianten zu „Meine Mutter hat's gewollt" hatte Storm E. Schmidt während seines Würzburg-Aufenthalts mitgeteilt. Vgl. E. Schmidts „Aufzeichnungen" in Bd. I unserer Ausgabe (S. 17).

11 Die starke Umarbeitung des „Hinzelmeyer" zeigt ein Vergleich der Buchausgabe (A. Duncker: Berlin 1857) mit dem Erstdruck in Biernatzkis Volksbuch auf das Jahr 1851 (vgl. dazu K 8,210 ff. und Gd. 1,755 ff.).

12 Diese Notiz bezieht sich auf folgende Stelle in E. Schmidts Storm-Aufsatz (S. 36): „Storm und Stifter sind einander in einigen Zügen verwandt, nie aber hat Storm etwas so Unwahres wie die vielgerühmte ‚Brigitta', etwas so affectirtes wie das „Haidedorf', nie so langweiligen Kleinkram wie die ‚Bunten Steine' geschrieben, nie ist eine blos schildernde Poesie sein Ideal gewesen."

Storms Begeisterung für Stifters Novellen zeigen mehrere Briefstellen (vgl. Anm. I 1,52).

13 Storm bezieht sich auf folgende Stelle in E. Schmidts Aufsatz (S. 37): „1863 aber faßt der Dichter als landfremder Mann seine Sehnsucht nach der Heimath ergreifend in ‚Unter dem Tannenbaum', einem schönen Stück Familiengeschichte, zusammen."

14 Vgl. Anm. 40.

15 Gemeint ist folgende Stelle in E. Schmidts Storm-Aufsatz (S. 38): „Ein leiser, achtungsvoller Humor umgibt die Gestalt des alten Herrn [des Doktors in ‚Drüben am Markt']. Er macht uns lächeln, nicht lachen. Daß Storm auch sehr lustige Töne anschlagen kann, lehrt die Humoreske ‚Wenn die Aepfel reif sind' . . ."

16 Diese Notiz bezieht sich auf folgende Stelle in E. Schmidts Storm-Aufsatz (S. 38): „ ‚Aus der Jugendzeit, aus der Jugendzeit klingt ein Lied mir immerdar'. Und um den Thurm von ‚St. Jürgen' flattern zwitschernde Schwalben, der Chorus der Novelle, wozu sie Storm mit ausgezeichneter Kunst gemacht hat."

17 Die Novelle „In St. Jürgen" war in „The Canadian Monthly", II (1872), S. 323 bis 344, von dem englischen Übersetzer unter dem Titel „The Swallows of St. Jurgens" übersetzt worden. Vgl. auch Cl. A. Bernd: „Das Erinnerungsmotiv in Storms ‚In St. Jürgen' ", in: Schriften der Th. Storm-Gesellschaft 12/1963, S. 27 ff., bes. Anm. S. 36.

18 Angesprochen ist folgende Stelle in E. Schmidts Storm-Aufsatz (S. 39): „Storm stellt ihn [Harre in der Novelle ‚In St. Jürgen'] wirklich — mir fielen dabei Motive aus Heyse und Stieler ein — vor die Versuchung, die ausgeglittene Frau in den Abgrund stürzen zu lassen . . ."

Storm hat seine Notiz zu dieser Stelle nachträglich wieder gestrichen, weil ihm klar wurde, daß Erich Schmidt ihn bereits früher mit Stielers Dichtung bekannt gemacht hatte (vgl. u. a. Schmidts Brief an Storm vom 8. 3. 1878 in Bd. I, S. 85).

19 Storm verbessert hier folgende Stelle in E. Schmidts Aufsatz (S. 39): „Und zu der Jungfer Hansen gesellt sich eine Reihe prächtiger Gestalten, die für Storm's seltene Gabe, die guten Alten leibhaft hinzustellen, zeugen. Da ist die ihrem Schicksale nach nicht unähnliche Wieb in ‚Abseits', das greise Paar auf dem Staatshof, die Großmutter Arnold mit ihrer ehrenfesten Bauernart, die plattdeutsche Fabulistin Lena Wieb, vor der sogar die Gassenjungen Respekt haben."

E. Schmidt hat Lena Wies der gleichnamigen Erzählung (K 3,146—155) mit Meta in der Novelle „Abseits" verwechselt.

20 E. Schmidt zitiert Martje Flors Trinkspruch folgendermaßen (S. 40): „Up dat es uns wull gaa up unse olen Dage". In der Novelle „Eine Halligfahrt" wird der plattdeutsche Trinkspruch mit „Dat et uns wull ga up unse ole Dage" zitiert (K 3,184).

21 Der von Storm zitierte Satz steht bei E. Schmidt in folgendem Zusammenhang (S. 41): „Die Fähigkeit, ohne jede antiquarische Künstelei unsere Alten zu beschwören, fügt sich wol zu dem Cultus der Vergangenheit in zahlreichen Novellen. ‚Dunkle Cypressen! Die Welt ist gar zu lustig, es wird doch Alles vergessen', so hat der Student Storm die Ritornelle seines Dichtgenossen abgeschlossen. Von ihm gilt dies Wort nicht. Seine Muse ist Alles eher denn vergeßlich. Eine Priesterin, welche die ewige Lampe der Erinnerung hütet."

[22] Um die Erinnerungsstimmung der Stormschen Novellen zu kennzeichnen, hat E. Schmidt in seinem Aufsatz ohne Angabe des Verfassers die Verse von Friedrich Bodenstedt zitiert, die Storm auch ins „Hausbuch" aufgenommen hatte (4. Aufl. 1878; S. 584):

Und steigen auch in der Jahre Lauf
Wenn der Tag des Lebens vollbracht ist,
Erinnerungen gleich Sternen auf,
Sie zeigen nur, daß es Nacht ist.

[23] Diese Notiz bezieht sich auf folgende Stelle aus E. Schmidts Storm-Aufsatz (S. 44):

„Auffallend sparsam ist Storm in der Führung des Dialoges, ja man wird nur selten von einem wirklichen Zwiegespräch reden können, wenn man Alles ausschließt, wo nach kürzerem einleitenden Wechsel der eine Theil das Wort zu einer längeren Mittheilung ergreift und der andere zuhört. Sehe ich ganz ab von so ausgebildeten, die verschiedenen Themata des geselligen und geistigen Lebens abhandelnden Gesprächen, wie sie Spielhagen gern anbringt — wo strebt Storm nach Auseinandersetzungen, wie etwa Keller im ‚Verlorenen Lachen', oder nach der vollendeten Dialogführung Heyse's? Höchstens ‚Eine Malerarbeit' enthält eine allgemeinere Exposition in Form eines mehrstimmigen Satzes. Unverkennbar nöthigen Storm, der auch nie die Anregung zu einem Roman gefühlt hat, künstlerische Gründe, sich so zu beschränken; ob er aber in dem Bestreben, seinen Leuten keine Parlamentsreden, oder Vorträge, oder Essays unterzuschieben, nicht zu weit geht, darüber läßt sich mit ihm rechten."

[24] Storms Verbesserung bezieht sich auf folgende Stelle aus E. Schmidts Storm-Aufsatz (S. 45): „Ein ander Mal, im ‚Spiegel des Cyprianus', ist das Zauberhafte nur eine eigenthümlich würzende Zuthat und Alles könnte ohne jede wesentliche Veränderung bestehen bleiben, wenn der Nebel verflöge. Eine Familientradition, eine Burgsage liegt zu Grunde." Storm hatte eine Sage mit dem Titel „Cyprianus" für Müllenhoffs „Sagen, Märchen und Lieder"-Sammlung (Kiel 1845) gesammelt.

[25] In einem Brief an Kuh vom 22. 12. 1872 (Westermanns Monatshefte 67/1889, S. 265) führt Storm die Anregung zu seinem Märchen „Bulemanns Haus" auf die „Schiefertafelbilder zu deutschen Kinderliedern nach v. Arnim, Brentano, Simrock u. a." zurück, die 1851 bei Romberg in Leipzig herausgekommen waren.

[26] Diese Verbesserung bezieht sich auf folgende Stelle aus E. Schmidts Storm-Aufsatz (S. 45): „Anderes steht unleugbar unter dem Einflusse der Callot'schen Manier E. T. A. Hoffmann's, besonders das Nachtstück ‚In Bulemanns Hause', wo der geizige Sohn des Pfandleihers, von armen Verwandten verflucht, von der verrückten Wirthschafterin, Frau Anken, verlassen, von den zu riesigen Ungethümen wachsenden Katzen, Graps und Schnorres, entsetzlich verfolgt, als zwergenhaft verhutzeltes Männlein spukt."

[27] E. Schmidt hatte — in Anlehnung an seine Würzburger Aufzeichnungen (vgl. Anm. 62,3) — geschrieben (S. 46): „Er [Storm] wußte noch sehr wenig von Goethe, als ein Freund beim Vogelschießen den ‚Faust' gewann, der ihm nun einen ganz neuen weltweiten Begriff von Poesie aufgehen ließ."

Übrigens hören wir hier zum erstenmal, welche Faust-Ausgabe damals in Lübeck auf den jungen Storm so großen Eindruck gemacht hat. Es handelt sich um die Ausgabe „Umrisse zu Goethe's Faust, gezeichnet von Retsch, Stuttgart und Tübingen: Cotta 1820". Ein Exemplar dieses Buches ist jetzt im Dichterzimmer des Stormhauses, Husum, Wasserreihe 31, ausgestellt.

28 Hier korrigiert Storm folgende Stelle aus E. Schmidts Rundschau-Aufsatz (S. 46): „... so sind schon seiner guten Marthe die Gestalten des ‚Maler Nolten' lebende Wesen, denen sie beispringen und das drohende Verhängniß abwehren möchte. Wir müssen bezweifeln, ob die gute Alte [in ‚Marthe und ihre Uhr'] ein Verhältniß zu den ahndevoll dunklen Gewalten dieser traurigen Geschichte gehabt hat; hier spricht der Dichter."

29 Als Storm Mörike am 15. und 16. August 1855 besuchte, „betrat er" nicht „Mörikes Pfarrhaus": Mörike wohnte damals in Stuttgart, und zwar in der Alleenstraße 9 und unterrichtete „als Professor am Catharineum" (K 8,28).

30 Die betreffende Stelle in E. Schmidts Storm-Aufsatz lautet (S. 46): „Schon auf der Universität machten er [Storm] und seine studentischen Freunde, freilich mit geringem Erfolg, Propaganda für Mörike, der einen von ihnen zu einem Sonett auf des reichen Liedersommers letzte Rose, die im geheimsten Thal von Schwaben erblüht sei, begeisterte." Gemeint ist das Sonett „Eduard Mörike" von Theodor Mommsen im „Liederbuch dreier Freunde", Kiel 1843, S. 157 (letzte Zeile: „Des reichen Liedersommers letzte Rose").

31 E. Schmidt war (S. 52) der Druckfehler unterlaufen: „Sehr geschickt ist Simrock's Herstellung des ‚Faust' und der peinlich strenge Zug des *Mechanismus* [statt: Mechanikus] Geißelbrecht verwerthet worden ..." Zur Sache vgl. auch Anm. I 1,54 (S. 134).

32 Diese Verbesserung bezieht sich auf folgende Stelle der Interpretation von „Carsten Curator" in E. Schmidts Storm-Aufsatz (S. 53): „Man spürt den wohlthätigen Geist, der von der wunderlichen Familiensilhouette, den dämonisch zerstörenden, der von Julianens Bild ausströmt."

33 E. Schmidt hat in seinem Storm-Aufsatz die Bildunterschrift fälschlich mit „Aquis submersus culpa servi, in den Wassern versunken durch des Dieners Schuld" zitiert (S. 55). Die Unterschrift lautet aber „Aquis incuria servi submersus" (durch die Unachtsamkeit des Knechtes im Wasser ertrunken).

34 Vgl. dazu K. F. Boll: Das Bonnixsche Epitaph in Drelsdorf und die Kirchenbilder in Theodor Storms Erzählung „Aquis submersus", in: Schriften der Th. Storm-Gesellschaft 14/1965, S. 24—39 (mit Abbildungen). Storm schreibt versehentlich „Bonninx" statt „Bonnix".

35 Vgl. den Brief Storms an Albert Nieß vom 5. 10. 76: „In einer benachbarten Dorfkirche sah ich vor einigen Jahren ein großes Ölbild, in vier Fächern die Familie eines dortigen Predigers aus dem 17. Jahrhundert darstellend, die beiden Eheleute nebst Sohn und Tochter. Unter dem Bilde des zehnjährigen, in ganzer Gestalt gemalten Knaben standen die Worte: Incuria servi aquis submersus. Unweit davon hing das Bild desselben Knaben auf dem Totenbett." Briefe Th. Storms an A. Nieß. Mitgeteilt von H. Mack, in: Westermanns Monatshefte 81/1936, S. 71. Ähnlich an Heyse am 20. 6. 76: „Der eine Knabe war noch einmal als Leiche gemalt." (bei Bernd II, S. 19).

36 Storm bezieht sich hier auf folgenden Satz aus E. Schmidts Rundschauaufsatz (S. 55): „Er [Storm] beschreibt, um nur weniges zu nennen, in ‚Im Schloß' ein Ahnenbild und die Gruppe mit dem Prügelknaben, in ‚Viola tricolor' und ‚Carsten Curator' das Portrait einer verstorbenen Frau, weil die oder das Dargestellte gleichsam noch thätig eingreift in das Schicksal des Betrachters ..."

37 Der betreffende Satz bei Erich Schmidt lautet (S. 55): „Die Motivirung [in der Novelle ‚Aquis submersus'] ist von seltener Freiheit und Sicherheit, die Stimmung von

einer Sinnlichkeit, die nur thörichte Pruderie verletzen kann, von einer Unentrinnbarkeit, der wir folgen müssen und einem tiefen Schmerz, den nur die Verschuldung des Paares erträglich macht."

[38] Vgl. dazu und zum folgenden die Stelle, die Storm am 1. 10. 81 in Heiligenhafen (unter 3.) in sein Tagebuch „Was der Tag giebt" eingetragen hat (Hs: unveröffentlicht in der Landesbibliothek, Kiel):

„H. Heiberg sagte mir, ein ihm bekannter Prediger habe geäußert, er habe vor, über mich zu schreiben und dabei nachzuweisen, daß die Personen meiner Novellistik ohne eigne Schuld zu Grunde gingen.

Wenn das ein Einwand *gegen* mich sein soll, so beruht derselbe auf einer zu engen Auffassung des *Tragischen.* Der vergebliche Kampf gegen das, was durch die Schuld oder auch nur die Begrenzung, die Unzulänglichkeit des Ganzen, der Menschheit, von der der (wie man sich ausdrückt) ‚Held' ein Theil ist, der sich nicht abzulösen vermag, diesem entgegensteht, und sein oder seines eigentlichen Lebens dadurch herbeigeführte Untergang scheint mir das Allertragischste. (Carst. Curator, Renate, Aquis Subm., bei welchem Letzteren ich an keine Schuld des Paares gedacht habe, etc.)

Man könnte untersuchen, ob ein episch- und ein dramatisch Tragisches zu unterscheiden sei."

Daß Storm diese Tagebuchstelle bei der Abfassung seiner Notiz für Erich Schmidt vor Augen gehabt hat, ist deutlich. Zur Schuldfrage vgl. auch David A. Jackson: „Die Überwindung der Schuld in der Novelle „Aquis submersus", in: Schriften der Th. Storm-Gesellschaft 21, 1972, S. 45—56, und W. A. Coupe: „Zur Frage der Schuld in ‚Aquis submersus' ", in: Schriften der Th. Storm-Gesellschaft 24/1975, S. 57—72.

[39] Ähnlich äußert sich Storm am 12. 10. 84 Theodor Mommsen gegenüber:

„... man sagte einmal: das moderne Schicksal sind die Nerven; ich sage: es ist die Vererbung, das Angeborene, dem nicht auszuweichen ist, und wodurch man trotz ehrlichen Kampfes dennoch mit der Weltordnung im Conflict auch wohl zum Untergang kommt. Lange vorher, ehe die Vererbung von allen Seiten in der Literatur zu spielen anfing, erschien mir die Darstellung eines Mannes, im Bewußtsein einer ererbten gefährlichen Leidenschaft, deren Spuren er in der Geschichte seines Hauses nachgeht und der er fast mit Angst aus dem Wege geht, bis er gerade dadurch in sie hineingeräth und untergeht, — ein trefflicher Stoff; aber das Fleisch zu dieser Idee ist mir nie gekommen." (bei Teitge, S. 126).

[40] Hier gibt Storm den schon vorher unter „S. 37" angekündigten Kommentar zu folgender Stelle aus E. Schmidts Rundschau-Aufsatz:

„Die Resignation seiner [Storms] Menschen bekundet die süße Wollust elegischer Rückblicke, verwundend zugleich und das Balsamfläschchen darreichend. Wo zerstörende Mächte eingreifen, wird ihr feindliches Walten nie rücksichtslos verdeutlicht. So wirkt die Erscheinung der Landstreicherin in ‚Auf dem Staatshof' nur wie ein greller Blitz. Schwäche, Vermögensverluste, Widrigkeiten des Lebens lassen einzelne Personen herunterkommen; Storm schiebt die kleine Anne Lene vom Staatshof aus dem Leben, er stößt sie nicht. Oder wir hören den Bericht über ein Geschehenes, ohne Augenzeugen des Geschehenen zu sein. Storm will rühren, nicht erschüttern, ..."

Mit dem Wort „will rühren, nicht erschüttern", mit dem E. Schmidt und andere (s. u.) Storms Dichtung zu charakterisieren versuchen, hat sich Storm mehrfach auseinandergesetzt. Schon nach dem ersten Lesen des Storm-Essays von E. Schmidt hatte er Stellung genommen (in seinem Brief an Schmidt vom 26. 6. 80 = Nr. 62): „Ja, lieber Freund, Sie hätten vielleicht richtiger geschrieben ‚*kann* nicht erschüttern'; denn der Zug meiner

Empfindung ging mitunter allerdings dahin; so in ‚Aquis subm.', in ‚Carsten Curator', so in gewisser Weise in ‚Waldwinkel' und ‚Eekenhof'. Ich habe in diesen Sachen nicht rühren wollen... Jedenfalls ist mein künstlerisches Bekenntniß, daß eine aufs Tragische gestellte Novelle... erschüttern, nicht rühren soll."

Ähnlich äußert sich Storm schon am 13. 7. 76 W. Petersen gegenüber (es geht um die Novelle „Aquis submersus"): „Eins sollte mir leid thun! — Wenn meine Dichtung nur ‚rührend' wäre; sie sollte *erschütternd* sein, sonst taugt sie nichts." (nach der von B. Coghlan vorbereiteten Briefausgabe verbessert, bei Gertrud Storm, S. 128).

Ähnlich Storm an E. Schmidt am 15. 12. 82 (Nr. 91): „Aber ich dachte, daß in Aqu. der Schluß doch mehr erschütternd wirke." Vgl. auch Storm an Th. Fontane über die Novelle „Zur Chronik von Grieshuus" am 2. 11. 84: „Dann noch eine Frage. Ich dachte, der Schluß von Buch I würde erschütternd wirken? An Thränenwirkung hatte ich auch beim 2tn Thl nicht gedacht." (nach dem Text der von J. Steiner im E. Schmidt Verlag vorbereiteten Storm-Fontane-Briefedition).

Zweierlei wird hier deutlich: 1. daß der Vorwurf, seine Dichtung sei nur „rührend", Storm schwer getroffen hat; 2. daß Storms poetische Intention wesentlich nicht aufs „Rühren", sondern aufs „Erschüttern" geht. Das ist von der Stormforschung m. E. bisher zu wenig zum Ansatzpunkt der Interpretation gemacht worden. Auch müßte einmal die Frage untersucht werden, wo und in welchem Umfange Storm sein Ziel, zu erschüttern, erreicht bzw. wo und aus welchem Grunde er es nicht erreicht hat oder vielleicht nicht erreichen wollte. Vgl. neuerdings dazu die Dissertation von J. Hillier: Theodor Storm's Novelle „Carsten Curator": an evaluation of the terms „Befreiungsdichtung" und „das Peinliche" (Diss. Leicester/England 1974), bes. S. 232—237.

41 Auf Seite 52 seines Rundschauaufsatzes schreibt E. Schmidt über Storms Novelle ‚Ein stiller Musikant': „‚Ein stiller Musikant' ist rührend wie Grillparzer's ‚Armer Spielmann', aber reicher, trotz allen fehlgeschlagenen Hoffnungen freudiger, und verklärter, indem auf das Erdewallen die Apotheose folgt, daß die Schülerin des Alten, seiner liebsten Tochter, im Concert mit seinem Lerchenlied sich und ihm den Lorbeer ersingt."

42 Über die Novelle „Der Herr Etatsrat" hat sich E. Schmidt in seinem Storm-Aufsatz nicht ausgesprochen, konnte er sich nicht aussprechen, weil die Novelle erst 1881, also ein Jahr später, in Westermanns Monatsheften (50/1881, S. 529—557) erschien. Diese Notiz ist also eine Erwiderung auf E. Schmidts Charakterisierung der Novelle „Der Herr Etatsrat" in seinem Brief vom 22. 5. 81 (Nr. 76).

43 Zur Definition des Grotesken vgl. neben E. Schmidts Brief an Storm vom 22. 5. 81 (Nr. 76) auch Storms Brief an Margarethe Mörike vom 23. 8. 81 (bei H. u. W. Kohlschmidt) sowie die Tagebuchstelle, die Storm am 1. 10. 81 in Heiligenhafen (unter 2.) eingetragen hat:

„Das ästhetisch oder moralisch Häßliche muß durch den Humor wiedergeboren werden, um in der Kunst verwandt werden zu können; dann entsteht das ‚*Groteske*' (Der Herr Etatsrath)."

(Zu 81) Erstdruck nach dem Original im Schiller-Nationalmuseum, Marbach.

1 Storm hatte während seines Aufenthalts in Heiligenhafen (bei seiner Tochter Lisbeth, die dort mit Pastor Haase verheiratet war) den Stoff zur Novelle „Hans und

Heinz Kirch" gefunden. Die Notizen, die er sich damals gemacht hat, finden sich unter dem 5. Oktober 1881 in das Tagebuch „Was der Tag giebt" eingetragen (Hs: Landesbibliothek Kiel; wiederabgedruckt bei Bernd II, S. 196 f.). Vgl. auch Storm an Keller am 27. 11. 81: „... bei einem erquicklichen Besuche ... im Heiligenhafner Pfarrhause ... habe ich mir von dort auch einen Stoff mitgebracht ..." (bei Goldammer, S. 85).

[2] Erich Schmidts Geburtstagsbrief ist nicht erhalten. Mit dem „Gruß durch unsern wackern Meister Daniel" ist ein Band mit Illustrationen von Daniel Chodowiecki gemeint, den E. Schmidt Storm zum Geburtstag — wie schon mehrfach früher zu anderen Festtagen — geschenkt hatte.

[3] E. Schmidt war zu einem Faustvortrag nach Hamburg eingeladen worden. Vgl. seinen Brief an die Eltern vom 26. 9. 81: „Am 28. November Faustvortrag in Hamburg. 300 Mark und freie Reise. Sehr anständig." (Hs: unveröffentlicht im Deutschen Literaturarchiv/Schiller-Nationalmuseum in Marbach.)

[4] An Storms Geburtstag, am 14. September 1881, schrieben Storm und Heyse „an Storms Schreibtisch" gemeinsam an G. Keller (bei Goldammer, S. 82 f.). Und W. Petersen beschreibt den Geburtstag in einem Brief an Keller vom 14. September 1881 folgendermaßen:

„Es waren zwei köstliche Tage, welche sehr schön ausklangen und nur hin und wieder den Klageruf hörten: Wäre Meister Gottfried doch hier ... Aus Ihren letzten Briefen an Storm wurde vorgelesen, und der Brief an Heyse hat uns mächtig ergötzt durch seinen Humor und seine unsterbliche Schelmerei. Sie hätten die beiden Arm in Arm sehen sollen: Storm schlohweiß und Heyse mit seinen braunen glänzenden Locken, immer im eifrigsten Gespräche, bald ernst, bald lachend ..."

(G. Keller, Gesammelte Briefe, hrsg. von C. Helbling, Bern 1952, Bd. III 1, S. 386 f.)

Heyse berichtet über seinen Besuch bei Storm in seinem Brief vom 12. Okt. 1881 an Keller:

„Stormen habe ich drei Tage erlebt, ganz den Alten in ihm gefunden, der alle kleinen Freuden seines 64jährigen Lebens beständig wie ein stehendes Heer um sich geschart hat und sich damit gegen die Unbilden von Zeit und Welt siegreich verteidigt, ein wahrer Lebenskünstler. Auch daß er sich nie daran wagt, seine Grenzen zu erweitern, ist klug und sichert seinen Frieden." (bei Helbling a. a. O., Bd. III 1, S. 63).

Storm notiert über den Besuch Heyses am 1. 10. 1881 in sein Tagebuch „Was der Tag giebt":

„Vor der Abreise von Hadem. zu meinem Geburtstag (v. 13—16 Septbr. 81) war Heyse bei uns; er ist einer von den wahrhaft liebenswerthen Menschen; nach ihrem Scheiden bleibt noch längere Zeit ein Leuchten von den Orten, wo Sie gewesen sind. Er ist krank; die Aerzte haben zweijährige Arbeitsruhe verlangt. Um eine Novelle mehr oder weniger sei es ja einerlei; aber ein Werk, in dem er seine Lebensanschauung auszuprägen vorhabe, könne nun nicht geschrieben werden; ihm sei mitunter, als habe er nicht viel mehr auf der Welt zu schaffen. — ‚Ich habe Deinen Etatsrath gelesen'; sagte er; ‚aber Du bist ja ein Verschwender!' Er meinte, die Figuren seien so ausgiebig, daß sie einem größeren Werke hätten dienen sollen. Auch meinte er, er (der Etatsrath) hätte doch nicht das letzte Wort haben sollen. — Wir sprachen über Kugler u. seinen frühen Tod; ich sagte: ‚Es thut mir auch leid, dß er nicht die zweite Periode meiner Novellistik noch erlebte.' ‚Ja', meinte H. lächelnd, ‚als Du in Oel zu malen anfingst.' Ich machte ihn darauf aufmerksam, daß von anno 52—54 in Berlin unter denen, die sich bei Kugler versammelt u. in unserem ‚Rüthli' wir uns am fernsten gestanden, und daß nun wir die seien, die zusammengehalten, und sich am nächsten stünden . . . ,Ja, Liebster, das macht, weil wir beide fortgearbeitet haben.' " (Hs: unveröffentlicht in der Landesbibliothek, Kiel.)

5 Heyses Novelle „Ein geteiltes Herz" war im Oktoberheft der Deutschen Rundschau erschienen (Nr. 29/1881, S. 1—34). Storm schätzte diese Novelle sehr. Man vgl. z. B. seinen Brief an G. Keller vom 27. 11. 81: „Seine neue Novelle ,Ein geteiltes Herz' und sein ,Alkibiades' . . . scheinen mir zu dem Besten seiner Arbeiten zu gehören . . ." (bei Goldammer, S. 86), oder den Brief an W. Petersen vom 21. 11. 81: „Heyses ,geteiltes Herz' ist zweifellos eine seiner voll ausgetragensten und reinsten Arbeiten." (bei Gertrud Storm, S. 183). Vgl. auch den Brief Storms an Heyse vom 13. 8. 81: „Es ist eine Meisterleistung, . . ." (bei Bernd II, S. 84).

6 Heyses Tragödie „Alkibiades" erschien zuerst im „Neuen Münchener Dichterbuch" (Stuttgart: Kröner 1882) und dann 1883 als Buchausgabe bei Hertz in Berlin.

7 In der Buchausgabe (Berlin 1883) heißt die angeführte Stelle aus dem Monolog der Timandra (III. Akt, 5. Szene):

Geh du nur hin, Hoffährt'ger! Wähne mich
In deiner Macht! Die Wege kenn' ich wohl,
Die mich ins Freie führen. Dort hinaus
Der Klippenfels hoch überm Meeresabgrund —
Wer droben steht und übern Rand sich neigt,
Ein Schwindel faßt ihn an; um wieviel leichter
Zieht mich hinab mein schweres Herz — hinab
Zum Hafen, wo ich ruhen mag!

Übrigens hat Storm seinen Abänderungsvorschlag auch Heyse selbst mitgeteilt: „. . . dß S. 66 die Rede der Timandra mit dem Worte schließe: ,und über'n Rand sich neigt —' Es braucht nicht mehr, ein Weiteres ist für diese Situation (so wenigstens empfinde ich) nur abschwächend." (aus dem Brief vom 7. 12. 81, bei Bernd II, S. 93).

8 „Das Andre ist eigentlich doch nur so darum herum": diese Gedanken und Worte, die Heyse offenbar während seines Besuches in Hademarschen (vom 13. bis 16. Sept. 1881) Storm gegenüber geäußert hat, hat Storm nicht notiert. Vgl. die Tagebuchnotizen über den Besuch in Anm. 81,4.

9 Diese Worte P. Heyses hat Storm nach Heyses Besuch am 1. 10. 81 in das Tagebuch „Was der Tag giebt" eingetragen: vgl. Anm. 81,4.

10 Die „Beilage" (Abschrift aus Kellers Brief vom 25. 9. 81) wird unter Nr. 81 a abgedruckt.

11 Die drei Barone in Kellers „Sinngedicht" (im Schlußteil des 9. Kapitels „Die arme Baronin"), deren Auftreten Storm in seinem Brief vom 15. 5. 81 an Keller folgendermaßen beanstandet:

„Wie zum Teufel, Meister Gottfried, kann ein so zart und schön empfindender Poet uns eine solche Roheit . . . als etwas Ergötzliches ausmalen, daß ein Mann seiner Geliebten ihren früheren Ehemann nebst Brüdern zur Erhöhung ihrer Festfreude in so scheußlicher, possenhafter Herabgekommenheit vorführt!" (bei Goldammer S. 73).

Keller hat diese Stelle übrigens nicht geändert. Vgl. Kellers Brief an Heyse vom 27. 7. 81:

„Das andere betrifft die unglückseligen Barone, die an Kuhschwänzen geschleppt werden. Diese schöne Erfindung, die wahrscheinlich dem Büchlein Schaden zufügt, gehört zu den Schnurren, die mir fast unwiderstehlich aufstoßen . . . Bei allem Bewußtsein ihrer Ungehörigkeit ist es mir alsdann, sobald sie unerwartet da sind, nicht mehr möglich, sie zu tilgen.“ (bei Helbling a. a. O. III, 1, S. 56 f.).

[12] Noch am 28. 7. 82 teilt Storm Heyse mit, daß der „Herr Etatsrat“ „bis nach Kurland hinein fortfährt, bei zarten Frauen und jungen Predigern Schrecken zu erregen.“ (bei Bernd III, S. 30).

[13] Der Brief Schleidens an Storm vom 4. 11. 81 ist in der Landesbibliothek in Kiel erhalten.

[14] Storms Antwortbrief ist nicht erhalten. Seine Worte „Auch Ophelia mußte sterben und war lieblicher als sie“ gehen zurück auf Schiller: „Auch Patroklus ist gestorben / und war mehr als du“ (aus: Die Verschwörung des Fiesko, III, 5, im Anschluß an Homers „Ilias“ 21,106 f.).

[15] Fräulein Bertha: Bertha Strecker (1856—1940), die Schwester Wally Schmidts.

[16] Gottfried Keller: Das Sinngedicht, Berlin: W. Hertz 1881 (ein Band dieser Ausgabe fand sich in Storms Büchernachlaß; Näheres im Archiv der Storm-Gesellschaft, Husum).

[17] Gemeint ist die Novelle „Hans und Heinz Kirch“, die Storm in Heiligenhafen begonnen hatte.

[18] Hans, Storms ältester Sohn (1848—1886), hatte in Frammersbach bei Lohr in Unterfranken eine Arztstelle gefunden (vgl. Anm. 77,12).

[19] cum uxore (lat.): mit Ehefrau.

(Zu 81 a) Erstdruck nach dem Original im Schiller-Nationalmuseum, Marbach.

[1] Es handelt sich hier um eine fast wörtliche Abschrift des zweiten Abschnittes aus dem Brief Kellers an Storm vom 25. 9. 81, die Storm angefertigt hat (vgl. den Abdruck des Briefes bei Goldammer, S. 83).

[2] Vgl. Anm. 81,11.

(Zu 82) Erstdruck nach dem Original im Schiller-Nationalmuseum, Marbach.

[1] Postkarte der Deutschen Reichspost: An Herrn Professor Erich Schmidt in Wien III, Hauptstraße 88. Poststempel: Hanerau 17. 11. 81.

[2] E. Schmidt hatte Zweifel geäußert, ob er Storm von Hamburg aus, wo er einen Faust-Vortrag halten sollte, in Hademarschen besuchen könne. Vgl. aber E. Schmidts unveröffentlichten Brief an die Eltern vom 21. 11. 81: „Ich reise Freitag Abend nach Hamburg ab. Schröter kommt nicht. Vielleicht spritze ich einen Tag zu Storms, die mich ungemein dringend geladen haben.“ (Hs: Deutsches Literaturarchiv/Schiller-Nationalmuseum, Marbach.)

[3] Storms Brief vom 13. 11. 1881 (Nr. 81); vgl. Anm. 81,6 u. 7. E. Schmidts Brief ist verlorengegangen. Einen Abschnitt aus diesem Brief hat Storm in seinem Brief an W. Petersen vom 21. 11. 81 zitiert:

„Zwischen mir und Erich Schmidt in Wien kreuzten sich zwei Briefe, die beide eine Freude über dieß Heysesche Werk aussprachen, ‚Die beiden erst⟨en⟩ Akte‘, schreibt Schm⟨idt⟩, ‚haben mich sehr hingerissen, von vorn herein schon durch die hohe Form, der ein antiker klassischer Hauch nicht fehlt. Der langsame, nüchtern hinterhältige Perser, der gluthvolle, herzbeschwingende sanguinische Athener, die heftige Perserin, die schweigsame Griechin. Und daß Timandra keine griechische Hetäre, sondern ein entferntes Bäschen des Heilbronner Kätchens ist, wird dem Stück nicht viel schaden, das bis zum dritten Act wirken muß. Zum Schluß habe ich kein Vertrauen. Es wird umwerfen. Man beginnt kopfschüttelnd zu grübeln, wieso der Alkibiades plötzlich wieder da ist, in dessen Natur sonst grade das wenig peinliche unaufhaltsame Fortstürmen liegt usw. Trotzdem war mir das Stück ein Labsal, der ich im Theater interessante, aber unerfreuliche Abende verlebt hatte." (zitiert nach dem Text des Briefes in der von B. Coghlan vorbereiteten Kritischen Ausgabe des Briefwechsels; vgl. bei Gertrud Storm, S. 184).

Dieselbe Briefstelle aus dem verlorengegangenen E. Schmidt-Brief zitiert Storm auch in seinem Brief vom 7. 12. 81 an Heyse (bei Bernd II, S. 93 f.).

Eine Besprechung des „Alkibiades" durch E. Schmidt wurde am 25. 2. 82 in der Deutschen Literaturzeitung abgedruckt (wieder abgedruckt bei Bernd II, S. 223).

4 Joseph Lewinsky (1835—1907), Schauspieler (Charakterdarsteller) am Burgtheater in Wien. Über ihn vgl. Kosch, Theaterlexikon, S. 1230 f.

Der unveröffentlichte Briefwechsel zwischen Heyse und Lewinsky befindet sich in der Bayrischen Staatsbibliothek und in der Stadtbibliothek Wien. Einige auf das Alkibiades-Drama bezügliche Stellen daraus hat Bernd (Bd. II, S. 227 f.) veröffentlicht.

5 Schriftstellertag: vgl. den Brief E. Schmidts an Scherer, Wien, 1. 10. 81: „Ebensowenig habe ich den schwindelhaften ‚Schriftsteller'-congreß, wo Ihr Kollege Lazarus sich widerlich spreizte, mitgemacht, nur das Diner der Allg. Zeitung." (bei Richter/Lämmert, S. 172)

(Zu 83) Erstdruck nach dem Original im Schiller-Nationalmuseum, Marbach.

1 Postkarte der Deutschen Reichspost. An Herrn Professor Erich Schmidt aus Wien (wird am Sonnabd eintreffen), z. Z. in Hamburg, Hotel d'Europe. Poststempel: Hanerau 25. 11. 81.

2 Diese Postkarte E. Schmidts ist verlorengegangen. E. Schmidt hatte Storm offenbar nach der Bahnstation gefragt. E. Schmidt konnte seinen Besuch in Hademarschen dann aber doch nicht verwirklichen. Vgl. den ausführlichen mehrseitigen Reisebericht an die Eltern vom 1. 12. 81, wo es u. a. heißt: „Schrieb Storm ab, denn *das* wäre zu viel gewesen ..." (Hs: unveröffentlicht im Deutschen Literaturarchiv/Schiller-Nationalmuseum, Marbach.)

(Zu 84) Erstdruck nach dem Original im Schiller-Nationalmuseum, Marbach.

1 Postkarte der Deutschen Reichspost. An Herrn Professor Erich Schmidt in Wien III, Hauptstraße 88. Bahn-Poststempel: Tönning-Neumünster 12. 12.

2 „Grauenhafte Berichte" über den Brand des Wiener Ringtheaters (580 Tote, 915 Vermißte) waren damals in den Zeitungen zu lesen, z. B. in den Itzehoer Nachrichten (vom 10. u. 13. Dez. 1881), die Storm in Hademarschen las.

3 Über die „grausame Hamburger Fahrt" vgl. den ausführlichen Reisebericht E. Schmidts an seine Eltern, Wien, 1. 12. 81: „Die Fahrt nach Hamburg dauerte 22 Stun-

den und kostete 76 Mark. Ich schlief absolut nicht, da der Wagen abscheulich stieß ..." (Hs: unveröffentlicht im Deutschen Literaturarchiv/Schiller-Nationalmuseum, Marbach.)

4 P. Heyses Brief vom 3. 12. 81 (bei Bernd II, S. 92 f.).

5 E. Schmidts Einwand zu Heyses „Alkibiades" ist in Anm. 82,3 abgedruckt.

6 Vgl. Anm. 82,4.

(Zu 85) Abdruck nach dem Original im Schiller-Nationalmuseum, Marbach.

1 Die Novelle „Hans und Heinz Kirch" hatte Storm am 28. 2. 82 („gestern") an Westermann abgeschickt.

2 Ähnlich E. Schmidt in seinem unveröffentlichten Reisebericht. Vgl. Anm. 84,3.

3 Erstdruck der Novelle „Hans und Heinz Kirch" im Oktoberheft von Westermanns Monatsheften (Bd. 53/1882, S. 1—39).

4 Ein Brief Storms an E. Schmidt aus der Zeit zwischen Weihnachten 1881 und dem 1. März 1882 ist nicht erhalten. Storm hatte von E. Schmidt — wie schon so oft — einen Band mit Illustrationen von Daniel Chodowiecki bekommen.

5 E. Schmidt hatte für die Allgemeine Deutsche Biographie den Artikel Anna Ovena Hoyer geschrieben (ADB 13, S. 216 f.) und Storm zugeschickt.

Storm kannte die Geschichte dieser Frau zumindest seit 1857, als er bei der Abfassung seiner Novelle „Auf dem Staatshof" das Buch von Friedrich Feddersen „Beschreibung der Landschaft Eiderstedt", Altona 1853, benutzt hatte (vgl. Storms Brief an die Eltern vom 21. 12. 57, bei Gertrud Storm, S. 99). Bei Feddersen heißt es u. a. S. 48 f.:

„Im Jahre 1578 ist Caspar Hoyer, der 1564 Hoyersworth eingerichtet hat, Staller geworden, zugleich fürstlicher Rath ... Den 10. Dez. 1594 ist Casp. Hoyers Sohn Hermann Hoyer Staller geworden, 1599 mit Anna Owens (Owena) ... verheiratet, den 15. Sept. 1622 gestorben. Die Anna Owena Hoyern geboren 1584, nun Witwe, ließ sich, schon sonst zu religiösen Schwärmereien geneigt, durch den Arzt Nic. Teting (Knutsen), den sie zu Hoyersworth sein und Privatgottesdienst halten ließ, zu weiteren Schwärmereien verleiten."

Über Anna Owena Hoyer vgl. neuerdings: Schleswig-Holsteinisches Biographisches Lexikon, 3. Bd., Neumünster: Wachholtz 1974, S. 156 ff.

6 Schloß Hoyerswort, 18 km südlich von Husum, noch heute Gutshof. Dort hatte D. v. Liliencron Storms Novelle „Auf dem Staatshof" zum erstenmal gelesen: „Und nun dachte ich mir den nach Hoyersworth" (D. v. Liliencron: Ausgewählte Briefe. Hrsg. von R. Dehmel, Berlin: Schuster u. Loeffler 1910, I. Bd., S. 131).

7 E. Schmidts Besprechung des Heyseschen Dramas „Alkibiades" in der Deutschen Literaturzeitung vom 25. 2. 82, S. 300 (wieder abgedruckt bei Bernd II, S. 223).

8 Es handelt sich wohl um den Aufsatz über Berthold Auerbach, den E. Schmidt dann abdruckte in: Charakteristiken I, S. 418—436.

9 Nescio (lat.): ich weiß ⟨es⟩ nicht.

10 P. Heyse: Troubadour-Novellen, Berlin: Hertz 1882.

11 P. Heyses Novelle „Die Rache der Vizgräfin", die schon im Oktober 1880 in Westermanns Monatsheften erschienen war (Bd. 49, S. 1—21), hatte Storm schon mehrfach, so z. B. am 14. 10. 80 W. Petersen gegenüber, kritisiert: „Haben Sie Heyse's ‚Rache der Vitzgräfin' gelesen (Westerm. letztes Heft) eine gute stylvolle Arbeit; aber wieder ein Stoff, wo einem der Moment der körper⟨lichen⟩ Hingabe des Weibes so präcis

unter die Nase geschoben wird" (nach dem Text des Briefes, wie er in der von B. Coghlan vorbereiteten Kritischen Ausgabe abgedruckt wird; vgl. bei Gertrud Storm, S. 169).

Eugène Sue (1803—1857): französischer Romanschriftsteller. Sein Roman „Mathilde ou les Mémoires d'une jeune femme" war 1841 erschienen. Storm hatte sich schon in einem Brief vom 22. 6. 1846 an seine Braut kritisch über Sue geäußert: „Ich glaube, diese gespenstischen Liebesempfindungen, die ich nicht weiter verfolgen will, sind mir durch eine gemischte Lektüre von Shakespeare und Eugen Sue gekommen. Ich bitte Dich um eins, meine angebetete, süße Frau, lies keine Übersetzungen der französischen Literatur, sie verderben die Atmosphäre unserer Sittlichkeit; . . ." (bei Gertrud Storm, S. 265).

12 P. Heyses Novelle „Ehre über alles" erschien 1882 in den „Troubadour-Novellen" (14. Sammlung). Storm hatte sie in seinem Brief an Heyse vom 13. 10. 81 u. a. mit den Worten kritisiert: „Dem Helden geht seiner Natur nach nicht die Ehre, sondern die Liebe über Alles, . . ." (bei Bernd II, S. 84 f.). Vgl. auch Storms Kritik in seinem Brief an Heyse vom 1. 11. 81 (bei Bernd II, S. 11).

13 Storm hatte — wie sich auch im folgenden bestätigt und wie aus einem unveröffentlichten Brief an seinen Sohn Karl vom 28. 8. 82 hervorgeht (Hs: Landesbibliothek Kiel) — Emile Zolas Roman „L'assommoir" (1877) in deutscher Übersetzung gelesen und seinem Sohn Hans geschenkt. Deutsche Übersetzungen des „L'assommoir" sind unter dem Titel „Der Totschläger" 1880 in Berlin und 1882 in Großenhain erschienen.

14 James Cooper (1789—1851), amerikanischer Romanschriftsteller. Sein Roman „The Bravo" war 1831 erschienen und schon 1832 ins Deutsche übersetzt worden. Im Büchernachlaß Storms fand sich von Cooper noch der Band: J. F. Cooper: Die Ansiedler an den Quellen des Susquehannah, übertragen von Dr. C. Kolb, 4. Aufl. Stuttgart: Hoffmann 1853 (im Privatbesitz).

15 Vgl. Anm. 13.

16 Ferdinand Raimund (1790—1836), bedeutender österreichischer Dramatiker, verhalf der Altwiener Volksposse zu neuem Leben. Über ihn vgl. Kosch, S. 2152 f. u. E. Schmidt in: Charakteristiken I, S. 381—402.

In der Komödie „Der Verschwender" (1834) ist der ehrliche Valentin, der Bediente des Verschwenders, das Sinnbild der Treue und Dankbarkeit und der eigentliche „Held" des Stückes.

17 In Westermanns Monatsheften (Bd. 51/1881/82, S. 742—748) war ein Aufsatz von Ferdinand Groß über Ferdinand Raimund erschienen.

18 Friedrich Ferdinand Hempel (1778—1836), unter dem Pseudonym Spiritus Asper: Nachtgedanken über das A-B-C Buch, Leipzig 1809.

19 Eduard Alberti (1827—1898), Philologe, Bibliothekar (seit 1868 zweiter Kustos der Kieler Universitätsbibliothek, 1893 Professor). Über ihn vgl. ADB, Bd. 45, S. 730 f. Seine „Geramundsage" (Kiel: Haeseler 1879) hat sich in Storms Bibliothek erhalten. (Näheres im Archiv der Storm-Gesellschaft, Husum.)

Albertis Aufsatz „Ueber Theodor Storm's Entwicklung als Dichter" ist in der Kieler Zeitung vom 12. und 14. Februar 1882 (Nr. 8637 und 8639) abgedruckt. Die Beziehungen zwischen Storm und Alberti sind noch nicht näher untersucht worden. Vgl. bisher nur J. Royer: Eduard Alberti über Liliencron und Storm, in: Schriften der Th. Storm-Gesellschaft 21/1972, S. 87—89.

[20] Storm bezieht sich auf den Satz aus Albertis Zeitungsartikel: „Leute wie Prutz, Paul Heyse nahmen sich schon vor Jahren seiner [also Storms] an". Alberti verweist damit wohl auf die Rezensionen von Robert Prutz, die von 1854 an im Deutschen Museum erschienen waren, und auf den Aufsatz „Theodor Storm", den Paul Heyse am 28. 12. 1854 im Literaturblatt des deutschen Kunstblattes (S. 103—104, wieder abgedruckt bei Bernd I, S. 103—107) veröffentlicht hatte.

[21] Gleich im Einleitungsteil seines Storm-Aufsatzes schreibt Alberti:

„... die voluminöse Geschichte unserer deutschen Nationalliteratur von R. Gottschall erwähnt unseres Landmannes (im 3. Bande der 5. Auflage) mit nur 3 Zeilen, wie in Parenthese. Er heißt ein Muster feiner, oft träumerischer Aquarellmalerei sowohl in den Gedichten, als in den gesammelten Schriften. Das ist Alles; in einem Inventar der gesammten Nationalliteratur, unter deren mannigfaltigen Bildungen die Novelle nur eine vereinzelte Spezies ausmacht, vielleicht genug, zumal wenn die Spezies *quantitativ* so gering sich präsentiert, wie eine Storm'sche Novelle ..."

Über Storms Verhältnis zu Gottschall, der Storms „Hausbuch" und seine Lyrik als auf den „Nipptisch" gehörig hingestellt hatte (wieder abgedruckt bei Bernd I, S. 119 f.), vgl. u. a. den Brief Storms an Heyse vom 13. 9. 71 (bei Bernd I, S. 34 f.) und die Anm. 1,37 u. 38 sowie 27,4 und 32,7 im I. Band unserer Ausgabe.

[22] „Meine Novellistik ist aus meiner Lyrik erwachsen." Diese Äußerung Storms hat die Stormforschung immer wieder beschäftigt. Albert Köster hat sie in der Einleitung zu seiner kritischen Ausgabe (Leipzig: Inselverlag 1919, Bd. 1, S. 21) zum erstenmal zitiert und erläutert:

„Dem Jahr 1847 gehört ‚Marthe und ihre Uhr' an, 1848 ‚Im Saal', 1849 ‚Immensee', ‚Posthuma' und ‚Der kleine Häwelmann', 1850 ‚Ein grünes Blatt' und ‚Hinzelmeier'. Diese frühesten Dichtungen sind bisweilen als ‚lyrische Novellen' bezeichnet worden. Man kann den vieldeutigen Ausdruck gelten lassen, wenn man ihn richtig versteht; Storm hat ja selbst gesagt (an Erich Schmidt, 1. März 1882): ‚Meine Novellistik ist aus meiner Lyrik erwachsen.' Zuzugeben ist, daß anfangs bei ihm die Stimmung über das eigentlich Erzählerische, das Gefühlsleben über den Intellekt überwiegt; das war noch ein Erbe der Romantik. Auch kann man es gutheißen, wenn Paul Heyse und Hermann Kurz diese Frühwerke deshalb ‚lyrische Novellen' nannten, weil sich in ihnen nicht aus den vorgetragenen Tatsachen eine Stimmung entwickelt, sondern der Erzähler aus sich heraus von vornherein die Stimmung vorbereitet, die er für den Vortrag seiner Novelle braucht. Dagegen sträubte sich Storm ganz energisch gegen die Vorstellung, als handle es sich bei seinen ersten Novellen eigentlich um lyrische Gedichte, die die lyrische Form gesprengt hätten. Er wollte sie als vollgültige Erzählungen angesehen wissen, als Stoffe, die lyrisch gar nicht zu erschöpfen gewesen wären, sondern zu ihrer letzten Wirkung, auch schon räumlich, einer größeren, einer epischen Vorbereitung bedurft hätten. Nicht aus lyrischen Gedichten waren sie hervorgewachsen. Eher war das Umgekehrte der Fall: an einzelnen Höhepunkten verdichtete sich die Erzählung — in ‚Immensee', im ‚Grünen Blatt', später noch in der ‚Wald- und Wasserfreude' — zu einem Lied."

Gegen die Annahme eines engen Zusammenhangs zwischen Storms Lyrik und Novellistik hat sich dann Franz Stuckert in seiner Storm-Biographie (Theodor Storm, Sein Leben und seine Welt, Bremen: Schünemann 1952) ausgesprochen (S. 230 f.):

„Immerhin fällt es auf, daß Storms Novellistik sich in voller Breite und Mächtigkeit erst entwickelt hat, nachdem er als Lyriker fast verstummt war, so daß es naheliegt anzunehmen, die Lyrik sei in ihrer Ausdrucksfunktion von der Erzählungskunst abgelöst worden. Ja, aus diesem scheinbaren zeitlichen *Nach*einander ist sogar vielfach ein entwicklungsgeschichtliches *Aus*einander konstruiert worden, wobei man sich vor allem auf das eigene Bekenntnis des Dichters stützte: ‚Meine Novellistik ist aus meiner Lyrik erwachsen' (an Erich Schmidt, 1. März 1882). Zweifellos ist Storm in dieser späten Äußerung, wie öfter bei Urteilen über seine Werke, einer Selbsttäuschung erlegen, die sich allerdings bei der starken Sättigung der frühen Novellen mit lyrischen Elementen auch dem objektiven Betrachter leicht aufdrängen konnte.

In Wirklichkeit entspringt Storms Erzählungskunst durchaus selbständigen Wurzeln, entwickelt sich unabhängig von der Lyrik, ja, teilweise im Gegensatz zu ihr, und untersteht in ihrem Formcharakter eigenen Gesetzen. Ihre Vorgeschichte vollzieht sich weithin verdeckt, und sie gewinnt erst verhältnismäßig spät und zunächst noch unvollkommen literarische Form. Das erklärt sich daraus, daß Storms Novellistik aus dem Boden der mündlichen Erzählung erwächst, den sie im Grunde nie verlassen hat."

Wie Storm seine Äußerung „Meine Novellistik ist aus meiner Lyrik erwachsen" gemeint hat, zeigt sein Antwortschreiben an E. Alberti vom 12. 3. 82:

„Meine, freilich unmaßgebliche, Ansicht über meine Novellistik geht dahin. Sie hat sich aus der Lyrik entwickelt und lieferte zuerst nur einzelne ‚Stimmungsbilder' oder solche einzelnen Scenen, wo dem Verfasser der darzustellende Vorgang einen besonderen Keim zu poetischer Darstellung zu enthalten schien; andeutungsweise eingewebte Verbindungsglieder gaben dem Leser die Möglichkeit, sich ein geschlossenes Ganzes, ein ganzes Menschenschicksal mit der bewegenden Ursache und seinem Verlaufe bis zum Schluß (‚Im Saal' z. B.) vorzustellen. Allmählich bildete sich die vollständige und völlig lückenlose Novelle heraus..." (zitiert nach dem Original des Briefes in der Landesbibliothek, Kiel).

[23] Storm meint folgende Stelle aus E. Albertis Aufsatz „Über Storm's Entwicklung als Dichter" (Kieler Zeitung 14. 2. 82, II. Teil):

„Zur Zeit, wo er ‚Renate' und ‚Aquis submersus', ‚Zur Wald- und Wasserfreude', ‚Eekenhof' herausgab, war Storm, 1817 in Husum geboren, ungefähr ein Sechsziger, etwas darüber oder darunter. Wenn seine Muse in einigen dieser späteren Erzählungen, wie ‚Im Brauhause' und ‚Die Söhne des Senators', vielleicht auch in ‚Carstens Curator' ihren Flug diesem oder jenem Leser ‚tiefer zur Erde' gerichtet zu haben scheinen sollte, so wäre das gerade kein Wunder. In Bezug auf das Altern hat der Poet gegenüber uns prosaischeren Menschenkindern kein Privileg. Wiederum jedoch, verglichen mit gewissen früheren Arbeiten, läßt sich bei den späteren sogar von Vorzügen reden. Wir lesen, was gewisse Kritiker an einigen der zahlreichen — wohl 30 — Novellen Storm's auszusetzen haben. Abgesehen von den zuweilen zufällig sich einfügenden Augenblicksbildern, wie jene dem Dichter aus der Erinnerung auftauchenden, an ihrer Stelle im Kunstwerk nicht allemal vorsichtig genug verwendeten Stimmungen und Gedanken genannt werden, sind es die mancherlei, von der so eigenthümlich persönlich gehaltenen Darstellungsweise Storms verursachten Lücken, die den Herren nicht gefallen, Lücken, durch Wendungen bezeichnet, wie: ‚Wiederum waren Jahre vorüber', oder ‚Jahre waren seitdem verflossen', oder ‚die Zeit verstrich' und was dergleichen lose Bindeglieder mehr sind. Sie geben, meinen sie, den Storm'schen Novellen zuweilen etwas Guckkastenbilderartiges. Dem 1860 erschienenen „Staatshof" ward schon in Prutz' Museum Manierirtheit vorgeworfen und ‚Posthuma' wollte man erst recht nicht loben. Nun, diese Mängel, wenn's anders Mängel sind, zeigen sich, wie mir scheint, in ‚Aquis submersus', in ‚Renate' seltener oder doch weniger auffallend, die Charakteristik dagegen ist fester und der historische und geographische Boden wankt viel weniger. Wohl also wird man der realistischeren Färbung späterer Erzeugnisse mit anerkennender Freude genießen und den

Dichter glücklich preisen, weil er ins Alter einen derartig gemäßigten Theil jugendlicher früher hineinzugreifen und die aufsteigenden Bilder immer noch zu Geschichten seltener Art zu verdichten vermag."

[24] „Und scheint die Sonne noch so schön, / Am Ende muß sie untergehn!

Zitat Heinrich Heines im Vorwort zum „Buch der Lieder", nach Ferdinand Raimunds romantischem Märchen „Der Bauer als Millionär".

[25] Pastor August Treplin (1840—1917), ev. Pastor in Hademarschen-Hanerau; gehörte zu dem sog. „großen" Klub, der alle 14 Tage zusammenkam.

[26] Dr. Johannes Mannhardt (1840—1909) war Storm schon aus seiner Tätigkeit am Husumer Gymnasium bekannt (1871—1876). Er wurde dann Leiter des sog. Mannhardtschen Instituts, einer Privatschule in Hanerau.

[27] Elisabeth Tönnies (1857—1949), Schwester des späteren Professors der Soziologie Ferdinand Tönnies (1855—1899). Storm am 24. 10. 75 an seine Tochter Lisbeth: „Lite Tönnies ist ein Mitglied [des Gesangvereins], wie es im Buch steht, sie bebt vor Freude, wenn's losgeht, und ist jetzt schon mit ihrer klaren, reinen Stimme bestimmend für den Chor, sie setzt förmlich ein silbernes Licht auf den Sopran" (bei Gertrud Storm, S. 207).

[28] Vgl. Storm am 4. 3. 82 in seinem Brief an W. Petersen: „Montag wieder Dorfconcert für die Warteschule, Frl. Elisabeth Tönnies ist bei uns und wird helfen. Ich mache den Hebbel-Schuman⟨n⟩schen ‚Haideknaben' u. lese etwas, was vorig Mal dankbar gehört wurde" (nach dem Text, den B. Coghlan für die Kritische Ausgabe des Briefwechsels — im Erich Schmidt Verlag — vorbereitet; bei Gertrud Storm, S. 187).

[29] Ob Auerbach diese Bitte E. Schmidt gegenüber mündlich (1880 bei seinem Besuch in Berlin) oder in einem Brief vorgetragen hat, ließ sich mit Hilfe des erhaltenen bzw. zugänglichen Briefmaterials nicht feststellen.

[30] E. Schmidt veröffentlichte am 27. Mai 1882 folgende Besprechung in der Deutschen Literaturzeitung (3/1882, S. 763):

„Theodor Storms gesammelte Schriften. Braunschweig, Westermann, 1882. XI. Bd. 151 S. XII Bd. 242 S., XIII Bd. 188 S., XIV Bd. 173 S. 8°. zus. M. 9.

Da die letzten Novellen eines unserer ausgezeichnetsten Dichter, der in vornehmer Stille geschrieben hat, was ihm am Herzen lag, nicht was Modegelüste unter klingendem Angebot verlangten, in diesen Blättern von anderer Seite besprochen worden sind, beschränken wir uns auf eine Aufzählung. Voran geht ‚Aquis Submersus', das Meisterstück der letzten Periode Storms; es folgen die stilistisch verwandte ‚Renate', der traurig dämmernde ‚Eekenhof', die versöhnlicheren, weniger tief gefassten, als sauber getuschten ‚Söhne des Senators', und, in der Neuzeit spielend, der herbe ‚Carsten Curator', ‚Zur Wald- und Wasserfreude', die friedlich ausklingende Geschichte ‚Im Brauerhause'. Endlich ‚Meine Erinnerungen an Eduard Mörike'. Letztere 1876, die Novellen 1877 bis 1880 verfasst."

Im November erschien eine zweite Besprechung in der Neuen Freien Presse (vgl. den Brief E. Schmidts vom Ende November 1882 und die Beilage Nr. 91 a).

[31] Rudolf v. Gottschall (1823—1902) hatte Storms „Hausbuch" scharf kritisiert (vgl. Anm. 27,4 im I. Bd. unserer Edition, S. 165), allerdings auch positive Worte über Storms Novellistik gefunden (vgl. Anm. 32,7 im I. Bd., S. 169), die Storm hier übergeht.

(Zu 86) Erstdruck nach dem Original im Schiller-Nationalmuseum, Marbach.

1 Die Novelle „Hans und Heinz Kirch“ erschien tatsächlich im Oktoberheft von Westermanns Monatsheften (Bd. 53/1882, S. 1—39).

2 „Gesanglos und beklommen“: von Storm häufig benutztes Zitat aus H. Heines Gedichtzyklus „Katharina“ Nr. 14, das mit den Worten beginnt: „Gesanglos war ich und beklommen.“

3 Gemeint ist die Familie von Storms jüngstem Bruder Dr. Aemil Storm (1833 bis 1897).

4 Storms zweitältester Sohn Ernst lebte damals als Amtsrichter in Toftlund (Nordschleswig). Storm an Keller am 22. 4. 82 über Ernsts Amtswohnung („ein großes, halbbäuerliches Haus“):

„Schon seit Jahren hat es den Ruhm, daß es darin, und zwar ganz energisch, spuke; und das hat denn der Ernst auch schon erfahren; wenn er z. B. mit dem jungen Doktor in seinem langen, wunderlichen Zimmer griechischen Wein trinkt und der Doktor dabei im Lehnstuhl einnickt, so fährt er plötzlich in die Höh' und fragt ganz verbast: ‚Wo ist denn der dritte Mann?‘ Und kommt auch noch der alte Inspektor und trinkt griechischen Wein, so druselt auch der ein und fragt dann auffahrend nach dem vierten Mann. Das müßte doch mit dem Leibhaftigen zugehen, wenn in solcher Atmosphäre nicht etliche Dunstbilder schwebten, die es nach leibhaftiger Gestaltung verlangt.“ (bei Goldammer, S. 97).

5 Gemeint ist der Stoff zu der Novelle „Hans und Heinz Kirch“. Vgl. den Brief Storms an E. Schmidt vom 13. 11. 81 (Nr. 81) und Anm. 81,1.

6 Über den Besuch des „stillen Musikanten“ Karl bei seinem Bruder Hans in Frammersbach (bei Lohr im Spessart) vgl. den Brief Nr. 87 (vom 13. 9. 82) und den Brief Storms an W. Petersen vom 18. 9. 82 (bei Gertrud Storm, S. 190).

7 Mit der „Goethe-Arbeit“ ist E. Schmidts Aufsatz gemeint: Zur Vorgeschichte des Goetheschen Faust. Faust und das 16. Jahrhundert, in: Goethe-Jahrbuch 3 (1882), S. 77—131; wiederabgedruckt in: Charakteristiken I, S. 1—37.

8 Die „Literaturproben“ waren Ausschnitte aus der damals neu erschienenen „Geschichte der deutschen Nationalliteratur des 19. Jahrhunderts“ von Ludwig Salomon, Stuttgart: Levy und Müller 1881. Besonders „geärgert“ haben Storm offenbar folgende Sätze: „Leider ist der Dichter [Storm] über die kleine Novelle nie hinausgekommen. Auch in seiner Lyrik ist er bei der Kleinmalerei stehen geblieben“ (S. 365).

Es finden sich daneben aber auch Aussagen wie diese: „In der Technik, in der Art und Weise, wie er die Seelenzustände seiner Personen anzudeuten weiß, in der leichten und doch stets so überaus charakteristischen Skizzierung der Scenerie entfaltet Storm eine große Kunst. Kein anderer neuerer Dichter weiß mit so wenigen Mitteln die stille Wehmuth, den gefaßten Schmerz, das bittersüße Gefühl der Einsamkeit so überzeugend zu schildern wie er, ...“ (S. 365).

9 Die „Gedichte 1 u. 3“ sind Storms Gedichte „Wer je gelebt in Liebesarmen“ (K 1,97) und „Eine Fremde“ (K 1,94), die L. Salomon in seiner Literaturgeschichte S. 365 und 366 vollständig zitiert.

10 Vgl. dazu den Brief Storms an Keller vom 20. 4. 82:

„Neulich ... erhielt ich von Vater und Sohn Heinze ihren Musenalmanach pro 1882: alle Dichterfürsten der Gegenwart seien darin, nur ich fehlte ..., ob es denn Grundsatz sei, daß ich ihre Briefe immer nicht beantwortet, sie bäten doch herzlich etc. Ich habe nicht grob freilich, aber mit der unumwundensten Unumwundenheit geantwortet." (bei Goldammer, S. 95).

Gemeint ist der Band: Musenalmanach für 1882. Eine Sammlung von Originalpoesien, hrsg. von Alfred Heinze und Paul Heinze, Dresden.

(Zu 87) Erstdruck nach dem Original im Schiller-Nationalmuseum, Marbach.

1 Dieser Brief E. Schmidts ist verlorengegangen.

2 Vgl. Anm. 86,7.

3 Dr. H. K. Hugo Delff (1840—1898), Verfasser mehrerer philosophischer Schriften, zunächst Teilhaber der Buchhandlung seines Bruders, seit 1889 alleiniger Inhaber der heute noch existierenden Delffschen Buchhandlung in Husum.

Eiserner Leonberger: in Leonberg gezüchteter Wach- und Repräsentationshund.

4 Zu M. Solitaire vgl. Anm. I 1,17. Gemeint sind hier der dreibändige Roman „Diana Diaphana" mit dem Untertitel „Geschichte des Alchymisten Imbecill Kätzlein" (Nordhausen: Büchting 1863) und die Novelle „Die Fahrt zur Königin von Britania" mit dem Untertitel „Theophrastus Paracelsus ab Hohenheim" (Landsberg: Volger u. Klein 1854).

5 Achim von Arnims historischer Roman „Die Kronenwächter" (1. Bd. 1817, 2. Bd. fragm. 1854). Die im folgenden von Storm erwähnte „Gesammtausgabe" (hrsg. von W. Grimm, Berlin: Veit 1839—1856, 22 Bde.) hat sich im Büchernachlaß des Dichters erhalten (im Privatbesitz: Näheres im Archiv der Storm-Gesellschaft).

6 Erich Schmidts Geburtstagsbrief ist verlorengegangen.

7 Die jüngste Schwester von Storms Frau Do (geb. Jensen) ist Agnes Jensen (1835 bis 1909).

8 „in Lebensfluthen, in Tathensturm": Zitat aus Goethes „Faust" (I, 501).

9 Als Geburtstagsgeschenk hatte E. Schmidt seinem Freund Storm — wie schon so oft — Kupferstiche von D. Chodowiecki beigelegt, offenbar Illustrationen zu der Ausgabe „Virgils Aeneis, travestirt von Blumauer" (1784—1788): 12 Blätter dazu waren im „Taschenbuch zum Nutzen und Vergnügen fürs Jahr 1790" und weitere 6 Blätter in demselben Taschenbuch 1793 (beide Göttingen) erschienen.

10 Mirza Schaffy: damit ist Friedrich Bodenstedt (1819—1892) gemeint, so genannt nach seinen Gedichtbänden „Die Lieder des Mirza Schaffy (Berlin: Decker 1851) und „Aus dem Nachlasse Mirza Schaffy's" (Berlin: 1874). Storm hatte aus den „Liedern des Mirza Schaffy" ins „Hausbuch" (1. Aufl. 1870) aufgenommen: „Aus dem Feuerquell des Weines" (S. 596), „Höre, was der Volksmund spricht" (S. 597) „Als ich sang: Seid fröhlich mit den Frohen . . ." (S. 597).

11 E. Schmidt hatte dem Geburtstagsbrief offenbar beigelegt seine Rezension von: Helene Böhlau, Novellen, Berlin 1882, die in der Deutschen Literaturzeitung 3 (1882), S. 1029—1030, erschienen war.

12 Über den Versand der „Correcturbogen" zu „Hans und Heinz Kirch" vgl. den Anfang des Briefes Storms an Heyse vom 28. 7. 82 (bei Bernd III, S. 29): „Nur einen Gruß, lieber Freund, zu den beifolgenden Correcturbogen, die ich Dich bitte nach Lesung an Erich Schmidt in Wien zu senden, dem Ich's versprochen habe."

13 Über die Bezeichnung der Novelle als „Schwester des Dramas“ vgl. Anm. 77 a,7.

14 Vgl. Anm. 86,8.

15 Gemeint ist Simon Lorentzen (1802—1884), der neben Ingwer Woldsen (dem „Weihnachtsonkel“, bzw. dem „Onkel Erich“ in der Novelle „Unter dem Tannenbaum“) den Weihnachtsabend regelmäßig in der Familie Storm in der Hohlen Gasse feierte (vgl. z. B. Storm an seine Frau am 11. 9. 1860: bei Gertrud Storm, S. 98).

16 Storms erster Enkel, ein Sohn seiner Tochter Lisbeth, die in Heiligenhafen mit Pastor Haase verheiratet war, wurde am 16. 6. 1880 geboren und starb bereits am 1. 7. 1880. Vgl. dazu den Brief Storms an Petersen vom 11. 7. 1880 (bei Gertrud Storm, S. 165).

17 Gemeint sind der Musiklehrer am Lehrerseminar in Tondern Adolf Krause (1830 bis 1900) und seine Frau. Vgl. Anm. 68,11.

18 Dr. Karl Heinrich Schleiden. Vgl. Anm. 77,5. Er war der Schwager von Otto Speckter.

19 Otto Speckter (1807—1871), Zeichner, Buchillustrator in Hamburg. Er illustrierte u. a. Th. Storms Novelle „Abseits“ (1863) und K. Groths „Quickborn“ (1856). Über ihn vgl. ADB, Bd. 35, S. 86. Drei Briefe Storms an Otto Speckter hat R. Schapire veröffentlicht (Hamburger Nachrichten vom 15. 8. 1909).

20 Johannes Classen, Altphilologe, von 1836—1838 Storms Lehrer am Katharineum in Lübeck. Vgl. Anm. 77,7.

21 Pastor August Treplin. Vgl. Anm. 85,25.

22 Dr. Johannes Mannhardt, Leiter der Internatsschule in Hanerau, mit Storm befreundet. Vgl. Anm. 85,26.

23 Ignaz Vincenz Franz Castelli (1781—1862). Über ihn vgl. Kosch, S. 272 f. Gemeint ist hier sein Drama „Die Waise (von Genf) und der Mörder“ (Augsburg 1819).

(Zu 88) Erstdruck nach dem Original im Schiller-Nationalmuseum, Marbach.

1 Postkarte der Deutschen Reichspost. Herrn Professor Dr. Erich Schmidt in Wien III, Hauptstraße 88. Poststempel: Hanerau 20. 9. 82.

2 Auf der verlorenen Postkarte hatte E. Schmidt Storm mitgeteilt, daß er anläßlich einer Vortragsreise nach Hamburg die Möglichkeit habe, Storm in Hademarschen zu besuchen. Vgl. E. Schmidt an Scherer am 13. 9. 82: „Am 6. Januar soll ich wieder in Hamburg einen Vortrag halten. Das ist mir sehr lieb. Ich kann acht Tage auf der Bibliothek arbeiten, Redlich ausquetschen, Storm besuchen und am 8. ganz regelrecht das Colleg fortsetzen.“ (bei Richter/Lämmert, S. 171).

3 in der quaest. casa (lat.): in dem betreffenden Haus (gemeint: Storms Haus in Hademarschen).

4 Mit „Gottsched II“ ist hier — mit Namensanlehnung an den bekannten Literaturpapst der Aufklärung J. Chr. Gottsched (1700—1766) — Rudolf von Gottschall (1823 bis 1909) gemeint. E. Schmidt hatte Gottschalls Literaturgeschichte (Die deutsche Nationalliteratur des 19. Jahrhunderts, 5. verm. u. verb. Aufl., 4 Bände, Breslau: Trewendt 1881) in der Deutschen Literaturzeitung vom 16. 9. 1882, S. 1314—1317, besprochen. E. Schmidt übt scharfe Kritik; es finden sich in der Rezension u. a. folgende Urteile:

„Der erste Band, die Klassiker und Romantiker umfassend, ist ohne jedes Verdienst." (1314) „Schon die Disposition beweist, wie sehr historischer Sinn unserem flinken Autor gebricht." (1315) „Die Darstellung ist teils nachlässig, teils schwülstig aufgebauscht." (1316)

Storm werden besonders folgende Sätze interessiert haben: „Ebers, Dahn sind eingehend kritisiert, Reuter hat 1½ S., Keller eine halbe, C. F. Meyer ist nicht genannt. H. Grimm fehlt ... ‚bis jetzt noch die Größe und Weite des geistigen Inhalts'. Von Leuthold, Groth, Storm ist kaum die Rede. Den letzten, einen Novellisten und Lyriker ersten Ranges, hätte G. offenbar am liebsten ganz totgeschwiegen. O. Ludwig muß sich unqualificierbare Angriffe gefallen lassen ... Zu Freytag hat er gar kein Verhältnis und benörgelt ihn, sowie er gegen Heyse einen recht überlegenen Ton anschlägt ..." (1316).

[5] Vgl. Anm. 4.

[6] Ludwig Achim von Arnim (1781—1831). Über ihn vgl. hier Anm. 87,5 u. Kosch, S. 51 f. Storm hatte in sein „Hausbuch" (1. Aufl. 1870) vier Gedichte von Arnim aufgenommen, und zwar: „Goldene Wiegen schwingen" (S. 128), „Mondenschein" (S. 129), „Die arme Schönheit" (S. 129) und „Die freie Nacht ist aufgegangen" (S. 130). Arnims Erzählungen stand Storm kritisch gegenüber. Vgl. das Folgende.

[7] A. v. Arnim: Armuth, Reichthum, Schuld und Buße der Gräfin Dolores, Berlin 1810 (Roman in zwei Bänden).

[8] A. v. Arnim: Der Wintergarten, Berlin 1809 (Novellensammlung).

[9] Clemens M. Brentano (1778—1842). Über ihn vgl. Kosch, S. 291. In Storms Büchernachlaß fanden sich mehrere Werke von Brentano, u. a. die im folgenden genannte „von dem christkath. Bruder besorgte Ausgabe": Gesammelte Schriften in 9 Bänden, hrsg. von Christian Brentano, Frankfurt a. M.: Sauerländer 1852, sowie die zweibändige Ausgabe: Die Märchen des Clemens Brentano, hrsg. von G. Görres, Stuttgart/Tübingen: Cotta 1840) (heute im Nissenhaus bzw. im Storm-Haus in Husum). Vgl. auch Anm. 61,15.

(Zu 89) Erstdruck nach dem Original im Schiller-Nationalmuseum, Marbach.

[1] Postkarte der Deutschen Reichspost mit dem Aufdruck: Die angebogene Karte ist für die Antwort bestimmt. An Herrn Professor Erich Schmidt in Wien III, Hauptstr. 88 Bahn-Poststempel Tönning-Neumünster 16. 10.

[2] Vgl. Anm. 88,2.

[3] Ludwig Graf zu Reventlow. Vgl. Anm. 71,5.

[4] Vgl. dazu den Brief Nr. 87 (vom 13. 9. 82) und Anm. 87,12.

[5] Vgl. Anm. 88,4.

[6] Edgar Allan Poe (1809—1849). Storm hatte ein besonderes Interesse für diesen Dichter. Vgl. etwa den Schluß des Briefes an Sohn Ernst: „Lies doch in Westermanns Monatsheften, im Dezemberheft 1870, den kleinen Artikel über den amerikanischen Dichter Edgar Allan Poe und darin das höchst interessante Gedicht ‚Der Rabe' " (bei Gertrud Storm, S. 132).

[7] Vgl. den vorigen Brief und Anm. 88,6 bis 8.

[8] Eine Entgegnung Gottschalls auf E. Schmidts kritische Besprechung der Gottschallschen Literaturgeschichte (vgl. Anm. 88,4) ist nicht bekannt.

(Zu 90) Erstdruck nach dem Original im Schiller-Nationalmuseum, Marbach.

1 Postkarte der Deutschen Reichspost. Herrn Professor Erich Schmidt in Wien III. Hauptstraße 88. Bahn-Poststempel: Tönning-Neumünster 25. 10.

2 Über Storms Mitwirkung im Hebbelkomitee vgl. u. a. die Briefe an Kl. Groth vom 14. 8. 82 bis zum 10. 4. 83 (hrsg. von Chr. Jenssen, in: Schriften der Th. Storm-Gesellschaft 4/1955, S. 69—74) und die Briefe an Christine Hebbel vom 18. 10. 82 und an Julius Ottens vom 27. 10. 82 (in: Th. Storm, Briefe, hrsg. von P. Goldammer, Berlin/Weimar 1972, II. Bd., S. 257 f. und 260 f.).

3 Hugo Schlömer (geb. 1856), Sohn eines Arztes in Wesselburen, Kaufmann, später in Sagrado bei Görz in Österreich. Vgl. Storms Brief an E. Schmidt vom 3. 2. 85 (Nr. 120).

4 „Plaudite!" (lat.): klatscht Beifall! „comoedia finita est!" (lat.): die Komödie ist zuende! Storm will damit seine Befürchtung zum Ausdruck bringen, daß auf E. Schmidts „beifällige" Zusage (Storm in Hademarschen zu besuchen) eine Absage folgen könnte.

(Zu 91) Erstdruck aus dem Original eines Briefes Storms an Westermann vom 1. 12. 82 im Westermann-Archiv, Braunschweig.

1 Storm leitet das Zitat aus dem Brief E. Schmidts folgendermaßen ein: „Zugleich lege ich Ihnen zu Ihrer gefälligen Kenntnißnahme, mit der Bitte, es mit der Büchersendung mir wieder zugehen zu lassen, einen kleinen recht eindringlichen Aufruf Prof. Erich Schmidts in Wien bei. Er schreibt dazu ..."

2 Das Datum ist erschlossen aus dem Westermann-Brief (1. 12. 82) und dem Erscheinungsdatum des Zeitungsartikels (24. 11. 82).

3 „Uarda" und „Der Kaiser": Romane von Georg Ebers. Vgl. Anm. 70,7 und 91 a,2.

4 „opera omnia" (lat.: sämtliche Werke): Th. Storms gesammelte Schriften, Braunschweig: Westermann 1868 ff. (bis 1882 waren 14 Bände erschienen: vgl. die folgende Beilage Nr. 91 a).

(Zu 91 a) Abdruck aus Nr. 6555 der Neuen Freien Presse, Wien, 24. November 1882.

1 Die „Beilage" — das Literaturblatt der Neuen Freien Presse vom 24. 11. 1882 — hat sich in dem Briefwechsel selbst, wie er in der Kieler Landesbibliothek und im Schiller-Nationalmuseum in Marbach aufbewahrt wird, nicht erhalten, wohl aber in E. Schmidts Büchernachlaß (das Exemplar wurde mir freundlicherweise von Herrn Professor U. Pretzel, Hamburg, zur Verfügung gestellt).

2 Ein „gewisser Egyptologe": Georg Ebers (1837—1898), bekanntgeworden u. a. durch seine Romane „Eine ägyptische Königstochter" (Stuttgart 1864), „Uarda" (1876) und „Der Kaiser" (1880). Vgl. Anm. 70,7.

3 Über das „Peinliche" in „Carsten Curator" vgl. Anm. 80,40 und Anm. 92,3.

(Zu 92) Erstdruck nach dem Original im Schiller-Nationalmuseum, Marbach.

1 „Reklamchen": E. Schmidts Rezension bzw. Anzeige der Bände 11—14 der Stormschen „Gesammelten Schriften", die er mit einem Brief vom 1. 12. 82 an Westermann abschickte (vgl. Nr. 91) und die wir unter Nr. 91 a abgedruckt haben.

2 Zitat aus E. Schmidts Rezension. Vgl. unter Nr. 91 a.

3 Über das „Peinliche" in „Carsten Curator" haben Storm und E. Schmidt vor allem in den Briefen vom 21. 9. 77 (Nr. 22) und 24. 9. 77 (Nr. 23) diskutiert. Vgl. besonders auch Anm. I 23,1 und die in Anm. 80,40 zitierte Dissertation von J. Hillier.

4 Vgl. dazu Anm. 80,40!

5 Als Antwort auf E. Schmidts Kritik an Gottschalls Literaturgeschichte. Vgl. Anm. 88,4 und 89,8.

6 E. Schmidt hatte in der oben genannten und in Nr. 91 a abgedruckten Rezension unmißverständlich auf den „Egyptologen" Georg Ebers angespielt. Vgl. Anm. 91 a,2.

7 Die Novelle „Hans und Heinz Kirch" war im Oktoberheft von Westermanns Monatsheften erschienen (Bd. 53/1882, S. 1—39), und E. Schmidt hatte sich in seinem — verlorengegangenen — Brief an Storm über diese Novelle geäußert. Vgl. Storms Brief an Lisbeth vom 27. 10. 82, wo es heißt: „Mein ‚Hans Kirch' hat mir lebhafte Zustimmungen, außer von Heyse auch von Kl. Groth, Erich Schmidt, Reventlow eingebracht . . ." (bei Gertrud Storm, S. 224).

8 Gemeint ist der Zusatz in der Buchausgabe (Berlin: Paetel 1883, S. 75):

„Ein Lächeln flog über das Gesicht des alten Seemanns, das für einen Augenblick das starke Gebiß bloß legte. ‚Ja, ja, Herr Pastor; freilich, er war kein Hasenfuß, mein Heinz!'

Aber der frohe Stolz, womit diese Worte hervorbrachen, verschwand schon wieder; das Bild seines kühnen Knaben verblich vor dem des Mannes, der jetzt unter seinem Dache hauste.

Hans Kirch nahm kurz Abschied, . . ."

Dann erst folgt der Satz der Zeitschriftenausgabe (S. 24): „(Aber) er [Hans Kirch] gab es auf, es noch weiter mit der Geschwätzigkeit des Greisenalters aufzunehmen." (vgl. K 6,95 bzw. Gd 3,406).

9 Diese Karte Heyses an Storm ist verlorengegangen (vgl. bei Bernd III, Anm. 135,4, S. 190). Vgl. auch Storms Zitat aus dieser Karte in seinem Brief an W. Petersen vom 18. 9. 82 bei Gertrud Storm, S. 191.

10 Klaus Groth schrieb u. a. am 19. 10. 1882 an Storm: „Dein Hans und Heinz haben mich bis in die Knochen erschüttert. Mein Herz stockte und ich überschlug zuletzt Zeilen, um noch Kraft zu haben für den letzten Schlag." (Kl. Groths Briefe an Th. Storm, hrsg. von R. Mehlem, in: Jahresgabe der Groth-Gesellschaft 1960, S. 39.)

11 Aus dem betreffenden Brief W. Jensens vom 15. 10. 82 zitieren Bernd (III, S. 193 f.) und Gertrud Storm (im II. Bd. ihrer Storm-Biographie, S. 216) ausführlich. Die hier von Storm angeführte Stelle stammt aus diesem Brief und lautet bei Bernd (nach dem Original): „Mit höchstem Interesse haben sowohl meine Frau als ich ‚Hans und Heinz Kirch' gelesen und ich stehe nicht an, die Erzählung stilistisch und psychologisch für ein Meisterstück zu erklären, das Ihren besten Dichtungen ebenbürtig ist . . ." Mit „nur" folgt dann eine eingehende Kritik.

12 Graf Reventlows Urteil ist in seinem unveröffentlichten Brief an Storm vom

8. 9. 1882 enthalten: „Die Novelle zählt ohne Zweifel zu dem Besten, was Sie geschrieben haben und was in dieser Art überhaupt geschrieben ist, soweit meine Kenntniß reicht" (Hs: Landesbibliothek Kiel).

13 Über Adalbert Stifter (1805—1868) vgl. Anm. 1,52 im I. Bd. unserer Ausgabe. „eine Abendrede werth": Die Herkunft dieses Zitats konnte — trotz freundlicher Mithilfe des Adalbert-Stifter-Instituts in Linz (Österr.) und der Adalbert-Stifter-Arbeitsstelle der Bayrischen Staatsbibliothek (München) — nicht ermittelt werden.

14 Die „Scene mit dem Alten" in der Buchausgabe (Berlin: Paetel 1883, S. 79 ff.) ist die Szene zwischen Vater und Sohn, die mit den Worten beginnt: „Eine Weile hafteten beider Blicke ineinander ..." (jetzt K 6,97 ff. u. Gd 3,408 f.).

15 Die „Geschichte mit dem Anker" in der Novelle „Hans und Heinz Kirch" besteht aus den Szenen: K 6,87 f. u. 102 f. bzw. Gd 3,399 u. 413 f.

In seinem Tagebuch „Was der Tag giebt" hat Storm die Tatsachen, die ihn zu der Novelle angeregt haben, notiert. Darunter ist auch die Notiz: „Ein Anker, den er [der Schiffersohn] u. ein andrer sich zugleich als Junge auf den Arm geätzt, war fort gewesen" (wiederabgedruckt nach der Handschrift bei Bernd II, S. 197).

16 Albert Nieß (1843—1913). Über ihn vgl. Anm. I 1,32. Seine Briefe an Storm sind nur z. T. erhalten. Ein Brief vom 15. 12. 82 ist nicht bekannt.

17 Ernst Christoph von Houwald (1778—1845), Dramatiker, Erzähler. Über ihn vgl. Kosch, S. 1068.

18 J. P. Th. Lyser: Pseudonym für Johann Peter Theodor Burmeister (1803—1870). Über ihn vgl. Kosch, S. 256. Der Titel des gesuchten Buches lautet: Abendländische Tausend und eine Nacht. Die schönsten Sagen und Märchen aller europäischen Völker. 15 Bde., Meißen: 1838 ff.

19 A. Apel und F. Laun: Gespensterbuch, Stuttgart: Merchlot 1815. In Storms Büchernachlaß haben sich der II., III. und IV. Bd. erhalten (im Nissenhaus, Husum).

(Zu 93) Erstdruck nach dem Original im Schiller-Nationalmuseum, Marbach.

1 Postkarte der Deutschen Reichspost: An Herrn Professor Erich Schmidt Adr. Herrn Dr. Goldschmidt in Hamburg. Große Theaterstraße 9. Poststempel: Hanerau 29. 12. 82.

2 Trauer-Karte: eine verlorengegangene Postkarte, auf der E. Schmidt Storm mitteilt, daß er krank geworden sei. Erschlossen aus der Postkarte E. Schmidts an W. Scherer vom 26. 12. 1882, wo es u. a. heißt: „Ich bin ein rechter Pechvogel, muß acht Ferientage ... mit Fieber, Zahngeschwür, schließlich auch noch mit einer abscheulichen Strauch'n [Schnupfen] im Haus, z. T. im Bett verbringen. Nun wage ich nicht anders als direct im durchgehenden Wagen nach Hamburg zu fahren, was ich heute Abend trotz großer Abgespanntheit tun will." (bei Richter/Lämmert, S. 181).

3 Dr. Goldschmidt: *nicht* der Direktor der Handelsbank in Gotha, E. Schmidts späterer Schwager. Vgl. Anm. 142,32.

(Zu 94) Erstdruck nach dem Original bei Dr. Günther Goldschmidt, Rom.

1 Postkarte der Deutschen Reichspost. An Hern Professor O. Schmidt in Strassburg im Elsass, Kalbsgasse 6. Eisenbahnpoststempel: Tönning-Neumünster 2. 1.

Oskar Schmidt (1823—1886): Professor für Zoologie, Erich Schmidts Vater. Vgl. Anm. I 17,14.

[2] Zum „Sylvesterabend-Punsch" (so an P. Heyse am 9. 1. 83, bei Bernd III, S. 40) war man in das Haus von Johannes Storm eingeladen (Johannes Storm 1824—1894, jüngerer Bruder des Dichters, Holzhändler in Hademarschen).

[3] Vgl. E. Schmidts anschaulichen Bericht „Eine Winterfahrt zu Theodor Storm", in: Neue Freie Presse, Wien, 28. 12. 83, Nr. 6945, später übernommen in: Charakteristiken I, S. 474—479.

Vgl. auch Storms Bericht an G. Keller am 13. 3. 83:

„Am Silvesterabend traf denn richtig der Erich Schmidt ein, frisch und kindlich wie ein Studente, und blieb auch noch den Neujahrssonntag. Wir empfingen ihn — der Zug kommt hier nachmittags sechs Uhr — am Weihnachtsbaum, der noch in seinem vollen Schmuck bewahrt gehalten war und an dem alle (neuaufgesteckte) Kerzen brannten. Und sichtbar empfing ihn der „nordische Juulschein" wie ein Zauber, der augenblicklich heimisch macht. *Wir* kannten uns freilich von Würzburg in Person; aber die Wirkung war eine völlig allgemeine. Ich fand wieder bestätigt, was ein innerlich bescheidner, herzerquicklicher Mensch dieser junge Freund Erich ist." (bei Goldammer, S. 117).

[4] E. Schmidt in „Eine Winterfahrt" (bzw. in: Charakteristiken I, S. 475):

„Endlich ist die Station Hanerau-Hademarschen erreicht. Neben dem jüngsten Sohn, einer echten Friesengestalt mit langen Gliedmaßen und schwanker Haltung, steht wartend der Dichter, den ich fünf Jahre lang nicht gesehen, ein Sechziger von kleiner Mittelgröße. Um das weiße Haupt hat er zum Schutz gegen den scharfen Ostwind einen Shawl, so groß wie eine Riesenschlange, gewunden . . ."

(Zu 95) Erstdruck aus dem Original des Briefes Th. Storms an seinen Sohn Karl vom 30. 1. 1883 in der Schleswig-Holsteinischen Landesbibliothek, Kiel.

[1] Datum und Ort gemäß den Angaben, mit denen Storm in seinem Brief an Karl vom 30. 1. 83 das Briefzitat einleitet: „Von Erich Schmidt, dem lieben Menschen, hatte ich vom 13. d. M. Brief aus Wien."

[2] Storms Hademarschener Altersvilla, die nach Nordwesten und Südwesten mit Schieferplatten geschützt war.

[3] Nur Storms jüngster Sohn Karl und seine jüngsten Schwestern Gertrud und Dodo (Friederike) hatten die Festtage im Elternhaus verbracht. Vgl. den Brief Storms an Heyse vom 9. 1. 83 (bei Bernd III, S. 40).

[4] Vgl. Anm. 94,2.

[5] Storm hatte eine Lübecker Gespenstergeschichte vorgetragen. Vgl. darüber auch E. Schmidt, in: Charakteristiken I, S. 478.

[6] Herr Karl: Storms jüngster Sohn, der „stille Musikant"; Lucie: hier „Lute Hademarschen" (vgl. Anm. 98,9), die Tochter von Storms Bruder Johannes. Storms Tochter Lucie war Weihnachten 1882 nicht zu Hause (vgl. Storms Brief an E. Schmidt vom 10. 5. 83/Nr. 98).

(Zu 96) Erstdruck nach dem Original im Schiller-Nationalmuseum, Marbach.

1 Über E. Schmidts Neujahrsbesuch in Hademarschen vgl. die Postkarte vom 1. 1. 83 (Nr. 94) und die Anmerkungen dazu.

2 Gemeint sind „die Häuser" des Landrats Ludwig Graf zu Reventlow (1824 bis 1893) und seiner Frau Emilie (1834—1905) sowie des Doktorbruders Dr. Aemil Storm (1833—1897) und seiner Frau Charlotte, geb. Esmarch (1834—1910) in Husum.

3 Dodo: Storms jüngste Tochter Friederike (1868—1939).

4 Über Wilhelm Jensen vgl. Anm. I 1,65. Sein zweibändiger Roman „Fragmente" (Breslau: Schottländer 1878) fand sich in Storms Büchernachlaß (im Nissenhaus, Husum).

5 Schlömer: Vgl. Anm. 90,3.

6 Gemeint ist der Aufsatz über C. F. Meyers Gedichte, den Adolf Frey aus Anlaß des Erscheinens des Meyerschen Gedichtbandes (Leipzig 1882) in der Deutschen Rundschau 34/1883, S. 312—316 veröffentlicht hatte und wo es u. a. heißt:

„Das Lob des Lyrikers gehört ungeschmälert auch dem Epiker; die Hälfte der Sammlung füllen Balladen, Romanzen und historische Situationspoesie, deren Stoffe aus der antiken und mittelalterlichen Geschichte und dem Zeitalter der Renaissance entnommen sind . . ." (S. 314).

7 Storms rigorose Auffassung von „ächter Lyrik" kommt auch in der Vorrede zum „Hausbuch" (K 8,112—117) und etwa in dem Brief an Heyse vom 7. 7. 82 zum Ausdruck: „Den qu. Meyer überschätzen aber Du u. Keller als Lyriker; er kommt doch vom ‚Gemachten' nicht los; ihm fehlt für die eigentliche Lyrik das echte ‚Tirili' der Seele." (bei Bernd III, S. 28), oder den Brief vom 20. 1. 83 an Albert Nieß: „Conrad Ferd. Meyers ‚Gedichte' müssen Sie sich kaufen, kein Lyriker; aber ein Poet." (nach der Hs: unveröffentlicht Stadtbibliothek Braunschweig).

8 E. Schmidt hatte Storm in seinem verlorengegangenen Brief offenbar auf Gedichte von Hans Hopfen aufmerksam gemacht.

Hans Hopfen (1835—1904) gehörte zum sog. Münchener Dichterkreis und ist auch als Erzähler und Balladendichter bekannt geworden. Über ihn vgl. Kosch, S. 1058 f. Storm hatte in sein „Hausbuch" drei Gedichte von Hopfen aufgenommen (1. Aufl./1870: S. 703 bis 706). Später hat er sich negativ über Hopfen geäußert: „. . . hier wird Geist gemacht" (am 6. 2. 85 an Carl Aldenhoven, in: Maß und Wert, 2. Jg., Heft 6/1939, S. 745).

9 Die Seitenzahlen werden von Storm zitiert nach der Ausgabe C. F. Meyer, Gedichte, Leipzig: Haessel 1882.

Storm „merkt an" folgende Gedichte:

S. 13: Der Marmorknabe
S. 31: Die gefesselten Musen
S. 48: In Harmesnächten, Eingelegte Ruder
S. 52: Erntegewitter
S. 62 (—64): Die Schlittschuhe
S. 88: Vision
S. 89 (—92): Der Hengert
S. 146: Mövenflug
S. 156: Die Ampel
S. 164 (—165): Der Blutstropfen
S. 166 (—167): Stapfen

S. 169 (—170): Lethe
S. 188 (—189): Die sterbende Meduse
S. 241 (—242): Die gezeichnete Stirne
S. 271 (—275): Das Münster
S. 35: Morgenlied
S. 73: Firnelicht

10 Die „schöne Gräfin aus Husum" ist Emilie Gräfin zu Reventlow (1834—1905), die Frau des Landrats Ludwig Graf zu Reventlow.

11 „Bruder Johannes' Phaeton": Storms Bruder Johannes (1824—1906) lieh seinen Kutschwagen (Phaeton).

12 Tante Rike: Bruder Johannes' Frau Friederike, geb. Jensen (1826—1905), Schwester von Storms zweiter Frau Do.

13 Storm war der bayrische Maximilian-Orden für Kunst und Wissenschaft verliehen worden. Vgl. dazu Bernd III, S. 204 f. (Anm. 143,3—5) und den unveröffentlichten Brief Storms an Karl vom 30. 1. 83: „Der (sehr schöne) Max. Orden ist denn nebst Diplom des Königs Ludwig mir durch den Oberpräsidenten in Schleswig (d. h. schriftlich) übermittelt worden. Es dürfen nur 100 Mitglieder, also etwa 11—12 für jede Wissenschaft oder Kunst im Orden sein . . ." (Hs: Landesbibliothek Kiel).

14 Ein negatives Urteil Storms über Friedrich Bodenstedt (1819—1892) notiert E. Schmidt in seinen „Aufzeichnungen": vgl. im I. Bd. unserer Ausgabe, S. 19.

Oskar Freiherr von Redwitz (1823—1891): über ihn vgl. Kosch, S. 2177. Ein ausführliches negatives Urteil über Redwitz' „Amaranth" findet sich schon in dem Brief Storms an Brinkmann vom 3. 7. 1851 (bei Gertrud Storm, S. 20 f.).

15 Otto Roquette: Leben und Dichten Joh. Chr. Günthers, Stuttgart: Cotta 1860.

16 Gemeint ist hier folgende Ausgabe: J. Chr. Günther, Sammlung von Deutschen und Lateinischen Gedichten, 2. Aufl.: Breslau und Leipzig 1739.

Storm nennt Johann Christian Günther (1615—1723) in seiner „Vorrede" zu dem Auswahl-Band „Deutsche Liebeslieder seit J. Chr. Günther" (K 8,107; Gd 4,605) einen „Vorläufer der neuen Lyrik".

17 Der entsprechende Begleitbrief vom 12. 2. 83 an seinen Sohn Ernst ist bei Gertrud Storm, S. 161 f. abgedruckt. Andere Urteile über C. F. Meyers „Jürg Jenatsch" finden sich u. a. in den Briefen an Keller vom 13. 3. 83 (bei Goldammer, S. 116 ff.) und an Heyse vom 19. 3. 83 (bei Bernd III, S. 44).

18 Gemeint ist der Kleist-Vortrag, den E. Schmidt in Hamburg gehalten hatte und der als „erweiterter Vortrag" zum erstenmal veröffentlicht wurde, in: Österreichische Rundschau, Wien 1883, Heft 2, S. 127—144. Er wurde wieder abgedruckt unter dem Titel „Heinrich Kleist als Dramatiker", in: Charakteristiken I, S. 350—380.

(Zu 97) Abdruck nach dem Original im Schiller-Nationalmuseum, Marbach.

1 Es handelt sich offenbar um einen am 16. Februar 1883 angefangenen Brief, der aber liegenblieb (kein Brief-Schluß) und dann erst dem folgenden Brief vom 10. Mai (Nr. 98) beigelegt wurde.

2 Vgl. Storms Brief an Karl vom 24. 3. 83, wo es heißt „Von unserm Freund Erich Schm. in Wien, der gewiß in einer Ueberfülle von Arbeit steckt, habe ich längere Zeit

keinen Brief; nur seinen sehr interessanten Vortrag über Kleist hat er mir geschickt; freilich erweitert, u. auch wohl gekürzt“ (nach der Hs: Landesbibliothek Kiel; vgl. bei Gertrud Storm, S. 170).

Über den Kleist-Vortrag vgl. Anm. 96,18.

3 Das letzte Ende meiner Psychologischen: gemeint ist der Schlußteil der Novelle „Schweigen“. Vgl. Anm. 98,5.

4 Mit „Familientag“, „Opium“ und „die schlimme Lage Preußens“ geht Storm auf folgende Stelle im E. Schmidts Kleist-Vortrag ein (Österreichische Rundschau, Wien 1883, S. 130):

„Ueber Kleists Lebensende, einen kalten, trüben Herbstabend ohne vergoldende letzte Sonnengluten, sind wir jetzt besser unterrichtet als sein feinsinniger Biograph Adolf Wilbrandt. Wir wissen von einem Frankfurter Familientag, wo Heinrich ein Taugenichts und eine Schande für die Kleists gescholten wurde, er, der Stolze, der Dichter des ‚Prinzen von Homburg‘. Offenbar machte der an Opiumgenuß Gewöhnte, innerlich und äußerlich Abgerissene, den Eindruck des Verkommens. Selbst die treue Ulrike schauderte.

Diese persönliche Schmach schlug ihn hart, tödtlicher noch traf der Schimpf eines Bündnisses zwischen Preußen und Frankreich. Ingrimmig lehnte er die angebotene Rückkehr in die Reihen der Armee ab ...“

5 Hier kann nur der Naturdichter der Aufklärung Ewald von Kleist (1715—1759) und dessen Gedicht „Der Frühling“ (1749) gemeint sein.

6 Zitat aus E. Schmidts Kleist-Vortrag. Die Stelle lautet in der Österreichischen Rundschau 1883, S. 132:

„‚Michael Kohlhaas‘, im ersten Drittel eine Leistung allerhöchsten Rangs, führt langsam Schritt für Schritt einen Kampf ums Recht vor: der rechtlichste Mann, der ‚seinem Rechtsgefühl, das der Goldwage glich‘, folgt, häuft, um des Rechts willen zur Selbsthilfe gedrängt, Unrecht auf Unrecht und endet als Mordbrenner, aber die Rappen werden ihm aufgefüttert.“

7 Hier geht Storm auf folgenden Abschnitt des Kleist-Vortrags ein (Österreichische Rundschau 1883, S. 135):

„Gleichwohl ist ‚der zerbrochene Krug‘ ein seltener Gast auf dem Repertoire, ja unbefangene Theaterkenner wollen versichern, daß er als Ganzes, selbst wenn der unübertroffene Döring den Richter Adam spielte, ein großes Publicum ermüdete. Die Darsteller der Hauptperson und des Pfifficus Licht betheuern dagegen jedesmal mit neuer Lust an die Aufführung eines Werkes zu gehen, dessen Ueberfülle von Feinheiten im Detail sich nur allgemach entdecken und reproduciren lasse. Diese reichen Schätze bedürfen unseres Lobes nicht; doch woher die unsichere Wirkung? Die Längen sind es nicht, denn sie vertragen einen Aderlaß und erhalten einen solchen seit den Tagen des alten Schmidt von mehr oder weniger geschickten Badern. Aber das Publicum, gewohnt im Lustspiel behaglich auszuspannen, wird hier scharf angespannt und soll mit allen Kräften seines Witzes einem für Feinschmecker zubereiteten, Wort für Wort Rechenpfennig um Rechenpfennig subtil calculirten, oft stichomythisch zerhackten Dialog folgen. Da heißt es die Ohren spitzen wie in ‚Emilia Galotti‘! Da wird juristisch inquisitorisch getüftelt, wie im Verhör des ‚Amphitryon‘: ‚nachdem ihr von der Tafel aufgestanden —‘ ‚nachdem ihr von der Tafel aufgestanden?‘ — ‚so gingen‘ — ‚ginget?‘ — ‚gingen wir — nun ja‘. Das Weimarer Publicum, dem man unglaublicher Weise das Stück in zwei Aufzügen mit einem Zwischenact, wie er störender und zerstörender nie gewesen, bot, vermißte nach Falks Bericht im ‚Prometheus‘ vor allem: Handlung. Kleists Lustspiel ist

wirklich einzig in seiner Art und das Gegentheil aller Lustspiele durch eine analytische Manier, die nicht Verwicklungen anlegt und dann löst, sondern vor Beginn wirr verschlungene Fäden langsam aufdröselt und zerfasert.“

(Zu 98) Erstdruck nach dem Original im Schiller-Nationalmuseum, Marbach.

[1] Über die Reise von Storms Töchtern Lucie und Elsabe (Ebbe) zu Sohn Hans vgl. E. Erichsen: Th. Storm und sein ältester Sohn Hans, Hamburg [1955], S. 135—139.

[2] Ernst, Storms zweitältester Sohn (1851—1913) heiratete am 1. 8. 1883 in Tondern Maria, die Tochter des Musiklehrers Adolf Krause in Tondern. Vgl. Anm. 68,11.

[3] Karl Storm (1853—1899), der „stille Musikant“, wirkte als Musiklehrer in Varel (Oldenburg).

[4] Abgedruckt als Brief Nr. 97 vom 16. 2. 83.

[5] Gemeint ist die Novelle „Schweigen“, die gerade im Mai-Heft der Deutschen Rundschau (Bd. 35/1883, S. 161—202) erschienen war. Schon am 15. 11. 82 an Heyse „psychologisch diftlige Geschichte“ genannt (bei Bernd III, S. 37).

[6] Der betreffende Brief von Albert Nieß an Storm ist nicht erhalten. Vgl. Anm. 92,16.

[7] Ein entsprechender Brief von Elwin Paetel (1847—1907) und Hermann Paetel (1837—1906), den Verlegern Storms, aus dieser Zeit ist im Stormnachlaß nicht erhalten.

[8] Toftlunder: hier ist Storms „literarisches Gewissen“, sein zweitältester Sohn Ernst, gemeint, der damals in Toftlund (Nordschleswig) als Amtsrichter wirkte.

[9] Nichte: Lucie Storm (1853—1927), auch Lucie (Lute) Hademarschen genannt, Tochter des Holzhändlers Johannes Storm;
Tochter: Storms Tochter Lucie (1860—1935), auch Lucie (Lute) Husum genannt.

[10] Über Lewinsky vgl. Anm. 67,6 u. 82,4.

[11] Über Joseph Victor von Scheffel (1826—1886) vgl. Anm. I 1,21. Sein historischer Roman „Ekkehard“ war 1862 erschienen. Die Ausgabe von 1865 (Berlin: Janke) fand sich in Storms Büchernachlaß (Husum, Nissenhaus).

[12] Wer Storms „Aquis submersus“ mit Scheffels „Ekkehard“ verglichen hat, konnte nicht ermittelt werden. Storm zitiert den Namen offenbar falsch.

[13] Seine Vorliebe für Eichendorff hatte Storm 1877 bei seinem Würzburg-Aufenthalt E. Schmidt gegenüber zum Ausdruck gebracht (vgl. unsere Ausgabe, Bd. I, S. 17 und die Anm. dazu).

[14] Sechs Briefe Margarethe von Eichendorffs (1859—1937), einer Enkelin des Dichters, sind in der Landesbibliothek Kiel erhalten, auch der hier genannte vom 26. 3. 83. Ihren Brief vom 13. 1. 82 druckt Bernd ab (III, S. 177 f.).

[15] Auf Adolf von Wilbrandt (1837—1911) hatte E. Schmidt Storm schon mehrfach aufmerksam gemacht. Vgl. den Brief Nr. 34 vom 8. 3. 78 im I. Bd. unserer Ausgabe (S. 85), den Brief Nr. 76 vom 22. 5. 81 im vorliegenden Band und das Briefzitat im Brief Storms an Heyse 7. 12. 81 (bei Bernd II, S. 94).

[16] Obwohl A. v. Wilbrandt und seine Werke im Storm-Heyse Briefwechsel mehrfach erwähnt und beurteilt werden, ist eine solche Äußerung dort nicht nachweisbar. Wahrscheinlich ist eine mündliche Bemerkung gemeint.

17 E. Schmidt arbeitete an seiner zweibändigen Monographie „Lessing, Geschichte seines Lebens und seiner Schriften", deren I. Bd. dann 1884 bei Weidmann in Berlin herauskam.

18 „Es ist eine Lust zu leben": Zitat aus einem Brief U. v. Huttens an den Nürnberger Humanisten W. Pirkheimer aus dem Jahre 1518.

19 Gemeint ist die Ausgabe von J. B. Peters: Deutsche Lyrik im Liede, Leipzig: Lucas 1882.

Storms Briefe an Dr. Peters sind nicht erhalten.

20 breviter et distincte (lat.): kurz und bestimmt; Worte, mit denen Cicero eine entsprechende Redeweise charakterisiert. Diese Junktur allerdings gebraucht so zum erstenmal der lat. Kirchenvater Augustin (Epist. 138,12) in Anlehnung an Cicero.

21 Fast alle diese Dichter und Gedichte hatte Storm bereits in die 1. Auflage seines „Hausbuchs" aufgenommen. Gemeint sind:

von August Kopisch (1799—1853): „Historie von Noah (S. 340);
von Julius Mosen (1803—1867): „Andreas Hofer" (S. 420);
von Joh. Heinrich Voß (1751—1826): „Des Jahres letzte Stunde" (S. 53);
von Ludwig Uhland (1787—1862): „Die linden Lüfte sind erwacht" (S. 211);
von Ludwig Tieck (1773—1853): „Feldeinwärts flog ein Vögelein" (S. 111);
von Simon Dach (1605—1659): nicht im Hausbuch, weil zeitlich außerhalb des gesetzten Rahmens („seit Claudius");
von Maximilian von Schenkendorf (1783—1817): „Andreas Hofer" (S. 185);
von Friedrich Rückert (1788—1866): „Aus der Jugendzeit" (S. 250);
von Lebrecht Dreves (1816—1870): „Auf den Bergen die Burgen" (S. 567);
von Joseph von Eichendorff (1788—1857): „Es zogen zwei rüst'ge Gesellen" (S. 236).

22 Das Inhaltsverzeichnis des (in Anm. 19) genannten Buches lag nicht mehr bei.

23 Am 5. Mai 1883 wäre Storms erste Frau Constanze (1825—1865) 58 Jahre alt geworden. Das Gedicht „Tiefe Schatten" (K 1,107 ff.), das Storm 1868 (in: Gesammelte Schriften, 1. Bd., Braunschweig 1868, S. 156 ff.) zum Druck freigab, ist gleich nach Constanzes Tod entstanden.

24 Über Hans Hopfen (1835—1904), vgl. Anm. 96,8.

25 Eduard Zetsche (1844—1927), österreichischer Schriftsteller. Er hat mehrere Artikel über Storm verfaßt und u. a. am 30. 11. 1875 eine Besprechung des Stormschen Bandes „Novellen und Gedenkblätter" in der Wiener Neuen Freien Presse veröffentlicht.

26 Julius von der Traun, Pseudonym für den österreichischen Reichsrat Alexander Schindler (1818—1885). Vgl. Anm. I 26,3.

27 „Gegenüberstehend" findet sich das „Brieffragment" vom 16. Febr., das hier gemeint sein muß und das wir unter Nr. 97 abgedruckt haben.

(Zu 99) Erstdruck nach dem Original im Schiller-Nationalmuseum, Marbach.

1 entre deux mers (frz.): zwischen den beiden Meeren (Ostsee und Nordsee).

2 Dieser Brief E. Schmidts an Storm ist verlorengegangen.

3 Es handelt sich um den Schluß der Novelle „Schweigen", den E. Schmidt in seinem verlorengegangenen Brief offenbar kritisiert hatte.

[4] Im Brief Storms an Heyse vom 2. 5. 83 heißt die betreffende Stelle:

„Es war darauf angelegt, daß *sie* ihn vom Letzten retten sollte, dann aber verlor er zuviel, lebte nur aus der Hand seiner Frau; jetzt ist's ein Mittelding; denn nun sind alle *ihre* Anstrengungen umsonst für die Entwicklg der Fabel und dienen höchstens zur Illustration ihrer Person." (bei Bernd III, S. 49).

[5] Vgl. die entsprechenden Briefstellen aus dem Brief Heyses an Storm vom 9. 5. 83 (bei Bernd III, S. 50).

[6] Zitat wiederum aus dem Brief Heyses an Storm vom 9. 5. 83. Heyse hatte statt „Ausgang" versehentlich „Eisgang" geschrieben (bei Bernd III, S. 50 unten).

[7] Heyse in demselben Brief vom 9. 5. 83 an Storm über sein Trauerspiel „Don Juan's Ende":

„Nur so Viel noch, daß ich es durchaus nicht auf einen Gegen-Faust damit abgesehen habe. Hiezu ist die Idee des schrankenlosen Genusses viel zu dürftig, und alle früheren Don Juan-Dichter haben auch richtig wieder eine Art Faust daraus machen müssen, während Genuß u. Reflexion sich doch ausschließen." (bei Bernd III, S. 50).

[8] Hans Carstens (1825—1902) aus Hamdorf (bei Westermühlen, 14 km von Rendsburg); sein Vater, der Bauernvogt Hans Carstens (1789—1866), war mit Marie Brigitte Margareta Storm (1792—1866), einer Schwester von Johann Casimir Storm (1790 bis 1874), dem Vater des Dichters, verheiratet.

[9] Dr. Hans Heinrich Wachs (1822—1895), Gutsbesitzer von Hanerau (bei Hademarschen), 1874 Abgeordneter des Deutschen Reichstages, mit Storm befreundet.

(Zu 100) Erstdruck nach dem Original im Schiller-Nationalmuseum, Marbach

[1] Postkarte der Deutschen Reichspost. An Herrn Professor Erich Schmidt in Wien III, Hauptstr. 88. Poststempel: Hanerau 22. 5. 83.

[2] Gemeint ist E. Schmidts „Brief vom 19. 5. 1883 an die DZ Wien", betitelt: „Die literarischen Altertümler", erschienen am 20. 5. 83 in der Deutschen Zeitung in Wien (Nr. 4086).

[3] Vgl. Storms Ausführungen über die sog. kulturhistorischen Novellen in seinem Briefwechsel mit Wilhelm Petersen, z. B. im Brief vom 12. 12. 85: „Immer und unter allen Umständen wird die Poesie in jedem Jahrhundert, dem sich ihr Stoff am sichersten anpaßt, ihr Zelt aufschlagen können; nur soll der Stoff selbst nicht auf vorübergehenden Zuständen beruhen, sondern auf rein menschlichen Conflicten, die wir ewig nennen." (bei Gertrud Storm, S. 211, nach dem von B. Coghlan vorbereiteten Text überprüft).

[4] Über Scheffel und seine Liedersammlung „Frau Aventiure" vgl. Anm. I 1,21.

[5] In der vierten Auflage des Hausbuchs (1878) hatte Storm aus Scheffels „Frau Aventiure" folgende Gedichte abgedruckt: „Fingerhut", „Dörpertanzweise" und „Frühlingsreigen" (S. 663—665).

[6] Die genannten Gedichte „Herbstreigen", „Genaht voll Glast und Sonne", „Bericht vom Meeresdrachen" sind Gedichte aus Scheffels „Frau Aventiure", die dort der „La régine Avrillouse" zugeschrieben werden.

7 Über Achim von Arnim (1781—1831) und seinen Roman „Die Kronenwächter" hatte Storm in seinem Brief vom 13. 9. 82 (Nr. 87) gesprochen.

8 Zu Arnims Faustgestalt vgl. E. Schmidt in „Faust und das 16. Jahrhundert": „Von den neueren Dichtern hat es, soviel ich sehe, einzig Achim von Arnim gewagt, den Doktor Faust in seinem durch eine unendlich lebensvolle Vergegenwärtigung deutscher Vergangenheit ausgezeichneten Roman ‚Die Kronenwächter' bei freier Annäherung an die historische Wahrheit zu malen." (in: Charakteristiken I, S. 14).

9 Vgl. den Brief Kellers an Storm vom 19. 5. 83 (bei Goldammer, S. 122).

(Zu 101) Erstdruck nach dem Original im Schiller-Nationalmuseum, Marbach.

1 H. L. Wagner: Die Kindermörderin (1766), Sturm und Drang-Drama. Eine Neuausgabe dieses Werkes hatte E. Schmidt in der Reihe „Deutsche Literaturdenkmäler" (Bd. 13, Heilbronn 1883) ediert und Storm zugeschickt.

2 Paul Heyses Novelle „Im Bunde der Dritte" erschien 1884 im „Buch der Freundschaft" (17. Novellensammlung). Über diese Novelle vgl. auch Storm in seinen Briefen an Heyse vom 24. und 29. 10. 83 (bei Bernd III, S. 66 u. 69).

3 Wilhelm Jensen: Ein Skizzenbuch, Freiburg i. B.: Kiepert u. von Bolschwing 1884 (ein Band dieser Ausgabe befindet sich in der Bibliothek der Staatsuniversität Bremen).

4 „Ihren ‚Heinrich Leopold Wagner' ": gemeint ist die zweite Auflage von E. Schmidts Habilitationsschrift (1879). Vgl. Anm. I 26,8.

5 das qu⟨aestionierte⟩ opus (lat.): das genannte Werk.

6 quod ad me ⟨attinet⟩ (lat.): was mich angeht.

7 J. M. R. Lenz: Der Hofmeister (1774), Sturm und Drang-Komödie. Über Lenz und seine Werke war zwischen Storm und E. Schmidt in Würzburg (vgl. in Bd. I unserer Ausgabe, S. 16) und in ihren ersten Briefen die Rede gewesen (Bd. I, S. 20, 22, 23, 38, 41 usw.).

8 uno tenore (lat.): in einem Zuge.

9 „Ich hab' mich castrirt": gemeint ist die 3. Szene im V. Akt des „Hofmeister".

10 Gemeint ist die 10. Szene im V. Akt des „Hofmeister".

11 E. Schmidt hat in seinem Buch „Lenz und Klinger. Zwei Dichter der Geniezeit" (Berlin 1878) den „Hofmeister" einen „Rattenkönig der anstößigsten Geschichten" (S. 34 unten) genannt.

12 Vgl. E. Schmidt in seinem Buch „Lenz und Klinger", S. 40:
„Schröder wagte es dieser dankbaren Figur zu Liebe [gemeint ist die Figur des Majors] das Stück im Juni 1778 auf die Hamburger Bühne zu bringen. Die Umarbeitung, welche geschickt das Liebesverhältnis zwischen Läuffer und Gustchen in einer langsamen Entwicklung vorführte und natürlich die schlimmsten Auftritte ganz umstieß, ist uns nicht erhalten."
Friedrich Ludwig Schröder (1744—1816), bedeutender deutscher Schauspieler, Theaterdirektor des Hamburger Schauspielhauses. Über ihn vgl. ADB, Bd. 32, S. 506.

13 Gemeint ist E. Schmidts Widmung („An Theodor Storm") zu dem in Anm. 11 genannten Werk, die wir in Anm. I 45,1 vollständig zitiert haben.

[14] Die folgenden Gedichte stehen in W. Jensens „Skizzenbuch" (vgl. Anm. 3) und zwar „Im Eilzug" (S. 21—25), „Ein Räthsel" (S. 65—74), „Am Aschenkrug" (S. 189 bis 212), „Corfiz Ulfeldt" (S. 15—20).

[15] Paul Heyses Trauerspiel „Don Juans Ende" erschien 1883 bei Hertz in Berlin. Vgl. auch Storms Urteile über Heyses „Don Juan" in seinen Briefen an P. Heyse vom 16. 9. und 24. 10. 83 (bei Bernd III, S. 63 f. u. 66) und an Keller vom 13. 9. 83 (bei Goldammer, S. 124).

[16] Gemeint sind Gestalten aus W. A. Mozarts Oper „Don Giovanni" (Don Juan).

[17] Lewinsky (vgl. Anm. 67,5 u. 82,4) hatte Interesse gezeigt, eine Stormsche Novelle vor dem Wiener Publikum zu lesen (vgl. Storms Brief vom 10. 5. 83/Nr. 98). Die Lesung kam im Juni 1884 zustande (vgl. Anm. 113,5).

[18] Storms Novelle „Schweigen" war im Mai in der Deutschen Rundschau (Bd. 35/1883, S. 161—202) erschienen und wurde dann von Storm „ein wenig umgearbeitet" für die Buchausgabe: „Zwei Novellen. Schweigen, Hans und Heinz Kirch" (Berlin: Paetel 1883).

[19] E. Schmidts Einwand im vorhergehenden verlorengegangenen Brief richtet sich gegen die Szenen, in denen Storm zeigt, daß auch der aus der Anstalt entlassene Holzschläger Claus Peters wieder gesundet und der angebliche Rückfall in alte Wahnvorstellungen kein Rückfall ist (K 6,182 u. 192).

[20] Die Idee zur „Chronik von Grieshuus", zu einer „romantischen Novelle" (so zunächst der Arbeitstitel!) war Storm schon während seiner Arbeit an der Novelle „Schweigen" gekommen. Vgl. den Brief Storms an Heyse vom 15. 11. 82 (!) bei Bernd III, S. 37.

[21] Storms verstorbene erste Frau Constanze, geb. Esmarch (1825—1865), stammte aus Segeberg.

[22] Die „Huhnschlachtszene" (K 6,216) in der Novelle „Zur Chronik von Grieshuus" sollte Storm noch manchen Kummer bereiten. Vgl. den Brief Storms an E. Schmidt vom 24. 2. 84 (Nr. 110) und die Postkarte vom 4. 3. 84 (Nr. 111).

[23] Gemeint ist die Arbeit E. Schmidts an der zweibändigen Lessing-Monographie. Vgl. Anm. 102,1.

[24] Dieser Katalogausschnitt lag dem Brief nicht mehr bei.

(Zu 102) Erstdruck nach dem Original im Schiller-Nationalmuseum, Marbach.

[1] Es handelt sich um den „stattlichen" I. Band der E. Schmidtschen Lessing-Monographie, der Storm schon vor dem offiziellen Erscheinen zugeschickt wurde: Lessing, Geschichte seines Lebens und seiner Schriften, Berlin: Weidmann 1884.

„. . und so stecke ich im 2. Capitel": dieses Kapitel ist überschrieben „Auf der Universität".

[2] Ch. M. Wieland (1733—1813) hat seinen „Oberon" 1780 veröffentlicht. Daß er drei Tage an einer Strophe gearbeitet hat, erzählt er selbst in einem Brief an Merck vom 20. 11. 1779 (bei L. Wagner: Briefe an Merck von Goethe, Herder und Wieland, Darmstadt 1835, S. 190).

[3] Karl Leberecht Immermann (1796—1840): Immermann vollendete seinen Roman „Münchhausen" 1839; er war verheiratet mit Marianne Niemeyer (1819—1886); sie

war das Vorbild für die Gestalt der Lisbeth in der „Oberhof“-Geschichte des Münchhausen-Romans (übrigens hatte Storm seine älteste Tochter nach Immermanns Romanheldin Lisbeth genannt). Marianne heiratete nach dem Tode des Dichters 1847 den Eisenbahndirektor Guido Wolff (1803—1880) in Hamburg.

Storms großes Interesse für Immermann und dessen Frau zeigt auch die bisher unbekannt gebliebene Tatsache, daß Storm in seine „Münchhausen“-Ausgabe (Düsseldorf: Schaub 1841) die Anzeige, mit der ihm der Tod der Frau Marianne Wolff, geb. Niemeyer, mitgeteilt wurde, eingeheftet hat. Die Anzeige trägt Storms handschriftlichen Vermerk: „Vor Jahren Immermanns Frau. Beantw. an ihre Tochter Meta Wolff 26. Febr. 1886“ (Exemplar im Nissenhaus, Husum).

4 Geheimrätin Geffken: Caroline (geb. 1840), Immermanns einziges Kind, damals 41 Jahre alt. Vgl. Storms Brief an Lucie vom 30. 11. 83 (bei Gertrud Storm, S. 243 fälschlich 1882).

5 Storm war nach Hamburg gereist (vom 13. bis 24. 11. 83), um am 17. 11. 83 an der Premiere des Heyseschen Schauspiels „Das Recht des Stärkeren“ mit dem Autor zusammen teilzunehmen. Vgl. dazu den Brief Storms an G. Keller vom 22. 12. 83 (bei Goldammer, S. 129 f.) und die Schreiben aus dem Briefwechsel Storm—Heyse vom 31. 10. und 18. 11. 83 (bei Bernd III, S. 69 f. und Anm. 165,2).

Unbekannt und besonders aufschlußreich sind die Briefe, die Paul Heyse und Erich Schmidt aus diesem Anlaß gewechselt haben. In einem Brief vom 27. 11. 83 schreibt P. Heyse an E. Schmidt u. a.:

„Hätten Sie doch in Hamburg sein können, als das Sylter Stück seine erste Lampenprobe mit so außerordentlichem Glück bestand ... — Storm war herübergekommen, wir hatten ein paar gute vergnügliche Abende miteinander. Doch wird es in lebendiger jüngerer Gesellschaft immerhin fühlbar, daß er in einer häuslichen dörflichen Enge lebt, in der seine geistigen Gelenke mit der Zeit einrosten. Übrigens kam er während der Aufführung — in den Zwischenacten — hinter die Bühne u. machte Liddy und Candide ganz munter den Hof.“ (Hs: unveröffentlicht im Deutschen Literatur-Archiv/Schiller-Nationalmuseum, Marbach.)

E. Schmidt antwortete am 3. 12. 83 u. a.:

„Was Sie über Storm schreiben, hab ich vorige Weihnachten in dem behaglichen rothen Castell zu Hademarschen erfahren. Er reibt sich zu wenig an anderen Menschen und größeren mannigfaltigeren Verhältnissen.“ (Hs: unveröffentlicht in der Staats- und Universitätsbibliothek, München.)

Interessant und ein Kommentar zu der vorliegenden Briefstelle des Storm—E. Schmidt Briefes ist, was Storm am 20. 11. 83 aus Hamburg an W. Petersen berichtet:

„Heyse's sind gestern Vorm. abgereist. Das Stück schlug glänzend durch. 2 mal nach 2. u. 3. Act d. Dichter hervorgerufen; er war entzückt von der Liebenswürdigkeit des Personals und des alten Maurice [Direktor des Thalia-Theaters in Hamburg]. Sämmtliche Frauenrollen wurden nahezu vollendet gegeben; die Pistor-Candida, die Horn-Liddy; die Siegmann, wunderbar sympathisch — die Maja; nach Act 2 war ich hinter ⟨der⟩ Bühne, wo die liebenswürdigste Stimmung herrschte ...“ (zitiert nach dem von B. Coghlan für die neue Storm-Petersen-Briefausgabe vorbereiteten Text, vgl. bei Gertrud Storm, S. 198).

[6] Über Storms Hamburger Freunde, den Theologen Heinrich Schleiden und den Zeichner und Illustrator Otto Speckter vgl. Anm. 87, 18 u. 19.

[7] Onkel Scherff: Jonas Heinrich Scherff (1798—1882), Kaufmann in Altona. Vgl. die Briefveröffentlichung: Theodor Storm und die Familie Scherff, in: Storm-Gedenkbuch, hrsg. von F. Düsel, Braunschweig: Westermann 1917, S. 202—215.

[8] Über Joh. Classen vgl. Anm. 87,20.

[9] Gottfried Keller hatte Storm den Band „Gesammelte Gedichte von Gottfried Keller", Berlin: Hertz 1883, zugeschickt (der betreffende Band ist noch heute im Privatbesitz erhalten: Näheres im Archiv der Th. Storm-Gesellschaft, Husum).

[10] Storm hat hier den angefangenen Brief überklebt und weitergeschrieben. Durch das Papier schimmert noch Storms ursprüngliche Anrede durch: „Lieber Doctor Julius!" Dr. Julius Mannhardt (1834—1893) war mit Storm gut bekannt. Er war Augenarzt und lebte in Kellinghusen. In seiner „Villa Fernsicht" hat Storm im Mai 1884 Detlev von Liliencron kennengelernt (vgl. J. Royer: Th. Storm u. D. v. Liliencron, in: Schriften der Th. Storm-Gesellschaft 20/1971, S. 24). Dr. Johannes Mannhardt, Leiter der Internatsschule in Hademarschen, war sein Bruder (vgl. Anm. 85,26).

[11] obstupefactus (lat.): betäubt, erschreckt.

[12] Otto Brahm (1856—1912), Literarhistoriker, Schüler W. Scherers und E. Schmidts, Theaterkritiker und Theaterleiter, Mitarbeiter der Deutschen Rundschau. Widmete seine Kleist-Biographie E. Schmidt (vgl. Anm. 117,16); seine Schiller-Biographie blieb unvollendet (vgl. Anm. 142,11).

Gemeint ist hier seine Besprechung der Kellerschen Gedichtsammlung (vgl. Anm. 9) in der Deutschen Rundschau (Dezemberheft, Bd. 37/1883, S. 469—473).

[13] Vgl. Anm. 1.

[14] Gemeint sind die älteren Gedichtbände von Gottfried Keller: Gedichte, Heidelberg: Winter 1846 (Erste Gedichtausgabe) und: Neuere Gedichte, 2. verm. Aufl., Braunschweig: Vieweg 1854.

[15] Storm zitiert aus dem Kellerschen Gedichtband von 1883 (vgl. Anm. 9), und zwar aus dem erzählenden Gedicht „Ein Festzug in Zürich", wo es von S. 231 (unten) an heißt:

> „Da, horch, erdröhnt das Feuerhorn!
> Und wie der Wind dreht sich im Korn,
> Wendt alles Volk den Kopf herum,
> Die Spieler und das Publikum, . . ."

[16] Otto Brahm hatte in der Rundschau (vgl. Anm. 12) geschrieben: „Das Erste in der Lyrik ist die Empfindung. Das erste in der Epik die Phantasie. Bei Keller ist jederzeit die Phantasie die treibende Kraft."

[17] Als seine Lieblingsstücke bezeichnet Storm folgende Gedichte in der Ausgabe von 1883 (Anm. 9):

S. 33: Abendlied
S. 43: Waldlieder
S. 64: Winternacht
S. 179 (—182): Wochenpredigt
S. 410: Jung gewohnt, alt getan
S. 352 (—356): Waldfrevel

S. 32: Rosenwacht
S. 14: Nachtfalter

18 Gemeint ist Kellers Gedicht in der genannten Ausgabe, S. 30: Abendlied an die Natur.

19 Gemeint ist die Buchausgabe der Novelle „Schweigen" (vgl. Anm. 101,18).

20 Über W. Jensens „Skizzenbuch" und die Gedichte „Am Aschenkrug", „Im Eilzug" und „Räthsel" vgl. Anm. 101,3 u. 101,14. Das Gedicht „Eine Begegnung" findet sich in dem genannten Bande, S. 51—54.

(Zu 103) Erstdruck aus dem Original des Briefes Storms an Westermann vom 27. 1. 84 im Westermann-Archiv, Braunschweig.

1 Das Datum des Briefes wird durch Storm in seinem Brief vom 27. 1. 84 an Westermann folgendermaßen angegeben: „Der Professor der Deutsch. Literatur Erich Schmidt in Wien schrieb mir am 22. Dezbr."

2 Adolf von Sonnenthal (1832—1909), Schauspieler am Burgtheater in Wien (seit 1856).

3 Novissimum (lat.): neuestes ⟨Werk⟩.

(Zu 104) Erstdruck nach dem Original im Schiller-Nationalmuseum, Marbach.

1 E. Schmidt hatte für eine Storm-Lesung durch den Schauspieler Sonnenthal um das Manuskript einer ungedruckten Novelle gebeten. Vgl. den vorhergehenden Briefauszug (Nr. 103). Storm, der gerade an der Novelle „Zur Chronik von Grieshuus" arbeitete, dachte daran, das Manuskript dieser Novelle für eine Lesung zur Verfügung zu stellen.

2 Auch der Schauspieler Joseph Lewinsky (vgl. Anm. 67,5) hatte sich zu einer Storm-Lesung bereit erklärt (vgl. Anm. 101,17).

3 Vgl. Anm. 102,9.

4 „Die beiden Tubus": Novelle von Hermann Kurz (1813—1873), die im 18. Band des „Deutschen Novellenschatzes" (1874, S. 169 ff.) erschienen war. Vgl. dazu auch Bernd I, S. 141 f. (Anm. 36,52).

5 Gemeint ist wohl W. Jensens neuester Gedichtband „Ein Skizzenbuch". Vgl. Anm. 101,3.

(Zu 105) Erstdruck nach dem Original im Schiller-Nationalmuseum, Marbach.

1 Postkarte der Deutschen Reichspost. Herrn Professor Erich Schmidt in Wien III, Hauptstraße. Poststempel: Hanerau 30. 12. 83.

2 Es handelt sich — wie auch die folgenden Textstellen bestätigen — um Exemplare der Neuen Freien Presse, Wien, 28. 12. 83 (Nr. 6945), wo E. Schmidt seinen Sylvesterbesuch unter dem Titel „Winterfahrt zu Theodor Storm" geschildert hatte. Vgl. auch die

Postkarte vom 1. 1. 83 (Nr. 94) und Anm. 94,4. Ein Exemplar dieses Zeitungsberichts hatte E. Schmidt auch G. Keller zugeschickt. Vgl. den Brief Kellers an Storm vom 26. 3. 84 (bei Goldammer, S. 132).

3 Wilhelm Hertz (1835—1902), Lyriker, dessen Formgewandtheit Storm später mit den Worten kritisierte: „Kommt denn irgendetwas Tüchtiges dabei zutage?" (an E. Schmidt am 17. 10. 85, Nr. 125).

E. Schmidt hat, bei der Übernahme seines Zeitungsberichtes („Eine Winterfahrt ...") in die „Charakteristiken", die Beschreibung der Stormschen Bibliothek in diesem, von Storm monierten Punkte verbessert (Charakteristiken I, S. 478).

4 Vgl. den Anfang des Briefes vom 17. 12. 83 (Nr. 102) und Anm. 102,1.

(Zu 106) Erstdruck nach dem Original im Schiller-Nationalmuseum, Marbach.

1 Storm hat E. Schmidt mit diesem Brief das Manuskript des I. Teils der Novelle „Zur Chronik von Grieshuus" zum Vorlesen durch den Schauspieler Adolf von Sonenthal zugeschickt, und zwar die ersten „80 Oktavseiten", von denen es in dem Brief an Westermann vom 27. 1. 84 — im Anschluß an den in Nr. 103 veröffentlichten Abschnitt — heißt:

„Er [E. Schmidt] bittet mich nun, ihm zu senden, wenn ich etwas hätte; und ich sandte ihm ‚Zur Chronik von Grieshuus' die Einleitung und ‚Buch I' ca 80 meiner Ihnen bekannten Oktavseiten. Am 9. d. M. erhielt ich die Karte v. 7. I. u. heute die zweite, wonach Sonnenthal zum Lesen bereit ist ..." (Hs: unveröffentlicht, Westermann-Archiv Braunschweig.)

Das Manuskript der Novelle ist erhalten (Hs: Landesbibliothek Kiel). Storm hat die Seiten numeriert, und Buch I endet tatsächlich auf Seite 79.

2 Die Novelle „Zur Chronik von Grieshuus" wurde erst im Oktoberheft (I. Teil) und Novemberheft (II. Teil) in Westermanns Monatsheften veröffentlicht (Bd. 57/1884, S. 1—24 und 149—175).

3 Anfang Januar pflegte Storm „comme toujours" (wie immer, d. h. seit er in Hademarschen wohnte) nach Husum zu reisen, um dort den Geburtstag seines Freundes Landrat Graf Reventlow zu feiern und einige Tage im Hause seines Bruders Dr. Aemil Storm zu verweilen. 1884 war er „16 Tage in Husum v. 5. Jan. an", wie Storm an Heyse am 4. 2. 84 schreibt (bei Bernd III,S.73).

4 Storms Tochter Elsabe, genannt Ebbe (1863—1945), ging für einige Monate nach Erfurt zu ihrer Patin Frau Ökonomierat Tollberg, die Storm in Heiligenstadt kennengelernt hatte. Vgl. Storms Briefe an Elsabe bei Gertrud Storm, S. 255 ff.

5 Castell: Storms Altersvilla in Hademarschen.

6 E. Schmidts Bericht „Eine Winterfahrt zu Theodor Storm" (vgl. Anm. 105,2) ließ sich in den entsprechenden Ausgaben der „Kieler Zeitung" (Landesbibliothek Kiel) nicht nachweisen.

7 Verbesserung der Stelle aus E. Schmidts Zeitungsbericht (s. o.): Storm und der Pastor halten „Lese-Abende ..., wo auch Shakespeare ein andächtiges Publicum findet" (unverändert in: Charakteristiken I, S. 476).

8 Verbesserung der Stelle aus E. Schmidts Zeitungsbericht (s. o.): „Keine Zeitung, denn hier schweigt die Politik, und spärlich stellt sich dann und wann das Kreisblättchen ein" (unverändert in: Charakteristiken I, S. 477).

9 Bei dem „in der tägl. Rundschau erschienenen Artikel" über Storm handelt es sich um einen der Stormforschung bisher unbekannt gebliebenen Aufsatz von J. Pollacsek, der am 29. u. 30. 12. 83 in der Berliner „Täglichen Rundschau" (Nr. 303 u. 304, S. 1210 f. u. S. 1214 f.) erschienen war.

Dr. Julius A. Pollacsek war damals als Journalist in Hamburg-Eppendorf tätig, später Besitzer des Strandbades Westerland/Sylt (vgl. Schriften der Th. Storm-Gesellschaft 18/1969, S. 43 f. und S. 51, Anm. 3). Storm war im Juni 1883 als Pate zur Taufe bei Pollacseks in Eppendorf eingeladen. Pollacsek hatte dann vom 15. bis 21. 8. 83 Storm in Hademarschen besucht und dabei Materialien für den oben genannten Artikel ausgeliehen (nach unveröffentlichten Tagebuchnotizen Storms; Hs: Landesbibliothek Kiel).

(Zu 107) Erstdruck nach dem Original im Schiller-Nationalmuseum, Marbach.

1 Postkarte der Deutschen Reichspost. An Herrn Universitäts-Professor Erich Schmidt in Wien III, Hauptstraße 88. Poststempel: Husum 19. 1. 84.

2 E. Schmidts Urteil über den I. Teil der Novelle „Zur Chronik von Grieshuus" war in dem vorhergehenden Brief E. Schmidts enthalten, der leider verlorengegangen ist. Storm zitiert aber daraus den wichtigsten Satz in seinem Brief an W. Petersen vom 31. 1. 84: „Erich Schmidt ... schrieb mir auf Einsendung des Manuskripts: ‚Ich habe es in einem Zuge gelesen, es ist schön, sehr schön' " (bei Gertrud Storm, S. 199). Vgl. Fontanes Urteil, das wir in Anm. 117,6 zitieren.

(Zu 108) Erstdruck nach dem Original im Schiller-Nationalmuseum, Marbach.

1 Postkarte der Deutschen Reichspost. An Herrn Professor an der Universität Erich Schmidt in Wien III, Hauptstr. 88. Poststempel: Hanerau 26. 1. 84.

2 Vgl. Anm. 106,3.

3 Vgl. Anm. 106,4.

4 Franz Storm (1857—1929), ein Sohn von Storms Bruder Johannes in Hademarschen, war Neujahr 1881 nach Afrika gegangen (vgl. Storms Brief an Lisbeth vom 20. 12. 80 bei Gertrud Storm, S. 218).

(Zu 109) Erstdruck nach dem Original im Schiller-Nationalmuseum, Marbach.

1 Storm hatte am 27. 1. 84 von E. Schmidt eine — verlorengegangene — Postkarte erhalten, in der E. Schmidt ihm mitteilte, daß „Sonnenthal zum Lesen bereit ist" (so Storm an Westermann am 27. 1. 84. Hs: Westermann Archiv, Braunschweig; vgl. die folgende Anm.).

[2] In dem unveröffentlichten Brief an Westermann vom 27. 1. 84 zitiert Storm zunächst aus E. Schmidts Brief vom 22. 12. 83, in dem dieser um die Erlaubnis zur Lesung eines ungedruckten Stormschen Manuskripts bittet (veröffentlicht unter Nr. 103), berichtet dann, daß er die „Einleitung und Buch I, ca 80 meiner Ihnen bekannten Oktavseiten" nach Wien geschickt habe, und fährt dann fort:

„Wollen Sie darauf eingehen, so bitte ich Sie baldmöglich, ich weiß den Tag der Lesung nicht, an *Professor Schmidt. Wien III Hauptstraße 88* telegraphiren: ‚Ich genehmige. Westermann' und mich gleichzeitig wissen lassen, daß Sie einverstanden sind." (Hs: Westermann-Archiv, Braunschweig.)

[3] Auf eine entsprechende Anfrage hin hatte der Verlag Westermann Storm geantwortet, man müsse die Novelle „Hans und Heinz Kirch" erst sehen, ehe man sie annehmen könne. Dieser Vorbehalt hatte Storm damals sehr verärgert. Vgl. dazu seinen Brief an W. Petersen vom 4. 3. 82 (bei Gertrud Storm, S. 186 f.). Die betreffenden Original-Briefe sind im Westermann-Archiv (Braunschweig) und im Storm-Archiv (Landesbibliothek Kiel) nicht erhalten.

[4] dolose (lat.): arglistigerweise, mit betrügerischer Absicht (in der Rechtswissenschaft gebräuchlicher Begriff).

[5] Hier sind Storms Töchter Gertrud (1865—1936) und Dodo (Friederike, 1868 bis 1939) gemeint, nicht Storms zweite Frau Do (Dorothea).

[6] Der österreichische Reichsrat Alexander Schindler (1818—1885); Dichterpseudonym: Julius von der Traun. Vgl. Anm. I 26,3.

[7] Ada Christen (1839—1901), Pseudonym für: Christiane Rosalie Friderik, verwitwete Neupaur, 1873 verheiratet mit Rittmeister A. v. Breden. Vgl. Kosch, S. 216. Storms Briefe an Ada Christen sind veröffentlicht von O. Katann: Storm als Erzieher. Wien: Hollinek 1948. Gemeint ist hier der Band von Ada Christen: Unsere Nachbarn. Neue Skizzen, Dresden/Leipzig: H. Minden 1884.

[8] In Freiburg wurde Ende 1883 die Aufführung von Wilhelm Jensens Drama „Kampf ums Reich" vorbereitet. Im Zusammenhang mit den antiklerikalen Tendenzen dieses Dramas kam es noch vor der Aufführung zu dem angesprochenen „Skandal": „Tausende von Menschen" zogen unter der Führung katholischer Studentenbünde vor das Haus des Dichters, „warfen die Fenster ein und brüllten greulich." Die Polizei mußte den Dichter vor weiteren Ausschreitungen schützen (vgl. W. Fehse, Raabe und Jensen, Berlin: Grote 1940, S. 122 und den dort zitierten Brief von Marie Jensen an Wilhelm Raabe, aus dem auch die hier angeführten Zitate stammen).

(Zu 110) Erstdruck nach dem Original im Schiller-Nationalmuseum, Marbach.

[1] Dieser Brief ist verlorengegangen.

[2] Gemeint ist die Verschiebung der geplanten Vorlesung des ersten Teiles der Novelle „Zur Chronik von Grieshuus" (vgl. Anm. 109,1). Sie mußte offenbar verschoben werden, weil Sonnenthal verreist war, wie auch die folgende Stelle aus dem Brief Storms an Heyse vom 28. 3. 84 zeigt: „In Wien wird Sonnenthal den ersten Theil nun erst im Mai lesen, weil er nach Moskau ist" (bei Bernd III, S. 75).

3 Gemeint ist die „Huhnschlacht-Szene" im ersten Teil der Novelle „Zur Chronik von Grieshuus": K 6,216 f. bzw. Gd 3,223 f. Vgl. den folgenden Brief Nr. 111 und Anm. 111,2.

4 Wiederum Sätze (Anfang und Ende) der „Huhnschlacht-Szene" (vgl. Anm. 3). In der Reinschrift (Hs: Landesbibliothek Kiel), S. 37 unten u. 38 oben.

5 Briefstelle aus dem verlorengegangenen Brief E. Schmidts.

6 Karl Müllenhoff war am 19. 2. 84 gestorben. Ein Nachruf aus E. Schmidts Feder erschien am 6. 3. 84 in der Neuen Freien Presse (Wien).

7 Vgl. E. Schmidts Aufsatz „Bürgers Lenore", in: Charakteristiken I, S. 199—248.

8 Storm hatte E. Schmidts Kleist-Vortrag am 16. 2. 83 erhalten. Vgl. Brief Nr. 97.

9 G. E. Lessing: Sämmtliche Schriften, hrsg. von K. Lachmann, 13 Bde., Berlin: Voß 1838—1840. Im Storm-Nachlaß haben sich einige Bände dieser Ausgabe erhalten (im Nissenhaus, Husum).

10 Lessings Gedicht „Die Religion" bespricht E. Schmidt im I. Band seiner Lessingbiographie ausführlich (im III. Kapitel, das „Jugendpoesie" überschrieben ist). Das Kapitel über Friedrich den Großen findet sich dort am Anfang des IV. Kapitels (überschrieben: „Der Berliner Literat").

11 Heinrich Düntzer (1813—1901), Literarhistoriker. Seine Lessingbiographie (Lessings Leben. Mit Illustr.) war 1882 in Leipzig erschienen. E. Schmidt hatte sie 1882 in der Deutschen Literaturzeitung besprochen (3/1882, S. 1345 f.).

12 Gemeint sind die beiden Schauspieler Joseph Lewinsky (vgl. Anm. 67,5) und Adolf von Sonnenthal (vgl. Anm. 103,2).

13 C. F. Meyers Novelle „Die Leiden eines Knaben" war 1883 bei Haessel in Leipzig erschienen. Storm hat sie in einem Brief vom 4. 1. 85 auch Heyse empfohlen (bei Bernd III, S. 103).

(Zu 111) Erstdruck nach dem Original im Schiller-Nationalmuseum, Marbach.

1 Postkarte der Deutschen Reichspost. An Herrn Universitäts-Professor Erich Schmidt in Wien III, Hauptstr. 88. Poststempel: Hanerau 4. 3. 84.

2 Im folgenden verbessert Storm die „Huhnschlachtszene" noch einmal. So wie hier wurde die Stelle — mit nochmaligen kleinen Verbesserungen — dann gedruckt (K 6, 216 f.). In der Reinschrift ist die ursprüngliche Fassung von Storm unleserlich gemacht und mit der neuen Fassung überklebt worden (S. 38 der Hs in der Landesbibliothek in Kiel). In alten Kladdepapieren, in denen die Novelle „Zur Chronik von Grieshuus" den Arbeitstitel „Alte Kunden" trägt, stehen aber noch die Sätze, die Storm gestrichen hat und „das sentimentale Unglück" nennt:

„ ‚Sie kann nicht Jungfer? Und warum denn nicht?'

Da hatte sie sich aufgerichtet: ‚Ich hab's ⟨das Huhn⟩ gelockt, da ist es gleich herzugelaufen; es ist die Zeit, wo ich ihm sonst von meinem Frühbrod hingestreuet!'

Der Junker lächelte u. seine Adleraugen gewannen milden Glanz.

‚So laß es laufen', sagte er, ‚und gieb ihm auch heut' von deinem Brod!'

Sie schüttelte den Kopf u. sah betrübsam auf das blanke Messer . . ."

(Hs: unveröffentlicht in der Landesbibliothek Kiel, Seite 14; von der mühseligen Arbeit an dieser Szene zeugen weitere erhaltene Fassungen und Bruchstücke dieser Stelle.)

[3] Das Manuskript der Novelle „Zur Chronik von Grieshuus" wurde am 9. 3. 84 fertiggestellt (vgl. den Brief an W. Petersen bei Gertrud Storm, S. 200) und am 11. 3. 84 an Westermann abgeschickt (vgl. die folgende Postkarte vom 23. 3. 84 an E. Schmidt = Nr. 112).

[4] Hier handelt es sich offenbar um geheimgehaltene Verhandlungen über eine Berufung E. Schmidts an die Berliner Universität.

[5] C. F. Meyers Novelle „Die Hochzeit des Mönchs" war Ende 1883 im 37. Band der Deutschen Rundschau, S. 321—354, und Anfang 1884 im 38. Bd., S. 1—27 abgedruckt. Storm äußert sich in seinem Brief vom 4. 1. 85 an Heyse negativ über diese Novelle (bei Bernd III, S. 102 f.).

[6] Gemeint sind die Abschnitte „Voltaires Siècle" und „Voltaires Essays" usw., die Storm im IV. Kapitel des I. Bandes der Lessing-Monographie lesen wollte.

(Zu 112) Erstdruck nach dem Original im Schiller-Nationalmuseum, Marbach.

[1] Postkarte der Deutschen Reichspost. An Herrn Universitäts-Professor Erich Schmidt in Wien III, Hauptstr. 88. Poststempel: Hanerau 23. 3. 84.

[2] transeat cum ceteris (lat.): möge sie mit den übrigen untergehen.

[3] Gemeint ist E. Schmidts Aufsatz: Daniel Casper von Lohenstein, in: ADB 19, S. 120—124, den E. Schmidt Storm offenbar zugesandt hatte.

[4] E. Schmidt hatte Storm den Nachruf auf Karl Müllenhoff zugeschickt, den er am 6. 3. 84 in der Neuen Freien Presse, Wien, veröffentlicht hatte.

[5] Die Novelle „Zur Chronik von Grieshuus" wurde tatsächlich im Oktober- und Novemberheft von Westermanns Monatsheften abgedruckt (Bd. 57/1884, S. 1—24 u. S. 149—175).

[6] Ossip Schubin (1854—1934), Pseudonym für Lola Kirschner („Schubin" nach einer Gestalt aus Turgenjews Roman „Am Vorabend"). Über sie vgl. Kosch 1279 f. In der Deutschen Rundschau, Bd. 37/1883, S. 282—310 u. S. 436—460 war ihre Erzählung „Geschichte eines Genies" abgedruckt.

[7] Sanes: Lesefehler Storms für Ferdinand von Saar. Über Saar vgl. Anm. 116,9.

(Zu 113) Erstdruck nach dem Original im Schiller-Nationalmuseum, Marbach.

[1] Postkarte der Deutschen Reichspost. An Herrn Professor Erich Schmidt in Wien III, Hauptstr. 88. Poststempel: Hanerau 27. 5. 84.

[2] Storm kehrte aus Berlin zurück. Über seinen Berlin-Aufenthalt vgl. u. a. seinen Brief an P. Heyse vom 6. 6. 84 (bei Bernd III, S. 81 f.) und an G. Keller vom 8. 6. 84 (bei Goldammer, S. 135 f.), vor allem aber den ausführlichen Bericht über den Festabend (12. 5.) von Ludwig Pietsch in der Vossischen Zeitung vom 14. 5. 84 (wieder abgedruckt bei Bernd III, S. 247 ff.).

[3] Diese Postkarte ist verlorengegangen. Sie enthielt eine Mitteilung über die Geburt des ersten Sohnes (Wolfgang Schmidt). Vgl. 114,1.

4 Gemeint ist die Einleitung der Novelle „Zur Chronik von Grieshuus" (K 6,195 bis 199 und Gd 3,502—507), die E. Schmidt sehr bewunderte und die Sonnenthal verkürzt vorgelesen hatte, wie E. Schmidt in einem verlorengegangenen Brief Storm mitgeteilt hatte. Das geht aus einem bisher unveröffentlichten Brief Storms an Paetel vom 20. 6. 84 hervor, wo es u. a. heißt:

„Sonnenthal in Wien hat Thl I, wie ich Ihnen sagte, vorgelesen, die von E. Schmidt bewunderte Einleitung hat er nicht lesen können, auch ist sie nur verkürzt gelesen, und durch dieß Besser machen wollen natürlich zerstört; seine Erfolge sind erst nach dem epischen, mit dem dramatischen Theile S. 11 begonnen." (Hs: Landesbibliothek Kiel.)

5 Der Schauspieler Lewinsky (vgl. Anm. 67,5) hat das I. Buch der Novelle „Zur Chronik von Grieshuus" dann in einer Privatgesellschaft vorgelesen, wie aus dem unveröffentlichten Brief Storms an Paetel vom 20. 6. 84 hervorgeht, wo es u. a. heißt:

„Levinsky hat Buch I dann auch in Privatgesellschaft vorgelesen, aber unverkürzt und einen durchweg durchschlagenden Erfolg erzielt... Schmidt schrieb mir, Levinsky ist ganz weg darin." (Hs: Landesbibliothek Kiel.)

(Zu 114) Abdruck nach dem Original im Schiller-Nationalmuseum, Marbach.

1 Gemeint ist E. Schmidts erster Sohn Wolfgang, geb. am 11. Mai 1884.

2 Toftlunder Richter: Ernst Storm, Storms zweitältester Sohn (1851—1913), dem am 4. 7. 84 eine Tochter mit Namen Elisabeth (später verheiratete Spethmann) geboren war.

3 Elisabeth Tönnies (1857—1949), Schwester des Soziologen Prof. Dr. Ferdinand Tönnies (1855—1936). Mitglied des Stormschen Gesangvereins. Vgl. Anm. I 50,8 u. 55,4.

4 Karl Storm (1853—1899), der jüngste Sohn des Dichters.

5 Ein — nur wenig verändertes — Zitat aus dem Brief Kellers an Storm vom 9. 6. 84 (bei Goldammer, S. 134).

6 Emanuel Geibel war am 6. 4. 84 verstorben. Th. Storms kritische Einstellung zu Geibels Lyrik zeigt sich schon in dem Brief an H. Brinkmann vom 7. 5. 51:

„Übrigens ist das Vertrauen in den Wert meiner lyrischen Poesie sowie mein Mißtrauen gegen das Publikum gestiegen, seit ich in den letzten Tagen viel in Geibels Gedichten (23. Auflage!! und Mörike 2!) gelesen habe. Mir erscheint er bis auf einzelne Sachen schwach... Nimm den Geibel zur Hand, lies alle Liebesgedichte durch, und dann nimm meine ‚Sommergeschichten' zur Hand und lies die von mir und dann entscheide Dich, auf welcher Seite Kraft, Tiefe und Innigkeit des Gefühls und des Ausdrucks, mit einem Wort ‚Seele' ist, bei dem Dichter von Profession oder bei dem Dilettanten" (bei Gertrud Storm, S. 17).

7 Wilhelm Scherer hatte am 25. Mai 1884 im Verein „Berliner Presse" eine Gedenkrede auf den am 6. April 1884 verstorbenen Emanuel Geibel gehalten. Diese Rede wurde dann in der Deutschen Rundschau, Bd. 40/1884, S. 36—45 veröffentlicht und erschien anschließend unter dem Titel „Emanuel Geibel" in der Weidmannschen Buchhandlung in Berlin.

Storm hat offenbar die Veröffentlichung der Rede in der Deutschen Rundschau gelesen. Seine Reaktion wird verständlich, wenn man folgende Sätze der Rede kennt (S. 37):

„Er [Geibel] hat nie den vorübergehenden Forderungen der Mode gedient, er hat nie dem Geschmacke der Menge geschmeichelt ... Er wird auch nach seinem Tode ein Wegweiser, ein Zielzeiger, — ein Führer, ein Erzieher, ein Lehrer seines Volkes bleiben: ein Führer zur Schönheit, ein Erzieher zum Maß, ein Lehrer der Form.

Die Deutschen schätzen von Alters her den Gehalt mehr als die Form ... Geibel aber besaß die Kraft, durch den Gehalt seiner Dichtung zugleich den Werth der Form allem Volk eindringlich zu predigen."

8 Tatsächlich finden sich in Storms unveröffentlichtem „Notizbuch" mit dem Titel „Was der Tag giebt", das in der Landesbibliothek in Kiel aufbewahrt wird, diese Verse S. 32 eingetragen. Etwas anders lautet die erste Zeile im Brief an Keller vom 8. bzw. 14. 6. 84: „Die Form war dir ein goldner Kelch ..." (bei Goldammer, S. 137). Ohne Bezug auf Geibel wurden die Verse von Storm dann in der 7. Aufl. der „Gedichte" unter der Überschrift „Lyrische Form" veröffentlicht (Berlin: Paetel 1885, S. 178):

Poeta laureatus:
Es sei die Form ein Goldgefäß,
In das man goldnen Inhalt gießt.
Ein Anderer:
Die Form ist nichts als der Contur,
Der den lebend'gen Leib beschließt.

9 Diese Stelle ist außerordentlich aufschlußreich für Storms Selbstverständnis. Storm versteht sich als „letzter" Dichter des alten Liedgedichtes, des echten Empfindungsgedichtes. Er verdeutlicht seine Position noch einmal in einem Brief an den Literarhistoriker Alfred Biese vom November 1884, wo er schreibt: „Als Geibel starb, hieß es, der letzte Lyriker ist begraben, aber Geibel war als Lyriker nur zweiten Ranges. Ihm fehlte die Naivität, die Tiefe der Unmittelbarkeit, er deklamierte fast immer mit gehörigem Selbstbewußtsein. Der letzte Lyriker bin ich ..." (zitiert von J. Borst, Th. Storms Beziehungen zu E. Geibel, in: Die Heimat 42/1932, Neumünster: Wachholtz 1932, S. 60).

Als „Letzter" wird Storm dann auch von G. von Lukàcs beurteilt (in: Die Seele und die Formen, Essays, Berlin: Fleischel 1911, S. 165, oder neuerdings in der Sammlung Luchterhand Nr. 21, Berlin: 1971, S. 113). Vgl. dazu ebenfalls F. Martini: Th. Storms Lyrik, Tradition-Produktion-Rezeption, in: Schriften der Th. Storm-Gesellschaft 23/1974, S. 9—27.

10 Vgl. Anm. 111,4.

11 Die Novelle „Zur Chronik von Grieshuus" erschien als Buch in Oktav (Berlin: Paetel 1884) und als Miniaturausgabe (Berlin: Paetel 1885). Im folgenden ist von dem Zeitschriftendruck die Rede (Westermanns Monatshefte 57/1884, S. 1—24 u. S. 149 bis 175).

12 Die Ernennung Theodor Storms zum Ehrendoktor scheiterte am Einspruch eines eigenwilligen Professors der philosophischen Fakultät. Vgl. dazu den Brief Storms an Heyse vom 22. 9. 81 (bei Bernd III, S. 158).

13 Storms Aufzeichnungen zur Jugendgeschichte wurden zum erstenmal posthum unter dem Titel „Nachgelassene Blätter" veröffentlicht, in: Deutsche Rundschau, Bd. 57/November 1888, S. 341—346. Vgl. K 8,3—11; nach den Handschriften vervollständigt: Gd 4,507—524.

14 Vgl. die Briefe Storm—Heyse vom 30. 3. bis 2. 7. 84 (bei Bernd III, S. 77—89).

15 tertium (lat.): gemeint ist der „Dritte" in der Familie, der neugeborene Sohn Wolfgang. Vgl. Anm. 1.

(Zu 115) Abdruck nach dem Original im Schiller-Nationalmuseum, Marbach.

1 Der Brief E. Schmidts an Storm vom 18. Juli 1884 ist verlorengegangen. Storm hatte inzwischen auf dem adeligen Gut Damp bei Eckernförde an der Feier des 60. Geburtstages des Grafen W. von Qualen, einem Schwager des Grafen Ludwig zu Reventlow teilgenommen (vgl. den Brief Storms an Lucie, zitiert bei Bernd III, S. 311).

2 Vgl. in Storms Brief an Keller vom 8. 6. 84: „ich suchte vergebens abzuwehren, weil — unter uns gesagt — die Berliner Literaten mir nicht eben sympathisch sind." (bei Goldammer, S. 136).

3 Leopold Ritter von Sacher-Masoch (1836—1895). Briefe aus dem Briefwechsel sind erhalten; darunter auch Storms ablehnender Antwortbrief (Hs: Landesbibliothek, Kiel).

4 E. Schmidt hatte in der Deutschen Literaturzeitung (5/1884, S. 835—836) eine Rezension des Buches „Berthold Auerbach, Briefe an seinen Freund Jacob Auerbach, Frankfurt 1884" veröffentlicht. Vgl. auch den Aufsatz „Berthold Auerbach", in: Charakteristiken I, S. 418—436.

5 Vgl. Storms Geibel-Kritik und seine Worte: „(Meine) Eigenliebe ist verletzt" im Brief vom 13. 7. 84 (Nr. 111), auf die E. Schmidt in seinem verlorengegangenen Brief offenbar geantwortet hatte.

6 August Graf von Platen-Hallermünde (1796—1835). Formstrenger Lyriker, unter Verwendung antiker und orientalischer Versmaße. Vgl. über ihn Kosch, S. 2065 f. Trotz seiner Kritik an Platen (vgl. auch Anm. 7) hat Storm Gedichte von Platen in sein „Hausbuch" aufgenommen (1. Aufl.: 5 Gedichte; 4. Aufl: 9 Gedichte).

7 Heinrich Heine (1797—1856). Storms Begeisterung für Heine stammt schon aus seiner Primanerzeit in Lübeck (1835—1837), wo er Heines „Buch der Lieder" zum erstenmal kennenlernte (Storm in seiner Tischrede zum 70. Geburtstag: Gd 4,337). In die 4. Aufl. des „Hausbuchs" hat Storm dann 21 Heine-Gedichte aufgenommen!

Zur Erläuterung der Stormschen Grundeinstellung gegenüber Heine und Platen seien hier zwei Stellen aus dem Brief Storms an H. Brinkmann vom März 1852 zitiert: „Die zweite [erg.: feinere, geistige] Form ist Sache des Gefühls, vielleicht darf ich sagen des Genies, die erste [erg. die gröbere, prosodische Form] des Verstandes. In der letzteren ist Platen Meister, obgleich ihm die andere keineswegs abgeht, in der ersten Heine und, was mehr anerkannt werden sollte auch Schiller ... (ich setze) die prosodische Form weit unter die andre, und es ist reine Dummheit, auch in betreff der Form Platen über Heine zu setzen; Heine ist ohne Zweifel der größte Meister in der Form von diesen beiden." (bei Gertrud Storm, S. 37 f.).

8 Zitiert ist hier die zweite Strophe des Heine-Gedichtes „Die Heimkehr 2" (Ich weiß nicht, was soll es bedeuten ...).

9 pauvreté (frz.): Armut, Armseligkeit.

10 Über Friedrich Hölderlin vgl. Anm. 68,6.

11 Gemeint sind die Korrekturabzüge vom II. Teil der Novelle „Zur Chronik von Grieshuus"; der II. Teil erschien erst im Novemberheft von Westermanns Monatsheften (Bd. 57/1884, S. 149—175).

[12] Vgl. die Briefe Heyses an Storm vom 30. 7. 84 und 14. 8. 84 (bei Bernd III, S. 90 u. 92).

[13] Die betreffende Karte von Ernst Storm ist nicht erhalten.

[14] Gemeint ist die Novelle „Es waren zwei Königskinder" (K 6,294—331). Über die Entstehung der Novelle vgl. die Briefe Storms an Keller vom 7. 8. 85 (bei Goldammer, S. 146) und an Heyse vom 19. 3. 88 (bei Bernd III, S. 169 ff.).

[15] Die Novelle „Siechentrost" von P. Heyse war 1883 im Oktoberheft der Deutschen Rundschau (Bd. 37, S. 1—39) zum erstenmal abgedruckt.

[16] Fast wörtliches Zitat aus dem Brief Kellers an Storm vom 26. 3. 84 (bei Goldammer, S. 133). Gemeint ist der Roman „Martin Salander", der 1886 in der Deutschen Rundschau zum erstenmal abgedruckt wurde und im gleichen Jahr in Buchform erschien (vgl. Anm. 133,15 u. 140,6).

[17] E. Schmidt arbeitete am II. Band seiner Lessing-Monographie. Den I. Band hatte Storm schon erhalten: vgl. den Brief vom 13. 12. 83 (Nr. 102) und Anm. 102,1.

[18] Storm meint den Abschnitt im II. Bd. (dort im III. Kapitel, überschrieben „Der theologische Feldzug") von E. Schmidts Lessing-Monographie, der sich mit Lessings „Anti-Goeze" (1778 Auseinandersetzung mit dem Hamburger Hauptpastor Goeze) beschäftigt.

[19] Gemeint ist offenbar eine Berufung an die Berliner Friedrich-Wilhelm-Universität. Vgl. Anm. 111,4.

[20] Der Wiener Schauspieler Lewinsky hatte Storms Novelle „Zur Chronik von Grieshuus" (Teil I) in einer Privatgesellschaft vorgelesen. Vgl. die Postkarte vom 26. 5. 84 (Nr. 113) und Anm. 113,5.

(Zu 116) Erstdruck nach dem Original im Schiller-Nationalmuseum, Marbach.

[1] Erich Schmidt hatte Storm — wie schon so oft — zum Geburtstag Illustrationen von Daniel Chodowiecki geschickt, und zwar — wie aus Storms Brief vom 2. 10. 84 an Heyse hervorgeht (bei Bernd III, S. 93) — zu Lessings „Kleinigkeiten", d. h. zu der ersten Ausgabe von Lessings Gedichten (1751). Über den „Lachmann-Lessing" vgl. Anm. 110,9.

[2] „und sende hier statim ‚Grieshuus' II": Storm schickte E. Schmidt „statim" (lat.: sogleich) den II. Teil der Novelle „Zur Chronik von Grieshuus", und zwar die Korrekturabzüge zum Erstdruck der Novelle in Westermanns Monatsheften (57/1884, S. 149—175).

[3] Es handelt sich um die drei tragischen Einakter „Simson", „Ehrenschulden", „Das Fagott" und um das Lustspiel „Unter Brüdern", die alle 1884 bei Hertz in Berlin erschienen. Urteile Storms über diese Werke finden sich in dem Brief an Keller vom 10. 11. 84 (bei Goldammer, S. 139 f.).

[4] „S. 30 seq." (seq. = sequentes: folgende). Gemeint ist die Stelle aus „Simson", wo Delila behauptet, Simson sei der einzige, den sie geliebt habe. Vgl. Storm an Heyse am 2. 10. 84: „Es [‚Simson'] ist ja sehr schön; aber S. 30 da stockte ich, las wieder und wurde nicht mit mir einig: in Delilas Rede fehlt mir der glaubhafte Kern..." (bei Bernd III, S. 93; vgl. die dort in den Anm. zitierten Stellen des Einakters, auf die

Storm sich bezieht). Vgl. auch die Briefe Storms an Heyse vom 8. u. 27. 10. 84 (bei Bernd, S. 96 u. 100).

5 E. Schmidts erster Sohn Wolfgang (geb. 11. 5. 1884).

6 Storm kannte Emile Zolas naturalistischen Roman „L'assommoir" (1877); vgl. Storms Brief an E. Schmidt vom 1. 3. 82/Nr. 85 und Anm. 85,12 u. 14. Storm hatte aber offenbar noch andere Teile des Roman-Zyklus „Les Rougon-Macquart" (1871 ff.) gelesen.

7 Über Platen vgl. den Brief vom 24. 8. 84 (Nr. 115) und Anm. 115,6 u. 7.

8 Brahms fälschlich für Brahm. Otto Brahm hatte zuletzt in der Deutschen Rundschau einen Aufsatz über G. Kellers Gedichte (37/1883, S. 469—473) und über H. v. Kleists Dramenfragment „Robert Guiskard" veröffentlicht (39/1884, S. 52—66). Der Name „Lemcke" ist von Storm offenbar verlesen.

9 Ferdinand von Saar (1833—1906), österreichischer Erzähler und Lyriker. Über ihn vgl. Kosch, S. 2353 f. E. Schmidt hatte Storm fürs „Hausbuch" Saars Gedichte empfohlen. In seinem nächsten Brief (Nr. 117) äußert sich Storm positiv über eine Novelle dieses Dichters.

10 Heyse hatte ein „Reisetagebuch" in Terzinen unter dem Titel „Der Salamander" in dem Band „Novellen und Terzinen" (Berlin 1870) veröffentlicht. Storm hatte daraus das Gedicht „Die Schlange" in sein „Hausbuch" aufgenommen (1. Aufl. 1870: S. 690 ff.).

11 Ernst von Wildenbruch (1845—1909). Dramatiker, Erzähler. Über ihn vgl. Kosch, S. 3375 f. Seine Trauerspiele „Die Karolinger" und „Harold" (Storm versehentlich „Harald") waren 1882 erschienen. Storm hatte „Die Karolinger" im Sommer 1884 im Königlichen Schauspielhaus in Berlin gesehen (vgl. über beide Stücke den Brief an Keller vom 8. 6. 84 bei Goldammer, S. 136).

(Zu 117) Erstdruck nach dem Original im Schiller-Nationalmuseum, Marbach.

1 Meine Frau ist zu mir heraufgeflüttet: flütten (plattdt.) (dän. flytte) umziehen.

Gertrud: Storms zweitjüngste Tochter (1865—1936). Dodo: Storms jüngste Tochter Friederike (1868—1936).

2 Paul Schütze (1858—1887), junger, früh verstorbener Literarhistoriker, erster Biograph des Dichters (Theodor Storm. Sein Leben und seine Dichtung. Berlin: Paetel 1887). Schütze hat den Dichter seit 1884 mehrmals persönlich in Hademarschen aufgesucht.

Gemeint ist hier wohl P. Schützes Aufsatz „Anna Ovena Hoyer, eine holsteinische Dichterin des 17. Jahrhunderts", der am 16. u. 19. 11. 84 in der Kieler Zeitung abgedruckt wurde (Nr. 10323 u. 10327), dann in der Zeitschrift für allg. Geschichte (2/1885, S. 539—550) erschien und übrigens mit dem Satz schließt: „Die Töne, welche Anna Ovena in ihrer Selbstcharakteristik anschlägt, klingen wieder bei einem Dichter unserer Tage, der jene Küstengegend ebenfalls seine Heimat nennt, bei Theodor Storm ..."

3 Vgl. Anm. 85,5.

4 P. Schütze veröffentlichte am 26. 2. 1885 in der Kieler Zeitung (Nr. 10492) einen Aufsatz mit dem Titel „Th. Storms Novelle ‚Schweigen'". Vielleicht geht dieser Aufsatz auf einen entsprechenden Vortrag zurück.

[5] Vgl. dazu Anm. 114,10. Die „Octavausgabe" („Zur Chronik von Grieshuus" Berlin 1884), die Storm E. Schmidt schenkte, hat sich erhalten. Sie enthält die handschriftliche Widmung: „Seinem lieben Freunde Erich Schmidt, Hademarschen, 27. Novbr. 1884. Th. Storm." (in Privatbesitz).

[6] Theodor Fontanes Brief an Storm vom 28. 10. 1884 enthält u. a. den Satz: „Es zählt zu Ihren schönsten Arbeiten und in der Kunst der poetischen Scenerie, der unendlich weichen, immer wechselnden Situationsmalerei — ein *Genre*-Bilderbuch ohne Gleichen — ist es wohl das Schönste was Sie geschrieben haben." Zitat nach dem Text der Edition des Briefwechsels Storm—Fontane, die von R. Steiner in der vorliegenden Briefbandreihe im Erich Schmidt Verlag (Berlin) vorbereitet wird.

[7] Aus Wilhelm Jensens Brief vom 21. 11. 84, der hier wohl gemeint ist, zitieren Gertrud Storm (Th. Storm, Ein Bild seines Lebens, Bd. II, S. 219) und Bernd (III, S. 322 f.) ausführlich, u. a. folgenden Satz: „Eben, lieber Storm, habe ich Ihr ‚Grieshuus' in einem Zuge gelesen. Es ist sehr schön. Sie haben wahrlich keinen Grund, über Ihre Jahre zu klagen!"

[8] Aus dem Brief Heyses an Storm vom 4. 10. 84 (bei Bernd III, S. 95). Positive Urteile Heyses über „Grieshuus" finden sich auch in den Briefen vom 30. 7. und 14. 8. 84 (bei Bernd III, S. 90—92).

[9] Gemeint ist der Brief Kellers an Storm vom 19. 11. 84, aus dem Storm die folgende Briefstelle zitiert (bei Goldammer, S. 141).

[10] Ferdinand von Saar (vgl. Anm. 116,9) hatte in dem „letzten Band" des „Neuen Deutschen Novellenschatzes" die Novelle „Marianne" veröffentlicht (Band VII/1884, S. 121—160).

[11] Im Vorwort des Bandes (Anm. 10) spricht Heyse u. a. von der kleinen Erzählung „Innocens", die Ferdinand von Saar 1866 in Wiener literarischen Kreisen zum erstenmal bekannt gemacht hatte, und fährt dann fort (S. 119 f.):

„Die Gewissenhaftigkeit der künstlerischen Arbeit und ein liebenswürdiger lyrischer Hauch erinnerten an Theodor Storm in seiner Immensee-Periode. Diesem hoffnungsvollen Erstling sind im Laufe der Jahre in großen Zwischenräumen nur noch etwa sieben Novellen gefolgt, die sämmtlich denselben Familienzug tragen und den Wunsch berechtigt erscheinen lassen, der Dichter möchte sich einmal an einem größeren Stoffe zu seiner vollen Kraft entwickeln, ähnlich wie es Storm in den Erzählungen seiner reifen Manneszeit gethan, nachdem er den Resignationsstil überwunden."

[12] Diese Frage hatte Storm schon im letzten Brief vom 17. 9. 84 (Nr. 116) gestellt.

[13] Eine Berufung Erich Schmidts an die Berliner Universität, die offenbar im Gespräch war (vgl. die Briefe vom 4. 3. u. 24. 8. 84/Nr. 111 u. 115), war nicht erfolgt.

[14] Vgl. Anm. 114,12.

[15] Gemeint ist der Aufsatz „Theodor Storm", den Wilhelm Jensen in der von Paul Lindau herausgegebenen Zeitschrift „Die Gegenwart" veröffentlicht hatte (Bd. 11/1877, Nr. 8, vom 24. 2. 77, S. 121—123). In dem von Storm erwähnten Abschnitt (S. 121) kritisiert Jensen die „alma mater Christiana Albertina", weil sie anläßlich der Feiern zur Einweihung des neuen Universitätsgebäudes in Kiel ihren „ehemaligen Studenten Theodor Storm, gegenwärtig Oberamtsrichter in Husum" nicht zum Ehrendoktor ernannt habe.

[16] Otto Brahm: Heinrich von Kleist, Berlin: Allg. Verein f. d. Lit. 1884. Brahm hatte seine Kleist-Biographie E. Schmidt gewidmet, und da u. a. den „Wunsch" ausge-

sprochen: „daß Sie Ernst machen mit dem Plane, den Sie mir noch jüngst in Wien entwickelt haben, und uns eine kritische Ausgabe der Kleistsche Dichtungen schenken... Hier haben Sie meinen Kleist; geben Sie uns den Ihren." Storm hat die kritische Kleist-Ausgabe nicht mehr erlebt. Sie erschien in Zusammenarbeit mit G. Minde-Pouet und R. Steig in 5 Bänden als Meyers Klassiker-Ausgabe 1904 ff.

17 Anspielung auf den letzten Satz des Brahmschen Vorworts (Anm. 16).

(Zu 118) Abdruck aus dem Original des Briefes Storms an Tönnies vom 26. 12. 1884 in der Schleswig-Holsteinischen Landesbibliothek, Kiel (vgl. bei H. Meyer, S. 369 f.).

1 Storm leitet das Zitat aus dem Brief E. Schmidts folgendermaßen ein: „Eine kleine Genugthuung brachte mir dieser Tage auch ein Brief von Erich Schmidt; er schrieb..." Und Storm schließt das Zitat mit folgendem Kommentar: „Aber das wurde entre deux geredet; und in allen öffentlichen Aeußerungen heißt es: in Geibel ist der letzte deutsche Lyriker begraben." Vgl. dazu den Brief Storms an E. Schmidt vom 13. 7. 84 (Nr. 114) und Anm. 114,9.

2 Briefdatum erschlossen aus dem ersten Satz des Stormschen Antwortbriefes vom 13. 12. 84. wo es heißt: „eben (habe ich) Ihren lieben, reichhaltigen Brief empfangen, auf den ich *gleich* zu antworten beginnen will."

3 Wilhelm Scherer hatte in seiner Gedächtnisrede auf Emanuel Geibel (vgl. Anm. 114,7) von Geibel gesagt:

„Und in einem jener prägnanten Epigramme seines Alters leitet er aus einem geistreichen Vergleich einen ernsten Mahnspruch ab:

Wie aus Jupiters Stirn einst Pallas Athene, so sprang aus
Bismarck's Haupte das Reich waffengerüstet hervor.
Thu' es der Göttin gleich, Germania! Pflanze den Oelbaum,
Sei dem Gedanken ein Hort, bleibe bewaffnet, wie sie!

Aber die großen Interessen der Menschheit wurden unserem Freund über dem vaterländischen nicht fremd. Auch ihm scholl der Name der Freiheit süß ins Ohr." (Deutsche Rundschau 40/1884, S. 42.)

(Zu 119) Erstdruck nach dem Original im Schiller-Nationalmuseum, Marbach.

1 Dieser Brief E. Schmidts an Storm ist verlorengegangen. Eine Stelle aus diesem Brief haben wir in Nr. 118 abgedruckt.

2 Carl Caro (1850—1884), Jurist in Breslau und Straßburg, Dramatiker und Erzähler.

3 „uno tenore" (lat.): in einem Zuge, ohne Unterbrechung.

4 Die Burgruine (1883): Lustspiel von Carl Caro (vgl. Anm. 2).

5 Zu Paul Heyses Einaktern „Das Fagott", „Ehrenschulden", „Simson" und zu dem Lustspiel „Unter Brüdern" vgl. Anm. 116,3.

6 Storm hatte den Einakter „Simson" (Hauptgestalt: Delila) in seinem Brief an Heyse vom 2. 10. 84 kritisiert (bei Bernd III, S. 93), und Heyse hatte darauf am 4. 10. 84

geantwortet (bei Bernd III, S. 95): „Mit der Delila muß ich noch eine — materiell sehr geringe — Correktur vornehmen, um jener falschen Auffassung vorzubeugen, die einem guten Bibelkenner von vorn herein nicht beifallen könnte. Daß sie ein Racker war, sollte wohl bekannt sein. Sie muß es aber auch noch durchblicken lassen." Diese Worte erklären auch die folgenden Ausführungen Storms an E. Schmidt.

7 Vgl. die interessanten Briefe, die Storm und Heyse anläßlich der neuen Edition der Gedichte Heyses vom 30. 3. bis zum 2. 7. 84 miteinander gewechselt haben (bei Bernd III, S. 77—89; vgl. auch die ausführlichen Anmerkungen dazu).

8 Vgl. die betreffende Briefstelle aus E. Schmidts Brief im vorhergehenden Briefabdruck (Nr. 118). Vgl. aber dazu auch die Fassung dieser Briefstelle, wie sie Storm am 4. 1. 85 Heyse mitteilt:

„Eine kleine Genugthuung erwuchs mir in diesen Tagen aus einem Briefe Erich Schmidts, der in Wien mit Wilh. Scherer zusammengewesen war, und diesem darüber, daß er in seiner Rede über Geibel etwas Gewöhnliches als speciell geistreich hervorgehoben hatte, ein monitum zog. ‚Ja gewiß', meinte Sch., ‚wäre Geibel nicht vielfach trivial, so wäre er nicht populär.' Und er fügte sogleich ohne daß ich Ihren [gemeint: Storms] Namen nannte, hinzu: ‚Gegen Stormsche Lieder kann freilich die ganze Geibelsche Lyrik nicht von ferne aufkommen'.

Es scheint an meiner Persönlichkeit zu haften, daß dergleichen die Literaturhistoriker sich nur im Kabinett von Ohr zu Ohr zuflüstern. In ihren Vorträgen ist immerhin mit Geibel der letzte Lyriker gestorben, u. Th. St. existirt überhaupt nicht" (bei Bernd III, S. 103).

Vgl. auch Storm an Franzos am 22. 7. 86 (in: Schriften der Th. Storm-Gesellschaft 18/1969, S. 19).

9 Gemeint ist Rudolf von Gottschalls Kritik des Stormschen „Hausbuchs" in den „Blättern für literarische Unterhaltung Nr. 1/1871, S. 14 f. Vgl. auch Anm. I 1,37 und 38.

10 Gemeint sind die Kupferstiche von Daniel Chodowiecki zu Lessings „Kleinigkeiten": vgl. Anm. 116,1. Über Lessings „Kleinigkeiten" hatte Storm „im Lessing", d. h. im I. Band der neuen Lessing-Monographie von E. Schmidt (Berlin 1884) nachgelesen, und zwar im III. Kapitel unter der Überschrift „Jugendpoesie".

11 G. E. Lessings Schrift „Laokoon oder über die Grenzen der Malerei und Poesie". Vgl. etwa im XVIII. Abschnitt: „Homer malt nämlich das Schild nicht als ein fertiges, vollendetes, sondern als ein werdendes. Er hat also auch hier sich des gepriesenen Kunstgriffes bedient, das Koexistierende seines Vorwurfs in ein Konsekutives zu verwandeln und dadurch aus der langweiligen Malerei eines Körpers das lebendige Gemälde einer Handlung zu machen. Wir sehen nicht das Schild, sondern den göttlichen Meister, wie er das Schild verfertigt."

Vgl. auch Storm an D. v. Liliencron am 30. 11. 83: „Man soll den Lessingschen Satz: ‚Die Malerei ist die Kunst des *Neben*einander, die Poesie die des *Nach*einander' [Zusammenfassung des XVI. Kapitels des ‚Laokoon'] doch stets im Bewußtsein behalten..." (in: Schriften der Th. Storm-Gesellschaft 3/1954, S. 45).

12 Der Titel des Erstdrucks der Novelle „Auf der Universität" (Münster: Brunn 1863) wurde beim zweiten Abdruck — und nur bei diesem! — abgeändert in „Lenore" (Münster: Brunn 1865).

13 „kleine Novelle": gemeint ist die Novelle „John Riew'", die unter dem Titel

„Eine stille Geschichte" im März 1885 in der Deutschen Rundschau erschien (Bd. 42/ 1885, S. 321—358).

14 Marie von Wartenberg, geb. Esmarch (1826—1917), Cousine von Constanze Storm, der ersten Frau des Dichters. Über Marie von Wartenberg vgl. Storms Brief an Heyse vom 2. 10. 84 (bei Bernd III, S. 94). Vgl. auch Storm am 10. 10. 84 an seine Tochter Elsabe:

„Tante Mimi [Marie v. W.] hat mich sehr hübsch u. ähnlich in lebensgroßem Brustbild gemalt." (Hs: Landesbibliothek Kiel; vgl. bei Gertrud Storm, S. 259.) Das Ölgemälde hängt jetzt im Nissenhaus in Husum und ist abgebildet in den Schriften der Th. Storm-Gesellschaft 16/1967, S. 128.

15 Vgl. Anm. 117,16.

(Zu 120) Erstdruck nach dem Original im Schiller-Nationalmuseum, Marbach.

1 Wolfgang, E. Schmidts Sohn. Er hatte offenbar eine Kinderkrankheit durchgemacht.

2 Storms Tochter Elsabe (1863—1945).

3 Und die Welle kam und sie trug sie nach oben: Anspielung auf den Vers aus Schillers Ballade „Der Taucher": „Gleich faßt mich der Strudel mit rasendem Toben; / Doch es war mir zum Heil, er riß mich nach oben." Man vergleiche, wie Storm denselben Vers in seiner Novelle „Viola tricolor" zitiert (K 3,299; Gd 2,410).

4 Hier verwechselt Storm die Namen seiner Enkelinnen: Constanze Haase (1882 bis 1922) aus Heiligenhafen und Elisabeth Storm (1884 geb.) aus Toftlund, Ernst Storms Tochter.

5 Gemeint ist die Novelle „John Riew'". Vgl. Anm. 119,13.

6 Vgl. Storm in seinem Brief vom 4. 2. (eig. 3.) 85 an Heyse: „Mir hatte im vorigen Herbst kein Stoff recht kommen wollen, da stellte, morgens vor dem Aufstehen, sich mir ein alter gutmüthiger Kapitän vor, der so ein Kind an seinem Leibtrank theilnehmen ließ..." (bei Bernd III, S. 106). Vgl. auch Storms erste Notizen für den Anfang der Novelle „John Riew'", die Gertrud Storm veröffentlicht hat (in: Th. Storm, II, S. 222 f.).

7 Gemeint ist der Stoff zur Novelle „Der Schimmelreiter", den Storm freilich schon in seiner Jugend kennengelernt hatte. Vgl. dazu u. a. den Brief an Th. Mommsen vom 13. 2. 43 (bei Teitge, S. 49), die Einleitung der Novelle (K 7,252) und die Kapitel „Entstehungsgeschichte" und „Quellen" in: K. E. Laage, Sylter Novelle/Der Schimmelreiter, Heide: Westholst. Verlagsanstalt (1970), S. 123—136.

8 Über Hugo Schlömer vgl. auch Anm. 90,3.

9 G. Kellers Roman „Martin Salander" erschien erst in den Heften Januar bis September 1886 in der „Deutschen Rundschau".

10 Storm besaß in seiner Bibliothek u. a. Jean Pauls „Sämmtliche Werke" (5 Bände, Berlin: Reimer 1840—1841) sowie die frühe Ausgabe des „Titan" (4 Bände, Berlin: Matzdorff 1800—1803) (Näheres im Archiv der Storm-Gesellschaft, Husum).

11 Zu Heyses Trauerspiel „Don Juans Ende“ (Berlin 1883) hatte sich Storm schon am 28. 9. 83 (Nr. 101) geäußert. Vgl. auch Anm. 101,15.

12 Die beiden Klingbergs: richtig „Die beiden Klingsberg“: Lustspiel in 4 Akten von August von Kotzebue (über ihn vgl. Anm. I 48,3), Leipzig 1801.

13 Ludwig Grimm (1790—1863), Radierer, Maler. Über ihn vgl. Thieme-Becker, Bd. 15, S. 46 ff.

14 Neuerschienene Chodowiecki-Mappe: gemeint ist wohl das in der Deutschen Rundschau (41/1884, S. 476) angezeigte Werk: Chodowiecki, Auswahl aus des Künstlers schönsten Kupferstichen, 136 Blätter, Lichtdruck, ausgeführt von A. Frisch in Berlin.

15 Vgl. Anm. I 23 a,14.

16 Hebbels Tagebücher, Bd. I, hrsg. von F. Bamberg, Berlin 1885. Der Band wurde Storm zugeschickt von Christine Hebbel, geb. Enghaus (1817—1910); vgl. den Brief Storms an sie vom 4. 2. 85 (bei Bernd III, S. 326, Anm. 199,13).

17 Martin Greif (1839—1911), Pseudonym für Friedrich Hermann Frey. Lyriker, Dramatiker. Über ihn vgl. Kosch, S. 725. Seine „Gedichte“ erschienen zuerst 1868 bei Cotta in Stuttgart.

18 Maximilian Posner (1850—1882): Archivsekretär in Berlin am Kgl. Preußischen Staatsarchiv. Auf den hier genannten Band macht Storm auch Heyse am 31. 7. 85 (bei Bernd III, S. 111) und Keller am 7. 8. 85 (bei Goldammer, S. 149) aufmerksam.

19 In Martin Greifs Gedichtband (vgl. Anm. 17) lautet die Überschrift dieses Gedichtes (S. 268): „Das Grab der böhmischen Bauerndirne“. Storm zitiert die erste Zeile und die letzte (3.) Strophe.

(Zu 121) Abdruck nach dem Original im Schiller-Nationalmuseum, Marbach.

1 Es handelt sich um eine Änderung der Novelle „Eine stille Geschichte“ für die Buchausgabe (unter dem Titel „John Riew’. Ein Fest auf Haderslevhuus. Zwei Novellen“, Berlin 1885), die Storm dann Erich Schmidt widmete (vgl. Anm. 126,3). Die Änderung lag dem Brief bei (= Nr. 121 a).

2 Transeat cum ceteris“ (lat.): möge sie mit den übrigen untergehen.

3 Otto Brahm hatte im Märzheft der Deutschen Rundschau (Bd. 42/1885), S. 473 f. im Abschnitt der sog. „Literarischen Rundschau“ neben Fontanes Roman „Graf Petöfy“ und Schubins „Unter uns“ ausführlich Storms Novelle „Zur Chronik von Grieshuus“ besprochen. Diese Besprechung ist von der Stormforschung wenig beachtet worden. Wir drucken hier deshalb den wichtigsten Teil wieder ab:

„Die düstere Geschichte, welche *Storm* uns vorträgt, kennzeichnet sich in ihrer Grundstimmung am schlagendsten durch die Verse, die er an den Schluß der Erzählung gestellt hat:

> Auf Erden stehet nichts, es muß vorüber fliegen;
> Es kommt der Tod daher, du kannst ihn nicht besiegen.
> Ein Weilchen weiß vielleicht noch wer, was du gewesen;
> Dann wird das weggekehrt, und weiter fegt der Besen.

Wie ein kräftiges, edles Geschlecht abstirbt, die Herren von Grieshuus, deren trauriges Schicksal in unabwendbarer Folge sich vollendet, schildert der Dichter: weil einst

Junker Hinrich im Kampfe den eigenen Bruder getödtet, der ihn von der unebenbürtigen Gattin in grausamer Härte zu trennen gestrebt hat, geht die ganze Generation an forterbender Schuld zu Grunde; und alle die treue Sorge des Verschollenen, der unerkannt, als ‚Wildmeister', in die Heimath wiederkehrt und dem Enkel liebend nahe ist, kann den letzten der Grieshuus vor dem schicksalsschweren Ende nicht bewahren: an demselben Tage, der einst den Ohm Detlew fallen sah, am 24. Januar, erliegt auch der blonde Knabe Rolf dem Verhängniß, der ‚Wildmeister' mit ihm. Es ist, wie in Zacharias Werner's ‚vierundzwanzigstem Februar':

Und kam ein Unfall, der das Herz traf, war
Es stets am vierundzwanzigsten Februar.

Mit vollendeter Herrschaft über alle Ausdrucksmittel der modernen Novelle erzählt Storm diese seltsame Geschichte; und auch wo uns der Stoff etwa fremd anmuthet, weiß er durch die kunstmäßige, zugleich discrete und virtuose Behandlung doch zu fesseln. Er will weder Spannung erregen, noch durch den bunten Reiz der Begebenheiten wirken: seine Fabel ist vollkommen durchsichtig, das Ende sehen wir früh vor Augen, und nicht das Was des Geschehenden, nur sein Wie kann zweifelhaft sein. Aber von Neuem bewährt sich der Meister in der Kraft, mit der er Stimmung zu erregen und festzuhalten weiß; den Ton der Chronik trifft er, ohne geziert zu alterthümeln, und eine Fülle localen Details breitet er aus, die uns erst ganz an die phantastischen Begebenheiten glauben macht. Wir stehen vor einem sorgsam durchgebildeten, auf allen Theilen mit gleicher Liebe ausgestalteten Kunstwerk.

Der Erzählungsweise Storm's kommt Theodor *Fontane* vielleicht näher, als irgend ein anderer unserer Novellisten. Das prägt sich in seinen älteren Geschichten, in ‚Grete Minde' und ‚Ellernklipp' am deutlichsten aus, wo die Aehnlichkeiten innerlich wie äußerlich hervortreten; aber auch sein neuestes Buch steht in der zurückhaltenden Kunst des Vortrages, in der durch Andeutungen, durch Beziehungen und symbolische Wendungen wirkenden Art Storm nahe. Beide, Storm und Fontane, haben ein intimes Verhältniß zur Lyrik und holen sich von dorther ihre reinsten Wirkungen; nur daß Storm Lyriker im engeren Sinne ist und das eigentliche Lied beherrscht, während bei Fontane ein Zug zur Ballade vorschlägt: jener wirkt daher auch in der Novelle durch verhaltene Empfindung, dieser bewegt sich mit seiner Darstellung gern in balladenmäßigen Sprüngen, ruht auf den Hauptmomenten verweilend aus und läßt das Dazwischenliegende im Dunkel."

4 Vgl. Anm. 117,16.

5 Die „junge Gräfin Reventlow", die Storm besuchte, ist die Gräfin Agnes Reventlow (1861—1947), Tochter des Landrats Graf Reventlow in Husum.

6 Gemeint sind Heinrich von Kleists Dramen „Die Hermannsschlacht" und (weiter unten) „Der Prinz von Homburg".

7 Zitat aus Kleists „Hermannsschlacht", V. Akt. 23. Auftritt.

8 Vgl. Anm. 120,13.

9 Storm erlebte E. Schmidts Kleist-Ausgabe nicht mehr: vgl. Anm. 117,16.

(Zu 121 a) Erstdruck nach dem Original im Schiller-Nationalmuseum, Marbach.

1 Die „Correkturbogen" zum Erstdruck der Novelle „Eine stille Geschichte" (später: „John Riew'") im Märzheft der Deutschen Rundschau (Bd. 42/1885, S. 321—358), die Storm E. Schmidt zugeschickt hatte, sind nicht erhalten. Erhalten aber ist in der Landes-

bibliothek in Kiel ein Sonderdruck des Erstdrucks, in den Storm handschriftlich dieselben Verbesserungen eingetragen hat, wie sie hier E. Schmidt mitgeteilt werden.

Der Sonderdruck ist versehen mit der handschriftlichen Widmung Storms „Frau Adele Eckermann mit freundlichem Gruß. H. 27/2. 85 D. Verf."

Der handschriftlich verbesserte Text des Sonderdrucks beginnt auf Seite 342 der Deutschen Rundschau, und zwar ebenfalls bei Zeile 28 (vgl. K 6,366). Storm verbessert im Sonderdruck entsprechend: „perlgrauen" (Hosen) statt *„ockergelben"* (Zeile 29). Gestrichen werden aus dem Text „in einem glattrasirten, etwas käsigen Angesicht" die Wörter: *„etwas käsigen"* (Zeile 31). Nach „Knie" fügt Storm handschriftlich hinzu (Zeile 32):

„Er sah nicht übel aus; bei Leibe, nicht! Aber um Mund und Augen zuckte etwas — ich kannt es wohl, Herr Nachbar — es macht die Weiber fürchten und fängt sie endlich doch, wie arme Vögelchen! Man soll nur wissen, daß nichts, als böse Lust dahinter steckt! *Die Alte stand* etc"

Im folgenden Text (Zeile 34 u. 35) sind aus dem Satz: „Für mich, das muß ich sagen, zumal er allezeit, wenn er seine Augen aufhob, mit den bleichen Backen zuckte, hatte der Geselle eine verflucht confiscirte Physiognomie!" die Worte gestrichen: *„zumal er allezeit, wenn er seine Augen aufhob, mit den bleichen Backen zuckte"*.

[2] So — d.h. wie im folgenden abgedruckt — ist der Text dann in die erste Buchausgabe „John Riew', Ein Fest auf Haderslevhuus. Zwei Novellen", Berlin: Paetel 1885, und in die Einzelausgabe (Berlin 1886) übernommen worden.

[3] Hier allerdings hat Storm — nach dem Wort „Im Uebrigen" — das Wort „Alles" versehentlich ausgelassen. Vgl. den Text des Sonderdrucks (Anm. 1) und der ersten Buchausgabe (Anm. 2), S. 59.

[4] Siehe in Anm. 1.

(Zu 122) Erstdruck nach dem Original im Schiller-Nationalmuseum, Marbach.

[1] E. Schmidt hatte eine Berufung nach Weimar als Direktor des Goethe-Archivs in Weimar angenommen. Ursprünglich war Gustav von Loeper (1822—1891) als Direktor des Goethe-Archivs vorgesehen; er stand der Großherzogin nahe, war Direktor des Kgl. Preußischen Geh. Hausarchivs, Goethe-Forscher, und von ihm ging die Initiative zur Gründung einer Goethe-Gesellschaft aus.

Der Vorschlag, E. Schmidt zu berufen, war von Loeper und von Wilhelm Scherer ausgegangen. Vgl. darüber den Brief W. Scherers an E. Schmidt vom 4. 6. 85 (bei Richter/Lämmert, S. 205 f.). Die Gehaltsfragen werden in den Briefen vom 5. 6. und 10. 6. 85, erörtert (bei Richter/Lämmert, S. 207 f. und 210).

[2] Da E. Schmidts Brief vom 8. 4. verlorengegangen ist, kann man nur vermuten, daß hier vielleicht die Rezension eines Lessingbuches gemeint ist, die E. Schmidt in der Deutschen Literaturzeitung 5/1884, S. 357 veröffentlichte (Rezension des Buches: J. Chr. Schumann: G. E. Lessings Schuljahre, Trier 1884).

[3] „Noch ein Lembeck" ist der ursprüngliche Titel der Novelle „Ein Fest auf Haderslevhuus". Unter diesem Titel wurde die Novelle in Westermanns Monatsheften (Bd. 59/1885, S. 80—117) veröffentlicht.

4 Wilhelm Jensen an Storm am 3. 4. 85:
„Die Novelle [John Riew'] hat mich in eine Welt wahrhaften menschlichen Daseins, seines Denkens, Empfindens und Liebens schön entrückt. Der alte Capitän bedünkt mich als ein feinstes psychologisches Kabinetstück, die ‚tugendsame' Frau dagegen als ein wenig zu schattenhaft ..." (nach der Hs in der Kieler Landesbibliothek, vgl. bei Gertrud Storm, Theodor Storm, Ein Bild seines Lebens, Bd. II, S. 224)

5 Vgl. den Brief Heyses an Storm vom 2. 3. 85 bei Bernd III, S. 105.

6 Vgl. den Brief vom 17. 10. 74 (Nr. 125) und Anm. 125,3.

7 Juliane Dorothea Feldberg (geb. 1815), Frau des Husumer Kaufmannes und zweiten Bürgermeisters Berend Wilhelm Feldberg (1800—1883). Vgl. dazu K. F. Boll: Die Quellen der Storm-Erzählung „Im Brauerhause", in: Schriften der Th. Storm-Gesellschaft 20/1971, S. 40—50.

8 Gemeint ist die silberne Hochzeit des Husumer Landrats Ludwig Graf zu Reventlow und seiner Frau Emilie (vgl. Anm. 71,5).

9 Vgl. Storms Brief vom 18. 4. 85 an Karl: „Aus der Familie ist vor allem zu melden, daß Haase in diesen Tagen in dem Kirchdorf Grube, etwa 3 Meilen von Heiligenhafen, das an dem recht großen ‚Gruber See' liegt, zum Pastor gewählt ist ... Lisbeth scheint sehr glücklich darüber." (bei Gertrud Storm, S. 182 f.).

10 Gemeint ist die älteste Tochter von Ernst Storm: Elisabeth (geb. 4. 7. 84); sie heiratete 1908 den Husumer Arzt Dr. Hans Spethmann.

11 Der Briefwechsel zwischen Hermann Kurz und Eduard Mörike, hrsg. von Jakob Baechtold, Stuttgart: Kröner 1885.

(Zu 123) Abdruck aus dem Original des Briefes Storms an Elsabe vom 4. 9. 1885 in der Schleswig-Holsteinischen Landesbibliothek, Kiel (vgl. bei Gertrud Storm S. 261).

1 In seinem Brief an Elsabe vom 4. 9. 85 schreibt Storm: „Von Erich Schmidt erhielt ich eine Karte aus Straßburg."

2 Das Datum ist erschlossen aus dem Datum des Briefes an Elsabe vom 4. 9. 85 und dem folgenden Brief Storms an E. Schmidt vom 9. 9. 85.

3 Gemeint sind die Korrekturbögen der Novelle „Ein Fest auf Haderslevhuus". Vgl. den vorhergehenden Brief Storms vom 10. 7. 85 (Nr. 122) und Anm. 122,3.

4 Gemeint ist der Titel des Erstdrucks „Noch ein Lembeck" (Westermanns Monatshefte 59/1885, S. 80—117).

5 Diese Kritik akzeptierte Storm in seinem Brief an Elsabe vom 4. 9. 85 mit folgenden Worten: „Da das Urtheil über den Eingang ganz mit dem meinen übereinstimmt, so werde ich jetzt den Versuch machen, die Sache zu ändern, was indeß sehr schwierig ist." (nach der Hs in der Landesbibliothek, Kiel). Vgl. die dann für den Buchdruck verkürzte Einleitung der Novelle mit der ursprünglichen Fassung (abgedruckt bei: K 8,279 ff. und Gd 4,628 ff.).

(Zu 124) Erstdruck nach dem Original im Schiller-Nationalmuseum, Marbach.

[1] Postkarte der Deutschen Reichspost. An Herrn Universitäts-Professor Erich Schmidt in Wien III, Hauptstr. 88. Umadressiert an: Kalbgasse 6, Straßburg, Elsass. Poststempel: Grube (Holstein) 9. 9. 85.

[2] Storm hatte — auf sein Drängen im Brief vom 10. 7. 85 (Nr. 122) — eine Postkarte von E. Schmidt aus Straßburg erhalten. Die Karte ist verlorengegangen; die wichtigsten Sätze daraus sind in dem Brief Storms an Elsabe vom 4. 9. 85 erhalten und unter Nr. 123 abgedruckt.

[3] Vgl. Anm. 122,3. Die Novelle erhielt erst in der Buchausgabe (zusammen mit „John Riew'", Berlin: Paetel 1885) den Titel „Ein Fest auf Haderslevhuus".

[4] E. Schmidt arbeitete an der Fertigstellung des II. Bandes seiner Lessing-Monographie.

[5] Justizrat Ernst Esmarch (1821—1908), Bruder von Constanze, der ersten Frau des Dichters.

[6] Dr. Karl Heinrich Schleiden (1809—1890), protestantischer Theologe in Hamburg (vgl. Anm. 77,5).

(Zu 125) Abdruck nach dem Original im Schiller-Nationalmuseum, Marbach.

[1] Der Brief E. Schmidts vom 10. 9. 85 ist verlorengegangen. Storm umreißt seinen Inhalt an Heyse am 1. 10. 85 folgendermaßen: „Unser Erich hatte ein paar gute und einen nicht guten Einwand [gegen ‚Ein Fest auf Haderslevhuus'']; die guten sind bestmöglich befolgt; aber auf meinen schönen Titel ist er nicht gekommen. Er ist ein treuer St⟨orm⟩-Freund, u. ein prächtiger Kerl." (bei Bernd III, S. 117).

[2] Gemeint ist die Postkarte vom 9. 9. 85 (Nr. 124).

[3] Dem ältesten Sohn Hans (1848—1886), der als Arzt in Wörth lebte, hatten Storms Töchter Lucie und Elsabe über ein Jahr lang den Hausstand geführt und ihm in seinem Kampf gegen die Verführung durch den Alkohol beigestanden.

[4] Wahrscheinlich ist die Arbeit an der Oktavausgabe „John Riew'. Ein Fest auf Haderslevhuus. Zwei Novellen" (Berlin: Paetel 1885) und an der Miniaturausgabe „Ein Fest auf Haderslevhuus" (Paetels Miniaturausgaben: Berlin 1886) gemeint.

[5] Das Blatt ist nicht erhalten.

[6] Die ursprüngliche, sehr viel ausführlichere Einleitung des Erstdrucks (Westermanns Monatshefte, Bd. 59/1885, S. 80 ff.) ist abgedruckt bei: K 8,279 ff. und Gd 4,628 ff.

[7] Hier geht es um Verbesserungen zur Novelle „Ein Fest auf Haderslevhuus", die E. Schmidt in seinem verlorengegangenen Brief vorgeschlagen und die Storm befolgt hat. Im folgenden wird die ursprüngliche Fassung des Erstdrucks (Westermanns Monatshefte 59/1885, S. 80—117) der verbesserten Fassung des Buchdrucks (= Köster) gegenübergestellt; dabei wird der verbesserte Text durch Kursivdruck hervorgehoben.

Statt „der deutsche König Carol IV (im Erstdruck, S. 82): *„der deutsche König Carl"* (K 7,2).

Statt „... ‚War kein Wappentier, ein Gatter oder Turm darauf gestickt? ...' ‚Nein,

nein — ein blauer Bach — auf Silber —' ..." (Erstdruck, S. 110): „... ,*War kein Wappentier, zahm oder Gewild, darauf gestickt?' ,... Ein Geier!' ...*" (K 7,57).

Statt „die Worte waren aus Meister Gottfrieds Tristan; nur daß sie dort auf François geschrieben waren!" (Erstdruck, S. 94): „*... nur daß sie in Frankreichs Zunge dort geschrieben waren!*" (K 7,27).

Statt „kaffeebraune Gugelkappe" (Erstdruck, S. 85): „*braune Gugelkappe*" (K 7,9).

Statt „,Ich seh genügsam Euren Willen; doch muß er itzt in klarem Wort gefestet werden!' " (Erstdruck, S. 84): „*,Ich seh schon Euren Willen; nur des Schreibers Kunstwerk ist noch vonnöten!'* " (K 7,7).

Statt „Das kann er gar nicht lân!" (Erstdruck, S. 85): „*Das kann er gar nicht lan!*" (K 7,9).

Statt „auf ihrer weißen Stute" (Erstdruck, S. 86): „*auf ihrem lichten Schimmel*" (K 7,10).

Statt „Heil seiner schönen Fraue, Heil und Sälde!" (Erstdruck, S. 86): „*Heil seiner schönen Fraue, Heil!*" (K 7,11).

Statt „sie ... hatte sogar den Virgilium latein studiert" (Erstdruck, S. 90): „*sie ... hatte sogar den Virgilium studiert*" (K 7,18).

Statt „der Moschusduft, glaub ich, bedränget mir den Atem" (Erstdruck, S. 97): „*es ist so schwüler Duft hier; es hemmet mir die Luft!*" (K 7,33).

Statt „der Wachs" (Erstdruck, S. 115): „*das Wachs*" (K 7,67).

Statt „ein Priester in weißer Albe" (Erstdruck, S. 115): „*ein Priester in weißem Meßkleid*" (K 7,68).

8 Über die Beziehungen zwischen Karl Müllenhoff (1818—1884) und Klaus Groth (1819—1899) vgl. ihren Briefwechsel: Um den Quickborn. Briefwechsel zwischen Klaus Groth und Karl Müllenhoff, hrsg. von V. Pauls, Neumünster 1938.

9 Vgl. die Szenen bei K 7,2 u. Gd 4,8.

10 Vgl. die Szene bei K 7,3 f. u. Gd 4,9 f.

11 Vgl. den Satz: „in einer Wandnische lagen handschriftliche Dichterwerke, an denen sie sich einstmals in der Jugend die Wangen heiß gelesen hatte" (K 7,32 u. Gd 4,37).

12 Storm hat die Tristan-Worte „Gott woll ein süß Erleben so süßem Geschöpfe geben!" (Erstdruck, S. 94) für die Buchausgabe geändert in „Gott woll ein süßes Leben, so süßem Geschöpfe geben!" (K 7,26 u. Gd 4,32).

13 Chronikalischer Fund: der „kleine Pergamentband" in der ursprünglichen Einleitung. Vgl. im Erstdruck, S. 82 (wieder abgedruckt bei: K 8,281 f. u. Gd 4,630).

14 Otto Brahm hatte im Märzheft der Deutschen Rundschau (Bd. 42/1885, S. 473 f.) Storms Novelle „Zur Chronik von Grieshuus" besprochen (vgl. Anm. 121,3). Über „Ein Fest auf Haderslevhuus" hat sich Brahm nicht geäußert.

15 Foto von Erich Schmidt: wahrscheinlich das im vorliegenden Band, nach S. 112 wiedergegebene Foto (E. Schmidt 32 Jahre alt). Storm: „es ist das beste, das ich kenne; ich beneide Sie um den Haarpull."

16 Gemeint ist der Brief Margarethe Mörikes an Storm vom 11. 10. 85, in dem diese mitteilt, daß der 1½ jährige Sohn ihrer Tochter, der nach seinem Großvater den Namen Eduard trug, gestorben sei. Der Brief wird zum erstenmal veröffentlicht in der Ausgabe: Theodor Storm—Eduard Mörike. Briefwechsel, hrsg. von A. u. W. Kohlschmidt, Berlin: E. Schmidt Verlag.

[17] Dr. Jakob Baechtold (1848—1897), Schweizer Literarhistoriker, Biograph G. Kellers. Von dem Briefwechsel Storm—Baechtold sind leider nur die Briefe Baechtolds erhalten (Hs: Landesbibliothek Kiel). Baechtold arbeitete damals an seiner Mörike-Biographie. Storm hat ihm Abschriften seiner Mörike-Briefe für diese Arbeit zur Verfügung gestellt. Sie gelangten später in den Besitz E. Schmidts und wurden von diesem 1909 dem Schiller-Nationalmuseum übergeben. Dort wurden sie jetzt für die neue Briefausgabe Storm—Mörike (Erich Schmidt Verlag, Berlin: vgl. Anm. 16) benutzt. Vgl. auch den Brief an Margarethe Mörike vom 16. 3. 86 in diesem Briefwechsel.

[18] Storms Aufsatz „Meine Erinnerungen an Eduard Mörike" (K 8,19—36; Gd 4,489 bis 506, und in dem oben genannten Briefwechselband).

[19] Kellers Roman „Martin Salander". Vgl. Anm. 133,15.

[20] Zu Kellers Urteil über C. F. Meyer vgl. die Briefe Kellers an Storm, z. B. am 29./30. 12. 81: „Er hat ein merkwürdiges schönes Talent, aber keine rechte Seele; denn er ziseliert und feilt schon vor dem Gusse" oder am 9. 6. 84: „Daß Ihnen sein ‚Jenatsch' Eindruck gemacht hat, ist sehr in der Ordnung, es ist aber auch ein außerordentlich famoses Sujet. Der Beilschlag der Dame am Schlusse ist mir auch widerwärtig ..." (bei Goldammer, S. 89 f. und 134 f.).

[21] Zu W. Hertz vgl. den Brief vom 30. 12. 83 (Nr. 105) und Anm. 105,3.

[22] Zitat der beiden letzten Zeilen aus Heines Gedichte „Heimkehr 7" (Wir saßen im Fischerhause ...). Vgl. dazu und zum folgenden auch die Briefe Storms an E. Schmidt vom 13. 7. 84 (Nr. 114), vom 24. 8. 84 (Nr. 115) und Anm. 114,8 u. 115,7 u. 8.

[23] Zitat aus dem Gedicht Walthers von der Vogelweide „Ich saz ûf eime steine und dahte bein mit beine ..."

[24] Am 20. 6. 85 war in Weimar die Goethe-Gesellschaft gegründet worden. Storm hatte wahrscheinlich den ausführlichen Bericht darüber von Otto Brahm in der Deutschen Rundschau gelesen (Bd. 44/1885, S. 302—305). Vgl. Anm. 126,10.

[25] Storm beabsichtigte, seine Tochter Elsabe (1863—1945) in Weimar Musik studieren zu lassen, und hatte daran gedacht, sie bei E. Schmidt unterzubringen.

[26] Frau Prof. Junghans, geb. Hallier, Witwe des Professors Wilhelm Junghans (1834 bis 1865), Professor für Geschichte an der Universität Kiel.

[27] Dr. Karl Heinrich Schleiden. Vgl. Anm. 77,5.

[28] Paul Kuh (1863—1931), der Sohn des Wiener Literarhistorikers Emil Kuh (1823 bis 1876), hat später den Briefwechsel zwischen seinem Vater und Storm herausgegeben (Westermanns Monatshefte 67/1889—1890, S. 99—107, 264—274, 363—378, 541—554). Die Ausgabe ist aber nicht vollständig.

[29] Gemeint ist die Szene der Novelle „Ein Fest auf Haderslevhuus": K 7,70 und Gd 4,73 f. (vgl. Anm. 126,6).

[30] Die erste Begegnung zwischen Storm und E. Schmidt fand in der Wohnung der Schwiegermutter, Frau Lina Strecker, im Hause Ludwigstraße 12, in Würzburg statt. Vgl. dazu die ersten Briefe im I. Bd. und die Anm. 1,1.

(Zu 126) Erstdruck nach dem Original im Schiller-Nationalmuseum, Marbach.

[1] Hier ist der 1. Teil des II. Bandes der Lessing-Monographie gemeint, der im

Herbst 1886 bei Weidmann in Berlin erschien und den E. Schmidt Storm zugeschickt hatte. Der 2. Teil des II. Bandes erschien erst 1892.

2 labor improbus (lat.): mühselige, „böse" Arbeit (auch in der Bedeutung: rastlose Arbeit). Zitat aus der „Georgica" des römischen Dichters P. Vergilius Maro (Buch I 145 f.). Vgl. dazu die Studie von H. Altevogt (in: Orbis antiquus, Heft 8, Münster 1952) und K. E. Laage, Der Friedensgedanke in der augusteischen Dichtung (Diss. Kiel 1956, S. 49 ff.). Gemeint ist hier die böse Arbeit an der „Purifizierung" der Novelle „Ein Fest auf Haderslevhuus". Vgl. Anm. 4.

3 Es handelt sich um die Buchausgabe: John Riew'. Ein Fest auf Haderslevhuus. Zwei Novellen, Berlin: Paetel 1885, mit der gedruckten Widmung: „Meinem Freunde Erich Schmidt gewidmet" und mit dem gedruckten Widmungsgedicht:

„Du gehts im Sonnen-, ich im Abendlicht —
Laß mich dies Buch in Deine Hände legen,
Und konnt' ich jemals Dir das Herz bewegen,
Vergiß es nicht!"

(K 1,181: „Morgen-" statt „Sonnen-").

4 Vgl. den Brief Heyses an Storm vom 20. 10. 85: „Du bist da seltsamer Weise regelmäßig in den jambischen Rhythmus geraten, was dem Ton etwas Theatralisches, Gekünsteltes giebt." (bei Bernd III, S. 120).

5 Die Miniatur-Ausgabe: Ein Fest auf Haderslevhuus, Berlin: Paetel 1886.

6 Gemeint ist die Stelle im Erstdruck (Westermanns Monatshefte 59/1885), S. 116, die beginnt: „Rolf Lembeck, ehe einer dachte, es zu hindern, hatte die Tote aus der Lade gehoben und ließ ihr schönes Haupt an seine Schulter sinken . . ." Vgl. die neue Fassung (K 7,70 und Gd 4,74): „. . . dann hob er mit jähem Griff die tote Liebste aus ihrer Lade und entfloh."

7 Vgl. Anm. 125,28.

8 Gemeint ist die Novelle „Bötjer Basch", die Storm aber dann doch nicht der Zeitschrift „Deutsche Jugend", sondern der Deutschen Rundschau überließ.

9 Der „schwere Block" ist unzweifelhaft der Stoff zur Novelle „Der Schimmelreiter", den Storm schon am 3. 2. 85 E. Schmidt gegenüber erwähnt hatte (Brief Nr. 120 u. Anm. 120,7). Das bestätigt der Satz aus dem unveröffentlichten Brief an Paetel vom 5. 12. 85: „Nach Neujahr hoffe ich mit der Deich- und Sturmfluthnovelle ‚Der Schimmelreiter' zu beginnen" (Hs: Landesbibliothek Kiel).

10 Storm hatte sich im Brief vom 17. 10. 85 (Nr. 125) als Mitglied der neugegründeten Goethe-Gesellschaft angemeldet und wurde als Mitglied geführt. Vgl. die gedruckte Mitgliederliste, Goethe-Jahrbuch 8/1887, S. 42: „Hademarschen b/Hanerau (Schleswig-Holstein) Storm, Theodor."

11 In dem zugeschickten 1. Teil des II. Bandes der Lessing-Monographie ist das 1. Kapitel des III. Buches „Der Bibliothekar. Frau Eva" überschrieben.

Die „Notizen" sind die Tagebuchaufzeichnungen des Hofrats Ernst Daniel von Liebhaber, die von E. Schmidt folgendermaßen zitiert werden:

„Die Honoratioren Wolfenbüttels konnten ihm [Lessing] nichts geben, wie ehrenvoll sie den berühmten neuen Bibliothekar auch empfingen. Da schrieb in der ersten Woche der Lessingschen Amtsführung ein Hofrath bei der Justizkanzlei, E. D. von Liebhaber, unmittelbar nach dem Antrittsbesuch Lessings, der ihm einen Brief zu überbringen hatte, reizvoll naive Worte in sein Tagebuch: ‚Die Hamburgischen Verhältnisse scheint dieser sehr genau zu kennen. Er hat für die dasige Komödie früher etwas geschrieben, sprach aber sehr verächtlich davon, als ich die Rede darauf brachte. In Braunschweig scheint man sich große Dinge von ihm zu versprechen. Eberts Lob überschreitet alles Maß. Eschenburg war zurückhaltender. Ein tüchtiger Gelehrter wird Lessing sein; ansehen kann man es ihm freilich nicht; aber ob er wohl Hugo ersetzen kann? — Was machte er doch für einen Eindruck auf mich? Wie soll ich sagen? Er entschuldigte sich höflich, daß er den Brief nicht schon vor ein paar Tagen abgegeben habe. Ein Gelehrter gewöhnlichen Schlages ist er nicht; das habe ich weg. Er hat überhaupt etwas Ungewöhnliches an sich, etwas Festes. Ich sähe ihn lieber in einer Uniform als in der Bibliothek. Ob der wohl lange hier bleibt? Ein vorzüglicher Mensch im Umgange scheint er zu sein. Ob er am Hofe verkehren wird? Vielleicht mit dem Erbprinzen'. Später kann Herr von Liebhaber notiren, wie freundlich und heiter der einsame Junggesell, wenn er zu Besuch kam, mit den Kleinen spielte, ihnen Papierfiguren ausschnitt oder mit ungeübten Fingern ein Stücklein auf dem Clavier zum Besten gab, auch wie Lessing das eine Bübchen in der Bibliothek herumführte und dem staunenden Kinde, das gar nicht fassen konnte, daß Ein Mensch, so viele Bücher besitzen möge, gewaltige Folianten und zierliche Proben mönchischer Initialkunst zeigte. Und weiter meldet unsre erst spät erschlossene Quelle [Frankfurter Zeitung 1. 5. 1885] aus dem Sommer 1770: ‚Heute traf ich Lessingen auf dem Weghause. Wir waren einige Stunden beisammen. Ist das ein Mann! Ich bewundere nicht so sehr die Tiefe seines Wissens, wie die Klarheit, mit der er sich mitzutheilen weiß. Das wäre ein Theologus geworden! Je eindringlicher und überzeugender er redet, desto tiefer sinkt seine Stimme herab, fast bis zum Flüstern. Er will eine Geschichte Luthers und der Reformation schreiben, sobald er nur Zeit dazu gewinnen kann. Ich glaube, in der Bibliothek steckt dazu so Manches und Herr Lessing scheint unermüdlich zu sein. Dieser Mann besitzt einen hocherleuchteten Geist und eine antike Seele.' "

(Zu 127) Erstdruck nach dem Original im Schiller-Nationalmuseum, Marbach.

[1] E. Schmidts Vater war am 17. 1. 86 in Straßburg gestorben.

[2] Dr. C. W. Dähnhardt (1844—1892) und Dr. G. Neuber (1850—1932), Privatdozenten an der Kieler Universität, leiteten eine damals sehr bekannte chirurgische und elektrotherapeutische Privatklinik in Kiel. Vgl. etwa D. v. Liliencron am 19. 9. 87 aus Kiel an Storm: „. . . Knochenentzündung . . ., die mich zwang, bei dem genialen Dr. Neuber, hier, Hülfe zu suchen" (in: Schriften der Th. Storm-Gesellschaft 15/1966, S. 37).

[3] Vgl. Anm. I 18,14.

[4] „Beschattet von der Pappelweide . . .": Gedicht (1781) von Johann Heinrich Voß (1751—1826).

„Blühe, liebes Veilchen, das ich selbst erzog . . .": Gedicht (1778) von Christian Adolf Overbeck (1755—1821), 1779 vertont von J. A. P. Schulz.

Vgl. Storm in der Novelle „Die Söhne des Senators" (K 5,282; Gd 3,281) und in der Erzählung „Von heut und ehedem" (K 4,11; Gd 4,221).

[5] E. Schmidt hatte Storm offenbar in seinem verlorengegangenen Brief als Quartier für Elsabe (Ebbe) ein Zimmer bei Frau Pastorin Ruppe empfohlen. Storms Tochter hat während ihres Studienaufenthalts in Weimar dann tatsächlich bei dieser Frau gewohnt (vgl. die folgenden Briefe an E. Schmidt und die Briefe an Elsabe vom 22. 5. 86 bis 18. 2. 87, bei Gertrud Storm, S. 264—274).

[6] Dieser Brief ist nicht erhalten.

(Zu 128) Erstdruck nach dem Original im Schiller-Nationalmuseum, Marbach.

[1] Gemeint ist ein Nachruf E. Schmidts auf seinen Vater, und zwar die Schrift: Eduard Oscar Schmidt: Sein Leben; L. V. Graff: Seine Werke, in: Arbeiten aus dem Zoologischen Institut zu Graz 1/1886.

[2] Vgl. Anm. 127,5.

[3] Vgl. Anm. 131,5.

[4] cum uxore (lat.): mit Ehefrau.

[5] „Aus engen Wänden", so lautete der Titel der Novelle „Bötjer Basch" im Erstdruck, der im Oktoberheft der Deutschen Rundschau erschien (Bd. 49/1886, S. 1—37).

[6] Heyses Tragödie „Die Hochzeit auf dem Aventin" wurde am 2. 12. 85 in Frankfurt a. M. aufgeführt und 1886 bei Hertz in Berlin verlegt. Storm an Heyse am 19. 2. 86: „‚Die Hochzeit auf dem Aventin' habe ich vorgelesen ..., und wenn das Stück Dir auch von 1864—1884 Zeit gekostet, so kannst Du Dich dafür nun auch ruhig darauf schlafen legen. Wie Mann und Weib in dem Conflict ihrer idealen Foderung an dem practischen Anspruch der Welt zu Grunde gehen und dadurch den Sieg der Liebe besiegeln, hast Du schön und in lebhafter dramatischer Bewegung zur Erscheinung gebracht." (bei Bernd III, S. 131).

(Zu 129) Erstdruck nach dem Original im Schiller-Nationalmuseum, Marbach.

[1] Zitat aus dem Gedicht „Heimkehr" von Ludwig Uhland (hier aus Storms „Hausbuch", 4. Aufl. 1878, S. 211 zitiert):

O, brich nicht, Steg, du zitterst sehr!
O, stürz' nicht, Fels, du dräuest schwer!
Welt geh nicht unter, Himmel fall nicht ein,
Eh ich mag bei der Liebsten sein.

[2] Vgl. Anm. 127,5. Storms Tochter Elsabe studierte von 1886—1889 in Weimar Musik.

[3] Karl Müller-Hartung (1834—1908) war 1872—1902 Direktor der Großherzoglichen Orchester- und Musikschule in Weimar.

[4] „Aus engen Wänden" bzw. „Bötjer Basch", vgl. Anm. 128,5.

[5] Storm hatte E. Schmidt „unter Kreuzband" die ersten Korrekturbögen zur Novelle „Aus engen Wänden" geschickt. Die angesprochenen Verbesserungen beziehen sich auf die Stellen K 7,123 u. 125. Hinsichtlich der Verbesserungen selbst vgl. die Angaben von Köster dazu: K 8,285.

[6] Über Jakob Baechtold vgl. Anm. 125,17. Sein „eingehender Brief" an Storm ist erhalten, datiert vom 26. 2. 86 und enthält u. a. folgende Sätze über Storm und E. Schmidt:

„Seit langen Jahren bin ich, ohne daß Sie es wissen, im Stillen auch persönlich mit Ihnen verbunden gewesen, vor allem durch Gottfried Keller, dann durch meinen lieben Freund Erich Schmidt, der letzten Sommer einige Tage bei mir weilte u. eine sonnige Spur, wie ich sie selten bei einem Menschen empfand, bei uns zurückgelassen hat. In jenen schönen Sommertagen war des eingehendsten von Ihnen die Rede. Schmidt erzählte mir seinen Besuch bei Ihnen in den anschaulichsten Zügen."

(Hs: unveröffentlicht, Landesbibliothek Kiel.)

[7] Heyse hatte das Drama 1864 angefangen und erst 1884 zuende geschrieben. Vgl. Storm an Heyse am 19. 2. 86, zitiert in Anm. 128,6.

(Zu 130) Abdruck nach dem Original im Schiller-Nationalmuseum, Marbach.

[1] Vgl. Anm. 129,3.

[2] Am 2. 5. 1886 fand in Weimar die erste Generalversammlung der 1885 gegründeten Goethe-Gesellschaft statt. Die Tagesordnungspunkte waren: 1. Jahresbericht, 2. Vortrag von Herman Grimm „Goethe im Dienste unserer Zeit" (abgedruckt auch in der Deutschen Rundschau 47/1886, S. 434—450), 3. Erich Schmidt: Bericht über die nächste Schrift der Goethe-Gesellschaft (Tagebücher und Briefe Goethes aus Italien an Frau von Stein), Bericht über die geplante Goethe-Ausgabe und die Bestände des Goethe-Archivs (vgl. im 8. Bd. des Goethe Jahrbuchs 1887, Anhang, S. 3 f.).

[3] Bertha Strecker: Schwester von Wally Schmidt, der Frau Erich Schmidts.

[4] Ferdinand Tönnies begleitete Storm auf seiner Reise nach Weimar, die am 27. 4. 86 begann und erst am 30. 5. 86 endete. Storm wohnte mit Tönnies im Hotel „Russischer Hof". Näheres über die Anreise mit Tönnies in den Briefen und Postkarten an Tönnies (bei H. Meyer, S. 372).

[5] in omnem eventum (lat.): auf jeden Fall.

[6] Storms Tochter Lucie war in die Neubersche Klinik in Kiel eingeliefert worden. Vgl. Anm. 127,2.

[7] Storms ältester Sohn Hans, Arzt in Wörth am Main, war an einem Lungenleiden erkrankt, an dem er Ende des Jahres sterben sollte.

[8] Kartoffelcomödie: eine Art Puppenspiel, das statt mit Kasperlepuppen mit Kartoffeln gespielt wurde. Vgl. dazu Storm in seinem Brief an Keller vom 13. 3. 83 (bei Goldammer, S. 118) und Gertrud Storm: Vergilbte Blätter, Regensburg und Leipzig 1922, S. 30.

[9] Alektryo (griech.): Hahn. Name des Stammhahns in Brentanos Märchen „Gockel, Hinkel und Gackeleia", das Storm gut bekannt war. Vgl. Anm. 61,15.

[10] Friedrich Hölderlin (1770—1843): Hyperion oder der Eremit in Griechenland (zweibändiger, 1797—1799 zum erstenmal veröffentlichter Roman Hölderlins).

Auf Hölderlins Gedichte hat Storm mehrfach hingewiesen (vgl. z. B. Storms Brief an E. Schmidt vom Nov. 1880/Nr. 68 und vom 24. 8. 84/Nr. 115; vgl. auch das „Hausbuch", in dessen 4. Aufl. (1878) Storm 5 Gedichte von Hölderlin aufgenommen hatte.

[11] Heyses Trauerspiel „Getrennte Welten" war zusammen mit „Die Hochzeit auf dem Aventin" 1886 bei Hertz in Berlin erschienen. Hauptakteure: 1. Die Baronin Leonin von Hugstetten, 2. ihr Vetter Graf Broich, 3. der Oberförster Eckart.

[12] punktum saliens (lat.): der springende Punkt.

[13] Ernst von Wildenbruch (1845—1909), damals viel gespielter Dramatiker, vgl. Anm. 116,10. Hier ist sein Gedicht „Der Odyssee letzter Teil" gemeint, das in der Deutschen Rundschau abgedruckt war (Bd. 46/1886, S. 270—273).

[14] Der Bericht des Ungenannten findet sich in der von Karl Gutzkow herausgegebenen Wochenzeitung „Unterhaltungen am häuslichen Herd", und zwar in Nr. 7 des Jahrgangs 1859 (Storm fälschlich: 1861), Seite 97 f. unter der Überschrift „Die Tochter

eines Dichters. Zur Schillerstiftung". Der entscheidende Absatz des zweiseitigen Berichts lautet:

„‚Sie haben wahrscheinlich keine Ahnung davon', sagte er, ‚daß dies Mädchen einen Namen trägt, der in ganz Oesterreich und, wie ich glaube, auch im übrigen Deutschland durch Werke des Geistes bekannt ist, günstig bekannt ist, ja daß ihrem Vater Unzählige dankbar verpflichtet sind, die er mit freundlichem Humor auf ihre Schwächen und Thorheiten hinwies und denen er einen Zauberspiegel vorhielt, wie ihn nicht leicht ein Anderer zu schleifen verstand. Sie ist die Tochter — Raimund's!' "

15 Ferdinand Raimund (vgl. Anm. 85,16) wirkte von 1814—1830 als Schauspieler, Regisseur und Theaterdirektor an Wiener Theatern. Deshalb fragt Storm, ob Lewinsky (Schauspieler am Burgtheater in Wien, vgl. Anm. 67,6) Näheres wisse.

16 Zitat aus Heines Gedicht „Katharina" (14) (Gesanglos war ich und beklommen ...).

17 Die „beabsichtigte Deich- und Sturmnovelle" ist die Novelle „Der Schimmelreiter". Vgl. Anm. 126,9.

18 Goethes „römische Briefe": damit sind Goethes Briefe aus Italien an Frau von Stein gemeint, über deren Veröffentlichung E. Schmidt auf der Generalversammlung der Goethe-Gesellschaft berichten sollte. Vgl. Anm. 2.

19 Hofrat Carl Aldenhoven (1842—1907). Storm schon aus seiner Zeit als Gymnasiallehrer in Husum bekannt (1869—1871), dann in Gotha, seit 1873 Leiter der herzoglichen Bibliothek, später Direktor des Wallraf-Richartz-Museums in Köln. Die Briefe Storms an Aldenhoven sind veröffentlicht von E. Feder, in: Maß und Wert 2/1939, S. 735—747.

20 quo me rapis? (lat.): wohin reißt du mich fort? Zitiert in Anlehnung an die erste Zeile der Ode III 25 des römischen Dichters Horaz: „Quo me, Bacche, rapis tui/plenum?" (Wohin, Bacchus, reißt du mich fort, erfüllt von dir?).

(Zu 131) Abdruck nach dem Original im Schiller-Nationalmuseum, Marbach.

1 Duchesse (frz.): Herzogin. Gemeint ist die Großherzogin Sophie von Sachsen-Weimar-Eisenach, Prinzessin von Oranien (1824—1897), seit 1842 verheiratet mit Carl Alexander (vgl. Anm. 133,22), seit 1853 Großherzogin. Im Mai 1885 hatte die Großherzogin die Verwaltung des Goethe-Nachlasses in Weimar übernommen. Vgl. B. Suphan: Großherzogin Sophie von Sachsen und ihre Verfügungen über das Goethe- und Schiller-Archiv, in: Deutsche Rundschau, Bd. 93/1897, S. 301—305. Storm hatte die Großherzogin während seines Aufenthalts in Weimar persönlich kennengelernt.

2 Versehentlich „30. April" statt richtig: 30. Mai. Storm hatte die Reise am 27. 4. 86 angetreten und sich — wie er auch weiter unten E. Schmidt und am 4. 6. 86 Heyse berichtet (vgl. bei Bernd III, S. 136) — 16 Tage in Weimar, 1 Tag in Jena, 3 Tage in Erfurt, 3 in Gotha, 2 in Kassel, 4 in Heiligenstadt und eine Hotelnacht in Hamburg aufgehalten.

3 Berichte über den Aufenthalt in Weimar und über die Reise enthalten u. a. die Briefe an Heyse vom 4. 6. 86 (bei Bernd III, S. 136) und an Wilhelm Petersen vom 8. 6. 86 (bei Gertrud Storm, S. 214 f.).

4 Gemeint ist Storms Tochter Elsabe.

[5] Jacobs II: Rechtsanwalt („RA") Friedrich August Emil Jacobs in Gotha (1841 bis 1895), Enkel des Altphilologen Friedrich Jacobs (1764—1847: über diesen vgl. ADB, Bd. 13, S. 600—612), Sohn des Malers Emil Jacobs (1802—1866: über diesen vgl. Thieme-Becker, Bd. 18, S. 248 f.; ein Ölgemälde von ihm hat sich im Stormnachlaß erhalten).

[6] Storm zitiert — nicht überall ganz wörtlich — aus Heyses Brief vom 18. 5. 86 (bei Bernd III, S. 135 f.).

[7] Bluette (frz.): witziger Einfall, kleines Bühnenstück. Gemeint ist Heyses tragischer Einakter „Zwischen Lipp' und Bechersrand", der im Maiheft der Deutschen Rundschau abgedruckt worden war (Bd. 47/1886, S. 161—175).

[8] Heyses tragischer Einakter „Ehrenschulden". Vgl. Anm. 116,3.

[9] Der Brief Wilhelm Petersens vom 11. 5. 86 wird in der neuen Ausgabe: Storm—Petersen, Briefwechsel, Kritische Ausgabe, hrsg. von Brian Coghlan (Berlin: E. Schmidt Verlag) veröffentlicht.

[10] Arnold Böcklin (1827—1901), Schweizer Maler. Ein Aufsatz von O. Baisch über Böcklin war 1884 in Westermanns Monatsheften erschienen (56/1884, S. 593—611).

[11] Keller schrieb an Storm erst am 29. 12. 86 (bei Goldammer, S. 190 f.).

[12] Emerich Madách: Die Tragödie der Menschen, Dramatische Dichtung, übersetzt von Alexander Fischer. Budapest: Eggeberg (nachweisbar nur die 2. Aufl. Leipzig: Friedrich 1886).

[13] Vgl. den Brief Storms an Elsabe vom 3. 6. 86 (bei Gertrud Storm, S. 265).

[14] Storm hat E. Schmidt die neue (7.) Auflage seiner „Gedichte" geschickt (Berlin: Paetel 1885). In seinem (nicht erhaltenen) Antwortbrief vom Juni 1886 schreibt E. Schmidt an Storm:

„Gestern Abend schwelgte ich noch lang in Ihren Gedichten. Es ertönen mir immer neue und tiefere Klänge." (von Storm zitiert in seinem Brief vom 22. 9. 1886 an Emil Franzos, veröffentlicht von P. Goldammer, in: Schriften der Th. Storm-Gesellschaft 18/1969, S. 26).

Der Gedichtband, den Storm E. Schmidt schickte, hat sich im Privatbesitz erhalten, und zwar mit der handschriftlichen Widmung: „Seinem lieben Erich Schmidt in dankbarer Erinnerung an Weimar 1. Juni 1886. Theodor Storm."

Ein hs. Zusatz „Nachtrag hinten!" weist auf die beiden folgenden, in dem überreichten Gedichtband nicht gedruckten Gedichte hin, die Storm handschriftlich nachgetragen hat:

1) „Was Liebe nur gefehlet,
das bleibt wohl ungezählet;
das ist uns nicht gefehlt."

(Erstdruck dieser Zeilen in der Novelle „Schweigen", in: Deutsche Rundschau 35/1883, S. 200; jetzt K 6,190 und K 1,165.)

2) „Der Weg wie weit! Doch labend
Daheim die Ruh!
Und zwischen Nacht und Abend
Geliebte Du!"

(Erstdruck in: Theodor Storm, Sämtliche Werke, Braunschweig: Westermann 1917, Bd. 5. S. 352; jetzt: K 1,254.) Ähnliche Verse, aber unter der Überschrift „Rückfahrt", teilt Storm schon am 13. 10. 81 Heyse mit (bei Bernd II, S. 87).

(Zu 132) Erstdruck nach dem Original im Schiller-Nationalmuseum, Marbach.

1 Über E. Schmidts verlorengegangene Briefe und Karten vgl. Storms Brief an Elsabe vom 16. 6. 86:

„Von unserem guten Erich Schmidt erhielt ich einen Brief, Du seiest krank, er habe Dich besucht; aber es sei nichts Beunruhigendes... Und so bin ich zu der allmählichen Ueberzeugung gekommen, daß Dein alter Feind der Magenkrampf Dich wohl wieder gefaßt hat." und vom 17. 6. 86: „Da kommt die Post; eine zweite Karte v. Freund Erich, der Dienstag Abend bei Dir gewesen u. mir schreibt, daß entschieden Besserung fortgeschritten und Du kein Fieber habest." (Hs: Landesbibliothek Kiel; vgl. bei Gertrud Storm, S. 267 u. 269).

2 Die Familien des Grafen Leopold von Kalckreuth (1855—1928), Maler, Graphiker und Professor an der Kunstschule in Weimar, und des Verlegers Hermann Böhlau (1826—1900) hatte Storm in Weimar persönlich kennengelernt (vgl. z. B. den Brief Storms an Heyse vom 4. 6. 86, bei Bernd III, S. 136).

3 Storms Tochter Lisbeth (1855—1899), verheiratet mit dem Pastor Gustav Haase.

4 Charlotte Storm, geb. Esmarch (1834—1910), Frau von Dr. Aemil Storm.

5 Storms Sohn Karl (1853—1899) lebte in Varel (in Oldenburg) als Musiklehrer.

6 Der Enkel Hans Adolph Storm war am 18. 5. 86 geboren. Es ist der spätere Dr. Hans Storm, der Gelsenkirchener Kinderarzt, der 1962 verstarb.

7 Storm denkt an den Herzog Adolf I. von Holstein-Gottorf (1526—1586), der viel für die Stadt Husum getan hat. An Herzog Adolf erinnern in Husum heute noch das von ihm erbaute Schloß (1577—1582) und Stift „Gasthaus zum Ritter St. Jürgen" (1571).

8 Karl Scherff: Sohn von Jonas Heinrich Scherff, einem Onkel Th. Storms (Kaufmann in Altona, 1798—1882). Vgl. W. Deetjen, Th. Storm und die Familie Scherff, in: Th. Storm, Gedenkbuch, hrsg. von F. Düsel, Braunschweig: Westermann 1916, S. 202 bis 215 (darin zwei Briefe Storms an Karl Scherff).

9 Vgl. über den Beginn der Arbeit am „Schimmelreiter" einen Brief vom Juli/August 1886 an den Verleger Paetel, aus dem Köster (K 8,288) zitiert:

„Aber es ist ein heikel Stück, nicht nur in puncto Deich- und andrer Studien dazu, sondern auch weil es seine Mucken hat, einen Deichspuk in eine würdige Novelle zu verwandeln, die mit den Beinen auf der Erde steht. Die Geschichte spielt im vorigen Jahrhundert."

10 Hier ist wahrscheinlich Material zu dem Vorwort gemeint, das Storm für die „Chronik der Familie Esmarch" geschrieben hat. Die Chronik erschien 1887 im Selbstverlag des Verfassers, des Pastors Ernst Esmarch. Storms Vorwort ist wieder abgedruckt bei Gd 4,620 f. Pastor Ernst Esmarch (1854—1932) ist ein Sohn des Bruders von Constanze, geb. Esmarch, Storms erster Frau (vgl. Anm. 79,6).

11 Gemeint ist die Anregung zur Novelle „Ein Doppelgänger" durch „Tante Lotte", d. i. die Frau seines Bruders Aemil (vgl. Anm. 4). Vgl. auch den folgenden Brief Storms an E. Schmidt darüber (Nr. 133).

12 Storm hatte sich erboten, das ihm von D. v. Liliencron zugeschickte Exemplar des Dramas „Trifels und Palermo" (Leipzig: W. Friedrich 1886) an E. Schmidt weiterzuschicken und ein weiteres Exemplar dem Generalintendanten des Weimarer Schauspielhauses Freiherrn von Loen zuzustellen (vgl. den Brief Storms an Liliencron vom 11. 6. 86,

in: Schriften der Th. Storm-Gesellschaft 3/1954, S. 49, und den Brief Liliencrons an Storm vom 14. 7. 86, in: Schriften der Th. Storm-Gesellschaft 15/1966, S. 35). Vgl. auch den folgenden Brief (Nr. 133).

(Zu 133) Erstdruck nach dem Original im Schiller-Nationalmuseum, Marbach.

1 Ludwig Graf zu Reventlow, Landrat in Husum. Vgl. Anm. 71,5.

2 Heilige Lessing-Arbeit: Fortsetzung der großen Lessing-Monographie, von der Storm zuletzt den 1. Teil des II. Bandes erhalten hatte. Vgl. den Brief vom 18. 11. 85 (Nr 126) und Anm. 126,1 u. 11.

3 Wilhelm Scherer (1841—1886) war am 6. 8. 1886 in Berlin verstorben. Vgl. E. Schmidts Würdigung: Wilhelm Scherer, in: Goethe-Jahrbuch 9/1888, S. 249—262.

4 Vgl. Anm. 119,8.

5 Tatsächlich blieb E. Schmidt nur noch bis Anfang 1887 in Weimar und folgte dann einem Ruf auf den germanistischen Lehrstuhl, den W. Scherer an der Berliner Universität innegehabt hatte. Vgl. den Brief Storms vom 4. 12. 86 (Nr. 137) und Anm. 137,2.

6 Storms Tochter Elsabe (Ebbe) studierte in Weimar Musik.

7 Vgl. dazu den Briefwechsel Storm—Franzos, der von P. Goldammer veröffentlicht ist, in: Schriften der Th. Storm-Gesellschaft 18/1969, S. 9—40.

8 Mit den „2 vor 20 Jahren geschriebenen Elegien" sind die beiden Teile der Elegie „Constanze" gemeint, die 1870 entstanden waren und in Franzos' „Deutscher Dichtung", Bd. 1/1887, S. 133 und Bd. 2/1887, S. 14 zum erstenmal veröffentlicht wurden (jetzt: K 1,112 und Gd 1,299). Die Original-Handschriften befinden sich im Archiv der Th. Storm-Gesellschaft in Husum.

9 Vgl. Anm. 132,4 u. 11.

10 Vgl. Storm in diesem Brief an Franzos vom 5. 7. 86: „... Stoff, den mir die Mittheilung einer Verwandten vor einigen Tagen an die Hand gab. Ich schreibe schon, und zwar für Ihr Blatt, seit mehreren Tagen und habe die anderen Arbeiten bei Seite gelegt. Ich hoffe, daß es was wird, und so würde ich denn doch noch erträglich früh bei Ihnen mitkommen ... ‚Der Brunnen' wird es vermuthlich heißen" (in: Schriften d. Th. Storm-Gesellschaft 18/1969, S. 16). Der Titel wurde von Storm dann noch abgeändert in „Ein Doppelgänger" (Brief an Franzos vom 11. 8. 86).

11 Erstdruck der Novelle „Ein Doppelgänger" in Karl Emil Franzos' Zeitschrift „Deutsche Dichtung" (Bd. 1/1886/87, S. 2—3, 6—9, 34—35, 38—39, 58—59, 62—63, 82—83, 86—87, 106—107, 110—111, 130—131, 134—139). Als Buchausgabe erschien die Novelle 1887 bei Paetel in Berlin und in dem Sammelband „Bei kleinen Leuten. Zwei Novellen", Berlin: Paetel 1887, S. 101—208, zusammen mit der Novelle „Bötjer Basch" (S. 1—99). Zum Titel „Aus engen Wänden" vgl. Anm. 128,5.

12 In seinem verlorengegangenen Brief an Storm hatte E. Schmidt offenbar den ersten Band seiner „Charakteristiken" (Berlin: Weidmann 1886) angekündigt.

13 Dieser Satz muß als Antwort auf die Mitteilung E. Schmidts verstanden werden, daß er sein „Sylvesterfeuilleton" („Eine Winterfahrt zu Theodor Storm", in: Neue Freie Presse, Wien 28. 10. 83) in den „Charakteristiken" seinem Storm-Rundschau-Artikel (Bd. 24/1880: vgl. Anm. 63,1) anfügen wollte. Den ursprünglichen Text („Neben

dem jüngsten Sohne, einer echten Friesengestalt mit langen Gliedmaßen und schwanker Haltung, steht wartend der Dichter, den ich fünf Jahre lang nicht gesehen, ein Sechziger von kleiner Mittelgröße") hat E. Schmidt für die „Charakteristiken" nicht geändert (vgl. dort: I, S. 475).

14 Nottelmann: offenbar ein Arbeiter, der bei Storms in Hademarschen im Haus und Garten half (vgl. den Brief Storms an Lisbeth vom 23. 4. 82, bei Gertrud Storm, S. 221).

15 G. Kellers Roman „Martin Salander" erschien vom Januar bis September 1886 in den Heften der Deutschen Rundschau. Vgl. Storm an W. Petersen am 8. 6. 86: „Vom ‚Salander' las ich die ersten drei Fortsetzungen. Den hol der Teufel!" (bei Gertrud Storm, S. 213) und Storm an Heyse am 29. 8. 86: „Seinen Salander las ich bis Heft 4 vor der Weimar-Reise, fand die Sache aber so langweilig, daß ich bis jetzt noch nicht wieder begonnen habe" (bei Bernd III, S. 140) und an Keller selbst am 12. 1. 87: „Ihren ‚Salander' habe ich in drei Fortsetzungen vor Mai in der Familie gelesen, und ich leugne nicht, etwas verschnupft worden zu sein ..." (bei Goldammer, S. 153).

16 Im „Neuen Deutschen Novellenschatz", hrsg. von P. Heyse u. L. Laistner, Bd. 8/1884, sind zwei Novellen von Heinrich Smidt abgedruckt: S. 1—27 „Das Feuerschiff", und S. 29—46: „Kajüts-Passagiere". Beide Novellen sind entnommen dem Band: Heinrich Smidt, Seegeschichten und Marinebilder, Berlin: Allg. Dt. Verlagsanst. 1855.

17 Der Brief an W. Jensen ist nicht erhalten. Gemeint ist W. Jensens Novelle: „Die Heiligen von Amoltern" (Leipzig: Elischer 1886). Über Jensens „Skizzenbuch" hatte sich Storm schon in seinem Brief vom 28. 9. 83 (Nr. 101) positiv geäußert. Vgl. auch Anm. 101,3 u. 14.

18 P. Heyses neuestes Werk (lat.: novissimum) ist das Schauspiel „Die Weisheit Salomos". Vgl. die Briefe Heyses an Storm vom 9. 9. 86 und 21. 9. 86 (bei Bernd III, S. 142 f.).

19 res venit ad triarios (lat.): nun müssen die Triarier (röm. Soldaten im dritten Glied) eingreifen; sprichwörtlich: es (hier: die neuere Literatur) ist zum Äußersten gekommen, so daß man letzte Mittel anwenden muß.

20 Vgl. Anm. 132,12.

21 Gemeint ist ein Band mit dem Titel „Vor Zeiten" (Berlin: Paetel 1886); er enthielt die Novellen: „Eekenhof", „Zur Chronik von Grieshuus", „Renate", „Aquis submersus" und „Ein Fest auf Haderslevhuus". Diesem Band stellte Storm — neben dem „Motto" („Das war zu Odysseus' Tagen ...") — die gedruckte Widmung voran: „Meinem Enkel *Hans Adolph Storm* für künftige Zeiten zugeeignet."

22 Carl Alexander (1818—1901), seit 1853 Großherzog von Sachsen-Weimar-Eisenach (bis 1901). Über die Großherzogin vgl. Anm. 131,1.

23 Storms ältester Sohn Hans starb am 5. 12. 86 an dieser Krankheit.

24 Das Foto ist nicht erhalten. Nach dem genannten Foto aber wurde das Titelporträt zum 6. Heft der Zeitschrift „Deutsche Dichtung" gezeichnet (vgl. Anm. 134,2), das wir im vorliegenden Band vor S. 113 wiedergeben.

Vgl. den Brief Storms an Elsabe vom 31. 7. 86: „... dießmal ist es eine Gewaltsarbeit, da Karl Emil Franzos eine neue Zeitung gründet u. mich durchaus in das erste Heft haben will ... So schicke ich Dir wenigstens mein Bild, das auch für diese Zeitschrift bei Constabel [in Hademarschen] gemacht und das beste Bild ist, das je von mir gefertigt ist." (Hs: Landesbibliothek Kiel; vgl. bei Gertrud Storm, S. 270.)

(Zu 134) Erstdruck nach dem Original im Schiller-Nationalmuseum, Marbach.

1 Schluß des Manuskripts der Novelle „Ein Doppelgänger". Vgl. den Brief Storms an Franzos vom 21. 9. 86 (in: Schriften der Th. Storm-Gesellschaft 18/1969, S. 25).

2 Mit „Stormheft" ist das 6. Heft der Deutschen Dichtung (15. Dezember 1886) gemeint. Es brachte auf der Titelseite das Porträt des Dichters und seinen Namenszug, dann den Schluß der „Doppelgänger"-Novelle (S. 130—139), dazwischen das Constanze-Gedicht und eine Zeichnung von W. Steinhausen (S. 132).

3 Wilhelm Steinhausen (1846—1924), Kunstmaler, Lithograph. Vgl. Thieme-Becker, Bd. 31, S. 564 f. Gemeint ist im folgenden die Ausgabe von Clemens Brentano, Ausgewählte Gedichte, mit Holzschnitten von Steinhausen, Berlin: Grote 1874.

4 Den Storm-Essay für das 6. Heft der Deutschen Dichtung schrieb dann Wilhelm Jensen (S. 155—160). Franzos und Storm hatten ursprünglich an E. Schmidt als Verfasser gedacht. Man vgl. dazu Storms Brief an Franzos vom 22. 9. 86 (also von demselben Tag wie der vorliegende an E. Schmidt):

„Es giebt so Wenige, die Verständniß für das Innerste der Lyrik haben. Ich habe heute den Rundschauartikel von E. Schmidt (Bd. XXIV. Juli 1880, S. 31) wieder durchgelesen, er ist fein und fast erschöpfend; ... Er wäre schon der Rechte; aber im Dezember publicirt er eine Sammlung Charakteristiken, worin denn auch der qu. Essay resp. berichtigt u. erweitert erscheinen wird.

Es scheint mir etwas schwierig, daß E. Schmidt nun noch einmal über Th. St. schreiben soll. Freilich könnte er uns eine kurze Quintessenz seines Aufsatzes geben; der über Freytag in der ‚D. Dichtg.' beträgt nur 2½ Seiten, der über mich 25 Rundschau Seiten, u. es ist seit 80 noch Weiteres zu betrachten.

Ich werde in diesem Sinne noch heute an ihn schreiben." (in: Schriften der Th. Storm-Gesellschaft 18/1969, S. 26).

5 Vgl. den in Anm. 4 zitierten Brief Storms an Franzos.

6 Dieser „Zettel", der Berichtigungen und Bemerkungen zu E. Schmidts Storm-Essay in der Deutschen Rundschau enthielt, ist nicht erhalten. Erhalten sind nur Storms Bemerkungen zu E. Schmidts Storm-Essay, September 1881 (Nr. 80).

(Zu 135) Erstdruck nach dem Original im Schiller-Nationalmuseum, Marbach.

1 Storm hat diesen Brief seiner Frau Do diktiert. Nur die Unterschrift stammt von des Dichters Hand.

2 Vgl. die Briefe vom 16. 9. und 22. 9. 1886 (Nr. 133 u. 134) sowie Anm. 133,21 u. 22.

3 Vgl. Anm. 132,12.

4 D. v. Liliencron hatte Storm das Erscheinen seines Bandes „Eine Sommerschlacht" (Leipzig: W. Friedrich 1887) schon in seinem Brief vom 14. 7. 86 angekündigt. Vgl. K. E. Laage. Drei Briefe Liliencrons an Storm, in: Schriften der Th. Storm-Gesellschaft 15/1966, S. 35.

5 Dr. Aemil Storm (1833—1897), der jüngste Bruder des Dichters, war Arzt in Husum; Dr. von Brinken war Storms Hausarzt in Hademarschen.

(Zu 136) Erstdruck nach dem Original im Schiller-Nationalmuseum, Marbach.

1 Datum verbessert nach der Angabe des Briefes vom 16. 10. 86 (Nr. 135): „Heute seit 14 Tagen lieg ich unthätig an Rippenfell darnieder“, sowie im Hinblick auf die Angaben des Storm-Briefes an Hedwig von Byern, nach dem Storm „vom 2. Oktober bis 20. Februar“ bettlägerig war (zitiert in Anm. 140,2).

2 Storm diktierte diesen Brief seiner Frau Do. Nur die Unterschrift ist von Storms eigener Hand.

3 Es handelt sich um den Sammelband „Vor Zeiten“, den Storm dem Großherzog versprochen hatte. Vgl. den Brief vom 16. 9. 86 (Nr. 133) und Anm. 133,21 u. 22. Zu gleicher Zeit hat Storm E. Schmidt einen Band „Vor Zeiten“ geschickt, mit der hs. Widmung: „Meinem lieben Freunde Erich Schmidt. Hademarschen, 22 Oktober 1886. Theodor Storm“ (der Band, aus dem Besitz von Bertha Strecker, befindet sich in der Landesbibliothek in Kiel).

4 Der Brief von Elsabe aus Weimar ist nicht erhalten.

(Zu 137) Abdruck nach dem Original im Schiller-Nationalmuseum, Marbach.

1 Der erste Teil des Briefes in Storms Handschrift, mit Bleistift geschrieben; der zweite Teil (s. u.) in Gertrud Storms Handschrift, die letzten Zeilen wieder in Storms Handschrift, mit Tinte geschrieben.

2 E. Schmidt hatte Storm in einem verlorengegangenen Schreiben mitgeteilt, daß er die Berufung auf den germanistischen Lehrstuhl der Friedrich-Wilhelm-Universität in Berlin, der durch Scherers Tod freigeworden war, angenommen hatte.

3 Das hatte Storm schon vor 2½ Monaten ausgesprochen. Vgl. den Brief vom 16. 9. 86 an E. Schmidt (Nr. 133) und Anm. 133,5.

4 Der — bisher unveröffentlichte — Brief des Großherzogs an Storm ist erhalten. Er lautet:

„Der Beweis Ihres guten Angedenkens an Ihren Aufenthalt in unserer Mitte Mein lieber Herr Storm wurde Mir durch Professor Erich Schmidt in sehr bewegter Festeszeit überbracht zugleich mit der betrübenden Nachricht von Ihrer Erkrankung. Halten Sie es nicht für Mangel an Theilnahme, wenn Ich erst jetzt Zeit finde, Ihnen mit Meinem herzlichen Dank für Ihre sehr willkommene Sendung zugleich die aufrichtigsten Wünsche für baldige Genesung auszusprechen.

Ihre Novellensammlung liegt vor Mir und ruft Mir lebhaft den genußreichen Abend ins Gedächtnis zurück, an welchem Sie selbst durch ergreifenden Vortrag die Gestalten Ihrer Dichtung und deren tiefempfundenes Gemüthsleben uns nahe brachten.

Lassen Sie Mich hoffen, daß Sie in wiedererlangter Rüstigkeit noch oft nach Weimar zurückkehren werden, wo Sie stets mit wahrer Hochschätzung willkommen heißen wird

Ihr Ihnen herzlich zugethaner

Carl Alexander
Weimar,
den 28. November 1886

(Hs: im Privatbesitz, Fotokopie im Archiv der Storm-Gesellschaft in Husum.)

5 Gemeint ist der erste, bereits angekündigte (vgl. den Brief vom 16. 9. 86, Nr. 133) Band von E. Schmidts „Charakteristiken“ (Berlin: Weidmann 1886). Die im folgenden

genannten Aufsätze hatte Storm zum großen Teil bereits in den Erstdrucken kennengelernt.

[6] In seinem Aufsatz „Heinrich von Kleist als Dramatiker" (in: Charakteristiken I, S. 350—380) versucht E. Schmidt S. 364 zu erklären, warum „selbst wenn der unübertroffene Döring den Richter Adam spielte, ein großes Publicum ermüdete". Vgl. Anm. 97,7.

[7] In seinem Aufsatz „Theodor Storm", S. 461, zitiert E. Schmidt Storms Gedicht „Begrabe nur dein Liebstes!" (K 1,111), darin die 12. Zeile: „Und einer Stimme Laut, wie mühsam zu mir dringend" (statt „ringend").

[8] Die beanstandete Stelle in E. Schmidts Storm-Aufsatz lautet S. 463:

„Nun haben wir zwar von Storm nichts, was sich mit Mörikes ‚altem Thurmhahn' messen könnte, Mörikes Schalkhaftigkeit jedoch darf ihm niemand absprechen, der etwa nach der Kindererzählung ‚Wie sie Nine begruben' das köstliche Gedicht ‚Von Katzen' — ‚Maikätzchen, alle weiß mit schwarzen Schwänzchen' — gelesen hat. Er ist kein elegischer Schwärmer, sondern ein freier Poet."

So schon — abgesehen von kleinen stilistischen Änderungen, in: Deutsche Rundschau 24/1880, S. 49, damals aber von Storm nicht beanstandet (vgl. die entsprechenden Bemerkungen Storms vom September 1881 (unter Nr. 80) und die Anm. dazu.

[9] Storm nimmt hier Bezug auf folgende Stelle des Storm-Aufsatzes der „Charakteristiken (I, S. 472 f.):

„Storm hat endlich in „Aquis submersus" einen neuen Stil gefunden, der nicht ohne künstliche Patina den Ton jener Periode deutscher Vergangenheit treffen will, in welche die Handlung verlegt ist. Dergleichen haben — ganz abgesehen von Balzac's genialen Contes drolâtiques — deutsche Schriftsteller in der Novelle früh versucht, aber weder die „Briefe eines Frauenzimmers aus dem fünfzehnten Jahrhundert" von Paul v. Stetten, noch die harmlosen Fälschungen Usteris sind auf dem rechten Wege. Greift ein neuer Dichter in die Vorzeit zurück und will er zugleich seiner Sprache das Colorit eines hinter uns liegenden Zeitalters verleihen, so muß er einmal alles meiden, was der Kenner und gewöhnlich auch instinctiv der Liebhaber für costüm- und sprachwidrig erklären könnte, und andererseits in Charakteristik und Sprache nicht zu weit von der Art unserer Tage abweichen, damit die Gestalten nicht marionettenhaft, der Vortrag nicht gekünstelt und gespreizt erscheine. Brentanos ‚Chronik eines fahrenden Schülers', Kellers ‚Dietegen', obenan Heyses ‚Stickerin von Treviso' und der durch die Limburger Chronik angeregte ‚Siechentrost', Freytags ‚Marcus König' sind, jedes in seiner Art, Muster eines künstlerisch alterthümelnden Verfahrens, wie es die antiquarische Mache nie erreichen wird. Als neues Meisterstück dürfte sich ohne Widerrede ‚Aquis submersus' anreihen, wenn unser Dichter nicht hier und da die Form durch Seltsamkeiten der Syntax, Flexion und Wortwahl verschnörkelt hätte."

Im Storm-Essay in der Deutschen Rundschau (24/1880, S. 55/56) fehlte im Schlußteil des Absatzes gerade der kritische Nachsatz „wenn unser Dichter nicht hier und da die Form durch Seltsamkeiten der Syntax, Flexion und Wortwohl verschnörkelt hätte."

[10] Siechentrost: Novelle von Paul Heyse; sie ist 1883 erschienen (vgl. Anm. 115,15), Storms Novelle „Aquis submersus" war schon 1876 erschienen.

[11] Vgl. Anm. 133,11.

[12] Anspielung des todkranken Dichters auf die Bibelstelle, Lucas 16,20/22: „Es war aber ein Armer, mit Namen Lazarus, der lag vor seiner Tür voller Schwären und begehrte sich zu sättigen von den Brosamen, die von des Reichen Tische fielen; doch ka-

men die Hunde und leckten ihm seine Schwären. Es begab sich aber, daß der Arme starb ..."

[13] P. Heyse: Der Roman der Stiftsdame, Berlin: Hertz 1887.

[14] Vgl. den Anfang des Briefes, den Heyse am 1. 10. 86 an Storm schrieb (bei Bernd III, S. 144 f.).

(Zu 138) Erstdruck nach dem Original im Schiller-Nationalmuseum, Marbach.

[1] Datum des Briefes erschlossen. Der Brief muß zwischen dem Todestag des Sohnes (5. 12. 86) und dem Tag, an dem Heyse auf die Todesanzeige antwortete (9. 12. 86: vgl. bei Bernd III, S. 146), geschrieben sein.

[2] Dem Brief von Frau Do an E. Schmidt lag die Traueranzeige bei. Wir drucken den Text der Anzeige unter Nr. 138 a ab.

[3] Vgl. dazu Anm. 1,3 und 13,4 im I. Band dieser Ausgabe.

(Zu 138 a) Erstdruck nach dem Original im Schiller-Nationalmuseum, Marbach.

[1] In den „Beobachter am Main" ließ Storm am 9. 12. 86 eine Todesanzeige folgenden Inhalts einsetzen:

„Den Freunden und Bekannten meines Sohnes des praktischen Arztes *Hans Woldsen Storm in Wörth* theile ich hiedurch mit, dass er am 5. Dezember 1886 im städtischen Krankenhause in Aschaffenburg nach längerer Krankheit sanft entschlafen ist.

Hademars., den 6. Dezember 1886.
Amtsgerichtsrath Storm."

[2] Vgl. dazu Storms Brief an Lisbeth vom 6. 11. 86 (bei Gertrud Storm, S. 234 f.).

[3] Über Hans Storms Tätigkeit in Frammersbach und Wörth am Main vgl. B. Opel, in: „Main-Echo" vom 8. 2. 1956.

(Zu 139) Erstdruck nach dem Original im Schiller-Nationalmuseum, Marbach.

[1] Vgl. Anm. 133,11.

[2] Wahrscheinlich die ersten Überlegungen zur Novelle „Ein Bekenntnis", die Storm dann am 15. 3. 87 begann (so am 31. 8. 87 an L. Pietsch, bei Pauls, S. 247). Vgl. dazu auch Gertrud Storm (in: Th. Storm, Ein Bild seines Lebens, II. Bd., S. 227), nach deren Angaben Storm schon im Februar 1887 „noch im Bette liegend" die ersten Szenen diktierte.

[3] Ludwig Tieck (1751—1826). Seine Werke (Berlin: Reimer 1828—1854, 28 Bände) fanden sich in Storms Büchernachlaß (Nissenhaus, Husum).

Ins „Hausbuch" hatte Storm 5 Gedichte von Ludwig Tieck aufgenommen (4. Aufl.: S. 118—120).

[4] „Der getreue Eckart und der Tannhäuser": ein Märchen, das Tieck 1799 veröffentlichte. Die zitierten Verse „Es mehren sich die Plagen ..." stammen aus der lyrischen Einlage am Ende des I. Abschnitts (5. und 6. Strophe: „Der Herzog sank darnieder ...").

[5] Johann Heinrich Voß: Luise. Ein ländliches Gedicht in drei Idyllen, Königsberg 1826. Vgl. Anm. I 23 a,5.

[6] Storm nimmt hier Bezug auf die letzten Zeilen der ersten Strophe der Alterselegie von Walther von der Vogelweide (Owê war sint verswunden/alliu mîniu jâr!), die Jakob Grimm in seiner „Rede über das Alter" folgendermaßen zitiert:

„als ich gedenke an manegen wünneclîchen tac,
die mir sint empfallen gar als in daz mer ein flac."

(„flac" statt wie Lachmann „slac").

Grimm begründet seine Konjektur in seiner „Rede" so, und Storm las die Begründung in der dritten Auflage folgendermaßen:

„in der schluszzeile nehmen alle neueren herausgeber die falsche lesart slac statt des allein richtigen der Pariser hs. auf. nun ist allerdings das wort flac, unser heutiges flagge, in der alten sprache sonst nicht aufzuweisen, was jedoch bei manchen anderen ausdrücken eintritt. slac wurde geschrieben weil allerdings gesagt wird ‚ein slac in den bach' von einer vergeblichen, entschwindenden sache; wenn man in einen bach schlägt, so trübt sich dessen glatte oberfläche, doch schnell verschwindet die spur des schlags und die glätte ist wieder hergestellt. wer aber kann in das wogende meer aus dem hohen schiffe einen schlag thun? das würde gar nichts in den wellen bewirken und wie mag von einem solchen schlag gesagt werden, dasz er ‚entfalle'? ausgezeichnet schön aber bleibt das bild einer von dem mast des segelnden schiffes niederfallenden flagge. sie kann nicht wieder eingeholt werden, so wenig als die vergangnen tage des lebens."

(Jacob Grimm: Rede auf Wilhelm Grimm und Rede über das Alter, hrsg. von Herman Grimm, Berlin: Dümmler, 3. Aufl. 1865, S. 46 u. 47; der entsprechende Band ließ sich in Storms Büchernachlaß nachweisen: Näheres im Archiv der Storm-Gesellschaft.)

Storm geht mit „flag" auf niederdeutsch „flaag" — „Regenschauer" zurück (O. Mensing, in: Schleswig-Holsteinisches Wörterbuch, Neumünster: Wachholtz 1929, Bd. II, S. 120: „plötzlich kommender und rasch vorübergehender Regenguß"); heute noch auf den nordfriesischen Inseln gebräuchlich.

[7] Storm widerspricht hier längeren Ausführungen Jakob Grimms in seiner „Rede über das Alter", die in den beiden Sätzen gipfeln: „des hörens bedürfen wir zu vielem, des sehens fast zu allem. wer will es leugnen, dasz die verhüllung des auges ein schwereres leiden sei als die verdumpfung des ohrs, blindheit den menschen härter treffe als taubheit?" (a. a. O., S. 51).

[8] Storm zitiert aus dem Brief Kellers vom 29. 12. 86 (bei Goldammer, S. 150 f.).

[9] Elsabes (genannt Ebbe) hier angeführter Brief ist nicht erhalten.

(Zu 140) Erstdruck nach dem Original im Schiller-Nationalmuseum, Marbach.

[1] Der Brief E. Schmidts vom 24. 3. 87 an Storm ist verlorengegangen.

[2] Auf Storms Drängen hatte Dr. von Brinken, der den Dichter während seiner schweren, fünf Monate (von Oktober 1886 bis Februar 1887) dauernden Krankheit behandelte, die eigentliche Ursache dieser Krankheit enthüllt: Magenkrebs.

Storm hat diese Diagnose zunächst gefaßt aufgenommen, wie der vorliegende Brief an E. Schmidt und andere Briefe bestätigen. Man vergleiche z. B. den Brief an Hedwig von Byern, vom 23. 5. 87: „Vom 2. Oktober bis 20. Februar war ich bettlägerig und mußte oft hart an den schwarzen Wassern vorbei;... ein trockener Magenkrebs ist nachgeblieben. Erschrick nicht zu sehr, mein liebes Kind, vor diesem argen Namen, man kann lange damit leben..." (in: Westermanns Monatshefte, Bd. 131/1921—1922, S. 586).

Ähnlich an Karl am 10. 5. 87: „Laß Dich das häßliche Wort nicht erschrecken, viele Menschen haben es viele Jahre lang und sterben schließlich an einer anderen Krankheit. Das Beste ist, daß meine Muse mir treu geblieben ist und auch vormittags die Kräfte noch zur Arbeit reichen und hoffentlich noch lange reichen werden." (zitiert bei Gertrud Storm: Th. Storm. Ein Bild seines Lebens II, S. 227 f.).

Aber auf die Dauer vermochte auch Storm „die Gewißheit eines nahen Todes nicht zu ertragen. Tiefe Schwermut ergriff ihn. Keiner, der ihn liebte, konnte das ertragen. Die Hoffnung, ohne die es kein Glück gibt, mußte ihm wiedergegeben werden." (Gertrud Storm, ebendort II, S. 228). Es wurde deshalb mit Einwilligung von Dr. Brinken eine Scheinuntersuchung vorgenommen, nach der der Dichter dann wieder soviel Mut faßte und soviel Kraft aufbrachte, daß er — trotz größter Schmerzen — die Novelle „Der Schimmelreiter" schreiben und vollenden konnte.

Man vgl. Storms Brief an Karl vom 5. 6. 87:

„Mich anlangend, so haben Onkel Aemil [Dr. Aemil Storm aus Husum] und sein kindlich liebenswürdiger u. eminent tüchtiger Schwiegersohn Glaeveke [Prof. Dr. Ludwig Glaevecke aus Kiel], die ja Pfingsten bei uns waren, mich genau untersucht und mir gesagt, ich könne sicher sein, es sein *kein* Magenkrebs, habe mit dem Magen überhaupt nichts zu thun, krebsartig sei die glatt anzufühlende Geschwulst überhaupt nicht; sie halten es für Ausdehnung eines Zweiges der großen Aorta (Ader), die in den Unterleib hinabgeht, etwa so: [Zeichnung] sie hatten zwar kein Hörrohr; dennoch meinten sie angeben zu können, daß diese Ausdehnung schon mit geronnen Blut gefüllt u. also zur Ruhe gegangen sei, wo sie nichts mehr bedeute; denn sonst müßten sie auch ohne Hörrohr das Geräusch hören können, das des sich durchdrängenden Blutes.

Dieß wäre ja denn eine recht glückliche Lösung..." (nach der Hs in der Landesbibliothek Kiel; vgl. unvollständig bei Gertrud Storm, a. a. O., S. 184).

3 Zu dem Sammelband „Bei kleinen Leuten" vgl. Anm. 133,11.

4 Gemeint ist der Titel der Novelle „Ein Doppelgänger" (vgl. Anm. 133,10 u. 11).

5 Vgl. Anm. 133,21.

6 Vgl. den Brief Storms an E. Schmidt vom 16. 9. 86 (Nr. 133) und Anm. 133,15. Die ersten 5, vermutlich sehr niedrigen, Auflagen der Buchausgabe des „Salander" wurden gleichzeitig gedruckt (1886).

7 Über die Begegnung E. Schmidts mit P. Heyse in Weimar ist nichts Näheres bekannt.

8 Vgl. etwa Heyses Zurechtweisung in seinem Brief vom 25. 6. 84 an Storm: „Aber Deine Definition des Lyrischen ist doch viel zu eng" (bei Bernd III, S. 85). Ein entsprechendes Urteil Theodor Mommsens über Storms Lyrik ist nicht bekannt.

9 Heyses Drama „Die Weisheit Salomos" war am 19. 2. 87 in Anwesenheit des Verfassers im Hoftheater in Weimar aufgeführt worden. Vgl. dazu die Briefe aus dem Storm-Heyse-Briefwechsel vom 27. 9. 86 und vom 22. 10. und 6. 3. 87 (bei Bernd III, S. 143 f., S. 146 und 147).

10 Storm äußert sich ähnlich über P. Heyses Trauerspiel „Die Hochzeit auf dem Aventin" in seinem Brief an Heyse vom 6. 3. 87 (bei Bernd III, S. 147).

[11] E. Schmidt war von Weimar nach Berlin (Bendlerstraße) umgesiedelt und lehrte nun als Professor für Deutsche Sprache und Literatur an der Friedrich-Wilhelm-Universität in Berlin.

[12] Wilhelm Scherer (1841—1886) war als Inhaber eben des Lehrstuhls, den E. Schmidt nun innehatte, von einem Schlaganfall getroffen, am 6. 8. 1886 verstorben.

[13] Storms zweitältester Sohn Ernst (1851—1913) hatte die Rechtsanwaltspraxis von Karl von Stemann (1838—1887), einem früheren Kollegen des Dichters und einem Mitglied seines Gesangvereins, übernommen.

[14] Gemeint ist Storms ältester Sohn Hans, der am 5. 12. 1887 im Aschaffenburger Krankenhaus verstorben und auf dem Aschaffenburger Altstadtfriedhof begraben worden war.

(Zu 141) Erstdruck nach dem Original im Schiller-Nationalmuseum, Marbach.

[1] Dieser Brief E. Schmidts an Storm ist verlorengegangen.

[2] Es handelt sich um den „Faust" in Goethes Werken, und zwar um den 14. Band der Weimarer Ausgabe (mit „Faust I"), hrsg. von E. Schmidt, Weimar 1887. Vgl. den Brief Storms an W. Petersen vom 3. 12. 87 (bei Gertrud Storm, S. 219).

[3] Anfang Januar hatte E. Schmidt in Dresden im Nachlaß der Familie von Göchhausen den „Urfaust" (in der Abschrift des Hoffräuleins Luise v. Göchhausen) entdeckt. Den „Urfaust" veröffentlichte E. Schmidt noch in demselben Jahre: Goethes Faust in der ursprünglichen Gestalt, nach der Göchhausenschen Abschrift. Weimar: Böhlau 1887.

[4] Die „Aufzeichnungen aus meiner Jugend" hatte Storm schon in seinem Brief vom 13. 7. 1884 E. Schmidt gegenüber erwähnt (Nr. 114). Sie erschienen unter der Überschrift „Nachgelassene Blätter von Theodor Storm" erst posthum in der Deutschen Rundschau, und zwar im November 1888 (Bd. 57/1888, S. 341—346). Jetzt: K 8,3—11 u. Gd 4,507—524.

[5] Vgl. Anm. 133,10.

[6] Zur Novelle „Ein Bekenntnis" vgl. Anm. 139,2. Hier sind wohl die Korrekturbögen zum Erstdruck gemeint. Die Novelle erschien nämlich erst im Oktober in Westermanns Monatsheften (Bd. 63/1887, S. 1—28), und die Buchausgabe folgte 1888.

[7] Gemeint ist die Traum-Szene: K 7,204 f., Gd 4,204 f.

[8] Vgl. Storms Brief an Heyse vom 4. 12. 85 (bei Bernd III, S. 122 ff.) und den Brief an Heyse vom 25. 5. 87 (bei Bernd III, S. 150).

[9] Mit dem Brief vom 21. 6. 87 (bei Bernd III, S. 153).

[10] Heyses Kritik an der Novelle „Ein Bekenntnis" findet sich in den Briefen vom 25. 6. 87 und 17. 7. 87 (bei Bernd III, S. 153 ff. und 157 f.).

[11] In seinem Brief an Heyse vom 15. 7. 87 formulierte Storm die Motive so: „Dein Problem: ‚ob man einem Unheilbaren zum Tode helfen dürfe?' war nicht das meine. Ich wollte darstellen: ‚Wie kommt Einer dahin, sein Geliebtestes zu tödten?' *und* ‚Was wird aus ihm, wenn er das gethan hat?' " (bei Bernd III, S. 156).

[12] Heyse in seinem Brief vom 25. 6. 87 an Storm (bei Bernd III, S. 154 f.).

13 Vgl. Anm. 7.

14 Storm hatte am 14. 9. 87 seinen 70. Geburtstag gefeiert. Vgl. dazu die Schilderung von Gertrud Storm in: Th. Storm. Ein Bild seines Lebens. Bd. II, S. 229—236. Einen längeren Glückwunsch mit der Überschrift „Zu Theodor Storm's siebzigstem Geburtstag" hatte die Deutsche Rundschau in ihrer Rubrik „Literarische Rundschau" ausgesprochen (53/1887, S. 155 f.). Als „Festgabe zum 70. Geburtstag" war die Storm-Biographie von Paul Schütze erschienen (Anm. 141,21). Vgl. dazu auch P. Schützes Brief an E. Schmidt vom 20. 9. 86 in: Schriften der Th. Storm-Gesellschaft 13/1964, S. 53 ff.

15 Foto davon in: E. O. Wooley: Theodor Storm's World in Pictures. Bloomington 1954, unter Nr. 258. Berühmt an diesem Schreibtisch sind die „tiefsinnigen Eulen", ein Jugendwerk von Emil Nolde (1867—1956), der damals in Sauermanns Werkstatt in Flensburg arbeitete.

Heinrich Sauermann: Holzbildhauer, Gründer des Flensburger Kunstgewerbemuseums (1842—1904). Über ihn vgl. Biogr. Jb., Bd. 9, S. 100.

16 Die „bekannten Thorwaldsenschen Medaillons" kann man jetzt im Arbeitszimmer des Dichters im Storm-Haus, Husum, Wasserreihe 31, besichtigen.

17 Storms Gedicht „Wenn't Abend ward" war 1872 entstanden und Klaus Groth gewidmet (K 1,133 u. Gd. 1,191 f.).

18 Ludwig Pietsch (1824—1911), Storms alter Berliner Freund, hatte Storm zum 70. Geburtstag ein größeres Bild geschenkt („Kupferätzung"), das heute noch im Privatbesitz erhalten ist. Es handelt sich um eine Moor- und Heidelandschaft mit dem Titel „Herbst" von dem Maler J. Wenglein (Foto davon im Bildarchiv der Storm-Gesellschaft, Husum). Auf der Rückseite ist die handschriftliche Widmung aufgeklebt: „Meinem theuren Freunde Th. Storm zum 14. Sept. 87. Ludwig Pietsch."

19 Gemeint ist die Ausgabe: Th. Storm: Immensee. Illustrierte Prachtausgabe mit 25 Heliogravüren nach W. Hasemann und Ed. Kanoldt, Leipzig: Amelang 1887 (Anzeige in der Deutschen Rundschau 53/1887, S. 472).

20 von Wilh. Jensen ... herzliche Gedichte: Gertrud Storm berichtet darüber in ihrer Storm-Biographie (2. Bd., S. 231): „Es war wohl der feierlichste Augenblick des Tages, als Jensen seinem alten Freunde die Hand aufs Haupt legte und seinen Brief in Versen vorlas". Gertrud Storm zitiert dann nur Teile dieses vier Seiten langen Gedichtes (Hs: vollständig in der Landesbibliothek Kiel). Ein zweites Gedicht mit dem Titel „An Theodor Storm zu seinem 70. Geburtstag den 14. September 1887" hatte Jensen für die von Paul Schütze herausgegebene Kieler Festzeitung geschrieben (Exemplar im Archiv der Storm-Gesellschaft, Husum).

21 Paul Schütze: Theodor Storm. Sein Leben und seine Dichtung. Festgabe zum 70. Geburtstag, Berlin: Paetel 1887. Der betreffende Band befindet sich mit entsprechenden handschriftlichen Bemerkungen Storms im Archiv der Th. Storm-Gesellschaft in Husum. Über Paul Schütze vgl. auch Anm. 117,2 u. 4.

22 Alexander von Liezen-Mayer (1839—1898), Maler, seit 1872 in München. Bekannt sind seine Illustrationen zu Scheffels „Ekkehard", Goethes „Faust" und Schillers „Lied von der Glocke", die in dieser Zeit entstanden. Über ihn vgl. Thieme-Becker, Bd. 23, S. 216 f.

Gabriel Max (1840—1915), Maler und Illustrator. Über ihn vgl. Thieme-Becker, Bd. 24, S. 288 f.

[23] Vor Storm hatte die Stadt Husum nicht nur den einstigen preußischen Generalfeldmarschall E. Freiherr von Manteuffel (1809—1885), der 1865 — nach dem Krieg gegen Dänemark — Gouverneur des Herzogtums Schleswig war, zum Ehrenbürger ernannt, sondern auch den Hamburger Kaufmann August Friedrich Woldsen (1792—1868) — übrigens ein Großonkel des Dichters —, dem die Stadt damit für seine großzügigen Stiftungen gedankt hatte.

(Zu 142) Erstdruck nach dem Original in der Schleswig-Holsteinischen Landesbibliothek, Kiel.

[1] Datumsangabe in Storms Handschrift.

[2] Storms Tochter Elsabe, die in Weimar studierte, hatte Weihnachten in Gotha in der Familie des Rechtsanwalts Jacobs (vgl. Anm. 131,5) gefeiert.

[3] Vgl. Anm. 32. Schmidt schreibt übrigens „heurathet".

[4] auf der Kunkel: in Arbeit. Kunkel: in Südwestdeutschland (schwäb./alemann./rhein.) gebräuchliches Wort für: Spinnrocken.

[5] il gran Teodoro: gemeint ist Theodor Mommsen (1817—1900), der — wie E. Schmidt — an der Friedrich-Wilhelm-Universität in Berlin lehrte.

Hecuba: lateinischer Name für Hekabe, die Gemahlin des trojanischen Königs Priamos, die diesem 19 Söhne schenkte (nach Homer, Ilias 24,495). Mommsens hatten 16 Kinder.

[6] Großherzogin Sophie von Sachsen-Weimar-Eisenach. Vgl. Anm. 131,1.

[7] E. Schmidt arbeitete an den Lesarten zum 15. Band der Weimarer Goethe-Ausgabe („Faust II"), deren 14. Band („Faust I") er Storm zusammen mit dem Brief vom 29. 9. 87 (Nr. 141) zugeschickt hatte.

[8] Hier ist die Separatausgabe des Urfaust gemeint, die E. Schmidt 1887 ediert und Storm zugeschickt hatte. Vgl. Anm. 141,3.

[9] Otto Brahm (1856—1912): Berliner Literaturkritiker. Vgl. Anm. 102,12.

[10] horror vacui (lat.): Angst vor der Leere.

[11] Ein Kapitel seiner Schiller-Biographie mit der Überschrift „Schillers Vater" hatte O. Brahm in der Deutschen Rundschau veröffentlicht (53/1887, S. 200—213), mit dem Hinweis auf den ersten Teil der Buchausgabe, die „in kurzem" bei Hertz in Berlin erscheinen werde. Brahms Schiller-Biographie blieb unvollendet.

[12] Von Erich Schmidts Lessing-Monographie waren erst der I. Bd. (1884) und der 1. Teil des II. Bandes (1886) erschienen. Die Goethe-Arbeit verzögerte das Erscheinen des 2. Teiles bis zum Jahre 1892.

[13] Julian Schmidt (1818—1886), Literarhistoriker. Seine „Geschichte der deutschen Literatur" hatte W. Dilthey in der Deutschen Rundschau (Bd. 52/1887, S. 151—155) besprochen.

[14] Über den „Hain-Esmarch" Christian Hieronymus Esmarch (1752—1820) vgl. Anm. 79,3.

[15] Über den „Prager" Karl Esmarch (1824—1887) vgl. Anm. 79,4.

[16] Gemeint ist hier wohl die Buchausgabe, die Storm E. Schmidt zu Weihnachten geschenkt hatte: Theodor Storm. Ein Bekenntniß, Berlin: Paetel 1887.

17 Des lieben Paolo neuen Band: gemeint ist der Novellenband Paul Heyses: Villa Falconieri und andere Novellen, Berlin: Hertz 1888. Der Band enthielt folgende Novellen: „Villa Falconieri", „Doris Sengeberg", „Emerenz" und „Die Märtyrerin der Phantasie". Vgl. Storm an Heyse über die Novellen am 18. 12. 87 (bei Bernd III, S. 161 f.).

18 „Prinzessin Sascha": Titel und Hauptgestalt eines Lustspiels von Paul Heyse. Uraufführung am 23. 1. 88 im Thalia-Theater in Hamburg. Ausführliche Kritik des Stückes im Hamburgischen Correspondenten vom 30. 1. 88 (wieder abgedruckt bei Bernd III, S. 386 ff.).

19 Über Friedrich Spielhagen (1829—1911) vgl. Anm. I 38,5. Hier ist sein Trauerspiel „Die Philosophin" (Leipzig 1887) gemeint.

20 E. Schmidt hatte seinerzeit Fr. Spielhagens Roman „Angela" (Leipzig 1881) in der Deutschen Literaturzeitung 2/1881, S. 1899—1900, besprochen.

21 Über Hans Hopfen (1835—1904) vgl. Anm. 96,8. E. Schmidt hatte 1884 in der Deutschen Literaturzeitung (5, S. 812) den Band „Brennende Liebe" (Dresden 1884) und am 29. 7. 86 in der Deutschen Zeitung (Wien, Nr. 5235) vier weitere Werke von Hopfen rezensiert: „Zum Guten" (Dresden 1885), „Ein wunderlicher Heiliger" (Leipzig 1886), „Mein erstes Abenteuer" (Stuttgart 1886) und „Der letzte Hieb" (Leipzig 1886).

22 Julius Rodenberg (1831—1914), Herausgeber der Deutschen Rundschau. Vgl. den Briefwechsel Storm—Rodenberg, in: Schriften der Th. Storm- Gesellschaft 22/1973, S. 32—54.

23 Karl Frenzel (1827—1914), Feuilletonredakteur und Theaterkritiker, Mitarbeiter der Deutschen Rundschau, auch Romanschriftsteller (vgl. I 59,4).

24 C. F. Meyers Novelle „Die Versuchung des Pescara" wurde in der Deutschen Rundschau zum erstemal abgedruckt (Bd. 53/1887, S. 1—42, S. 161—199).

25 Marie Freifrau von Ebner-Eschenbach (1830—1916). Über sie vgl. Kosch, S. 400 f. Hier ist von ihrem zweibändigen Roman „Das Gemeindekind" die Rede, der 1887 erschienen war.

26 Vgl. die Rezension E. Schmidts in der Deutschen Literaturzeitung 9/1888, S. 32 bis 33: Helene Böhlau (Al-Raschid Bey): 1. Reines Herzens schuldig, 2. Herzenswahn! 3. Ratsmädelgeschichten. Minden 1888.

27 Böhlaus: Vgl. Anm. 132,2.

28 Kalkreuths: vgl. Anm. 132,2.

29 quid tibi videtur (lat.): was ist deine Meinung (was halten Sie davon)?

30 Auf Ferdinand von Saar (1833—1906) hatte E. Schmidt Storm schon mehrfach hingewiesen. Vgl. u. a. Anm. 112,7, Anm. 116,9 und Anm. 117,10.

31 sublimiora (lat.): Größeres, Höheres (gemeint sind die besseren Dichtungen bzw. Gedichte F. von Saars).

32 E. Schmidts Schwester Margarethe (1859—1951) heiratete am 24. 3. 1888 Prof. Dr. Ludwig Goldschmidt (1853—1931), den damaligen Direktor der Handelsbank in Gotha. „Und freie zugleich die Schwester dem Gatten": offenbar in Anlehnung an den bekannten Vers aus Schillers Ballade „Die Bürgschaft": „Bis ich die Schwester dem Gatten gefreit."

(Zu 143) Erstdruck nach dem Original im Schiller-Nationalmuseum, Marbach.

[1] Vgl. dazu ausführlich in Anm. 140,2.

[2] Aneurisma (griech. eigtl. Aneurysma): Schlagadererweiterung.

[3] Kunkel: vgl. Anm. 142,4. Gemeint sind hier Vorarbeiten zur Novelle „Die Armesünderglocke“; vgl. Anm. 6.

[4] Storm beendete seine „Schimmelreiter“-Novelle am 9. 2. 1888 und sandte das fertige Manuskript am gleichen Tage an den Paetel-Verlag in Berlin zum Abdruck in der Deutschen Rundschau. Am 22. 2. 88 schickte Storm einen „Nachtrag“ zum „Schimmelreiter“, und am 25. 2. 88 erhielt er die Korrekturbogen („78 S. ohne den Nachtrag“), von denen er dann ein Exemplar am 13. 3. an E. Schmidt schickte (nach Eintragungen in ein unveröffentlichtes Tagebuch, zum erstenmal mitgeteilt in dem Taschenbuch: Th. Storm: Sylter Novelle. Der Schimmelreiter, hrsg. von K. E. Laage, Heide, Westholsteinische Verlagsanstalt o. J. [1970], S. 124 f., (im Kapitel „Die Entstehungsgeschichte“).

[5] Storm hatte den Schimmelreiterstoff schon in seiner Jugend kennengelernt, sich dann Anfang 1885 zum erstenmal wieder mit diesem Stoff beschäftigt und im Sommer 1886 mit der Arbeit an der Novelle begonnen. Vgl. die Kapitel „Quellen“ und „Entstehungsgeschichte“ in dem oben genannten Taschenbuch, S. 123 ff. u. 127 ff. Vgl. auch den Brief Storms an E. Schmidt vom 3. 2. 85 (Nr. 120).

[6] Die geplante Novelle „Die Armesünderglocke“ ist Fragment geblieben. Die Fragmente veröffentlichte Gertrud Storm 1913 zum erstenmal in ihrer Biographie: Th. Storm. Ein Bild seines Lebens, II. Bd., S. 248—260 (jetzt: K 378—387; Gd 4,373—400).

Die Anregung zur Novelle „Die Armesünderglocke“ verdankt Storm m. E. der alten Husumer Chronik von J. Laß: Sammlung einiger Husumischer Nachrichten, Flensburg 1750 und 1752. Vgl. den Namen des Glockengießers Armowitz innerhalb eines Berichtes über das Jahr 1729: II/1750, S. 99 ff., den Namen der Großmutter Oligard Swendrofski (leicht verändert innerhalb eines Berichtes über das Jahr 1711): II/1750, S. 33, und die kleine Wächterglocke „gen Norden“ außerhalb des Turmes: I/1750, S. 37 f.

[7] E. Schmidt machte Storm in einem verlorengegangenen Brief auf das Buch von Heinrich Otte „Glockenkunde“ (1. Aufl. Leipzig: Weigel 1884; 2. Aufl. 1888) aufmerksam, das Storm sich dann auch anschaffte. Vgl. den Brief Storms an Lisbeth vom 10. 3. 88: „E. Schmidt schreibt mir, in Ottes ‚Glockenkunde‘ ist etwas darüber. Da es nicht in der Kieler Bibliothek ist, so schaffe ich’s mir an und finde kaum eine halbe Seite über dieses Glöcklein.“ (bei Gertrud Storm, S. 239).

[8] Einen Bericht über Heyses tragischen Einakter „Die schwerste Pflicht“ hatte Storm im „Hamburgischen Correspondenten“ vom 15. 12. 87 gelesen (wiederabgedruckt bei Bernd III, S. 365) und diesem Bericht entnommen, daß Heyse in diesem Einakter das Problem, das Storm in seiner Novelle „Ein Bekenntnis“ behandelt hatte, von einer neuen Seite beleuchtet hatte (ein Arzt hilft seinem unheilbar wahnsinnigen Freunde zu sterben).

[9] Vgl. Heyses Brief an Storm vom 14. 2. 88 bei Bernd III, S. 167 f.

[10] Vgl. Anm. 142,18. Mit der „kleinen Reinhold“ ist die Schauspielerin Babette Devrient-Reinholdt (1863—1940) gemeint, die in der Uraufführung des Heyseschen Schauspiels „Prinzessin Sascha“ am Thalia-Theater in Hamburg die Sascha spielte.

11 Il gran Theodoro: Theodor Mommsen (1817—1903). Hier sind seine letzten Zeilen an Storm vom 12. 12. 87 gemeint (in: Th. Storms Briefwechsel mit Th. Mommsen, hrsg. von H. E. Teitge. Weimar: Böhlau 1966, S. 128).

12 Storm hatte die Edition des „Urfaust" von E. Schmidt zusammen mit E. Schmidts Brief vom 1. 1. 88 erhalten. Vgl. den Brief Nr. 142 und Anm. 142,8.

13 Gemeint ist Pastor Ernst Esmarch (1854—1932); vgl. seine „Chronik der Familie Esmarch" (1887 im Selbstverlag) und Storms Vorwort zu diesem Buch (wiederabgedruckt bei Gd 4,620 f.).

14 Vgl. die Ankündigung E. Schmidts in seinem letzten Brief an Storm vom 1. 1. 88 (Nr. 142) und Anm. 79,3.

15 Vgl. E. Schmidt über Brahms Besuch in seinem Brief an Storm vom 1. 1. 88 (Nr. 142 und Anm. 142,9).

16 Das war Storms letzter Besuch in Husum. Dieser Besuch galt besonders seinem Freund Ludwig Graf zu Reventlow (1824—1893), dem damaligen Landrat in Husum, seinem Bruder Dr. Aemil Storm (1833—1897) und seinem Sohn Ernst Storm (1851 bis 1913).

17 Ein entsprechender Antwortbrief, in dem Ernst Storm sich E. Schmidt gegenüber gegen die Veröffentlichung der Familienbriefe und gegen den Druck einer Volksausgabe ausspricht, ist erhalten (Hs: unveröffentlicht im Deutschen Literaturarchiv/Schiller-Nationalmuseum, Marbach: im Brief Dorothea Storms an E. Schmidt vom 24. 5. 89).

18 Vgl. Anm. 129,3.

19 Vgl. Anm. 142,25.

20 Vgl. Anm. 142,26.

21 Nach der 4. Aufl. (Braunschweig: Westermann 1878) hat Storms „Hausbuch" keine Neuauflage erlebt.

22 Es handelt sich bei dem „Neudruck" der Bände XV—XVIII um Bände der bei Westermann in Braunschweig erscheinenden „Gesammelten Schriften" Theodor Storms, die enthalten:

„Hans und Heinz Kirch" und „Ein Doppelgänger" (Bd. XV), „Zur Chronik von Grieshuus" und „Bötjer Basch" (Bd. XVI), Gedichte und „Ein Fest auf Haderslevhuus" sowie „Schweigen" (Bd. XVII), „Der Herr Etatsrat", „Es waren zwei Königskinder" und „John Riew'" (Bd. XVIII).

Diese Bände erschienen erst 1889, also nach Storms Tod.

23 Über Ferdinand von Saar, dessen Gedichte E. Schmidt Storm zur Aufnahme ins „Hausbuch" empfohlen hatte, vgl. Anm. 116,9 und 142,30 und 31.

24 Vgl. Anm. 142,32.

25 Ähnlich äußert sich Storm in den Briefen an seine Kinder Karl (vom 24. 2. 88) und Lisbeth (vom 10. 3. 88) (bei Gertrud Storm, S. 186 und 239). Der Dichter beabsichtigte, eine Mietwohnung im „Mönkeweg nach Osterhusum hinaus" zu beziehen (an Lisbeth am 10. 3. 88).

Den Gedanken, das Haus in Hademarschen zu verkaufen (und in eine Stadt zurückzusiedeln), hat Storm aber schon am 21. 8. 84 in einem Brief an Petersen ausgesprochen (bei Gertrud Storm, S. 202).

(Zu 144) Abdruck aus dem Original des Briefes an Paetel vom 6. 5. 88 in der Schleswig-Holsteinischen Landesbibliothek, Kiel.

[1] Der vorliegende Text ist dem Brief Storms an Paetel vom 6. 5. 88 entnommen (Hs: Landesbibliothek Kiel) und an einer Stelle verbessert: statt „*eine* Verbindung" wurde nach dem Text der Briefstelle an Ferdinand Tönnies (Brief vom 9. 5. 88, s. u.) verbessert in „*die* Verbindung".

In seinem Brief an Ferdinand Tönnies vom 9. 5. 88 zitiert Storm die Briefstelle aus dem verlorengegangenen E. Schmidt-Brief etwas anders: „Ich staune über die Wucht u. Größe, die Sie dafür aufzubieten hatten, alles Strand- u. Meerhafte ist so sehr ersten Ranges, daß ich dem nichts überzuordnen wüßte, u. in der Seele des Mannes brandet's gleicherweise! Wundervoll die Vermischung des Abergläubisch-Geheimnißvollen mit dem sachkundigen Realismus, der da weiß, wie man Deiche baut u.s.w." (Text verbessert nach der Hs in der Kieler Landesbibliothek; vgl. bei H. Meyer, S. 378). Vgl. auch Storms Zitate derselben Briefstelle in seinen Briefen an Heyse vom 17. 5. 88 (bei Bernd III, S. 173) und an Karl vom 19. 5. 88 (Hs unveröffentlicht: Landesbibliothek Kiel).

[2] Das Datum „Anfang Mai 1888" ist erschlossen aus dem Erscheinungsdatum des ersten „Schimmelreiter"-Abdrucks im April- und Maiheft der Deutschen Rundschau und dem Datum des Briefes an Paetel vom 6. 5. 88.

[3] Wenn E. Schmidt davon spricht, daß das Thema der Schimmelreiter-Novelle „auf so furchtbare Weise zeitgemäß geworden ist", so denkt er dabei wahrscheinlich an die gefährlichen politischen Spannungen am Anfang des Jahres 1888, die Bismarck am 6. 2. 88 zu seiner berühmten Rede vor dem Deutschen Reichstag und zu dem Satz veranlaßten: „Wir Deutsche fürchten Gott, aber sonst nichts in der Welt", sowie an die Gefahren, die in dieser spannungsreichen Zeit der Tod des Kaisers (am 9. 3. 88) und die Nachfolge durch einen todkranken Kronprinzen mit sich brachten. Eine Beziehung zwischen dem „Schimmelreiter" (Sturmflut-Deichbruch-Tod des Deichgrafen) und den damaligen politischen Ereignissen stellte — ungewollt und rein zufällig — auch die Deutsche Rundschau her, indem sie den mit Trauerrand versehenen Nachruf „Kaiser Wilhelm" an den Anfang des April-Heftes setzte, so daß der Abdruck des ersten Teils der Stormschen Schimmelreiter-Novelle unmittelbar darauf folgte (Nr. 55/1888, S. 1—34).

[4] Storm hatte während der Arbeit an seiner Schimmelreiter-Novelle laufend den sachkundigen Rat des Deichbauinspektors Christian Eckermann in Heide (1833—1904) eingeholt. Vgl. u. a. einen unveröffentlichten Brief Storms an Paetel vom 16. 12. 87: „Vorgestern wieder in Heide Conferenz über den Schimmelreiter gehalten ... Mein Sachverständiger ist mein Freund, der Provinzial-Bau-Inspector Eckermann ... Er war sehr mit mir zufrieden; ich werde nächstens auch einen Koog eindeichen können." (Hs: Landesbibliothek Kiel.)

(Zu 145) Erstdruck nach dem Original im Schiller-Nationalmuseum, Marbach.

[1] Gemeint ist der verlorengegangene Brief von Anfang Mai, aus dem E. Schmidts Urteil über den „Schimmelreiter" erhalten ist (Nr. 144).

[2] Heyse schrieb Storm auf der Postkarte vom 2. 5. 88 über den Schimmelreiter:

„Nur einen Glückwunsch, lieber Alter, zum Schimmelreiter. Ein gewaltiges Stück, das mich durch und durch geschüttelt, gerührt und erbaut hat. Wer machte Dir das nach! Ich lese es wieder in ruhigerer Zeit, heut hab ich's nur athemlos durchgejagt, als säße ich selbst auf dem Gespenstergaul, und kann Dir nur im Fluge die Hand drücken und von Herzen Heil! Heil! rufen, da ich in schwerer Arbeit tief vergraben bin...“ (bei Bernd III, S. 173).

3 Hier zitiert Storm aus dem verlorengegangenen Brief E. Schmidts vom Anfang Mai 1888 (vgl. Nr. 144). Auf diese Briefstelle kommt Storm auch in seinem Brief an Heyse vom 17. 5. 88 zu sprechen: „— Noch muß ich bemerken, dß E. Schmidt im ‚Schimmelreiter‘ die Exposition etwas ‚schwerflüssig‘ fand; ich muß mir noch erklären lassen, was er unter ‚Exposition‘ verstand“ (bei Bernd III, S. 174).

Ähnlich an Paetel am 6. 5. 88 „Nur die Exposition wünscht er [E. Schmidt] mehr zusammengezogen“ (Hs: Landesbibliothek Kiel) und an Ferdinand Tönnies am 9. 5. 88: „Nur die Exposition (ich bin nicht sicher, was er darunter versteht) wünscht er [E. Schmidt] gedrängter, u. die ‚Landesdeichsprache‘ ist ihm etwas hinderlich.“ (bei H. Meyer, S. 378).

Es scheint, als ob E. Schmidt dann noch einmal auf die „Exposition“ zurückgekommen ist. Denn in einem Brief Storms an Biese vom 4. 6. 88 heißt es dann: „E. Schm. hat noch hinzugefügt, daß es ihm etwas zu lang dauere, bevor die grogschlürfenden Männer im Krug an den Schimmelreiter kommen. Ich finde das nicht; es ist ja von S. 3 auf S. 4 (Aprilheft) abgethan“ (nach dem Faksimile des Briefes in der Ausgabe Th. Storm: Sämtliche Werke, hrsg. von A. Biese, I. Bd. Leipzig: Hesse und Becker [1919]).

4 „Temmesche Geschichten“: gemeint sind Erzählungen von Jodocus D. Temme (1798—1881), Pseudonym für Heinrich Stahl, Jurist, 1849 Deputierter der Frankfurter Nationalversammlung (linksradikal), 1851 nach neunmonatiger Haft aus dem preußischen Staatsdienst entlassen, seit 1851 Professor für Kriminalrecht in Zürich. Storm erwähnt sein Begräbnis am 28. 11. 81 an Keller (bei Goldammer, S. 86). — Temme schrieb Romane (z. B. „Elisabeth Neumann“, 3 Bde. 1852), „Kriminalnovellen“ (10 Bde., 1863) und gab Sagensammlungen heraus.

4a „als säh ich noch in goldne Erdenferne“: Storm zitiert hier aus seinem Gedicht „Geh nicht hinein“ (1879) die 23. Zeile.

5 Vgl. den folgenden Brief (Nr. 146) und Anm. 146,1.

6 Dieser Brief Elsabes (Ebbes) an Storm ist nicht erhalten.

7 E. Schmidt arbeitete an der Edition des „Faust II“ in der Weimarer Goetheausgabe. Den 14. Band (mit „Faust I“) hatte er Storm zum 70. Geburtstag geschenkt (vgl. Storms Antwortbrief vom 29. 9. 87/Nr. 141 und Anm. 141,2). „Faust II“ erschien Ende 1888 als Bd. 15 der Weimarer Goethe-Ausgabe.

8 Gemeint ist der noch ausstehende Band der Lessing-Monographie (II. Bd., 2. Teil), den E. Schmidt aber erst 1892 fertigstellte. Vgl. Anm. 126,1.

9 Wilhelm Scherer, E. Schmidts Lehrer, der vor E. Schmidt Inhaber des Lehrstuhls für deutsche Sprache und Literatur an der Friedrich-Wilhelm-Universität in Berlin war und einen großen Teil seiner Arbeitskraft der Goethe-Forschung gewidmet hatte, hatte sich von den Folgen eines Ende 1885 erlittenen Schlaganfalls nicht erholen können. Man vgl. den Brief vom 20. 11. 85 von Frau Scherer an E. Schmidt, der von „einer Überreizung der Nerven“ als Ursache der Krankheit spricht, und den Brief E. Schmidts vom 22. 11. 85 an Frau Scherer, der „eine Überanstrengung, gesteigert durch Nach-

wehen des letzten Sommers“ verantwortlich macht (bei Richter/Lämmert, S. 219 f.). Scherer war am 6. 8. 1886 verstorben.

10 Wiederum ein Zitat aus dem verlorengegangenen E. Schmidt-Brief an Storm von Anfang Mai 1888 (vgl. Nr. 144), in dem E. Schmidt offenbar zum Ausdruck gebracht hatte, daß bestimmte, an der nordfriesischen Küste gebräuchliche Ausdrücke einem Binnenländer das Verständnis erschwerten. So Storm auch am 9. 5. 88 an Ferdinand Tönnies: „die ‚Landesdeichsprache‘ ist ihm [E. Schmidt] etwas hinderlich“ (bei H. Meyer, S. 378). Ähnlich hatte sich offenbar auch J. Baechtold geäußert. In dem unveröffentlichten Brief an Paetel vom 6. 5. 88, aus dem wir schon mehrfach zitiert haben, schreibt Storm nämlich: „Erich Schmidt u. der Züricher Prof. Baechtold sind ein wenig durch die ‚Deichlandsprache‘ im Lesen gehindert worden, meinen aber doch, daß die Sache dadurch so ‚echt‘ werde. Soll ich auf dem Blatt, was [in der Buchausgabe] der Widmung gegenüberstehen würde, einige Worterklärungen geben?...“ (Hs: Landesbibliothek, Kiel.) Übrigens hatte Storm auch von sich aus solchen Zusatz ins Auge gefaßt. Schon am 7. 4. 88 schreibt er an Tönnies: „Einige Wort- u. Sacherklärungen kann ja die Buchausgabe immerhin bringen.“ (nach der Hs in der Kieler Landesbibliothek verbessert; vgl. bei H. Meyer, S. 377). Storm hat dann in der Buchausgabe (Berlin: Paetel 1888) tatsächlich auf den beiden Seiten, die der Widmung folgen, solche Worterklärungen hinzugefügt, unter der Überschrift „Für binnenländische Leser“ (K 8,289).

11 Storms Tochter Elsabe hatte auf der Rückreise nach Weimar, wo sie ihr Musikstudium fortsetzen wollte, offenbar E. Schmidt in Berlin aufgesucht.

12 Freund Schleiden: vgl. Anm. 77,5.

13 Johannes Wedde: Theodor Storm. Einige Züge zu seinem Bilde, Hamburg: Herm. Grüning 1888. Johannes Wedde (1843—1890) weist in seiner Schrift auf das „demokratische Volksverständnis“ in Storms Dichtung hin (S. 30). „Das glänzendste Zeugnis“ „für sein wirkliches Volksverständnis“ findet Wedde in den Novellen „Bötjer Basch“ und „Ein Doppelgänger“ (S. 26). Vgl. dazu F. Tönnies: „Wenn ich nicht irre, hatte der Verfasser sich in einem Begleitschreiben als Sozialdemokrat vorgestellt, was Storm lebhaft interessierte...“ (in: Th. Storm, Gedenkblätter, Berlin: Curtius 1917, S. 70).

14 Johannes Proelß (1853—1912), Feuilletonredakteur der Frankfurter Zeitung, hatte am 30. und 31. März 1888 in der Frankfurter Zeitung (im sog. Morgen- und Abendblatt) einen Aufsatz unter der Überschrift „Theodor Storm“ veröffentlicht. Da dieser — der Stormforschung bisher unbekannt gebliebene — Aufsatz in mehreren Fortsetzungen erschienen und schwierig zu beschaffen ist, verweisen wir auf die Fotokopien, die sich im Archiv der Storm-Gesellschaft in Husum befinden.

15 Es sind nur zwei Briefe und eine Briefkarte des Literarhistorikers Alfred Biese (1856—1930) an Storm erhalten (Hs: unveröffentlicht in der Landesbibliothek Kiel und im Archiv der Storm-Gesellschaft Husum); sie stammen aber aus den Jahren 1886 und 1887.

16 E. Schmidt hatte die Storm-Biographie (Theodor Storm. Sein Leben und seine Dichtung. Festgabe zum 70. Geburtstag, Berlin: Paetel 1887) des verstorbenen Literarhistorikers Paul Schütze in der Deutschen Literaturzeitung vom 18. 2. 1888, S. 250 f. besprochen und mit dem Satz geschlossen: „Belehrt und gerührt legen wir das Buch aus der Hand, das als Scheidegruß jugendlicher Hingebung [Schütze war zwei Tage nach Storms 70. Geburtstag plötzlich verstorben] ein elegisches Ansehen trägt: ‚moriturus te

salutat'." (ein Todgeweihter grüßt dich; in Anlehnung an das Wort „morituri te salutant", mit dem die römischen Gladiatoren vor dem Kampf auf Leben und Tod den Kaiser grüßten: vgl. Sueton, in der Vita des Kaisers Claudius).

17 Storms zweitältester Sohn Ernst (1851—1913), der sich 1887 in Husum als Rechtsanwalt und Notar niedergelassen hatte.

18 Johann Casimir Storm (1865—1918), Sohn von Storms Bruder Dr. Aemil Storm (1833—1897) und seiner Frau Charlotte, geb. Esmarch (1834—1910); später Geheimer Baurat.

19 Bruder Doctor: Dr. Aemil Storm (1833—1897), des Dichters jüngster Bruder, Arzt in Husum; Bruder Johannes: Johannes Storm (1824—1906), Bruder des Dichters, der in Hademarschen eine Holzhandlung und ein Sägewerk betrieb.

20 Dodo: Friederike Storm (1868—1939), des Dichters jüngste Tochter.

(Zu 146) Erstdruck nach dem Original im Schiller-Nationalmuseum, Marbach.

1 Gemeint ist eine Fehlgeburt.

2 Theodor Storms Tochter Elsabe (Ebbe) studierte noch bis 1889 in Weimar Musik.

(Zu 147) Erstdruck nach dem Original im Schiller-Nationalmuseum, Marbach.

1 Dies ist der erste Brief, den Dorothea Storm nach dem Tode des Dichters an E. Schmidt richtete. Es sind noch weitere 6 Briefe aus den Jahren 1889, 1890, 1891 und 1902 erhalten; sie werden im Deutschen Literaturarchiv/Schiller-Nationalmuseum in Marbach aufbewahrt.

2 Theodor Storm starb am Mittwoch, dem 4. Juli 1888, zwischen 16 und 17 Uhr.

3 Vgl. den Brief Friederike Storms an Franzos vom 27. 7. 88 (in: Schriften der Th. Storm-Gesellschaft 18/1969, S. 35).

4 „Nun heißts weiterleben": diese Worte Dorothea Storms erinnern an die Worte, die der Dichter nach dem Tode seiner ersten Frau Constanze schrieb: „Begrabe nur dein Liebstes! Dennoch gilt's / Nun weiterleben, . . ." (K 1,111; Gd 1,190).

Zur Textherstellung

Die Texte gehen im allgemeinen auf die Originalhandschriften zurück. In den wenigen Fällen, in denen das nicht möglich war, wird darauf ausdrücklich verwiesen. Die Originale werden wortwörtlich und buchstabengetreu wiedergegeben. Die Wörter, deren Schreibung der Herausgeber ändern mußte (um Mißverständnissen zu begegnen), sind durch hochgestelltes a) bis d) gekennzeichnet; die handschriftliche Fassung steht dann jeweils unter dem Text. Unterstrichene Wörter werden kursiv wiedergegeben. Spitze Klammern ⟨...⟩ kennzeichnen Textergänzungen, eckige Klammern [...] Zusätze bzw. Erläuterungen des Herausgebers. In den Texten, die in den Anmerkungen zitiert werden, wird auf Kürzungen der Einfachheit halber nur mit drei Punkten ... hingewiesen.

Abkürzungs- und Literaturverzeichnis

A D B	Allgemeine Deutsche Biographie, Leipzig 1875 ff.
Kosch	W. Kosch: Deutsches Literatur-Lexikon, Biographisches und bibliographisches Handbuch, 4 Bände, Bern: Francke, 2. Aufl., 1949—1958.
Kosch, Theaterlexikon	W. Kosch, Deutsches Theaterlexikon, Klagenfurt/Wien: Kleinmayr Verlag, Bd. I/II, 1953/1960.
Thieme-Becker	Allgemeines Lexikon der bildenden Künstler von der Antike bis zur Gegenwart, begr. von U. Thieme und F. Becker, Leipzig 1907 ff.
Deutsche Rundschau	Deutsche Rundschau, Berlin: Paetel 1874 ff.
Westermanns Monatshefte	Westermanns illustrierte deutsche Monats-Hefte für das gesammte geistige Leben der Gegenwart, Braunschweig 1856 ff.
K	Theodor Storms sämtliche Werke in acht Bänden, hrsg. von A. Köster, Leipzig: Inselverlag 1919 ff. (zitiert: K 1,150 = 1. Bd., S. 150).
Gd	Theodor Storms sämtliche Werke, 4 Bände, hrsg. von P. Goldammer, Berlin/Weimar: Aufbauverlag, 2. Aufl., 1967 (zitiert: Gd 1,50 = 1. Bd., S. 50).
Charakteristiken I	E. Schmidt, Charakteristiken, Berlin: Weidmann 1886.
Charakteristiken II	E. Schmidt, Charakteristiken, zweite Reihe, Berlin: Weidmann 2. verm. Aufl. 1912.

Auf folgende Briefausgaben wird verkürzt, d. h. durch Angabe der Briefschreiber und Adressaten, der Herausgeber und der Seitenzahl, hingewiesen:

Th. Storm, Briefe in die Heimat (an die *Eltern*), hrsg. von Gertrud Storm, Berlin: Curtius 1907.

Theodor Storm, Briefe an seine *Frau*, hrsg. von Gertrud Storm, Braunschweig: Westermann 1915.

Theodor Storm, Briefe an seine Kinder (an *Hans, Ernst, Karl, Lisbeth, Lucie, Elsabe, Gertrud, Dodo*), hrsg. von Gertrud Storm, Braunschweig: Westermann 1916.

Theodor Storm, Briefe an seine Freunde (an *Brinkmann* und *Petersen*), hrsg. von Gertrud Storm, Braunschweig: Westermann 1917.

Theodor Storm und *Ferdinand Tönnies*, hrsg. von Heinrich Meyer, in: Monatshefte für Deutschen Unterricht 32, Madison/Wisconsin, Dez. 1940, S. 355—380.

Blätter der Freundschaft. Aus dem Briefwechsel zwischen Theodor Storm und *Ludwig Pietsch*, hrsg. von V. Pauls, Heide: Boyens, 2. Aufl. 1943.

Wilhelm Scherer — Erich Schmidt, Briefwechsel, hrsg. von W. Richter und E. Lämmert, Berlin: E. Schmidt Verlag 1963.

Theodor Storms Briefwechsel mit *Theodor Mommsen,* hrsg. von H. E. Teitge, Weimar: Böhlau 1966.

Der Briefwechsel zwischen Th. Storm und *G. Keller,* hrsg. von P. Goldammer, Berlin/Weimar: Aufbau-Verlag, 2. Aufl., 1967.

Theodor Storm — *Paul Heyse,* Briefwechsel, Kritische Ausgabe, hrsg. von Cl. A. Bernd, Berlin: E. Schmidt Verlag, I. Bd. 1969, II. Bd. 1970, III. Bd. 1974.

Die übrige Literatur wird bibliographisch vollständig zitiert.

Außer den einfachen, allgemein gebräuchlichen Abkürzungen werden folgende Abkürzungen benutzt und bleiben auch, wenn sie in den Brieftexten vorkommen, ohne Erläuterung:

Hs:	Handschrift
hs.:	handschriftlich
Exl.:	Exemplar
dgl.:	desgleichen, dergleichen
dß:	daß
sog.:	sogenannte
qu.:	quästioniert (neu-lat., bes. von Juristen gebraucht als: fraglich, in Rede stehend)
r:	Reichstaler
M:	Mark
Pf:	₰ = Pfennig
d. M.:	dieses Monats
fl:	Gulden (Silbergulden)
℔:	Pfund

Personenregister

zu den Bänden I—II

Werkregister
zu den Bänden I—II